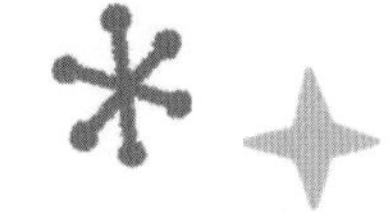

保育士

完全合格

問題集

2025年版

保育士試験対策委員会 著

EXAMPRESS

SE SHOEISHA

【保育士試験】基礎知識のまとめ

ここでは、知っておくと便利な基礎知識をまとめています。国内、海外の保育の歴史や、統計データ等をおさえておくことが筆記試験合格への近道です！

● 保育の歴史

法律名や人物の業績については複数の科目で幅広く問われます。また、出来事の年度の順番を問う問題も出題されていますから、しっかりと整理しておきましょう。

○ 日本における保育・福祉の歴史

年度	事項
1710年	・貝原益軒が『和俗童子訓』を記す
1805年	・広瀬淡窓が咸宜園を開く
1838年	・緒方洪庵が適々斎塾（適塾）を開く
1856年	・吉田松陰が松下村塾を開く
1874（明治７）年	・恤救規則（日本初の福祉の法律とされている）
1876（明治9）年	・東京女子師範学校附属幼稚園が設立される
1880（明治13）年	・愛珠幼稚園が大阪に設立される
1887（明治20）年	・石井十次が岡山孤児院を設立
1889（明治22）年	・アメリカ人宣教師ハウが頌栄幼稚園を設立
1890（明治23）年	・赤沢鍾美が新潟静修学校を設立
1891（明治24）年	・石井亮一が滝乃川学園を設立
1899（明治32）年	・留岡幸助が東京の巣鴨に家庭学校を設立 ・幼稚園保育及設備規程
1900（明治33）年	・野口幽香・森島峰が二葉幼稚園を設立
1909（明治42）年	・石井十次が愛染橋保育所を設立
1916（大正５）年	・二葉幼稚園が二葉保育園へ名称を変更する
1918（大正7）年	・鈴木三重吉が『赤い鳥』を刊行
1926（大正15）年	・幼稚園令
1946（昭和21）年	・日本国憲法の公布 ・糸賀一雄が近江学園を設立
1947（昭和22）年	・児童福祉法 ・教育基本法 ・学校教育法
1948（昭和23）年	・保育要領 ・児童福祉施設の設備及び運営に関する基準が厚生労働省令として制定 ・民生委員法 ・里親等家庭養育運営要綱
1949（昭和24）年	・身体障害者福祉法
1950（昭和25）年	・新生活保護法
1951（昭和26）年	・児童憲章
1958（昭和33）年	・国民健康保険法
1960（昭和35）年	・精神薄弱者福祉法（現在の知的障害者福祉法）
1961（昭和36）年	・児童扶養手当法
1963（昭和38）年	・老人福祉法 ・糸賀一雄がびわこ学園を設立
1964（昭和39）年	・母子福祉法（現在の母子及び父子並びに寡婦福祉法） ・特別児童扶養手当法等の支給に関する法律
1965（昭和40）年	・保育所保育指針が作成される（６領域の保育内容が示される） ・母子保健法
1970（昭和45）年	・障害者基本法
1971（昭和46）年	・児童手当法
1983（昭和58）年	・少年による刑法犯の検挙数が戦後最高となる（約32万人）

年度	事項
1990（平成２）年	・福祉関係八法改正（老人福祉法等の一部を改正する法律） ・保育所保育指針改定（５領域の保育内容が示される）
1994（平成６）年	・児童の権利に関する条約（日本が批准） ・エンゼルプラン（少子化対策のための子育て支援策）
1999（平成11）年	・新エンゼルプラン
2000（平成12）年	・健康日本21が開始される ・児童虐待の防止等に関する法律 ・食生活指針 ・保育所保育指針改定（乳幼児の最善の利益の考慮等が追加される）
2001（平成13）年	・配偶者からの暴力の防止及び被害者の保護等に関する法律
2002（平成14）年	・少子化対策プラスワン（父親の育児参加等への支援）
2003（平成15）年	・次世代育成支援対策推進法 ・保育士が名称独占の国家資格となる
2004（平成16）年	・発達障害者支援法 ・子ども・子育て応援プラン（チルドレン・ファーストの考え方）
2005（平成17）年	・食事バランスガイド
2006（平成18）年	・障害者自立支援法
2007（平成19）年	・放課後子ども教室推進事業（文部科学省の推進する事業）
2008（平成20）年	・保育所保育指針改定（法的拘束力を持った指針となる） ・ファミリーホームの開始
2010（平成22）年	・子ども・子育てビジョン ・児童福祉施設における食事の提供ガイド（厚生労働省が作成）
2011（平成23）年	・障害者基本法
2012（平成24）年	・障害者虐待防止法 ・子ども・子育て関連3法が施行される
2013（平成25）年	・障害者総合支援法（障害者自立支援法を改正）
2014（平成26）年	・放課後子ども総合プラン（厚生労働省と文部科学省の一体的な事業）
2015（平成27）年	・子ども・子育て支援新制度が本格的に開始
2016（平成28）年	・障害者差別解消法 ・児童福祉法改正（原理の明確化、児童相談所の体制強化など）
2017（平成29）年	・保育所保育指針改定（平成30年４月施行） ・幼稚園教育要領改定（平成30年４月施行）
2019（令和元）年	・児童虐待の防止等に関する法律、児童福祉法の改正（保護者がしつけに際して体罰を加えることを禁止など）
2022（令和４）年	・こども家庭庁設置法（令和５年４月施行） ・こども基本法（令和５年４月施行） ・こども大綱 ・こども未来戦略 ・困難な問題を抱える女性への支援に関する法律（女性支援新法、令和5年4月施行）

● 児童福祉法における用語と年齢の定義

用語	定義
児童	**満18歳**に満たない者
乳児	**満１歳**に満たない者
幼児	**満１歳から小学校就学の始期**に達するまでの者
少年	**小学校就学の始期から満18歳**に達するまでの者
障害児	身体に障害のある児童または知的障害のある児童
妊産婦	妊娠中または出産後１年以内の女子
保護者	**親権を行う者**、未成年後見人その他の者で、**児童を現に監護する者**

障害児の福祉サービス利用と年齢

障害児の場合にはさまざまな福祉サービス利用の対象となる年齢は20歳未満（特別児童扶養手当法）となっています。

● 試験によく出る人名のまとめ

日本の人物

人名	業績
赤沢鍾美	新潟静修学校を設立すると同時に、子どもの保育を行うために常設託児所を開設した
石井十次	無制限主義を掲げ、日本初の児童養護施設「岡山孤児院」を創設した
石井亮一	知的障害児の養護と教育を行う「滝乃川学園」を創設した
留岡幸助	非行少年保護のため東京の巣鴨に家庭学校を設立した
野口幽香	貧しい家庭に向けて、四ツ谷に二葉幼稚園を開設した
高木憲次	整肢療護園を設立した。「療育」という言葉を作り出した
糸賀一雄	「近江学園」「びわこ学園」を設立。「この子らを世の光に」という言葉を残した
貝原益軒	江戸時代の儒学者で、特に『和俗童子訓』は日本最初の体系的な児童教育書とされている
片山潜	1897(明治30)年にセツルメントハウスであるキングスレー館を設立した
鈴木三重吉	唱歌を批判し、赤い鳥童謡運動を行った。雑誌『赤い鳥』を創刊した
倉橋惣三	「保育要領」作成にかかわった
松野クララ	東京女子師範学校附属幼稚園で保母の指導にあたり、フレーベルの理論を伝えた
東基吉	フレーベルの『人間の教育』等に基づいて、日本の恩物教育を批判した
橋詰良一	1922(大正11)年、大阪に「家なき幼稚園」を開設した
和田実	女子高等師範学校に勤務後、目白に幼稚園を創立し保母養成所を経営した

海外の人物

人名	業績
フレーベル	ドイツの教育家。著書『人間の教育』。世界最初の幼稚園設立。教育玩具を創作し恩物と名づけた
コメニウス	現在のチェコに生まれ、『大教授学』や『世界図絵』などを著した
コルチャック	ポーランドの医者。ユダヤ人の孤児院運営で、「児童の権利条約」に影響を与えた人物
シュタイナー	シュタイナー教育の創設者。ドイツに「自由ヴァルドルフ学校」を創設した
デューイ	哲学者、教育学者。経験主義、実験主義を教育の基本原理と考えた
ソクラテス	古代ギリシャの哲学者。自分が無知であることを自覚する「無知の知」を唱えた
ピアジェ	スイスの発達心理学者。知能の発達を4つに分ける発達段階説を唱えた
ペスタロッチ	スイスの教育家。『隠者の夕暮』を著した。ルソーの影響を受け、孤児・民衆教育の改善に貢献した
ボウルビィ	イギリスの児童精神科医。アタッチメント理論(愛着理論)を提唱した
モンテッソーリ	イタリアの医師。保育施設「子どもの家」で、教育法(モンテッソーリ教育)を完成させた
リッチモンド	ケースワーク論を確立し、ソーシャルワークの科学化を推進した
ルソー	スイス出身のフランスの啓蒙期の思想家。著書に『エミール』『人間不平等起源論』『社会契約論』等がある
ロック	イギリスの哲学者。経験が意識内容として観念を与えると考える白紙説を唱えた
ヴィゴツキー	旧ソビエト連邦の心理学者。教育を重視し、発達を社会的に共有された認知過程を内部化する過程と捉えた
ゲゼル	アメリカの心理学者。人間の発達は、生まれついた遺伝的なものが自律的に発現したものとする考えを唱えた
エレン・ケイ	スウェーデンの社会思想家。『児童の世紀』を著し、子どもが幸せに育つ社会の構築を主張した
オーウェン	イギリスの社会改革思想家。紡績工場支配人。児童労働に関する工場法を制定。性格形成新学院を開設した
エインズワース	アメリカの発達心理学者。母子関係に関する実験観察法であるストレンジ・シチュエーション法を開発した
J.アダムス	アメリカの社会事業家。シカゴに「ハルハウス」を設立。そこを中心にセツルメント運動を広めた
バーナード	イギリスに孤児院「バーナードホーム」創設。現在の小舎制につながる生活環境を整備した
アリス・ペティ・アダムス	アメリカ人宣教師。来日後は医療・社会福祉等に従事し、「岡山博愛会」を創設した
オーベルラン	牧師でありフランスに貧しい農家の幼児のための「幼児保護所」を創設した
エリクソン	発達心理学者。人生を8段階に区分し、それぞれの時期に発達課題があることを示した
パールマン	ケースワークの4つの構成要素として「4つのP(人、問題、場所、過程)」を示した
コノプカ	グループワークの基本原理14項目を提唱し、グループワークを「意図的なグループ経験を通じて、個人の社会的に機能する力を高め、また個人、集団、地域社会の諸問題に、より効果的に対処し得るよう、人びとを援助するものである」と定義した

● 児童福祉の理念

◯ 児童憲章：1951（昭和26）年制定

前文　・**児童は、人として尊ばれる。**
・**児童は、社会の一員として重んぜられる。**
・**児童は、よい環境のなかで育てられる。**

1　すべての児童は、心身ともに健やかにうまれ、育てられ、その生活を保障される。

2　すべての児童は、**家庭で、正しい愛情と知識と技術をもって育てられ、家庭に恵まれない児童には、これにかわる環境が与えられる。**

3　すべての児童は、適当な栄養と住居と被服が与えられ、また、疾病と災害からまもられる。（以下略）

◯ 児童の権利に関する宣言：1959（昭和34）年採択

前文抜粋

児童は、身体的及び精神的に未熟であるため、その出生の前後において、適当な法律上の保護を含めて、特別にこれを守り、かつ、世話することが必要である（中略）・・・・・・
人類は児童に対し、最善のものを与える義務を負うものである。

◯ 児童の権利に関する条約（通称：子どもの権利条約）：1989（平成元）年採択

第３条　児童の最善の利益（抜粋）

1　児童に関する**すべての措置**をとるに当たっては、公的若しくは私的な社会福祉施設、裁判所、行政当局又は立法機関のいずれによって行われるものであっても、**児童の最善の利益**が主として考慮されるものとする。

第12条　意見表明権（抜粋）

1　締約国は、**自己の意見を形成する**能力のある児童が**その児童に影響を及ぼすすべて**の事項について自由に**自己の意見を表明する権利**を確保する。この場合において、児童の意見は、その児童の**年齢**及び**成熟度**に従って相応に考慮されるものとする。

第13条　表現の自由（抜粋）

・児童は、**表現の自由についての権利**を有する。この権利には、口頭、手書き若しくは印刷、芸術の形態又は自ら選択する他の方法により、国境とのかかわりなく、あらゆる種類の情報及び考えを求め、受け及び伝える自由を含む。

◯ 児童福祉法：1947（昭和22）年制定、2016（平成28）年改正

第１章　総則（抜粋）

第１条　**全て**児童は、**児童の権利に関する条約**の精神にのつとり、適切に養育されること、その**生活を保障**されること、**愛され、保護**されること、その心身の健やかな成長及び発達並びにその**自立が図られる**ことその他の福祉を**等しく保障される**権利を有する。

第２条　**全て国民**は、児童が良好な環境において生まれ、かつ、社会のあらゆる分野において、児童の年齢及び発達の程度に応じて、その意見が**尊重**され、その**最善の利益**が優先して考慮され、心身ともに健やかに育成されるよう努めなければならない。

2　児童の保護者は、児童を心身ともに健やかに育成することについて**第一義的責任**を負う。

3　**国**及び**地方公共団体**は、児童の保護者とともに、児童を心身ともに健やかに**育成する責任**を負う。

◯ こども基本法：2022（令和４）年制定、2023（令和５）年施行

第１条　目的

この法律は、**日本国憲法**及び**児童の権利に関する条約**の精神にのっとり、次代の社会を担う全てのこどもが、生涯にわたる**人格形成**の基礎を築き、**自立した個人**としてひとしく健やかに成長することができ、心身の状況、**置かれている環境等**にかかわらず、その**権利の擁護**が図られ、将来にわたって幸福な生活を送ることができる社会の実現を目指して、**社会全体**としてこども施策に取り組むことができるよう、こども施策に関し、基本理念を定め、**国の責務等**を明らかにし、及びこども施策の基本となる事項を定めるとともに、**こども政策推進会議**を設置すること等により、こども施策を総合的に推進することを目的とする。

●少子化対策のこれまでの取り組み　内閣府

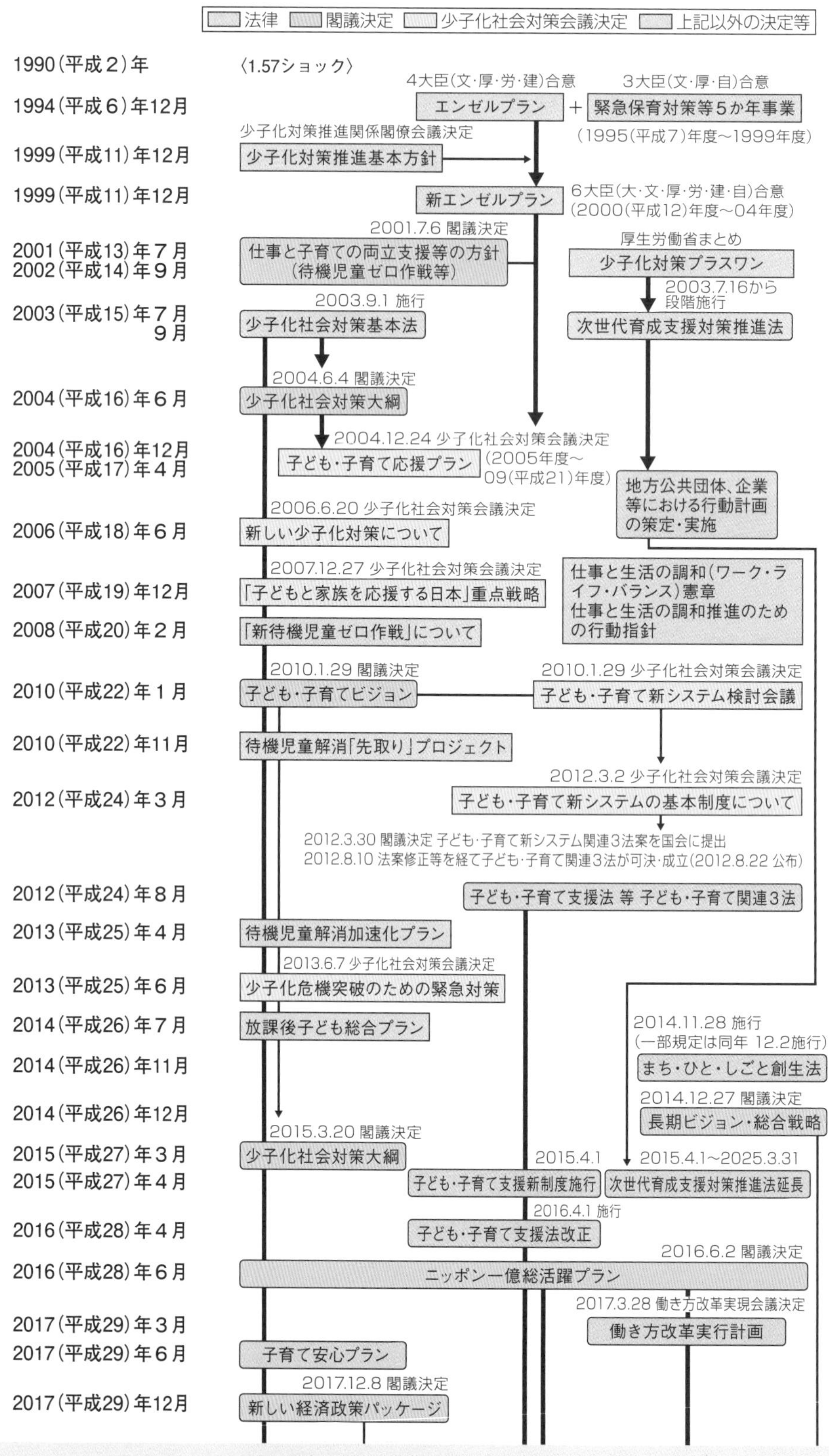

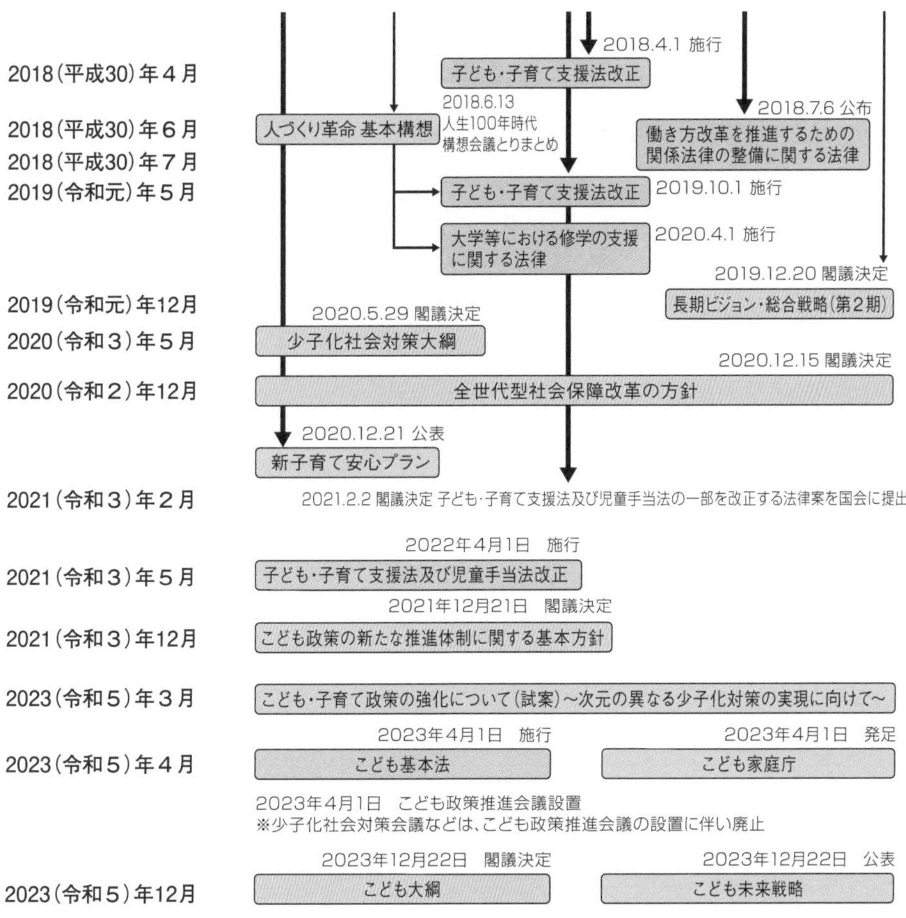

（出典：厚生労働省「令和３年版　少子化社会対策白書」をもとに編集部作成）

ブロンフェンブレンナーの生態学的システム

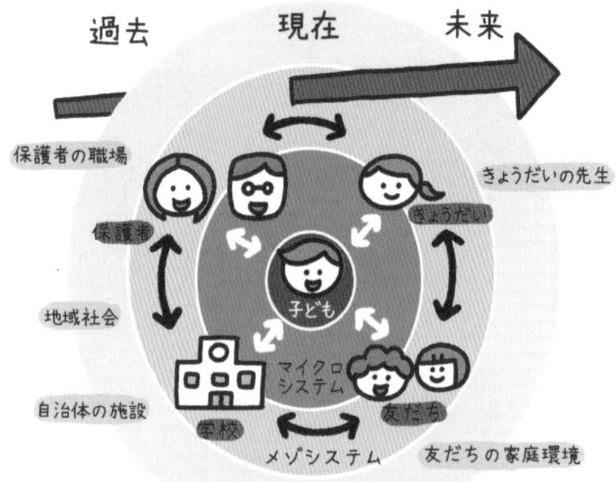

マイクロシステム
子どもと直接的に関わる環境
（家族、家庭、保育所、学校、など）

メゾシステム
マイクロシステムどうしの環境
（家庭と保育所のつながり、など）

エクソシステム
子どもに間接的に影響を与える環境
（保護者の職場環境、きょうだいの先生、など）

マクロシステム
社会環境
（文化、宗教、など）

ストレンジ・シチュエーション法

Aタイプ：回避型
母親との再会を喜ばず、愛着形成が不安定な状態。

Bタイプ：安定型
母親との分離で混乱し再開によって落ち着く愛着形成が安定している状態。

Cタイプ：アンビバレント型
母親との分離に混乱し、さらに再会した後も落ちつかず攻撃的になる愛着形成が不安定な状態。

● 日本の合計特殊出生率の変遷

出生率に関する出題は「子ども家庭福祉」や「子どもの保健」等の複数の科目で問われます。毎年更新されていますので日々のニュースでもチェックしておくようにしましょう。

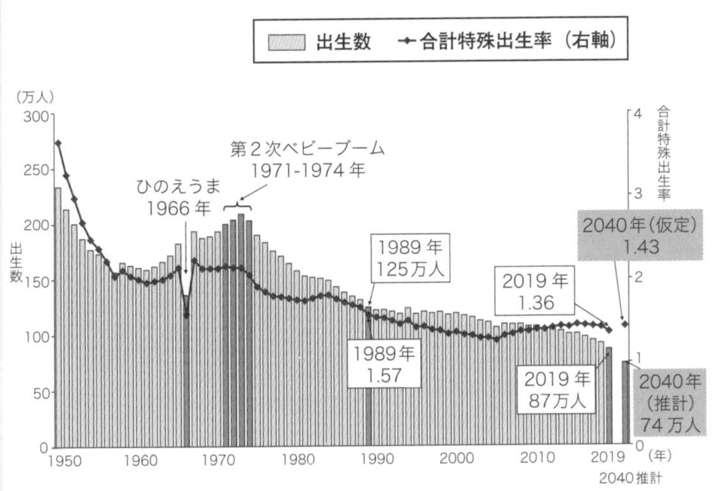

資料：2019 年までは厚生労働省政策統括官付参事官付人口動態・保健社会統計室「人口動態統計」（2019 年は概数）、2040 年の出生数は国立社会保障・人口問題研究所「日本の将来推計人口（平成 29 年推計）」における出生中位・死亡中位仮定による推計値。

なお、「令和５年（2023）人口動態統計月報年計（概数）の概況」では、合計特殊出生率**1.2**、出生数**72万7277人**と発表されている。

年度	出生率	出生数
2004（平成16）年	1.29	111万721人
2005（平成17）年	1.26	106万2,530人
（中略）		
2013（平成25）年	1.43	102万9,816人
2014（平成26）年	1.42	100万3,539人
2015（平成27）年	1.45	100万5,677人
2016（平成28）年	1.44	97万6,979人
2017（平成29）年	1.43	94万6,065人
2018（平成30）年	1.42	91万8,397人
2019（令和元）年	1.36	86万5,234人
2020（令和2）年	1.33	84万0,835人
2021（令和3）年	1.30	81万1,604人
2022（令和4）年	1.26	77万0,747人

（出典：厚生労働省ホームページより）

● 児童福祉の実施機関のまとめ

施設名（根拠法）	都道府県	指定都市	中核市	市（区）	町村
児童相談所（**児童福祉法**）	○	○	△	—	—
福祉事務所（**社会福祉法**）	○	○	○	○	△
保健所（**地域保健法**）	○	○	○	○※	—
市町村保健センター（**地域保健法**）	—	—	—	△	△

○：設置義務あり、△：任意で設置可能　※政令で定められた市または特別区では設置義務あり

● 里親制度（里親制度運営要綱による分類）児童福祉法第６条の４

対象	18歳未満の要保護児童（引き続き20歳まで可）
養育里親	要保護児童を養育する里親として認定を受けた者で、数か月以上数年間ないし長年にわたって里子を受託しケアする里親
専門里親	養育里親であって、**２年以内の**期間を定めて、児童虐待などによって心身に有害な影響を受けた児童、非行等の行動のあるもしくは恐れのある児童、障害のある児童に対し専門性を有していると認定された者が**２名**以内の里子を受託しケアする里親
養子縁組里親	養子縁組によって養親となることを希望し、里子を**養子**として養育する里親。なお、**里親手当**は支給されない
親族里親	要保護児童の三親等以内の親族が里親としての認定を受け養育する里親。この場合には「経済的に困窮していないこと」という里親の要件は適用されない。児童の養育費が支給される。なお、三親等以内でも**叔父伯母**には、養育里親制度を適用して里親手当が支給できる

児童家庭福祉にかかわる専門職・実施者と関連の資格

専門職名	主に従事する機関、施設など	資格名	内容
保育士	保育所など児童福祉施設（助産所以外）	**国家資格（名称独占）**	保育・保護者支援
保育教諭	**幼保連携型認定こども園**	保育士と幼稚園教諭免許（名称独占）	教育・保育 保護者支援
家庭的保育者	家庭的保育事業	自治体ごとの認定資格	保育
児童福祉司	児童相談所	任用資格	相談・指導
社会福祉士	児童相談所、福祉事務所、児童福祉施設等	国家資格（名称独占）	施設長 相談・指導・生活支援など
児童指導員	**ほとんどの児童福祉施設（保育所以外）**	任用資格	児童の生活支援・指導
児童自立支援専門員	**児童自立支援施設**	任用資格	生活学習支援、職業指導
児童生活支援員	**児童自立支援施設**	任用資格	生活支援、自立支援
母子、父子自立支援員	**福祉事務所**	特になし	母子家庭、寡婦などの相談・指導
家庭相談員	**家庭児童相談室**	任用資格	児童に関する相談・助言・指導
民生委員・児童委員・主任児童委員	連携機関は児童相談所、福祉事務所など	**厚生労働大臣の委嘱**	地域の子どもの見守り、子育て相談・助言など
家庭支援専門相談員	**児童養護施設**	任用資格	保護者支援、**子どもの早期家庭復帰支援**、退所後の相談支援
個別対応職員	児童福祉施設（保育所を除く）	特になし	**被虐待児童**への個別対応、支援、保護者援助
心理療法担当職員	乳児院、児童養護施設、母子生活支援施設	任用資格	被虐待児童へのカウンセリング、心理治療
母子支援員	母子生活支援施設	任用資格	母親への就労支援、子育て相談・援助
児童発達支援管理責任者	放課後等デイサービス事業所、障害児施設、児童発達支援センター	研修後の認定資格	児童の療育指導、保護者の相談対応

原始反射の種類

名称	反射の内容
探索反射	口唇や口角を刺激すると刺激の方向に口と頭を向ける
吸啜反射	口の中に指や乳首を入れると吸い付く
モロー反射	頭を急に落としたり、大きな音で驚かすと、両上下肢を開いて、抱きつくような動作を行う
把握反射	掌や足の裏を指で押すと握るような動作をする
自動歩行	新生児の脇の下を支えて足底を台につけると、下肢を交互に曲げ伸ばしして、歩行しているような動作をする
非対称性緊張性頸反射	あおむけに寝かせて頭を一方に向けると、向けた側の上下肢は伸展し、反対側の上下肢は屈曲する

粗大運動の発達時期

運動	時期※	運動の内容
首のすわり	4～5か月未満	仰向けにし、両手を持って、引き起こしたとき、首がついてくる。
寝返り	6～7か月未満	仰向けの状態から、自ら、うつぶせになることができる。
ひとりすわり	9～10か月未満	両手をつかず、支えなしで1分以上座ることができる。
はいはい	9～10か月未満	はって移動ができる。
つかまり立ち	11～12か月未満	物につかまって立つことができる。
ひとり歩き	1年3～4か月未満	立位の姿勢をとり、2～3歩歩くことができる。

※90%以上の乳幼児が可能になる時期（「平成22年乳幼児身体発育調査」より）

●乳幼児期の食べ方と食事の目安

○食べ方の目安

離乳初期 （生後5、6か月）	離乳中期 （生後7、8か月）	離乳後期 （生後9～11か月）	離乳完了期 （生後12～18か月）
・**子どもの様子を見ながら1日1回1さじずつ始める** ・母乳やミルクは飲みたいだけ与える	・**1日2回食**で、食事のリズムをつけていく ・いろいろな味や舌触りを楽しめるように食品の種類を増やしていく	・食事のリズムを大切に、**1日3回食に進めていく** ・共食を通じて食の楽しい体験を積み重ねる	・**1日3回の食事のリズムを整える** ・手づかみ食べにより自分で食べる楽しみを増やす

（出典：厚生労働省「授乳・離乳の支援ガイド」）

○食事の目安

		離乳初期 （生後5、6か月）	離乳中期 （生後7、8か月）	離乳後期 （生後9～11か月）	離乳完了期 （生後12～18か月）
調理形態		**なめらかにすりつぶした状態**	**舌でつぶせる固さ**	**歯ぐきでつぶせる固さ**	**歯ぐきで噛める固さ**
一回当たりの目安量	穀類	**つぶしがゆか**ら始める。すりつぶした野菜なども試してみる。慣れてきたら、つぶした豆腐・白身魚・卵黄等を試してみる	全粥50～80g	全粥90～軟飯80g	軟飯80～ご飯80g
	野菜・果物		20～30g	30～40g	40～50g
	魚 または肉 または豆腐または卵 または 乳製品		10～15g 10～15g 30～40g 卵黄1個～ **全卵**1/3個 50～70g	15g 15g 45g 全卵1/2個 80g	15～20g 15～20g 50～55g 全卵1/2～ 2/3個 100g

（出典：厚生労働省「授乳・離乳の支援ガイド」）

●幼児期の描画表現の発達過程

発達段階	別名	時期	描き方の特徴
なぐりがき期	**錯画期・ 乱画期**	1～2歳半	無意識の表現。むやみにこすりつけるようにして描く。手の運動の発達により、点、縦線、横線、波線、渦巻き円形など次第に描線が変わる。この描線のことを、**なぐりがき（スクリブル）**という
象徴期	**命名期・ 記号期・ 意味づけ期**	2～3歳半	渦巻きのように描いていた円から、**1つの円**を描けるようになる。描いたものに意味（名前）をつける
前図式期	**カタログ期**	3～5歳	そのものらしい形が現れる。人物でも木でも一定の図式で表現され、頭に浮かぶままに羅列的断片的な空間概念で描く。からだを描かず頭から直接手足が出る**頭足人**がみられる
図式期	**知的リアリズム期**	4～9歳	見えるものを描くのではなく、**知っていること**を描く（知的リアリズム）。次第にある目的を持って、あるいは実在のものとの関係において記憶を再生させ、**覚え書きのような図式**で表現する

● 図式期の描画の特徴

表現名	別名	描き方の特徴
並列表現		花や人物を基底線の上に並べたように描く
アニミズム表現	擬人化表現	動物や太陽、花などを**擬人化**し目や口を描く
レントゲン表現	透視表現	車の中や家の中など見えないものを**透けたように**描く
拡大表現		自分の興味・関心のあるものを**拡大**して描く
展開表現	転倒式描法	道をはさんだ両側の家が倒れたように描くなど、ものを**展開図のように**描く
積み上げ式表現		遠近の表現をうまくできないので、ものを上に**積み上げたように**描いて遠くを表す
視点移動表現	多視点表現	横から見たところと上から見たところなど、**多視点から見たものを一緒に**描く
異時同存表現		時間の経過に合わせて異なる時間の場面を一緒に描く

● 絵画遊びの技法

名称	別名	説明
デカルコマニー	合わせ絵	二つ折りした紙の片方の面においた色を折り合わせて写しとる技法
ドリッピング	たらし絵・吹き流し	紙の上に多めの水で溶いた水彩絵の具をたっぷり落とし、紙面を傾けてたらしたり、直接口やストローで吹いて流したりする技法
スパッタリング	飛び散らし	絵の具の付いたブラシで網をこすり、霧吹きのような効果を出す技法（ブラッシングともいう）や、絵の具の付いた筆自体を振って散らす技法
バチック	はじき絵	クレヨンで線や絵を描き、その上から多めの水で溶いた水彩絵の具で彩色して下のクレヨンの絵を浮き上がらせる技法
フロッタージュ	こすりだし	ものの表面の凹凸の上に紙を置いて鉛筆、コンテ、クレヨンなどでこすり、写しとる技法
スクラッチ	ひっかき絵	下地にクレヨンの明るい色を塗って、その上に暗い色（クレヨンの黒）を重ねて塗り、画面を釘などの先の尖ったものでひっかいて描いて下地の色を出す技法
コラージュ	貼り絵	紙や布などを使ってつくる貼り絵
フィンガーペインティング	指絵（ゆびえ）の具（ぐ）	できた絵を重要視するのではなく自由に感触を楽しんだり、指で絵の具をなすりつける行為そのものを楽しむ造形遊びのひとつ。子どもの心が開放される
マーブリング	墨流し	水の表面に作った色模様を紙に写しとる技法
ステンシル		下絵を切りぬいた版を作り、その版の孔（穴）の形に絵の具やインクをタンポなどを使って刷りこみ、紙に写しとる技法
スタンピング	型押し	ものに直接絵の具やインクをつけて、紙に押し当てて型を写しとる技法
折り染め		障子紙などコーティングされていない、色水を吸いやすい紙を折って色水につける技法。角を揃えて規則正しく山折り谷折りするときれいな模様になる。乾いた紙に色水をつけるとはっきりした模様になり、あらかじめ紙を湿らせておくとぼかしの効果が出る

●奏法に関する記号

記号	名称	意味
staccato (stacc.)	スタッカート	その音を短く切る
tenuto (ten.)	テヌート	その音の長さを十分に保って
> ∧	アクセント	その音を特に強く
𝄐	フェルマータ (fermata)	その音符や休符を程よくのばす
	タイ (tie)	同じ高さの２つの音符をつなぐ
	スラー (slur)	違う高さの２つ以上の音符をなめらかに
V	ブレス	息つぎのしるし
	前打音 アッポジャトゥーラ	音の前について軽くひっかけるように演奏する
tr	トリル	と演奏する （その音とその2度上の音を速く反復）
𝆮 ✻	ペダル	𝆮で右のペダルを踏む ✻で足を離す
gliss. *(glissando)*	グリッサンド	２音間を滑るように弾く
	アルペッジョ (arpeggio)	和音をずらして順に弾く 下から演奏 上から演奏
	ポルタメント (Portamento)	音をなめらかに移す

目次

本書の使い方

本書では、「科目別問題」として試験科目別によく出る問題を掲載しているほか、巻末には「2024（令和６）年前期試験」をまるまる一回分収録しています。

■ 科目別問題

主に2012（平成24）年～2023（令和５）年試験の過去問題からよく出る問題や、一度に多くの知識を学べる問題を選びました。本書の問題を解いてわからない箇所が出てきたら、福祉教科書シリーズ『保育士 完全合格テキスト 2025年版』上下巻を確認することで、より効果的な学習ができます。

●頻出度

過去問題を分析し、出題頻度の高い順に★★★，★★☆，★☆☆の３段階で示しています。

●出題年度

出題された年度・問題番号を示しています。

なお、旧保育所保育指針（2018年３月31日まで）に基づく出題については新しい保育所保育指針（2018年４月１日施行）の内容に合わせて改題しています。

また、古い法制度・統計データに基づく出題についても基本的に2024年６月現在の内容に合わせて改題しています。

Q 20 次の文は、高齢期に関する記述である。下線部（ａ）～（ｄ）に該当する用語を【語群】から選択した場合の正しい組み合わせを一つ選びなさい。

★☆☆

令和４年（前期）問９

高齢期には、（ａ）人が生きていくことそのものに関わる問題についての賢さ、聡明さといった人生上の問題に対して実践的に役立つ知識が増すことがある。そこでは、人間や社会についての豊富な知識に裏打ちされた柔軟で明確な見識を持ちあわせていることが条件になる。
また高齢期では、（ｂ）加齢による衰えがありつつも、歳をとってもこうでありたいという自分を保持しながら「上手に歳をとる」といった加齢への向き合い方が重要になる。
バルテス（Baltes, P.B.）らは、こうした加齢変化に伴い自分の行動を制御する方略についての理論を提唱した。具体的には、（ｃ）自分の生活をより安全にするために、加齢による機能低下を見越して運転免許証の返納を決断する、そして、（ｄ）車を運転しないことにより買い物が不自由になるため、宅配サービスを利用するというように、新たな生活スタイルを作り上げて最適化を図る。それによりこれまでとは変わらない行動が維持されていくのである。

【語群】

ア	センス・オブ・ワンダー	**オ**	補償
イ	ライフサイクル	**カ**	選択
ウ	喪失	**キ**	英知（wisdom）
エ	サクセスフル・エイジング	**ク**	転移

（組み合わせ）

	a	b	c	d
1	ア	イ	カ	ウ
2	エ	ア	ウ	ク
3	エ	イ	ク	オ
4	キ	エ	ウ	ク
5	キ	エ	カ	オ

Q 21 次の文は、アタッチメント（愛着）についての記述である。適切なものを○、不適切なものを×とした場合の正しい組み合わせを一つ選びなさい。

★★★

平成31年（前期）問８

Ａ アタッチメント（愛着）とは、自らが「安全であるという感覚」を確保しようとする個体の本性に基づいて、危機的状況あるいは潜在的な危機に備え、特定の対象への接近・接触を求め維持しようとする傾向と定義される。

Ｂ 愛着の個人差を測定するために、エインズワース（Ainsworth, M.D.S.）が考案したのがサークル・オブ・セキュリティ（安心感（安全感の環））であった。

Ｃ エインズワースによれば、養育者への子どものアタッチメント（愛着）は３つの型に分類される。Ａ型は抵抗（アンビバレント）型、Ｂ型は安定型、Ｃ型は回避型であった。

（組み合わせ）

	A	B	C
1	○	○	○
2	○	○	×
3	○	×	×
4	×	○	○
5	×	×	○

22

■ 2024（令和６）年前期試験

巻末に本試験問題をまるまる一回分収録しています。福祉教科書シリーズ『保育士 完全合格テキスト 2025年版』などで学習を開始している場合は、「科目別問題」の前に挑戦して自分の今の実力と苦手な箇所を把握してから、「科目別問題」で苦手な箇所を集中的に取り組むとよいでしょう。また、「科目別問題」を終えた後に、本番前の腕試しとして時間を計って挑戦することもできます。

1 保育の心理学

A 20 正解 5

a キ **英知（wisdom）**とは、高齢期になると人生経験を積むことで増える、生きていく問題についての賢さや実践的に役立つ知識をさす。

b エ **サクセスフル・エイジング**とは、高齢期（老年期）を充実したものにするためには、老いを自覚し、受容し、適応する過程が必要だという考え方。

c カ **選択**。バルテスの理論によると、選択には「自らによる選択」と「喪失による選択」があるが、加齢による変化の中で運転免許を返納して安全性を選択するのは後者に含まれる。

d オ **補償**。外部からの援助を受けることで喪失した資源を補うことを補償という。車の運転の代わりに宅配サービスを利用することは補償に含まれる。

A 21 正解 3

A ○ **アタッチメント（愛着）**の定義として正しい。実際に起こっている危機あるいは予想される危機に対して、安全基地としての対象に接近･接触することで安心する。**アタッチメント**の対象は特定の個人であることが多く、通常は親や保育者などである。

B × **エインズワース**（Ainsworth, M.D.S.）が考案した愛着を測定するための方法は**ストレンジ・シチュエーション法**である。サークル・オブ・セキュリティ（安心感（安全感）の環）は**アタッチメント（愛着）**を基盤とした健全な親子関係を育むための子育てプログラムであり、エインズワースが考案したものではない。

C × **エインズワース**（Ainsworth, M.D.S.）が**ストレンジ・シチュエーション法**で見いだした愛着の型は、A型が回避型、B型が安定型、C型が抵抗／葛藤（アンビバレント）型であり、A型、C型は愛着形成が不安定であるとされている。なお、後に別の研究者によって、反応に一貫性がみられないタイプが見出され、これをD型：無秩序型とする場合もある。

よく出るポイント ◆ **ボウルビィの愛着理論**

ボウルビィは非行少年の研究から、子どもは社会的、精神的発達を正常に行うために、少なくとも一定の養育者と親密な関係を維持しなければならず、それが欠如すると、社会的・心理的な問題を抱える可能性があるとする理論を打ち立てた。これが愛着理論といわれるもので、愛着の発達段階には第一段階（人物を特定しない働きかけ）、第二段階（差別的な社会的反応）、第三段階（真の愛着（アタッチメント）形成）、第四段階（目標修正的協調性）の四つがあるとした。四段階を経て、初めて特定の人物（特に母親など）がいなくても情緒的な安定を保ち、他者とも安定的な人間関係が築けるようになる。愛着の形成が阻害されている状態は、いわゆる母性剥奪（マターナル・デプリベーション）といわれ、虐待や育児放棄等で起こる。

23

● **正解**
各問題の答えを示しています。

● **赤シート**
○×や要点を赤シートで隠しながら確認できます。

● **「よく出るポイント」「加点のポイント」**
問題だけでは解説しきれなかった試験の頻出項目や、正解を導き、得点を確実なものにするために、暗記しておきたい事項や覚えるコツ等を説明しています。

資格・試験について

● 保育士について

○ 保育士とは

保育士とは、専門的知識と技術をもって子どもの保育を行うと同時に、子どもの保護者の育児の相談や援助を行うことを仕事としている人のことをいいます。保育士の資格は児童福祉法で定められた国家資格で、資格を持っていない人が保育士を名乗ることはできません。

女性が社会進出するのが当たり前になり、また子どもを育てる社会の支え合いの慣行がなくなってきつつある今日、保育の仕事は、その必要性が急速に高まっており、毎年数万人の人が資格を取得しています。また、保育所などで働いている保育士は約65.9万人にもなります。

○ 保育士の職場

保育の仕事の場は圧倒的に保育所が多いのですが、保育所は一律ではなく、大きく認可保育所と認可外保育所があります。認可保育所は現在、約2万4,000か所あります。認可保育所には公立と社会福祉法人立（私立）そして企業が経営しているものがあります。

また病院や種々の福祉関係の施設でも保育士が働いています。法的には保育の対象は18歳未満の子どもです。最近は保育ママとして家庭的な保育の場で働く人も増えています。また、幼保連携型の認定子ども園を増やしていくことが国の方針になっていますので、認定子ども園で保育士を募集するところが増える可能性があります。幼稚園教諭免許と併有が条件ですが、2015（平成27）年からの10年間は特例で保育士資格だけでも働けます。

● 保育士になるには

○ 保育士試験による資格取得

保育士の資格を手にするには2つの方法があります。ひとつは厚生労働大臣の指定する保育士を養成する学校（短大、大学など）やその他の施設（指定保育士養成施設）を卒業する方法です。もうひとつは保育士試験に合格する方法です。働いていたりすると前者は難しく、後者が有力な方法になります。2024（令和6）年は4月と10月に筆記試験の実施が予定されています。2025（令和7）年の実施予定については刊行時点では未定となっていますので、詳細は保育士養成協議会のホームページを確認してください。

地域限定保育士試験は保育士試験と同じ実施機関、同じレベルの試験ですが、資格取得後3年間は受験した自治体のみで働くことができ、4年目以降は全国で働くことができるようになる資格です。

○ 受験資格

保育士試験の受験資格は、受験しようとする人の最終学歴によって細かく規定されています。学歴だけでなく、年齢、職歴等も関係してきますので、受験しようとする人は全国保育士養成協議会のホームページをぜひ参照してください。

http://hoyokyo.or.jp/exam/

受験の際には、受験の申し込みをしなければなりません。受験申請書を取り寄せ、記入して郵送する必要がありますから、申請の締切日に注意してください。上記、保育士養成協議会のホームページを必ず参照してください。

● 試験の実施方法

○ 試験方法

試験は、筆記試験と実技試験があり、筆記試験に合格した人だけが実技試験を受けることができます。実技試験に合格すると保育士の資格を得ることができます。

○ 試験会場

保育士試験：47都道府県、全国に会場が設けられます。筆記試験、実技試験とも同一都道府県での受験となります。

地域限定保育士試験：実施する自治体のみに会場が設けられます。

○ 筆記試験の出題形式

従来は選択肢の中から正解を１つ選ぶ方式でしたが、2024（令和６）年後期試験からは、問題文で指示された正答数の数だけ選択肢の番号に対応するマークを塗りつぶす形式となる予定です。

○ 試験日と試験科目、問題数、試験時間

試験日	科目		試験時間
４月、10月の２日間	１）	保育の心理学	60分
	２）	保育原理	60分
	３）	子ども家庭福祉	60分
	４）	社会福祉	60分
	５）	教育原理	30分
	６）	社会的養護	30分
	７）	子どもの保健	60分
	８）	子どもの食と栄養	60分
	９）	保育実習理論	60分

実技試験 ※幼稚園教諭免許所有者を除く、**筆記試験全科目合格者のみ行います。**		
７月、12月	音楽に関する技術 造形に関する技術 言語に関する技術	(幼稚園教諭免許所有者以外は、受験申請時に**必ず２分野を選択**する)

※2025（令和７）年保育士試験の実施予定は未定（2024年６月時点）

○ 合格基準と配点

・合格基準

各科目において、満点の**６割以上**を得点した者が合格となります。

※幼稚園教諭免許所有者は、「保育の心理学」・「教育原理」・「実技試験」に加え、幼稚園等における実務経験により「保育実習理論」が試験免除科目になります。

※社会福祉士、介護福祉士、精神保健福祉士の資格所有者は、「社会的養護」「子ども家庭福祉」「社会福祉」が試験免除科目になります。

○ 過去の受験者数と合格者数

	平成31／令和元年	令和2年	令和3年	令和４年	令和５年
受験者数	7万7,076名	4万4,915名	8万3,175名	7万9,378名	6万6,625名
合格者数	1万8,330名	1万890名	1万6,600名	2万3,758名	1万7,955名
合格率	23.8%	24.2%	20.0%	29.9%	26.9%

※令和２年の前期試験については、新型コロナウイルス感染症の状況を踏まえ全都道府県において筆記試験が中止となったため、実技試験のみの実施状況となっています

解答方法の一部変更について

● 変更内容

令和６年（後期）筆記試験より、解答方法（マークシートの使用方法）が一部変更されました。これまでのマークシートから１つを選択して塗りつぶす形式から、**設問ごとに指示された数のマークシートを塗りつぶす形式**に変更されています。

各問題の正答数が**問題文中に指示されます**。問題文中に指示された正答数と**異なる数を解答すると不正解**になります。塗り残しが発生しないよう、注意して問題文を読むようにしましょう。

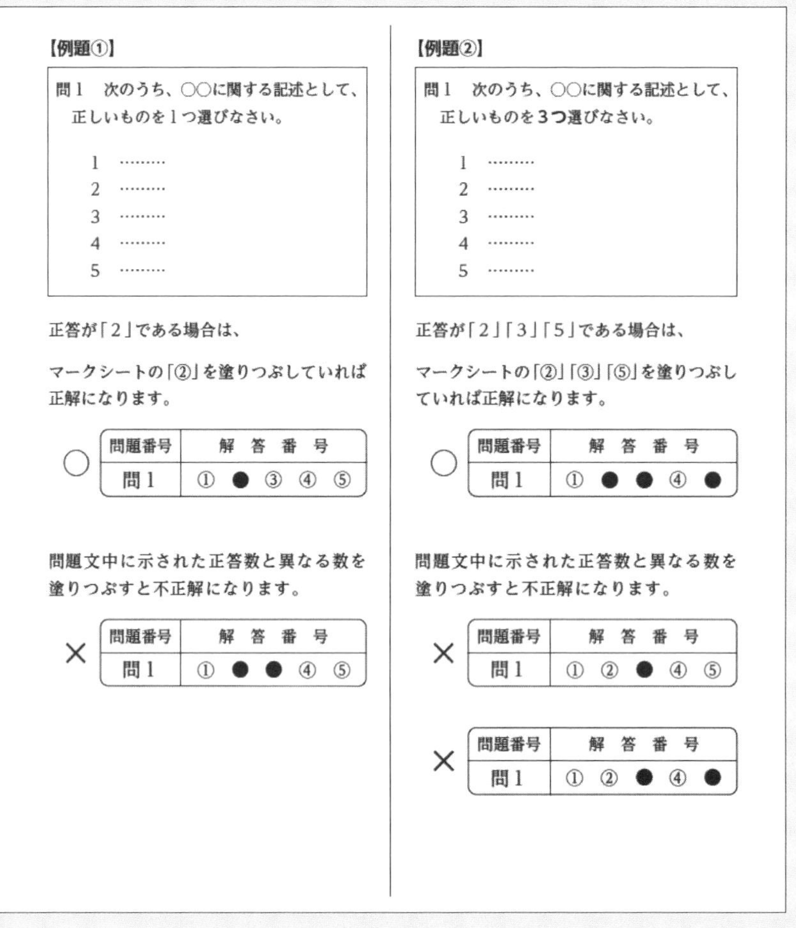

【例題①】

問１　次のうち、○○に関する記述として、正しいものを１つ選びなさい。

1 ………
2 ………
3 ………
4 ………
5 ………

正答が「２」である場合は、

マークシートの「②」を塗りつぶしていれば正解になります。

○

問題番号	解　答　番　号
問１	①　●　③　④　⑤

問題文中に示された正答数と異なる数を塗りつぶすと不正解になります。

×

問題番号	解　答　番　号
問１	①　●　●　④　⑤

【例題②】

問１　次のうち、○○に関する記述として、正しいものを**３つ**選びなさい。

1 ………
2 ………
3 ………
4 ………
5 ………

正答が「２」「３」「５」である場合は、

マークシートの「②」「③」「⑤」を塗りつぶしていれば正解になります。

○

問題番号	解　答　番　号
問１	①　●　●　④　●

問題文中に示された正答数と異なる数を塗りつぶすと不正解になります。

×

問題番号	解　答　番　号
問１	①　②　●　④　⑤

×

問題番号	解　答　番　号
問１	①　②　●　④　●

出典：一般社団法人全国保育士養成協議会公式サイト(https://www.hoyokyo.or.jp/exam/answer.html)

● 本書の対応

本書は過去問題をもとに制作されているため、掲載されている設問はいずれも令和６年（前期）以前の出題形式になっています。あらかじめご了承ください。

○ webアプリ

『保育士 完全合格問題集 2025年版』購入者限定で、本書の中から出題頻度の高い設問を抜粋したwebアプリ版をご利用いただけます。またwebアプリ版では、一部の設問を新しい出題形式に改訂しています。ご利用方法は554ページをご参照ください。

試験に合格したら読みたい「先輩が教えてくれる」シリーズ

保育の先輩たちが「新人のときにこれを教えてほしかった！」という仕事のコツを集めて、わかりやすく解説したシリーズです。

「現場で必要な保育の知識や実習経験がないから、働くのが不安……」という方に、ぜひ読んでほしい情報が詰まっています。

「保育技術のきほん」だけでなく、園長や先輩とのコミュニケーションの取り方、仕事の優先順位の付け方、そして、気分転換の方法までを紹介しています。

【主な内容】
- □ 保育現場の仕事の流れは？
- □ 保護者の顔を覚えるコツは？
- □ おたよりを書くポイントは？
- □ 仕事の優先順位の付け方は？
- □ 仕事を家に持ち帰らないためには？ など

連絡帳を上手に書くコツとともに、保護者に信頼される文章を書くための、“一生使えるきほん”が身につきます！

【主な内容】
- □ 保護者の信頼を得る！連絡帳10のルール
- □ 文章の「きほん」&時短テクニック
- □ 実例でわかる！難しい質問・要望への応え方
- □ 間違えると恥ずかしい！紛らわしい漢字・表現一覧
- □ 印象がガラっと変わる！ポジティブワード変換表
- □ これなら簡単！丁寧語、敬語変換表　など

実際の文例を使って、文章を書くときの注意点とコツをわかりやすく紹介しています！

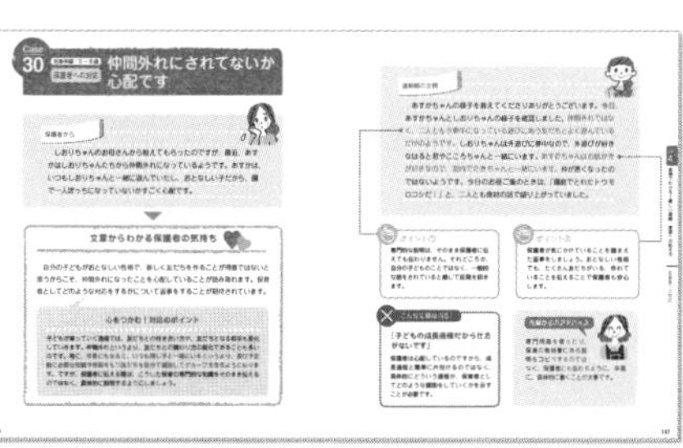

イラスト：うつみちはる

本書内容に関するお問い合わせについて

このたびは翔泳社の書籍をお買い上げいただき、誠にありがとうございます。弊社では、読者の皆様からのお問い合わせに適切に対応させていただくため、以下のガイドラインへのご協力をお願い致しております。下記項目をお読みいただき、手順に従ってお問い合わせください。

●ご質問される前に

弊社Webサイトの「正誤表」をご参照ください。これまでに判明した正誤や追加情報を掲載しています。

正誤表　https://www.shoeisha.co.jp/book/errata/

●ご質問方法

弊社Webサイトの「書籍に関するお問い合わせ」をご利用ください。

書籍に関するお問い合わせ　https://www.shoeisha.co.jp/book/qa/

インターネットをご利用でない場合は、FAXまたは郵便にて、下記“翔泳社 愛読者サービスセンター”までお問い合わせください。

電話でのご質問は、お受けしておりません。

●回答について

回答は、ご質問いただいた手段によってご返事申し上げます。ご質問の内容によっては、回答に数日ないしはそれ以上の期間を要する場合があります。

●ご質問に際してのご注意

本書の対象を超えるもの、記述個所を特定されないもの、また読者固有の環境に起因するご質問等にはお答えできませんので、あらかじめご了承ください。

●郵便物送付先およびFAX番号

送付先住所　〒160-0006　東京都新宿区舟町5
FAX番号　03-5362-3818
宛先　（株）翔泳社 愛読者サービスセンター

●免責事項

※ 著者および出版社は、本書の使用による保育士試験の合格を保証するものではありません。
※ 本書の記載内容は、2024年6月現在の法令等に基づいています。
※ 本書の出版にあたっては正確な記述に努めましたが、著者および出版社のいずれも、本書の内容に対してなんらかの保証をするものではありません。
※ 本書に記載されたURL等は予告なく変更される場合があります。

1

保育の心理学

アクセスキー　P

（大文字のピー）

1章 保育の心理学

①保育の心理学ー発達を捉える視点

Q 01

★★★

次の文は、ブロンフェンブレンナー（Bronfenbrenner, U.）の生態学的システム論に関する記述である。A～Dの記述に該当する用語を【語群】から選択した場合の正しい組み合わせを一つ選びなさい。 令和3年（前期）問17

A 子どもが直接所属している家庭、保育所、幼稚園などをいう。

B 子どもが属している家庭と保育所の関係、あるいは家庭と地域の関係などをいう。

C 親の職業や社会福祉サービスなどをいう。

D 日本文化や制度、法律、宗教などをいう。

【語群】

ア クロノシステム　**エ** マイクロシステム
イ メゾシステム　**オ** エクソシステム
ウ マクロシステム

（組み合わせ）

	A	B	C	D
1	ア	イ	オ	ウ
2	イ	ア	エ	オ
3	イ	オ	ウ	ア
4	エ	イ	オ	ウ
5	エ	ウ	ア	イ

Q 02

次のうち、「ある行動や能力の発現には、その特質がもつ遺伝的なものと環境の最適さが関係する」という記述に関する用語として、適切なものを一つ選びなさい。 令和4年（後期）問2

1 環境閾値説
2 輻輳説
3 遺伝説（生得説）
4 生態学的システム論
5 環境説（経験説）

A 01

正解 4

A エ **マイクロシステム**とは、子どもが直接所属している家庭、保育所、幼稚園などをいう。

B イ **メゾシステム**とは、子どもが属している家庭と保育所の関係、あるいは家庭と地域の関係などをいう。

C オ **エクソシステム**とは、子どもに間接的に影響を与える親の職業や社会福祉サービスなどの環境をいう。

D ウ **マクロシステム**とは、日本文化や制度、法律、宗教などの社会環境をいう。

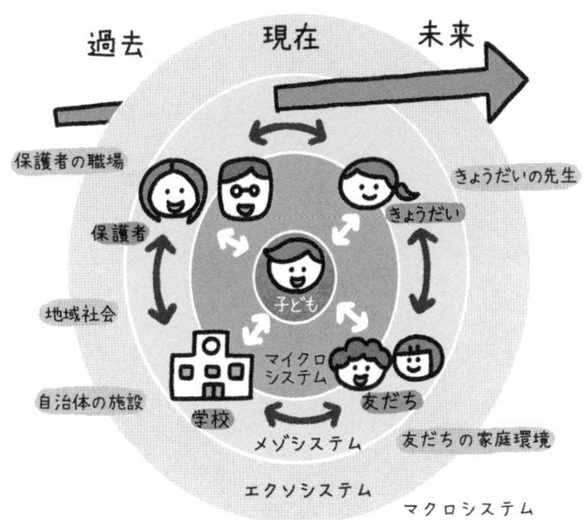

マイクロシステム
子どもと直接的に関わる環境
（家族、家庭、保育所、学校、など）

メゾシステム
マイクロシステムどうしの環境
（家庭と保育所のつながり、など）

エクソシステム
子どもに間接的に影響を与える環境
（保護者の職場環境、きょうだいの先生、など）

マクロシステム
社会環境
（文化、宗教、など）

A 02

正解 1

1 ○ **環境閾値説**とは、遺伝的要因と環境的要因が相互に影響し合うとする相互作用説の一つ。環境が相当悪くても遺伝的に持っているものが比較的そのまま発現しやすい資質（身長など）と、環境が十分整って初めて生まれ持っているものが発現する遺伝的資質（絶対音感など）があるとするなど、資質の種類によって、遺伝要因と環境要因が与える影響が異なると考える理論である。ジェンセン（Jensen, A.R.）によって提唱された。

2 × **輻輳説**とは、シュテルン（Stern, W.）によって提唱されたもので、遺伝的要因と環境的要因が加算的に発達に影響するという考え方である。

3 × **遺伝説（生得説）**とは、成熟という様式によって遺伝的要因が発達的変化をもたらすという考え方である。遺伝説は、家計調査法、双生児法、動物実験によって支持されている。ゲゼル（Gesell, A.L.）の**成熟優位説**などが含まれる。

4 × **生態学的システム論**。ブロンフェンブレンナー（Bronfenbrenner, U.）は、人間の特性をその生活様式や行動、環境との相互作用から明らかにしようとする生態学の立場から、生態学的モデルを提唱した。

5 × **環境説（経験説）**とは、人間の発達は環境の影響を強く受けながら徐々に形成されるとする考え方で、後天的な学習を強調する立場である。ワトソン（Watson, J.B.）などが有名である。

次の記述に該当する理論として正しいものを一つ選びなさい。

令和元年（後期）問4

ギブソン（Gibson, J.J.）が提唱した知覚理論であるが、より発展的に生態学的な立場から知覚の機能を論じている。それによれば、人は環境内にある情報を知覚し、それによって行動を調整していると考えている。例えば、いつも入り口が開いている部屋で保育をしていると、室外に出て行く子どもがみられるが、入り口を閉めておくと、室外へ出ていくことが少なくなる。このような子どもの行動は、環境によって適応的なものとなっている。

1 アニミズム論
2 生態学的システム論
3 自己実現論
4 アフォーダンス論
5 発生的認識論

②保育の心理学ー子どもの発達過程

次の文は、社会的認知の発達に関する記述である。（ A ）～（ D ）にあてはまる用語を【語群】から選択した場合の最も適切な組み合わせを一つ選びなさい。

令和4年（後期）問3

人は行動の背後に心の状態があると想像する。例えば、物に手を伸ばしている人を見ると、その人は物を取ろうとしていると解釈する。そのような人の心に関する日常的で常識的な知識をハイダー（Heider, F.）は（ A ）と呼んだ。他人の心の働きを理解し、それに基づいて他人の行動を予測することができるかどうかについて、心理学の領域では（ B ）の問題として研究されてきた。（ B ）は（ C ）と呼ばれる次に示すような方法で評価される。

【状況説明】

Sちゃんは、母親に頼まれ、チョコレートを緑の棚にしまいました。Sちゃんが遊びに行っている間、母親はお菓子作りのためにチョコレートを取り出し、それを緑の棚ではなく青の棚にしまいました。母親が部屋を出た後にSちゃんが帰ってきて、しまっておいたチョコレートを食べようとしました。

【質問】

Sちゃんはチョコレートを見つけるためにどこを探すでしょうか。

このような場所置き換え型の問題は単一の人物の（ D ）を問うものであり、4歳以降徐々に理解が進む。

【語群】

ア	人間心理学	**オ**	コミュニケーション
イ	思考	**カ**	誤信念課題
ウ	コミック会話	**キ**	心の理論
エ	信念	**ク**	素朴心理学

（組み合わせ）

	A	B	C	D
1	ア	オ	ウ	イ
2	ア	キ	カ	エ
3	ク	オ	ウ	イ
4	ク	オ	カ	イ
5	ク	キ	カ	エ

A 03

正解 4

1 × アニミズム論は、無生物にも人間と同じように生命があるという幼児期の思考の特徴を論じた、**ピアジェ**の理論である。

2 × 生態学的システム論は、**ブロンフェンブレンナー**の理論である。人を取り巻く環境を重層的にとらえた理論であり、そうした環境には、**マイクロシステム**（家族や学校など直接関係するもの）、**マクロシステム**（文化などの社会環境）、**クロノシステム**（時間の影響・**経過**）などがある。

3 × 自己実現論は、**マズロー**の理論である。なお、この理論は、欲求５段階説ともいわれ、自己実現欲求は**最も高次**の欲求にあたる。

4 ○ アフォーダンス論は、**ギブソン**が提唱した知覚理論である。

5 × 発生的認識論は、**ピアジェ**の理論である。この理論では、子どもの発達の過程を**感覚運動期**（０～２歳頃）、**前操作期**（２～７歳頃）、**具体的操作期**（７～12歳頃）、**形式的操作期**（12歳以降）の４つに分類している。

A 04

正解 5

A ク **素朴心理学**とは、人は行動の背後に心の状態があると想像するなど、人の心に関する日常的で常識的な知識のことである。

B キ **心の理論**とは、他者の心の動きを類推したり、他者が自分とは違う信念を持っているということを理解したりする機能のことである。

C カ **誤信念課題**とは、心の理論が確立しているかどうかを調べるテストのこと。問題文の方法は、サリーとアン課題という代表的なテストである。

D エ **信念**とは、自分が正しいと思っている物の見方や考え方のことである。ポジティブな信念もあればネガティブな信念もある。

次の文は、子どもの言語発達に関する記述である。適切なものを○、不適切なものを×とした場合の正しい組み合わせを一つ選びなさい。

令和3年(前期) 問3

A 子どもは、時には「ワンワン」を犬だけでなく、ねこ、うま、うし、などのあらゆる四つ足動物に使ったり、大人の男性を「パパ」といったりするように、語を大人の語の適用範囲よりも広く使う。これを語の過大般用／語彙拡張(over-extention)という。

B 子どもは、時には自分のコップだけを「コップ」というなど、特定の文脈だけに限定された語の使用をする。これを語の過小般用／語彙縮小(over-restriction)という。

C 子どもが早期に獲得する語彙50語の中では、人や物のような目に見える具体物を表す名詞よりも、動きを表す動詞の方が獲得しやすい。

D 語彙爆発／語彙噴出(vocabulary spurt)とは、これまで少しずつ増えていた子どもの語彙が、ある時期に急増する現象をいう。

(組み合わせ)

	A	B	C	D
1	○	○	○	○
2	○	○	×	○
3	○	×	○	○
4	×	○	○	○
5	×	○	○	×

次の文は、乳幼児期の言葉の発達に関する記述である。下線部分の心理学用語が正しいものを○、誤ったものを×とした場合の正しい組み合わせを一つ選びなさい。

平成30年(後期) 問2

A 機嫌のよいときに、喉の奥からやわらかい声を出すようになる。これを<u>喃語</u>という。大人に比べて喉は狭く舌を動かす範囲も狭いので、言葉を話すためには、喉や口腔機能などの発達も必要である。

B 1歳半を過ぎ、自発的に表現できる単語数が50語を超えた頃に、急激に語彙が増える。これを<u>語彙般化</u>という。

C 「ママ」は単語であるが、発話場面では状況に応じて「ママがいない」「ママのくつだ」のように、文と同じように様々な意味を相手に伝えている。これを<u>一語文</u>という。

D 1歳頃、<u>初語</u>という意味のある言葉を話し始める。これらは「マンマ」「ブーブー」など発音しやすい言葉で、身近な人やものに関わる名詞が多い。

(組み合わせ)

	A	B	C	D
1	○	○	○	×
2	○	○	×	○
3	×	○	×	×
4	×	×	○	○
5	×	×	×	○

A 05

正解 2

A ○ 4本足の動物をすべて「ワンワン」と呼ぶなど、1つの語がいろいろな物事を指すことを**過大般用**／**語彙拡張**という。

B ○ 自分の家のイヌだけを「ワンワン」と呼ぶなど、その語の意味するものより狭く捉えてしまうことを**過小般用**／**語彙縮小**という。

C × 子どもが早期に獲得する語彙50語の中では、人や物のような目に見える具体物を示す**名詞**の方が動きを示す動詞よりも獲得しやすい。

D ○ 子どもは1歳半を過ぎた頃から月に獲得する単語数が50語を超えるくらいに一気に増大するが、これを**語彙爆発**／**語彙噴出**という。

A 06

正解 4

A × 設問文は**クーイング**のことである。喃語（なんご）とはクーイングに続いて現れるもので、繰り返しの多音節からなる音で、うれしいとか気に入らないなど、何らかの感情を伝えようという意図が含まれる。個人差もあるが、クーイングは2～3か月頃、**喃語**は5～6か月頃に現れる。

B × **語彙般化**（ごいはんか）とは、特定の言葉が表す対象が広がることであり、特定のものと結びついていた言葉、例えばいつも遊んでいる犬のぬいぐるみを「わんわん」と呼ぶようになった子どもが、同じような色で四つ足のぬいぐるみや絵を同じように「わんわん」と呼ぶようになるといったことである。語彙が増えることではないので設問は誤り。

C ○ **一語文**は単語であるが、設題文にあるように、そこでは状況に応じて何らかの**様々な意味**がこめられている。一語文はだいたい1歳前後で現れ、1歳半から2歳になると、実際に伝えたい意図を「ママ」「来た」、「ママ」「お靴」など単語を二つ並べて二語文で話し始める。

D ○ **初語**とは喃語に続いて現れる、意味のある単語である。母親を指す「マンマ」、犬を指す「わんわん」といった類である。1歳前後に現れる。その後、単語数は劇的に増加していく。

加点のポイント

◆三つ山課題

右のような場合において、A～Dそれぞれの方向からどう見えるかを質問する。

自分を他者の立場においたり、他者の視点に立つことができない**自己中心性**から脱却していない4～5歳では、自分と異なる視点（Aに立っているのであればB～Dからどのように見えるか）では誤答が多く、他者からの視点が理解できない。

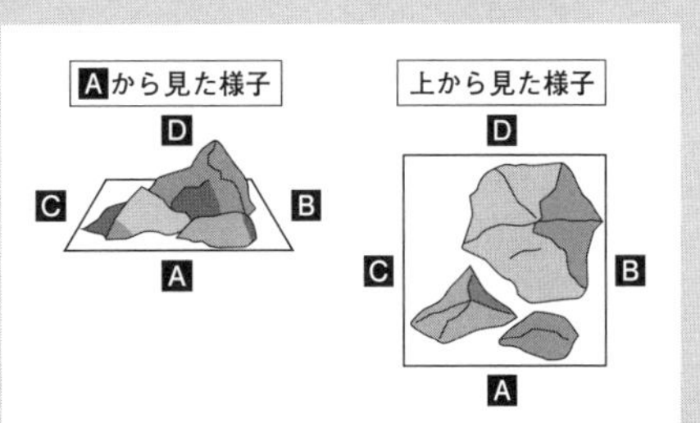

次の文は、ピアジェ（Piaget, J.）の発生的認識論に関する記述である。（ A ）～（ D ）にあてはまる語句を【語群】から選択した場合の正しい組み合わせを一つ選びなさい。

令和3年（前期）問5

ピアジェの発生的認識論では、2～7歳の子どもは（ A ）にあたる。この時期は（ B ）と（ C ）とに分けて考えられている。この説によれば（ B ）では、子どもは2頭のゾウを見て、そこから共通性を取り出しゾウというひとまとまりである類として捉えることは難しく、「ゾウの花子」「ゾウの太郎」というようにそれぞれ個として考える。（ C ）では、カテゴリーを伴う思考ができるようになり、徐々に複数の知覚情報によって理解できるようになる。例えば、大きさだけで理解していたことが、大きさと重さの2つから考えられるようになり、「大きいけれど軽い」などの判断が可能になる。しかし、その一方で、この時期の子どもの判断は見かけにより左右され、また他人の視点にたって物事を捉えて行動することが難しいことなどをピアジェは（ D ）と名づけた。

【語群】

ア	具体的操作期	**オ**	直観的思考
イ	前操作期	**カ**	論理的思考
ウ	感覚的思考	**キ**	自己中心性
エ	前概念的思考	**ク**	利己主義

（組み合わせ）

	A	B	C	D
1	ア	ウ	オ	ク
2	ア	ウ	カ	キ
3	ア	エ	オ	キ
4	イ	ウ	カ	ク
5	イ	エ	オ	キ

次のうち、A～Dの子どもの行動の基盤となる発達に関する用語を【語群】から選択した場合の最も適切な組み合わせを一つ選びなさい。

令和4年（後期）問4

A おもちゃを取られて泣いている他児に近づき、自分が手に持っているおもちゃを差し出す。

B 初めて見る物が目の前にあるときに、それを触ってよいかわからないので保育士の表情を見る。

C 「今、ここにある物」を「今、ここにない物」に見立てて遊ぶ。

D 乳児期初期に、他者の顔の動きを無意識に模倣する。

【語群】

ア	向社会的行動	**オ**	安全基地
イ	自己調整	**カ**	共同注意
ウ	象徴機能	**キ**	共鳴動作
エ	社会的参照	**ク**	延滞模倣

（組み合わせ）

	A	B	C	D
1	ア	エ	ウ	キ
2	ア	オ	エ	ク
3	イ	エ	カ	ク
4	イ	オ	ウ	キ
5	イ	カ	エ	キ

A 07

正解 5

ピアジェの発生的認識論では、２〜７歳の子どもは（ A.**イ 前操作期** ）にあたる。この時期は（ B.**エ 前概念的思考** ）と（ C.**オ 直観的思考** ）とに分けて考えられている。この説によれば（ B.**エ 前概念的思考** ）では、子どもは２頭のゾウを見て、そこから共通性を取り出しゾウというひとまとまりである類として捉えることは難しく、「ゾウの花子」「ゾウの太郎」というようにそれぞれ個として考える。（ C.**オ 直観的思考** ）では、カテゴリーを伴う思考ができるようになり、徐々に複数の知覚情報によって理解できるようになる。例えば、大きさだけで理解していたことが、大きさと重さの２つから考えられるようになり、「大きいけれど軽い」などの判断が可能になる。しかし、その一方で、この時期の子どもの判断は見かけにより左右され、また他人の視点にたって物事を捉えて行動することが難しいことなどをピアジェは（ D.**キ 自己中心性** ）と名づけた。

A イ ピアジェは、知的能力の発達を認知的な構造と認知操作の形式に基づいて４つの段階に分け、２〜７歳を**前操作期**とした。

B エ 前操作期のなかでも、４歳頃までは、イメージや表象を用いて考えたり行動できる時期でごっこ遊びや見立て遊びがみられるようになる。この時期を**前概念的思考**という。

C オ 前操作期のなかでも、４歳以降は、ものの見かけの大きさや長さにとらわれて論理的な思考が苦手な時期である。これを**直観的思考**という。

D キ 他者の視点にたって物事を捉えて行動することが難しい幼児期の特徴を**自己中心性**というが、自己中心性から脱却していない４、５歳児は、三つ山課題が不正解となる。

A 08

正解 1

A ア **向社会的行動**。向社会的行動とは、他人あるいは他の人々の集団を助けようとしたり、人々のためになることをしようとしたりする自発的な行為と定義されている。

B エ **社会的参照**。乳児期において、周囲の環境とかかわろうとする際に、母親や保育者など愛着対象者に環境が安全であるかを確認する行動が見られる。これを社会的参照という。

C ウ **象徴機能**。象徴機能は、幼児期の遊びの中心をなすごっこ遊びの中で重要な役割をもつ。象徴機能が獲得されると、目の前にないものを別のもので見立てて遊んだり、ないものをあるようなつもりで遊んで楽しむなどができるようになる。

D キ **共鳴動作**。新生児や乳児が大人の表情や動作と同様の反応を示す現象があり、これを共鳴動作という。乳児の舌出しや口開けの共鳴動作が確認されている。

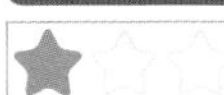

次のうち、自己の発達に関する記述として、適切なものを○、不適切なものを×とした場合の正しい組み合わせを一つ選びなさい。

令和4年(後期) 問9

A 自己の中でも、自分の姿や名前、性格など周りの人が捉えることができる様々な特徴が含まれる側面を主体的自己という。

B 鏡映像の自己認知ができる子どもは1歳半頃から急激に増え、2歳頃ではかなりの子どもが可能になる。

C ルイス(Lewis, M.)によれば、1歳半頃になると誇りや恥などの感情がみられるようになり、それらの感情が生じるには、客体的自己意識が獲得されている必要がある。

D 学童期の初め頃になると、社会的比較が可能になるため、自己について肯定的な側面だけでなく否定的な側面の評価も可能になる。

(組み合わせ)

	A	B	C	D
1	○	○	×	×
2	○	×	○	○
3	○	×	○	×
4	×	○	×	×
5	×	×	×	○

③保育の心理学ー子どもの学びと保育

次の文は、子どもの遊びに関する記述である。(A)～(D)にあてはまる用語を【語群】から選択した場合の最も適切な組み合わせを一つ選びなさい。

令和2年(後期) 問7

パーテン(Parten, M.B.)は、子どもの遊びの形態とその発達過程について、「何もしていない」「(A)」「(B)」「平行遊び」「連合遊び」「(C)」の順に、6つに分類した。そして、「(B)」は他者に関心が向いているので「(A)」より発達した形態であり、「連合遊び」は仲間とやりとりをして一緒に遊ぶが(D)されておらず、3～4歳頃にみられるとした。
その後の遊びの形態とその発達過程の研究において、「(A)」は5歳児でも活動内容によってはみられることから、未熟な形態というより、子どもの選択であるとの考えが示されている。従って、保育士は一人一人の子どもの遊びを理解して対応することが大切である。

【語群】

ア	一人遊び	**イ**	仲間遊び
ウ	運動遊び	**エ**	組織化
オ	象徴遊び	**カ**	精緻化
キ	協同遊び	**ク**	傍観的行動

(組み合わせ)

	A	B	C	D
1	ア	オ	イ	カ
2	ア	ク	キ	エ
3	ウ	ク	イ	カ
4	ク	ア	キ	エ
5	ク	オ	イ	カ

A 09

正解 4

A × 自己の中でも、自分の姿や名前、性格など周りの人が捉えることができる様々な特徴が含まれる側面は**客体的自己**であり主体的自己ではない。**客体的自己**とは、客観的な視点から把握する自己の側面である。

B ○ 2歳頃までに鏡に映った自身の顔を自分であると認識できるようになる。これを客観的な視点から把握する自己の側面という意味で、**客体的自己**という。

C × 1歳半頃になると、**自己意識**（自分自身に意識を向けること）が芽生え始めるといわれている。ルイス（*Lewis, M.*）は3歳頃に誇りや恥の感情が見られるようになると提唱した。

D × **社会的比較**とは、自分を他者と比較することで、自分自身の考えや能力を評価しようとすることである。社会的比較が可能になるのは学童期後期の思春期頃からである。

A 10

正解 2

パーテン（Parten, M.B.）は、子どもの遊びの形態とその発達過程について、「何もしていない」「（ A.**ア 一人遊び** ）」「（ B.**ク 傍観的行動** ）」「平行遊び」「連合遊び」「（ C.**キ 協同遊び** ）」の順に、6つに分類した。そして、「（ B.**ク 傍観的行動** ）」は他者に関心が向いているので「（ A.**ア 一人遊び** ）」より発達した形態であり、「連合遊び」は仲間とやりとりをして一緒に遊ぶが（ D.**エ 組織化** ）されておらず、3～4歳頃にみられるとした。
その後の遊びの形態とその発達過程の研究において、「（ A.**ア 一人遊び** ）」は5歳児でも活動内容によってはみられることから、未熟な形態というより、子どもの選択であるとの考えが示されている。従って、保育士は一人一人の子どもの遊びを理解して対応することが大切である。

A ア **一人遊び**は2、3歳頃に多くみられ、他の子どもがそばで遊んでいてもあまり関心を示さず一人で遊ぶことである。

B ク **傍観的行動**は2、3歳頃にみられ、他者の遊びを観察している状況のことで、他者への関心の表れであると考えられる。

C キ **協同遊び**は4、5歳頃に多くみられ、集団で共通の目的を持って、役割分担などをしながら遊ぶことである。

D エ **連合遊び**は3、4歳頃にみられ、仲間と一緒に遊ぶが共通の目的や役割分担などの**組織化**がされていない遊びである。

次の文は、心の理論をもっているかどうかを調べるための課題である。この課題について適切な記述を○、不適切な記述を×とした場合の正しい組み合わせを一つ選びなさい。

平成30年(前期) 問8

M児とN児が部屋で一緒に遊んでいた。M児がボールをかごの中に入れた後、部屋から出ていった。M児が部屋にいない間に、N児がボールをかごの中から別の箱の中に移した。M児が部屋に戻ってきたとき、ボールを取り出すために、最初にどこを探すだろうか。

A 正答するには、他者が自分とは違う誤った信念(誤信念)をもつことが理解できる必要がある。

B 自閉スペクトラム症の幼児では、知的な遅れがなければ、定型発達児より早く正答する。

C 正答するには、他者の心の状態を推測することができる必要がある。

D 3歳になると、この質問に対してほとんどの子どもが正答することができる。

(組み合わせ)

	A	B	C	D
1	○	○	○	○
2	○	○	×	×
3	○	×	○	×
4	×	○	×	○
5	×	×	○	○

次の文は、生活や遊びを通した学びに関する記述である。【Ⅰ群】の記述と、【Ⅱ群】の用語を結びつけた場合の正しい組み合わせを一つ選びなさい。

令和元年(後期) 問5

【Ⅰ群】

A 相手の行動を観察し、その人の意図、期待、信念、願望などを理解するようになると、相手の行動を説明したり、予測したりするようになる。

B 文化的に規定され、ステレオタイプ化された知識で、日常的なできごとを理解したり解釈したりできるようになる。

C 内発的動機づけを構成する要素で、自分の知らないことに興味をもったり、興味をもったものを深く探究したりしようとする。

D ある行動をすると、特定の環境変化が引き続いて生じることに気付いて、その行動を繰り返し行うようになる。

【Ⅱ群】

ア 帰属理論　　**イ** 心の理論
ウ モニタリング　　**エ** スクリプト
オ 知的リアリズム　　**カ** 知的好奇心
キ 観察学習　　**ク** オペラント学習

(組み合わせ)

	A	B	C	D
1	ア	ウ	オ	キ
2	ア	エ	オ	ク
3	イ	ウ	カ	キ
4	イ	エ	オ	ク
5	イ	エ	カ	ク

A 11

正解 3

A ○ 社会性の発達に関する「**心の理論**」の問題である。他者には自分とは異なった考えや立場があるという認識である。設問文はいわゆる「**サリーとアン課題**」であり、これを正答するには、他者には自分とは違う誤った信念（誤信念）があることが理解できなければならない。

B × **自閉スペクトラム症**の児童では、定型発達児に比べると、この「サリーとアン課題」に正答するのは困難であるとされる。

C ○ N児がボールをかごから別の箱に移動させたが、M児はそれを知らないので、まだボールがかごの中にあると思っている。そのため、部屋に戻った時に箱ではなくかごの中を探す、というふうに、**他者の心の中をその立場になって推測する**ことができる必要がある。

D × 他者の立場ではなく**自分の視点を中心に物事を考える傾向**を**自己中心化**というが、それを脱却するのは**児童期に入る前後**とされる。３歳の時点では、ほとんどの子どもは正答することは難しいので誤りである。

A 12

正解 5

A イ **心の理論**とは、他者の心の動きを類推したり、他者が自分とは違う信念を持っていることを理解したりする機能のことである。心の理論が確立しているかどうかを調べるものとして**誤信念課題（サリーとアン課題）**が有名である。

B エ **スクリプト**とは、知識や経験のまとまりであるスキーマが連続して一連の構造を作ったものである。例えば、食事のスクリプトとは、「いただきますを言って、箸を持ってご飯やおかずを食べ、箸を置いて、ごちそうさまをする」という一連の流れをいう。

C カ **知的好奇心**とは、人が生まれつき持っている基本的欲求に含まれるもので、新奇な刺激を求める欲求である。内発的動機づけ（自発的な学習意欲）が生じるために不可欠な欲求である。

D ク **オペラント学習**とは、**スキナー**（Skinner, B.F.）によりオペラント条件付け（道具的条件付け）を用いて明らかにされた学習様式で、学習者が自発的な行動を学習することである。

次の【事例】を読んで、下線部(a)～(e)に関する用語を【語群】から選択した場合の最も適切な組み合わせを一つ選びなさい。

令和4年(後期) 問8

【事例】

・1歳半を過ぎたYちゃんは、(a)目にした物を自分の知っている言葉で表そうとして、例えば、「ワンワン」をイヌだけでなく、あらゆる四つ足の動物に使っている。また、物には名前があることを理解して、(b)「これは？」とさかんに指さしをして尋ねるようになり、保育士との言葉を使ったやりとりを通して、(c)Yちゃんの語彙は急激に増加していった。

・4歳のG君は、友達のH君のお父さんの職業が"カメラマン"であると聞いて、(d)「"○○マン"はヒーロー」という自分のもつ枠組みで捉えて「それって強い？」と尋ねた。そこで、保育士がカメラマンはヒーローではなく、職業であることを説明すると、G君は(e)保育士から聞いた情報に合うように、既存の枠組みを修正して、「ヒーローではなくても"○○マン"ということがある」という枠組みを再構成した。

【語群】

ア 置き換え　　**イ** 同化
ウ 語彙爆発(vocabulary spurt)
エ 一語文期　　**オ** 調節
カ 語の過小般用/語彙縮小(over-restriction)
キ 同一視　　**ク** 命名期
ケ 語の過大般用/語彙拡張(over-extension)

(組み合わせ)

	a	b	c	d	e
1	ウ	エ	ケ	イ	ア
2	ウ	ク	ケ	イ	オ
3	カ	エ	ウ	キ	ア
4	ケ	エ	ウ	キ	ア
5	ケ	ク	ウ	イ	オ

次のA～Dの学習に関する記述について、関連する用語の正しい組み合わせを一つ選びなさい。

令和5年(前期) 問8

A 他者の行動とその結果を観察するだけで学習は成立する。
B 問題を取り巻く状況全体を把握して構造を理解し、見通しをもつことにより問題を解決する。
C ある学習をしたことがその後の別の学習に影響する。
D 大人の子どもに対する期待が子どもの学習に影響を与える。

(組み合わせ)

	A	B	C	D
1	モデリング	試行錯誤	学習曲線	ハロー効果
2	モニタリング	試行錯誤	学習曲線	ハロー効果
3	モニタリング	洞察	学習曲線	ピグマリオン効果
4	モデリング	洞察	学習の転移	ハロー効果
5	モデリング	洞察	学習の転移	ピグマリオン効果

A 13

正解 5

- a ケ **語の過大般用／語彙拡張**とは、覚えた言葉を本来の適用範囲よりも広く使うことをいう。例えば、イヌを「ワンワン」と呼ぶことを覚えた子どもが、ウマなど、イヌ以外の四つ足の動物も「ワンワン」と呼ぶことなどを指す。
- b ク **命名期**とは、1歳半を過ぎた頃にものに名前があることを理解し、さかんに「これは何？」と指さしをして尋ねる時期のことである。
- c ウ **語彙爆発**とは、1歳半を過ぎて単語数が50語を超える頃になると訪れる、月に30～50語と一気に語彙数が増加することをさす。
- d イ **同化**とは、現在持っている認識の枠組み（シェマ）によって外界の情報を取り入れる働きのことである。
- e オ **調節**とは、環境に適応するために既存の枠組み（シェマ）を変更する働きのことである。

A 14

正解 5

A モデリング	**モデリング**とは、他者の行動とその結果を観察し模倣する学習である。このような学習を観察学習という。バンデューラによる子どもの攻撃行動の**観察学習**の実験などがある。
B 洞察	洞察とは、問題を取り巻く状況全体を把握して構造を理解し、見通しをもつことにより問題を解決することである。ケーラー（Köhler, W.）のチンパンジーを用いた**洞察学習**の実験が有名である。一方、試行錯誤学習とは、試行錯誤をして偶然に正解にたどり着き最終的に正解を学習するというものである。
C 学習の転移	**学習の転移**とは、ある学習をしたことがその後の別の学習に影響することである。以前の学習が後の学習にプラスに働くときは**正の転移**、マイナスに働くときは**負の転移**という。
D ピグマリオン効果	**ピグマリオン効果**とは、大人の子どもに対する期待が子どもの学習に影響を与えることである。それに対して、**ハロー効果**（光背効果）とは、ある対象を評価するときに一部の特徴に引きずられて、ほかの特徴の評価が歪められる現象のことである。

次のうち、学習のメカニズムに関する【Ⅰ群】の記述と【Ⅱ群】の用語を結びつけた場合の正しい組み合わせを一つ選びなさい。 令和5年(前期) 問7

【Ⅰ群】

A 学習の目標となる反応を増大させるための条件づけの手続きである。

B 生得的な反射を基礎にする刺激と反応の新たな連合の習得である。

C ある行動を引き起こし、その行動を持続させ、一定の方向に導くプロセスである。

D 課題をスモール・ステップに分割し、学習者が自分のペースで自発的に学習する方法である。

【Ⅱ群】

ア 古典的条件づけ

イ 動機づけ

ウ プログラム学習

エ 道具的条件づけ

オ 強化

カ 発見学習

(組み合わせ)

	A	B	C	D
1	ア	エ	イ	ウ
2	ア	エ	ウ	カ
3	オ	ア	イ	ウ
4	オ	ア	イ	カ
5	オ	ア	ウ	カ

A 15

正解 3

A オ **強化**とは、学習の目標となる反応を増大させるための条件づけの手続きである。スキナーの道具的条件づけの実験では、ネズミが餌によって自発的にレバーに触れる行為が強化された。

B ア **古典的条件づけ**とは、生得的な反射を基礎にする刺激と反応の新たな連合の習得である。パブロフによる古典的条件づけの実験では、イヌにベルの音を聞かせ、その後餌を与えることを繰り返し、ベルの音を聞いただけで唾液の分泌が起こった。

C イ **動機づけ**とは、ある行動を引き起こし、その行動を持続させ、一定の方向に導くプロセスである。動機づけには、外発的動機づけと内発的動機づけがある。

D ウ **プログラム学習**とは、課題をスモール・ステップに分割し、学習者が自分のペースで自発的に、即時のフィードバックを受け、結果をその場で検証することによって学習を進めていく方法である。この学習法は条件づけを利用したものである。

◆ **学習方法について**

学習とは、「主体がある状況を繰り返し経験することによってもたらされたその状況に対する主体の行動、または行動ポテンシャルにおける変化」のことで、そのうち身体的な成熟や薬物による一時的影響を含まないものをいう。**古典的条件づけ**、**オペラント条件づけ**（道具的条件づけ）、試行錯誤学習、社会的学習、洞察学習等がある。特に出題頻度が高いのは社会的学習で、他者の行動を**模倣**（**モデリング**）する観察学習等はその代表的なものである。他者との比較とそれによる自己概念の形成過程など、やや専門的な内容も出題されている。それぞれの学習のメカニズムと、特に保育の場面での意義や問題点、事例などをおさえておくことである。

④子ども家庭の心理学ー生涯発達

次の文は、ヒトの出生時の特徴についての記述である。（ A ）～（ E ）にあてはまる語句を【語群】から選択した場合の正しい組み合わせを一つ選びなさい。

令和元年（後期）問3

哺乳類は、生まれた時は未熟で自分の力で動きまわることのできない（ A ）のものと、生まれた時からすでに成熟していて自力で移動することのできる（ B ）の二つに分類することもできる。ヒトの場合は、胎児期から音声に反応して母親の声を聞き分けるなど、感覚や知覚の能力を有するが、運動能力が未発達な状態で生まれてくることから、（ C ）はこれを二次的（ A ）と呼び、（ D ）という考え方で説明した。つまり、人間は大脳の発達が著しいため、十分な成熟を待って出産することは体の大きさの問題から難しく、約（ E ）早く未熟な状態で生まれるといわれている。

【語群】

ア	ローレンツ（Lorenz, K.）		
イ	2年	**ウ**	離巣性
エ	生理的早産	**オ**	就巣性
カ	ポルトマン（Portmann, A.）	**キ**	放巣性
ク	ハーロウ（Harlow, H.F.）	**ケ**	帰巣性
コ	身体的早産	**サ**	1年

（組み合わせ）

	A	B	C	D	E
1	オ	ウ	ア	エ	イ
2	オ	ウ	カ	エ	サ
3	オ	キ	ア	コ	イ
4	ケ	ウ	ク	エ	サ
5	ケ	キ	カ	コ	サ

次の文は、乳児の身体・運動の発達に関する記述である。適切な記述を○、不適切な記述を×とした場合の正しい組み合わせを一つ選びなさい。

平成29年（前期）問5

A 乳児の運動機能の発達は、頭部から足部へ、身体の中心部から末梢へ、粗大運動から微細運動へという方向性と順序がある。

B 一般的に、平均体重は2,900～3,000g前後、平均身長は49cm前後で生まれるが、生後1年で体重は約3倍、身長は約1.5倍になる。

C 生後8か月頃になると、物と物を打ち合わせる、物を容器に入れる、小さい積木を高く積みあげることができるようになる。

D 手に触れたものを握ろうとする把握反射が新生児にみられ、生後3か月になると指さしが出現する。

（組み合わせ）

	A	B	C	D
1	○	○	○	×
2	○	○	×	×
3	○	×	○	×
4	×	○	○	○
5	×	×	×	○

A 16

正解 2

哺乳類は、生まれた時は未熟で自分の力で動きまわることのできない（ A.**オ 就巣性** ）のものと、生まれた時からすでに成熟していて自力で移動することのできる（ B.**ウ 離巣性** ）の二つに分類することもできる。ヒトの場合は、胎児期から音声に反応して母親の声を聞き分けるなど、感覚や知覚の能力を有するが、運動能力が未発達な状態で生まれてくることから、（ C.**カ ポルトマン（Portmann, A.）** ）はこれを二次的（ A.**オ 就巣性** ）と呼び、（ D.**エ 生理的早産** ）という考え方で説明した。つまり、人間は大脳の発達が著しいため、十分な成熟を待って出産することは体の大きさの問題から難しく、約（ E.**サ 1年** ）早く未熟な状態で生まれるといわれている。

A オ **就巣性**とは、妊娠期間が比較的短く脳が未熟で生まれてくる、多数の子どもが一度に生まれる、未成熟の状態である、などの特徴を持つ哺乳類の分類である。一般的には、ネズミやウサギなどの比較的下等な哺乳動物がこれに該当するが、高等哺乳動物であるヒトもこれに含まれる。

B ウ **離巣性**とは、比較的長い妊娠期間を経て脳が発達した状態で生まれ、子どもがすぐに親と同じ行動がとれるなどの特徴を持つ哺乳類の分類である。ウマやサルなど比較的高等な哺乳動物がこれに該当する。

C カ **ポルトマン**（Portmann, A.）は、二足歩行により産道が狭まった、大脳の発達によって頭が大きく進化した、などを理由に未熟な状態で生まれてくることから、ヒトは高等哺乳動物ではあるが離巣性に属さないと考え、**二次的就巣性**と分類した。

D エ ヒトが生理的には未発達な状態で生まれてくることを**生理的早産**という。ポルトマン（Portmann, A.）による概念である。

E サ 人間の乳児は、本来、妊娠21か月程度で誕生すべきところが、**平均10か月**で生まれてくるため、約**1年**早く未熟な状態で生まれると考えられる。

A 17

正解 2

A ○ 乳児期の運動発達は**中枢神経系の成熟と関係**しており、基本的に問題文にあるような方向性と順序で進展してゆく。

B ○ なお、脳の重さは大人が1,250～1,450gほどであるが、誕生時には400gほどである。重量は誕生後に急激に増加し、4～5歳で大人の脳の重量の90%ほどにまで達する。ただし、脳細胞の数自体が増加するわけではない。

C × 発達には差があるので一概にはいえないが、物と物を打ち合わせることができるようになるのは1歳前後から、また、物を容器に入れたり、積み木を積み上げることができるのは、1歳を過ぎた頃からであり、1歳半くらいにはほぼできるようになる。よって、いずれも生後8か月ではまだ難しいといえる。

D × **把握反射**は新生児にみられ、遅くとも生後6か月くらいには消失する。よって、問題文の前半は正しい。しかし、**指さし**は生後9～10か月頃からみられる場合が多い。よって、3か月ではまだ難しいといえる。

次の文は、学童期以降の仲間関係に関する記述である。（ A ）～（ E ）にあてはまる語句を【語群】から選択した場合の正しい組み合わせを一つ選びなさい。

令和３年（前期）問10

小学生の中・高学年に形成される（ A ）の高い仲間集団は（ B ）と呼ばれる。（ B ）は、一緒に同じ活動に熱中することで得られる一体感や充実感を活力源とする集団である。一方、中学生頃の女児にしばしばみられる（ C ）は、お互いの感覚が同じであり「分かり合っている」ことを確認し、誇示する仲間集団である。（ C ）が（ B ）と異なるのは、単に同じ活動を共に行うだけでなく、共通の趣味や話題を核とした密接な関わりをもつ点にある。だが、どちらも（ D ）な性質をもつことは共通した特徴である。
しかし、現代では、遊び場の減少や（ E ）の進行、ゲームなどの遊び方の変化により、こうした仲間集団のあり方が変化しているといわれる。

【語群】

ア	凝集性	**イ**	ギャング・グループ	**ウ**	拡散性	**エ**	チャム・グループ		
オ	親和的	**カ**	ピア・グループ	**キ**	少子化	**ク**	排他的	**ケ**	高齢化

（組み合わせ）

	A	B	C	D	E
1	ア	イ	エ	ク	キ
2	ア	イ	カ	オ	ケ
3	ア	イ	カ	ク	キ
4	ウ	エ	イ	ク	キ
5	ウ	カ	エ	オ	ケ

次の文は、トマス（Thomas, A.）とチェス（Chess, S.）の気質（temperament）に関する記述である。適切な記述を○、不適切な記述を×とした場合の正しい組み合わせを一つ選びなさい。

平成29年（後期）問7

A 気質（temperament）の特性を、活動水準、体内リズムの周期性、順応性、気分等の９つに分類した。

B「扱いにくい子（difficult child）」は、生活リズムが不規則で環境への適応が難しいとされているが、母親はその子育てを負担に感じることはない、としている。

C 気質的特性に基づいて子どもは活動を選択し、自分の生活環境を形成する、と考えている。

D「出だしの遅い子（slow-to-warm-up child）」は、新しい状況や人に対して回避的に反応し、慣れるのも遅く、機嫌が悪いことが多い、としている。

（組み合わせ）

	A	B	C	D
1	○	○	○	×
2	○	○	×	×
3	○	×	○	×
4	×	○	×	○
5	×	×	○	○

A 18

正解 1

小学生の中・高学年に形成される（ A.**ア 凝集性** ）の高い仲間集団は（ B.**イ ギャング・グループ** ）と呼ばれる。（ B.**イ ギャング・グループ** ）は、一緒に同じ活動に熱中することで得られる一体感や充実感を活力源とする集団である。一方、中学生頃の女児にしばしばみられる（ C.**エ チャム・グループ** ）は、お互いの感覚が同じであり「分かり合っている」ことを確認し、誇示する仲間集団である。（ C.**エ チャム・グループ** ）が（ B.**イ ギャング・グループ** ）と異なるのは、単に同じ活動を共に行うだけでなく、共通の趣味や話題を核とした密接な関わりをもつ点にある。だが、どちらも（ D.**ク 排他的** ）な性質をもつことは共通した特徴である。
しかし、現代では、遊び場の減少や（ E.**キ 少子化**）の進行、ゲームなどの遊び方の変化により、こうした仲間集団のあり方が変化しているといわれる。

A ア 特定の相手に限定した友人関係を形成することを集団の**凝集性**という。

B イ 小学校の中・高学年の特に男児が形成する固定化した集団を**ギャング・グループ**という。

C エ 小学校高学年から中学生頃の女子に見られ、同一の行動を好み異質なものを排除する傾向のある集団を**チャム・グループ**という。

D ク ギャング・グループもチャム・グループも異質なものを受け入れないという**排他的**な性質がある。

E キ 2000（平成12）年には約119万人だった出生数が、2021（令和３）年には約81万人まで減少するなど、現代社会においては、**少子化**の進行により、仲間集団での遊びが減少するなど影響が見られる。なお、2023（令和５）年の出生数は約73万人である。

A 19

正解 3

A ○ 気質の特性を①活動水準、②接近／回避、③（体内リズムの）周期性、④順応性、⑤反応閾値、⑥反応の強度、⑦気分の質、⑧気の散りやすさ、⑨注意の範囲と持続性の９つに分類した。そしてそれらをさらにまとめて、気質のタイプの３類型、すなわち**「扱いやすい子（easy child）」「出だしの遅い子（slow-to-warm-up child）」「扱いにくい子（difficult child）」**に分類した。

B × **「扱いにくい子（difficult child）」**は寝起きや排泄、空腹状況などの生理的周期が不規則であったり、環境の変化に慣れるのが遅いといった特徴がある。そのため、対応する際に予測が立てにくかったり、子どもを満足させにくかったりする。その結果、親が扱いにくいという感覚を持ちやすくなる。

C ○ このような気質的特性に基づき、子どもは活動を選択し、自分の生活環境を形成する。ただし、親の個人特性の敏感性の度合いによって、子どもの反応への対応の正確さや適切さが異なるので、**「扱いやすい子（easy child）」**であっても結局は関係が不安定になり、その後の個人特性の形成に好ましくない影響を与えることもあり得る。

D × **「出だしの遅い子（slow-to-warm-up child）」**は行動開始に時間がかかり、新しい状況への順応が悪いという特徴がある。こうした子も親にとっては手のかかる子ということになるが、やがてゆっくりと接近、順応していく。

次の文は、高齢期に関する記述である。下線部（a）～（d）に該当する用語を【語群】から選択した場合の正しい組み合わせを一つ選びなさい。

令和4年（前期）問9

高齢期には、（a）人が生きていくことそのものに関わる問題についての賢さ、聡明さといった人生上の問題に対して実践的に役立つ知識が増すことがある。そこでは、人間や社会についての豊富な知識に裏打ちされた柔軟で明確な見識を持ちあわせていることが条件になる。また高齢期では、（b）加齢による衰えがありつつも、歳をとってもこうでありたいという自分を保持しながら「上手に歳をとる」といった加齢への向き合い方が重要になる。
バルテス（Baltes, P.B.）らは、こうした加齢変化に伴い自分の行動を制御する方略についての理論を提唱した。具体的には、（c）自分の生活をより安全にするために、加齢による機能低下を見越して運転免許証の返納を決断する、そして、（d）車を運転しないことにより買い物が不自由になるため、宅配サービスを利用するというように、新たな生活スタイルを作り上げて最適化を図る。それによりこれまでとは変わらない行動が維持されていくのである。

【語群】

ア	センス・オブ・ワンダー	**オ**	補償
イ	ライフサイクル	**カ**	選択
ウ	喪失	**キ**	英知（wisdom）
エ	サクセスフル・エイジング	**ク**	転移

（組み合わせ）

	a	b	c	d
1	ア	イ	カ	ウ
2	エ	ア	ウ	ク
3	エ	イ	ク	オ
4	キ	エ	ウ	ク
5	キ	エ	カ	オ

Q 21

次の文は、アタッチメント（愛着）についての記述である。適切なものを○、不適切なものを×とした場合の正しい組み合わせを一つ選びなさい。

★★★

平成31年（前期）問8

A アタッチメント（愛着）とは、自らが「安全であるという感覚」を確保しようとする個体の本性に基づいて、危機的状況あるいは潜在的な危機に備え、特定の対象への接近・接触を求め維持しようとする傾向と定義される。

B 愛着の個人差を測定するために、エインズワース（Ainsworth, M.D.S.）が考案したのがサークル・オブ・セキュリティ（安心感（安全感の環））であった。

C エインズワースによれば、養育者への子どものアタッチメント（愛着）は3つの型に分類される。A型は抵抗（アンビバレント）型、B型は安定型、C型は回避型であった。

（組み合わせ）

	A	B	C
1	○	○	○
2	○	○	×
3	○	×	×
4	×	○	○
5	×	×	○

A 20

正解 5

a キ **英知(wisdom)**とは、高齢期になると人生経験を積むことで増える、生きていく問題についての賢さや実践的に役立つ知識をさす。

b エ **サクセスフル・エイジング**とは、高齢期(老年期)を充実したものにするためには、老いを自覚し、受容し、適応する過程が必要だという考え方。

c カ **選択**。バルテスの理論によると、選択には「自らによる選択」と「喪失による選択」があるが、加齢による変化の中で運転免許を返納して安全性を選択するのは後者に含まれる。

d オ **補償**。外部からの援助を受けることで喪失した資源を補うことを補償という。車の運転の代わりに宅配サービスを利用することは補償に含まれる。

A 21

正解 3

A ○ **アタッチメント(愛着)**の定義として正しい。実際に起こっている危機あるいは予想される危機に対して、安全基地としての対象に接近・接触することで安心する。**アタッチメント**の対象は特定の個人であることが多く、通常は親や保育者などである。

B × **エインズワース**(Ainsworth, M.D.S.)が考案した愛着を測定するための方法は**ストレンジ・シチュエーション法**である。サークル・オブ・セキュリティ(安心感(安全感)の環)は**アタッチメント(愛着)**を基盤とした健全な親子関係を育むための子育てプログラムであり、エインズワースが考案したものではない。

C × **エインズワース**(Ainsworth, M.D.S.)が**ストレンジ・シチュエーション法**で見いだした愛着の型は、A型が回避型、B型が安定型、C型が抵抗/葛藤(アンビバレント)型であり、A型、C型は愛着形成が不安定であるとされている。なお、後に別の研究者によって、反応に一貫性がみられないタイプが見出され、これをD型:無秩序型とする場合もある。

よく出るポイント ◆ボウルビィの愛着理論

ボウルビィは非行少年の研究から、子どもは社会的、精神的発達を正常に行うために、少なくとも一定の養育者と親密な関係を維持しなければならず、それが欠如すると、社会的・心理的な問題を抱える可能性があるとする理論を打ち立てた。これが愛着理論といわれるもので、愛着の発達段階には第一段階(**人物を特定しない働きかけ**)、第二段階(**差別的な社会的反応**)、第三段階(真の愛着(**アタッチメント**)形成)、第四段階(**目標修正的協調性**)の四つがあるとした。四段階を経て、初めて特定の人物(特に母親など)がいなくても情緒的な安定を保ち、他者とも安定的な人間関係が築けるようになる。愛着の形成が阻害されている状態は、いわゆる**母性剥奪**(マターナル・デプリベーション)といわれ、虐待や育児放棄等で起こる。

次のうち、アタッチメント（愛着）についての記述として、適切なものを○、不適切なものを×とした場合の正しい組み合わせを一つ選びなさい。

令和５年（前期）問20

A ボウルビィ（Bowlby, J.）によれば、アタッチメント（愛着）の発達には４つの段階があり、分離不安や人見知りがみられるのは最終段階である。

B 子どもが周囲のものや人に自ら関わろうとして上手くいかない時、愛着関係のある保育士の存在は、子どもにとっての安全基地となる。

C エインズワース（Ainsworth, M.D.S.）はアタッチメント（愛着）の個人差を調べるために、ストレンジ・シチュエーション法を考案した。

D 表象能力の発達によって、愛着対象に物理的に近接しなくても、そのイメージを心の拠り所として利用できるようになり、安心感を得られるようになる。

（組み合わせ）

	A	B	C	D
1	○	○	○	○
2	○	○	×	○
3	○	×	×	○
4	×	○	○	○
5	×	×	○	×

次の下線部（ａ）～（ｄ）に関連の深い用語を【語群】から選択した場合の正しい組み合わせを一つ選びなさい。

平成28年（後期）問10

乳児は手をしゃぶったり、（ａ）手を握ったままかざして見つめたり、また、声を発するといった行動をしばしば繰り返し行う。乳児期半ばでは、（ｂ）興味や関心のあるものに手を伸ばす行動がみられる。また、手にもった物を振り動かすなど、（ｃ）物を介して同じ行動を繰り返すようになる。さらに、１歳頃になると、（ｄ）ほしい物を手に入れるために様々なことをしてみるようになる。

【語群】

ア	ハンドリガード	**イ**	ハンドサッキング
ウ	第３次循環反応	**エ**	第２次循環反応
オ	試行錯誤	**カ**	暗中模索
キ	クーイング	**ク**	リーチング

（組み合わせ）

	a	b	c	d
1	ア	キ	ウ	オ
2	ア	ク	ウ	カ
3	ア	ク	エ	オ
4	イ	キ	ウ	オ
5	イ	キ	エ	カ

◆**原始反射の種類**

新生児には外部からの刺激にとっさに反応する生まれながらの機能が備わっているが、これを原始反射という。生命を維持するための基本的な動作や、進化上の痕跡のようなものもある。通常は生育につれて消失するが、次の発達への足がかりになるものもあると考えられている。**把握反射**（ものに掴まろうとする）、**モロー反射**（落下時に腕を開いて抱え込む）、**歩行反射**（脇を持ち上げると、歩くような真似をする）、**吸啜反射**（唇に触れたものに吸い付く）、**共鳴反射**（大人の表情などを真似する）、**バビンスキー反射**（足裏の刺激で足の指を開く）等の種類がある。

A 22

正解 4

A × **ボウルビィ**（Bowlby, J.）が提唱した**アタッチメント**（愛着）の発達には４つの段階があり、分離不安や人見知りがみられるのは第２段階の終わりから第３段階はじめの頃にかけてである。

B ○ 子どもが周囲のものや人に自ら関わろうとして上手くいかない時、愛着関係のある保育士の存在は、子どもにとっての**安全基地**となる。

C ○ エインズワース（Ainsworth, M.D.S.）はアタッチメント（愛着）の個人差を調べるために、**ストレンジ・シチュエーション法**を考案した。愛着のタイプには、安定群、回避群、アンビバレント群があり、のちに無秩序群が追加された。

D ○ **表象能力**の発達によって、愛着対象に物理的に近接しなくても、そのイメージを心の拠り所として利用できるようになり、安心感を得られるようになる。

A 23

正解 3

乳児は手をしゃぶったり、（ a.**ア ハンドリガード** ）手を握ったままかざして見つめたり、また、声を発するといった行動をしばしば繰り返し行う。乳児期半ばでは、（ b.**ク リーチング** ）興味や関心のあるものに手を伸ばす行動がみられる。また、手にもった物を振り動かすなど、（ c.**エ 第２次循環反応** ）物を介して同じ行動を繰り返すようになる。さらに、１歳頃になると、（ d.**オ 試行錯誤** ）ほしい物を手に入れるために様々なことをしてみるようになる。

a ア **ハンドリガード**。リガードとは「じっと見る（regard）」の意味であり、ハンドリガードとは、乳児が自分の手の方に顔を向け、その手の動きなどをずっと見つめる行動のことである。これは目の前の運動と自分との**関係性を直接的に感じながら認識を深める行動**とされている。同様の意味で足を見つめる**フットリガード**もある。

b ク **リーチング**。目の前の興味や関心のある対象（玩具や人の顔など）に手を伸ばし触れようとする行動をリーチングという。生後４、５か月くらいで現れる。対象と自分との**関係性の認識や意思表示の発達**と関係した行動である。

c エ **第２次循環反応**。循環反応とは、「吸う」「たたく」「引っ張る」といった感覚運動的活動の反復のことで、それによってある種の学習が行われている。第１次循環反応は、生後３、４か月までで、「ハンドサッキング（指吸い）」のように自分の身体に限定されたものであり、第２次循環反応は、紐を引っ張ったり手に持った物を振り動かすなどの行動で、**物との関係において自分と手の協応**が成立するようになる。

d オ **試行錯誤**。１歳頃になると、ほしい物を手に入れるために、手を叩いたり、泣いてみたり、声を上げたりと、様々なことをしてみるようになる。また、物を落とす行為を反復する場合なども、**試行錯誤**的に音の響きの違いを楽しんだり、転がっていく方向を見定めたりというように、能動的・実験的なかかわりをみせるようになる。これは第３次循環反応という。

Q 24

次の文は、乳幼児が日常保育のなかでしばしば示す行動である。A～Dの子どもの行動の基盤にある社会的発達に関する用語を【語群】から選択した場合の最も適切な組み合わせを一つ選びなさい。 平成27年（地域限定）問13

A 一人の乳児が泣きだしたところ、同室にいる他の乳児も泣き始める。

B 生後７～８か月頃の乳児が、初対面の人に出会い泣いて母親にしがみついている。

C 仲間との共通の目的をもって、協力したり、役割分担をしたりしながら遊んでいる。

D １歳を過ぎて、何でも自分でやりたがり、大人が制止すると激しく拒否することが続いている。

【語群】

ア	共感	**イ**	情動伝染
ウ	連合遊び	**エ**	人見知り
オ	協同遊び	**カ**	第一（次）反抗期
キ	分離不安	**ク**	第二（次）反抗期

（組み合わせ）

	A	B	C	D
1	ア	エ	ウ	カ
2	ア	キ	ウ	ク
3	イ	エ	ウ	ク
4	イ	エ	オ	カ
5	イ	キ	オ	カ

Q 25

次の文は、乳幼児が日常示す行動である。A～Dの行動の基盤となる発達心理学の用語として、あてはまる語句を【語群】から選択した場合の最も適切な組み合わせを一つ選びなさい。 平成28年（前期）問16

A 見慣れた人と見知らぬ人とを区別することができるようになり、見知らぬ人が関わろうとすると、顔をそむけたり、泣き叫んだりする。

B 保育者がほほえみかけたり、口を大きく開けたりしてみせると、乳児も同じような表情をする。

C 保育者が向かい合ってボールをゆっくり転がして近づけると、ボールを押し返すような動作を繰り返し楽しむ。

D 保育者が子どもに絵本を読んであげている時に、絵本に描かれたりんごの絵を見て子どもが食べるふりをする。

【語群】

ア	社会的不安	**イ**	８か月不安
ウ	共鳴動作	**エ**	共同注意
オ	ターンテイキング	**カ**	メンタルローテーション
キ	社会的模倣	**ク**	表象機能

（組み合わせ）

	A	B	C	D
1	ア	ウ	オ	キ
2	ア	ウ	カ	ク
3	ア	エ	カ	キ
4	イ	ウ	オ	ク
5	イ	エ	カ	キ

A 24

正解 4

A イ **情動伝染**。最初の乳児の感情が周囲の乳児に伝染することによってこのような現象が起こる。脳に備わっている他人の感情を模倣し共感しようとする働きに由来するものと考えられている。情動伝染自体は**成人**にも起こり得る。

B エ **人見知り**。生後８か月くらいになると、特定の人物に対してのみ安心感を抱き、逆に見知らぬ人に対しては警戒感や不安感等を感じるようになる。いわゆる人見知りの状態で、**８か月不安**等ともいわれる。**愛着が順調に形成されている**証拠である。

C オ **協同遊び**。集団で共通の目的があり、役割分担等がある遊びを協同遊びという。同じ遊びをしながら交流がない並行遊びや、全体的なまとまりに欠ける連合遊び等に比べて、一般的には**発達的に高度**なものとされる。

D カ **第一(次)反抗期**。幼児期に自主性や自律性が育ってくると、一見、反抗的な態度とみえるような言動をするようになる。一方、青年期に自我が確立して、親からの依存から脱却しようとする過程でも親や社会に対して反抗的・忌避的な態度が現れる。これが**第二(次)反抗期**である。

A 25

正解 4

A イ **８か月不安**は、特定の人物との愛着関係が育ってきて、見慣れた人に対して肯定的に反応する反面、見知らぬ人には警戒感や不安感を感じるようになる。いわゆる**人見知り**の状態で、生後８か月頃からみられるようになる。

B ウ **共鳴動作**は、大人の動作に対して同調的・共鳴的に反応するもので、例えば、大人が舌を出すと乳児も舌を出すといった反応である。乳児にみられるものは**反射的な動作**であると考えられているが、次第に意図的·意識的な模倣に取って代わられ消失する。

C オ **ターンテイキング**は、他者との交流の中で、**自分からの働きかけと待ち受けを交互にこなすこと**である。コミュニケーションの基本であり、設問文のような動作的なものの他に、言葉のやり取りや、遊び等の役割交代等も含む。**乳児期**にその萌芽が現れる。

D ク **表象機能**は、イメージ化の機能であり、実際には存在しないものを、それが実在するように感覚的・知覚的に頭の中に再現する働きのことである。**幼児期**に言葉の発達とともに急速に発達し、これを用いて見立てやふりをする「**ごっこ遊び**」等として現れる。

よく出るポイント ◆**エリクソンの発達課題**

乳児期が**基本的信頼感（愛着）**、幼児期の前期が**自律性**、幼児期の後期が**自主性**、児童期が**勤勉性**、青年期が**同一性**となっている。それに基づいて、例えば乳児期であればしっかりとした愛着が形成されること、幼児期の前期であれば身の周りのことが自分でしっかりできること、幼児期の後期であれば自発的に活動できること、児童期であれば生活習慣を含めて勉強やスポーツの実践を着実に積み重ねていけること、青年期であれば満足で納得のいく進学や職業選択ができること、といったことが中心的な課題であるので、それを踏まえた援助が求められる。

次のA～Dのうち、成人期・高齢期の特徴に関する記述として、適切なものを○、不適切なものを×とした場合の正しい組み合わせを一つ選びなさい。

令和元年（後期）問11

A 成人期では、子どもの巣立ちや老親介護などを通して心理的変化に直面しやすく、時として人生の転機となり、アイデンティティの再構築がみられることがある。

B 知能には、加齢の影響を受けやすいものと受けにくいものがあり、結晶性知能は成人期以降減衰するが流動性知能は高齢期でも低下しにくい。

C 身体機能は、加齢に伴い程度の差はあるものの少しずつ低下する。聴覚では母音、低音域の音、ゆっくりしたテンポでの聞き取りづらさを感じる人が多くなる。

D 高齢期には、加齢による変化に対処しながら自分の特徴を最大限に活かすなど、幸福に年齢を重ねることをサクセスフル・エイジングと呼ぶ。

（組み合わせ）

	A	B	C	D
1	○	○	○	×
2	○	×	○	○
3	○	×	×	○
4	×	○	×	○
5	×	○	○	×

次の文は、青年期に関する記述である。（ A ）～（ D ）にあてはまる語句を【語群】から選択した場合の正しい組み合わせを一つ選びなさい。

令和３年（後期）問10

青年期は、家族以外の人との親密な関係を深めていく中で、青年は（ A ）の確立という新たな課題に直面する。エリクソン（Erikson, E.H.）は、青年期が、大人としての責任と義務を問われずに、自由に何かに打ち込み、挫折し、さらにまた何かを探し求めるといった経験、あるいは、様々な危機を経ることが重要であるとして、この期間を（ B ）期間であると考えた。

その後、マーシア（Marcia, J.E.）は、（ A ）の状態を４つの類型に分けて考える（ C ）を提唱した。この４類型の中の一つである（ D ）は、これまでに危機を経験していることはなく、自分の目標と親との目標の間に不協和がなく、どんな体験も、幼児期以来の信念を補強するだけになっているという、融通のきかなさが特徴的である。

【語群】

ア アイデンティティ　**イ** モラトリアム
ウ アイデンティティ・ステイタス　**エ** 早期完了
オ モダリティ　**カ** 達成
キ 拡散　**ク** アイデンティティ・クライシス

（組み合わせ）

	A	B	C	D
1	ア	イ	ウ	エ
2	ア	イ	エ	カ
3	ア	オ	ク	カ
4	ウ	イ	エ	キ
5	ウ	オ	ク	エ

A 26

正解 3

A ○ 成人期では、子どもの巣立ちや老親介護などを通して心理的変化に直面しやすく、時として人生の転機となり、**アイデンティティの再構築**がみられることがある。

B × 成人期以降減衰するのは**流動性知能**、高齢期でも低下しにくいのは**結晶性知能**である。

C × 加齢に伴い、**高音域**の音が聞き取りづらくなり、それに伴い**子音**が聞き取りづらくなる。なお、速いテンポよりも、ゆっくりしたテンポの方が**高齢者にとっては**聞き取りやすい。

D ○ 高齢期には、加齢による変化に対処しながら自分の特徴を最大限に活かすなど、幸福に年齢を重ねることを**サクセスフル・エイジング**と呼ぶ。

A 27

正解 1

青年期は、家族以外の人との親密な関係を深めていく中で、青年は（ A.**ア アイデンティティ** ）の確立という新たな課題に直面する。エリクソン（Erikson, E.H.）は、青年期が、大人としての責任と義務を問われずに、自由に何かに打ち込み、挫折し、さらにまた何かを探し求めるといった経験、あるいは、様々な危機を経ることが重要であるとして、この期間を（ B.**イ モラトリアム** ）期間であると考えた。
その後、マーシア（Marcia, J.E.）は、（ A.**ア アイデンティティ** ）の状態を４つの類型に分けて考える（ C.**ウ アイデンティティ・ステイタス** ）を提唱した。この４類型の中の一つである（ D.**エ 早期完了** ）は、これまでに危機を経験していることはなく、自分の目標と親との目標の間に不協和がなく、どんな体験も、幼児期以来の信念を補強するだけになっているという、融通のきかなさが特徴的である。

A ア **アイデンティティ**とは、自分は何者であり、何をすべきかという個人の心の中に保持される概念であり、同一性といわれることもある。エリクソンは、アイデンティティの確立が青年期の発達課題であるとしている。

B イ **モラトリアム**とは、自己同一性を確立し、社会に出て独り立ちすることを一時的に猶予されている状態を意味する。

C ウ **マーシア**は、アイデンティティの状態をアイデンティティ達成、早期完了（権威受容）、モラトリアム、アイデンティティ拡散の４類型に分けて考える**アイデンティティ・ステイタス**を提唱した。

D エ **早期完了**は、権威受容ともいい、これまで危機を経験していることはなく、親の価値観や社会通念を受動的に受け入れ、一見自己同一性を獲得しているように見える状態のことである。

⑤子ども家庭支援の心理学ー家族・家庭の理解

次の【図】は、「少子化社会対策白書（令和２年版）」（内閣府）における、「６歳未満の子供を持つ夫婦の家事・育児関連時間（１日当たり・国際比較）」である。以下の【設問】に答えなさい。 令和２年（後期）問18改

図　6歳未満の子供を持つ夫婦の家事・育児関連時間（1日当たり・国際比較）

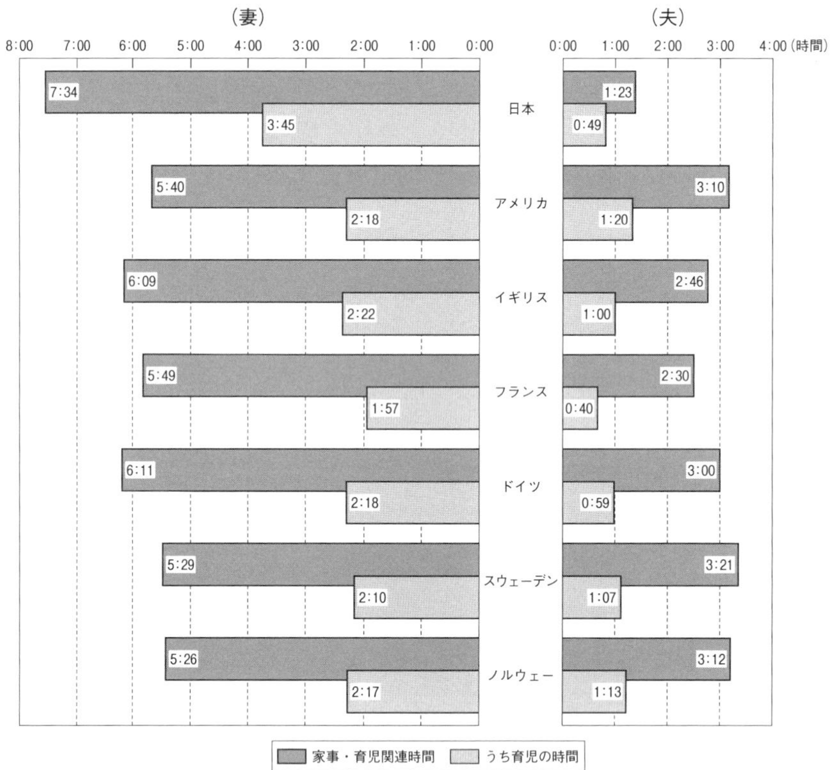

（備考）１．Eurostat "How Europeans Spend Their Time Everyday Life of Women and Men" (2004)、Bureau of Labor Statistics of the U.S. "American Time Use Survey" (2016) 及び総務省「社会生活基本調査」(2016年) より作成。
２．日本の数値は、「夫婦と子供の世帯」に限定した夫と妻の１日当たりの「家事」、「介護・看護」、「育児」及び「買い物」の合計時間（週全体）である。

資料：内閣府資料

【設問】

次のＡ～Ｄのうち、【図】を説明する文として適切なものを○、不適切なものを×とした場合の正しい組み合わせを一つ選びなさい。

A 日本の夫の家事・育児関連時間は１日あたり83 分であり、図中７か国の中で最も低い水準であるが、そのうち育児の時間の占める割合は最も多い。

B 妻と夫の育児の時間の合計が、一番長いのは日本であり、一番短いのはスウェーデンである。

C 妻と夫の家事・育児関連時間の合計が、一番長いのは日本であり、次に長いのはドイツである。

D 夫の育児の時間が最も長いのは、アメリカである。妻の育児の時間が最も長いのは、日本である。

（組み合わせ）

	A	B	C	D
1	○	○	×	×
2	○	×	○	×
3	○	×	×	○
4	×	○	○	○
5	×	○	×	○

A 28

正解 3

本問のような問題は、事前の知識を必要とせず、図やグラフを冷静に読み解けば解答できる問題が多い。見たことがない統計データであっても、落ち着いて問題に取り組むことが大切である。

A ○ **日本の夫**の家事・育児関連時間は１日あたり83分であり、図中７か国の中で最も低い水準であるが、そのうち育児の時間の占める割合は49分と**半分以上を占めており**最も多い。

B × 妻と夫の育児の時間の合計が最も長いのは日本（妻：3：45、夫：0：49、合計：4：34）で正しい。ただし、一番短いのは**フランス**（妻：1：57、夫：0：40、合計：2：37）であり、スウェーデン（妻：2：10、夫：1：07、合計：3：17）の方が長い。

C × 妻と夫の家事・育児関連時間の合計が最も長いのは**ドイツ**（妻：6：11、夫：3：00、合計：9：11）であり、日本（妻：7：34、夫：1：23、合計：8：57）ではない。

D ○ **夫の育児の時間**が最も長いのは、**アメリカ**である。**妻の育児の時間**が最も長いのは、**日本**である。

よく出るポイント ◆ **ことばの発達**

ことばの発達は個人差も大きいが、おおむね下記のような過程で発達していく。

時期	内容
新生児期	明確な反応はないが、話しかけのタイミングやリズムに合わせて身体を動かす相互同期性がみられる
2～3か月頃	クーイングが始まる
5～6か月頃	喃語がみられる
10か月頃	簡単な言葉を介したコミュニケーションがみられる
1歳頃	一語の意味のあることばが出る
1歳6か月頃	二語文で話し始める
2歳6か月頃	名詞と動詞を組み合わせて3～4語で文章を構成し話し始める
3歳以降	語彙が急速に増え、日常会話に支障のない程度のやり取りができるようになる

⑥子ども家庭支援の心理学ー子育て家庭に関する現状と課題

次のうち、乳幼児期から児童期の心的外傷（トラウマ）体験についての記述として、適切な記述を○、不適切な記述を×とした場合の正しい組み合わせを一つ選びなさい。

令和4年（前期）問19

A 1歳児は、トラウマの反応を示しはするが、心的外傷後ストレス障害（PTSD）を発症することはない。

B 夫婦間暴力の目撃は、乳幼児にとって心的外傷になりうる。

C 乳幼児期には、トラウマの内容として、性的虐待は含まれない。

D 乳幼児期において、注意欠如は、トラウマ後の反応としてはみられないため、これがみられれば心的外傷後の反応である可能性は低い。

E 乳幼児期に虐待をうけ、トラウマ反応がある場合、それは心理的、行動上の反応であるが、脳の機能的、器質的問題がその時点で進行している可能性はない。

（組み合わせ）

	A	B	C	D	E
1	○	○	○	○	×
2	○	○	×	○	○
3	○	×	○	○	○
4	×	○	×	×	×
5	×	×	×	×	×

次の【事例】を読んで、【設問】に答えなさい。

平成30年（前期）問17

【事例】

1歳11か月の男児。1週間前から保育所に入所した。入所前は、母親が自宅で養育していた。入所初日からためらいもなく、どの職員にも接近してベタベタと身体的接触をし、職員室についていくなどの行動が目立った。その行動特徴は、入所1週間一貫して観察された。この男児には、こだわり行動や言葉の遅れはなく、相互的に保育士と遊ぶことはできた。

【設問】

この子どもと家族に対して保育士として行うべき対応について、適切な記述を○、不適切な記述を×とした場合の正しい組み合わせを一つ選びなさい。

A 初めての入所であるため、多くの大人に接近し状況に適応しようとしていると捉え、この男児を温かく見守る。

B 人見知りが少ないことを、他の子どもに比べて成長が早いと、肯定的に母親に伝える。

C お迎えの時の母親に対する男児の行動などをよく観察する。

D 児童相談所などの虐待通報機関に通報を行うかを保育所全体で検討する。

（組み合わせ）

	A	B	C	D
1	○	○	○	○
2	○	○	×	○
3	○	×	○	×
4	×	○	×	×
5	×	×	○	○

A 29

正解 4

A × 1歳児でも分離不安などの**トラウマ反応**を示し、心的外傷後ストレス障害(PTSD)を発症することもある。

B ○ 夫婦間暴力の目撃は、乳幼児にとって**心的外傷(トラウマ)**になりうる。また、心理的虐待にも含まれる。

C × 乳幼児期であっても、トラウマの内容に性的虐待は含まれる。

D × 乳幼児期における注意欠如は、心的外傷後の反応として現れた**過覚醒症状**によるものである可能性がある。

E × 乳幼児期に虐待を受け、トラウマ反応がある場合、心理的、行動上の反応であり、脳の**機能的**、**器質的**問題が進行している可能性もある。

A 30

正解 5

A × 初めての場所は子どもにとって不安で対処の難しい状況であるが、**脱抑制型愛着障害(脱抑制性対人交流障害)**にみられる**脱抑制的な傾向**(誰に対してもなれなれしい行動をとる)など気になる部分がある。受容的で温かい目で見守る態度は必要だが、虐待などの事態の可能性を考える必要がある。

B × この年齢であれば、**アタッチメント(愛着)の形成**ができているはずなので、子どもの脱抑制的な傾向を気にする必要がある。よって、子どもを賞賛したり、母親に肯定的な態度を伝えることはあり得ない。

C ○ まずは、送り迎えの時などに母親の話をよく聞き、**子どもの様子**や母親の**子どもへの接し方**を**観察**することが大切である。

D ○ 継続的に注意深く観察を続け、必要であれば**外部機関への通報**を含めた連携の可能性を保育所内で検討する。気になる点がある時は、**常に最悪の可能性を考慮**して動くことが大切である。

次の文は、ペアレントトレーニングに関する記述である。(A)～(C)にあてはまる語句を【語群】から選択した場合の正しい組み合わせを一つ選びなさい。

平成30年(後期) 問17

ペアレントトレーニングとは、応用行動分析学や(A)の考え方を基礎にして、養育者が(B)に関するより適切なスキルを獲得するためのプログラムである。(C)やモデリングやホームワークといった積極的なワークから構成される。

【語群】

ア	音楽療法	**イ**	行動療法
ウ	子育て	**エ**	学習
オ	コミュニケーション	**カ**	ロールプレイ

(組み合わせ)

	A	B	C
1	ア	イ	カ
2	ア	ウ	オ
3	イ	ウ	カ
4	イ	エ	カ
5	ウ	エ	オ

⑦子ども家庭支援の心理学ー子どもの精神保健とその課題

Q32 ★★★

次のうち、子どもの心の健康に関する記述として、適切なものを○、不適切なものを×とした場合の正しい組み合わせを一つ選びなさい。

令和5年(後期) 問17

A 選択性緘黙とは、DSM-5によれば、他の状況で話しているにもかかわらず、話すことが期待されている特定の社会的状況(例：学校)において、話すことが一貫してできない症状をいう。

B 起立性調節障害は、起立に伴う循環動態の変化に対応できず、低血圧や頻脈を起こし、症状が強いと失神することがある。小学校入学前頃に発症し、1年以上持続する。

C 自閉スペクトラム症については、心の理論説、実行機能説、中枢性統合説などによって説明されてきたが、どれか一つの理論のみで説明することは難しいとされている。

D 限局性学習症は、勉強ができない子ども一般をさすものであり、子どもの読み書きや計算における二つ以上の能力の低さを必ず併発するものである。

(組み合わせ)

	A	B	C	D
1	○	○	×	×
2	○	×	○	×
3	○	×	×	○
4	×	○	×	×
5	×	×	○	○

A 31

正解 3

A イ **行動療法**とは学習理論(行動理論)を基礎とする数多くの行動変容技法の総称であるが、近年では**認知療法と統合**され、認知行動療法とほとんど同義のものとして使用されることも多い。認知行動療法は認知(物のとらえ方、考え方)と行動を変化させることにより、クライエントの直面している問題や困難、症状を改善していく技法である。ペアレントトレーニングでは子育てに関する問題について、この方法を応用している。

B ウ ペアレントトレーニングは養育者が子どもとのよりよいかかわり方を学びながら、日常の子育ての困りごとを解消し、子どもの**発達促進**や**行動改善**を目指すプログラムである。この文脈で空欄に入るのは当然、「**子育て**」である。

C カ ペアレントトレーニングは、**講義**の他に、現実に起こる場面を想定して支援者と参加者がそれぞれ役を演じ、疑似体験を通じて実際の場面で適切な対応ができるようにする**ロールプレイ**、支援者の対応を見ながら望ましい対応を学ぶ**モデリング**、学んだことを実際に家庭で試してみる**ホームワーク**といったセッションから構成されている。

A 32

正解 2

A ○ **選択性緘黙**とは、場面緘黙ともいい、家庭などで話すことができるのに、**学校や保育園**など話すことが期待されている特定の社会的状況において、話すことが一貫してできない症状をいう。

B × **起立性調節障害**は、自律神経失調症の一種で、起立に伴う循環動態の変化に対応できず、低血圧や頻脈を起こし、めまいや立ちくらみなどの症状が見られる。また、小学校入学前頃ではなく、中学生以降に発症することが多い。

C ○ **自閉スペクトラム症**は、社会性や他者とのコミュニケーションに困難が生じる発達障害の一種である。心の理論説、実行機能説、中枢性統合説のうち、どれか一つの理論のみで説明することは難しいとされている。

D × **限局性学習症**は、基本的には全般的な知的発達の遅れはないが、聞く、話す、読む、書く、計算または推論する能力のうち、特定のものの習得と使用に著しい困難を示す状態を指すものである。

加点のポイント

◆子どもの障害について

子どもの障害については頻出事項であるが、かなり専門的な内容も含まれるので、代表的な障害について、その症状、対処法、事例などを勉強しておくことが必要である。発達障害としては、**知的障害**、**限局性学習症(学習障害)**、**注意欠如・多動症(AD/HD)**、自閉スペクトラム症等が出題される。また、子どもに多い障害として、**心的外傷後ストレス障害(PTSD)**、各種の睡眠障害(悪夢、夜驚症等)、**チック障害**、吃音症、場面緘黙症、強迫性障害、分離不安障害等がある。青年期以降にみられる**摂食障害**、解離性障害、統合失調症、**うつ病**等も出題頻度は低いがおさえておこう。愛着の問題に起因する事象や**虐待**との関連も重要である。

次のうち、障害を持つ子どもの家族への支援に関する記述として、適切な記述を○、不適切な記述を×とした場合の正しい組み合わせを一つ選びなさい。

令和4年（前期）問20

A 医師が障害の診断を告知した後の支援方針の策定に際しては、教育、福祉等の医療以外の領域の専門家の関与が必要である。

B 家族の障害受容については、エリザベス・キュブラー・ロス等のステージ理論にあてはまらず、障害の肯定と否定を繰り返すこともある。

C 主たる養育者である母親の障害受容の程度については、子どもの障害の程度の強さが最も関与する。

D 障害の状態や方針にかかわる正確な情報提供は、障害受容には関与しない。

E 障害受容をしない家族に対して、支援者が怒りなどの陰性感情を抱くことがある。

（組み合わせ）

	A	B	C	D	E
1	○	○	×	○	×
2	○	○	×	×	○
3	○	×	○	○	×
4	×	○	×	×	○
5	×	×	○	○	○

Q34

★★

次のうち、学童期以降における学校の適応に関する記述として、適切なものを○、不適切なものを×とした場合の正しい組み合わせを一つ選びなさい。

令和5年（前期）問10

A いじめは、学年が上がるにしたがって、相手を無視する、相手を孤立させるよう周囲に働きかけるなど、直接相手に身体的危害を加えるわけではない関係性攻撃がみられるようになる。

B いじめを関係性の病理と位置づけると、いじめは、被害者と加害者という単純な構図ではなく、いじめをはやしたてる観衆、いじめの状況を知っていても黙って何も行動を起こさない傍観者を加えて、四層構造のダイナミクスとみなされる。

C 文部科学省は、不登校を「何らかの心理的、情緒的、身体的あるいは社会的要因・背景により、登校しない、あるいはしたくともできない状況にあるために年間90 日以上欠席した者のうち、病気や経済的な理由による者を除いたもの」と定義している。

D 不登校の背景には、学校での対人関係、家庭での虐待、貧困の問題、発達障害傾向などが根底にある可能性も指摘されている。

（組み合わせ）

	A	B	C	D
1	○	○	○	○
2	○	○	○	×
3	○	○	×	○
4	×	○	○	×
5	×	×	○	○

A 33

正解 2

A ○ 医師が障害の診断を告知した後の支援方針の策定に関しては、医療以外の**教育**や**福祉**等の領域の専門家の関与が必要である。

B ○ エリザベス・キューブラー・ロスのステージ理論とは、死にゆく人の心理の変化を５段階で捉えたものである。障害受容のステージ理論としては**上田敏**のステージ理論があり、障害の肯定と否定を繰り返すことがあるとされる。

C × 主たる養育者である母親の障害受容の程度については、子どもの**障害の程度**だけではなく、**障害の種類**や家庭の経済問題など様々な要因が関与し、どの要因が最も関与するかには個人差がある。

D × 障害の状態や方針にかかわる正確な情報提供は、障害受容に関係することもある。

E ○ 障害受容をしない家族に対して、支援者が怒りなどの陰性感情を抱くことがある。

A 34

正解 3

A ○ いじめは、学年が上がるにしたがって、相手を無視する、相手を孤立させるよう周囲に働きかけるなど、直接相手に身体的危害を加えるわけではない**関係性攻撃**がみられるようになる。身体的攻撃は男児が、関係性攻撃は女児の方が多いとされている。

B ○ いじめは、いじめられている「被害者」を中心として、いじめている「加害者」、その周囲ではやしたてる「**観衆**」、見てているだけで行動を起こさない「**傍観者**」の四層構造で構成されると考えられる。いじめの持続や拡大には、「観衆」や「傍観者」の立場にいる子どもが大きく影響している。

C × 文部科学省は、不登校を「何らかの心理的、情緒的、身体的あるいは社会的要因・背景により、登校しない、あるいはしたくともできない状況にあるために年間**30日**以上欠席した者のうち、病気や経済的な理由による者を除いたもの」と定義している。90日は間違いである。

D ○ 不登校の背景には、学校での対人関係、家庭での**虐待**、貧困の問題、**発達障害**傾向などが根底にある可能性も指摘されている。なお、不登校の要因には分離不安型、順応挫折型、無気力型、耐性不足型、ミスマッチ型などがある。

⑧子どもの理解と援助

Q 35 ★★☆

次のうち、子どもの生活や遊びに関する記述として、適切なものを○、不適切なものを×とした場合の正しい組み合わせを一つ選びなさい。

令和４年（前期）問17

A 日常の出来事について時間的・空間的に系列化された知識はワーキングメモリと呼ばれ、それにより筋や流れのある遊びができるようになる。

B ひとり遊びは幼児期前期に多くみられるが、５歳児でもひとり遊びをしているからといって発達が遅れているとは限らない。

C 子どもたちが集団に適応していく過程では、例えば、クラス対抗のリレーで力を合わせ、集団のルールに従うなど、自分は集団の一員であるという帰属意識を持つようになる。

D 他の子どもたちとの様々なやりとりを通して、状況を理解して相手の気持ちを考えることは、心の理論の獲得につながる。

（組み合わせ）

	A	B	C	D
1	○	○	○	×
2	○	×	○	×
3	○	×	×	×
4	×	○	○	○
5	×	×	×	○

Q 36

次のうち、「保育所保育指針解説」（厚生労働省）における就学に向けた移行期に関する記述として、適切なものを○、不適切なものを×とした場合の正しい組み合わせを一つ選びなさい。

令和５年（後期）問20

A 就学時期の子どもの心理的不安を軽減させる目的で、長時間の着席や文字や数を習得するなど小学校教育の先取りをすることは有効である。

B 卒園を迎える年度の子どもが、小学校の活動に参加するなどの交流活動を行うことは、就学に向けて自信や期待を高め、極端な不安を感じないようにする効果がある。

C 保育所児童保育要録は、小学校における基礎学力の資料として、一人一人の子どもが育ってきた過程を振り返り、指導の経過をまとめたものである。

（組み合わせ）

	A	B	C
1	○	○	○
2	○	×	×
3	×	○	×
4	×	×	○
5	×	×	×

A 35

正解 4

A × 日常の出来事について時間的・空間的に系列化された知識は**スクリプト**と呼ばれており、**ワーキングメモリ**とは作業記憶のことである。

B ○ **ひとり遊び**は幼児期前期に多くみられるが、5歳児でも遊びの内容によってはひとり遊びはみられるため発達の遅れがあると決めつけないようにする。

C ○ 子どもたちが集団に適応していく過程では、協同意識が芽生え、集団の一員であるという**帰属意識**を持つようになる。

D ○ 他の子どもたちとの様々なやりとりを通して、相手の気持ちを考えることは**脱中心化**といわれ、**心の理論**の獲得にもつながる。

A 36

正解 3

A × 就学時期の子どもの心理的不安を軽減させる目的であっても、長時間の着席や文字や数を習得するなど小学校教育の先取りをすることは幼児期の発達には**ふさわしくない**。「幼児期の終わりまでに育ってほしい姿」の「数量や図形、標識や文字などへの関心・感覚」にもあるように、幼児期には**自らの必要感**に基づいて文字や数字を使うことがふさわしいと考えられている。

B ○ **保小連携**活動の一環として、卒園を迎える年度の子どもが、小学校の活動に参加するなどの交流活動を行うことは、就学に向けて自信や期待を高め、極端な不安を感じないようにする効果がある。

C × **保育所児童保育要録**は、保育所での一人一人の子どもが育ってきた過程を振り返り、指導の経過をまとめたものであり、保育所と小学校の**連携**を行ううえで重要な資料となる。

Q 37 ★★☆

次のうち、発達検査・知能検査に関する記述として、適切なものを○、不適切なものを×とした場合の正しい組み合わせを一つ選びなさい。 令和４年（後期）問17

A 子どもの発達状態を理解するためには、発達検査や知能検査を実施すれば十分である。

B 「新版Ｋ式発達検査2020」は０歳児から成人までの測定が可能であり、「姿勢・運動領域」「認知・適応領域」「言語・社会領域」の３領域で構成されている。

C ウェクスラー式の知能検査では、知的水準が同年齢集団の中でどのあたりに位置するかを表す偏差知能指数が用いられている。

D 発達検査の中には、知能検査のように検査用具を用いて実際に子どもに実施する形式のものと、保護者などがつける質問紙形式のものがある。

（組み合わせ）

	A	B	C	D
1	○	○	○	×
2	○	×	○	×
3	×	○	○	○
4	×	○	×	○
5	×	×	×	×

次のうち、低出生体重児に関する記述として、適切なものを○、不適切なものを×とした場合の正しい組み合わせを一つ選びなさい。 令和５年（後期）問16

A 出生体重が1,500グラム未満の児を低出生体重児と呼び、その中でも、1,000グラム未満の児を極低出生体重児、700グラム未満の児を超低出生体重児と呼ぶ。

B 出産後に母親の胸元で乳児と肌を触れ合わせるレスパイトケアは、子どもの発達、母子相互作用、愛着形成の促進などの効果が指摘されている。

C 超低出生体重児は予定日よりも３～４か月も早く生まれ、医療ケアのため長期の入院を余儀なくされる。その間、母子分離の状態におかれるため、母子の愛着形成不全が生じる危険性がある。

D 低出生体重児の母親は、小さく産んだ自責の念や、罪悪感、子どもの状態や治療に不安や緊張などのネガティブな気持ちをもって子育てに向かうことがある。

（組み合わせ）

	A	B	C	D
1	○	○	○	○
2	○	○	×	×
3	○	×	○	×
4	×	○	×	○
5	×	×	○	○

A 37

正解 3

A × 子どもの発達状態を理解するためには、**発達検査**や**知能検査**を実施するだけでは不十分で、普段の子どもの様子を観察するなどを通して子どもを理解する必要がある。

B ○ **新版K式発達検査2020**は、0歳児から成人までの測定が可能であり、「姿勢・運動領域」「認知・適応領域」「言語・社会領域」の3領域から構成されている。

C ○ **ウェクスラー式の知能検査**には、幼児用のWPPSI、児童用のWISC、成人用のWAISがあり、知的水準が同年齢集団の中でどのあたりに位置するかを表す偏差知能指数が用いられている。

D ○ 発達検査の中には、「新版K式発達検査」のように検査用具を用いて実際に子どもに実施する形式のものと、「乳幼児精神発達検査法」のように**保護者**などがつける質問紙形式のものがある。

A 38

正解 5

A × 出生体重が**2,500**グラム未満の児を低出生体重児と呼び、その中でも、**1,500**グラム未満の児を極（ごく）低出生体重児、**1,000**グラム未満の児を超低出生体重児と呼ぶ。

B × 出産後に母親の胸元で乳児と肌を触れ合わせる方法を**カンガルーケア**といい、子どもの発達、母子相互作用、愛着形成の促進などの効果が指摘されている。

C ○ 超低出生体重児は予定日よりも3～4か月も早く生まれるため出生体重が1,000グラム未満となる。医療ケアのため長期入院をする必要があり、その間、母親と子どもが一緒に過ごせないため、母子の**愛着形成**が不安定になる危険性がある。できるだけ母子が対面できる機会を作っていく必要がある。

D ○ 低出生体重児の母親は、小さく産んだ自責の念や、罪悪感、子どもの状態や治療に不安や緊張などの**ネガティブ**な気持ちをもって子育てに向かうことがあるため、子育て支援が重要である。

次の【事例】を読んで、【設問】に答えなさい。 平成28年(後期) 問19

【事例】

Ｆ君（５歳、男児）は、市内の児童精神科クリニックで、自閉スペクトラム症の診断を受けている。保育所では最近、他児をたたき、怪我をさせてしまうことがある。先日も、迎えにきた母親と一緒にいたＦ君は、そばにいたＧ君を押して泣かせてしまった。Ｇ君の母親もその場に居合わせ、保育士もそれを見ていた。Ｆ君の母親はＦ君の行動を見ても無関心で、Ｇ君やＧ君の母親に謝罪をせずに、そのまま帰宅してしまった。Ｆ君の母親は、最近、他の母親から孤立していることが多い。

【設問】

次のうち、保育士の対応として適切なものを○、不適切なものを×とした場合の正しい組み合わせを一つ選びなさい。

A Ｆ君の母親と個別に話をする機会を設ける。

B Ｆ君の体にあざがないか、身なりが清潔かどうかなどを確認する。

C Ｆ君の母親も自閉スペクトラム症だと考え、母親に精神科への受診を強く勧める。

D Ｇ君の母親に、Ｆ君は自閉スペクトラム症なので、Ｆ君とＦ君の母親を許すように伝える。

（組み合わせ）

	A	B	C	D
1	○	○	○	○
2	○	○	×	×
3	○	×	○	○
4	×	×	○	○
5	×	×	×	×

次のうち、子どもの貧困に関する記述として、適切なものを○、不適切なものを×とした場合の正しい組み合わせを一つ選びなさい。 令和５年(後期) 問14

A 生存に必要な食料や衣服、衛生、住居など、人間としての最低限の生存条件を欠くような貧困を相対的貧困という。

B 子どもの相対的貧困は、学習環境や、塾などの学校外での学習の機会を奪い、それらが複雑に絡みあって、学業達成に影響を及ぼす。

C 「2019年国民生活基礎調査」によれば、子どものいるひとり親世帯の約半数が相対的貧困の状態にある。そのため子どもが進学を諦めて就職したり、親が多くの仕事をかけもちしたりしなければならない状況が考えられる。

（組み合わせ）

	A	B	C
1	○	○	○
2	○	○	×
3	○	×	×
4	×	○	○
5	×	×	○

A 39

正解 2

A ○ F君本人やG君、G君の保護者とは別個に、F君の母親と話す機会を設けるのは適切な対応である。ここで家庭でのF君の様子とともに、**保護者としての養育態度**などもみることができる。

B ○ F君の行動は何らかの虐待のストレスに起因する可能性があり、F君に対する無関心もある種のネグレクトが表面化したものかもしれない。短絡的な予想は避けるべきであるが、**常に可能性**を考慮しつつ注意を払った方がよい。

C × F君の母親が自閉スペクトラム症（自閉症スペクトラム障害）だとはこの時点では断定できない。仮にその可能性があったとしても、ただちに受診を勧めることは適切な対応とはいえない。母親を含めた対応は、まず面接をした上で、あらためて方向性を考えていくべきことである。

D × F君が自閉スペクトラム症であることの理解は周囲の人間に必要であるが、この時点でただちにG君の母親に許容を求める必要はない。まずはF君の母親と面接をし、**状況を把握**した上で、母親どうしの人間関係も含めて対応を考えていくべきである。

A 40

正解 4

A × 生存に必要な食料や衣服、衛生、住居など、人間としての最低限の生存条件を欠くような貧困を**絶対的貧困**という。

B ○ 子どもの**相対的貧困**とは、その国の文化水準、生活水準と比較して困窮した状態を指し、世帯所得がその国の等価可処分所得の中央値の半分に満たない状態にある。この場合、学習環境や塾などの学校外での子どもの学習の機会を奪い、ひいては学業達成に影響を及ぼす。

C ○ 「2019年国民生活基礎調査」によれば、子どものいる現役世帯では13.1％が**相対的貧困**の状態であり、さらにひとり親世帯では**約３倍の48.3％**が相対的貧困の状態にあるとされている。子どもの進学や親の就労などに影響をもたらすと考えられる。なお、「2022年国民生活基礎調査」では、子どものいる現役世帯の相対的貧困率は15.4％となっている。

◆**子ども同士のいざこざ**

いざこざは子ども本人にとっては不愉快な体験であるし、保育者にとっても扱いが難しく、煩わしく思える問題でもある。しかし、いざこざは他者とのかかわりの中で当然起こってくる体験でもあるので、前向きにとらえ、発達における一つの契機として理解し支援していくことが必要である。

次の文は、巡回相談に関する記述である。下線部分が正しいものを○、誤ったものを×とした場合の正しい組み合わせを一つ選びなさい。 平成31年（前期）問14

A 巡回相談は、外部機関の子どもの発達に関する専門家である相談員が保育所等を訪問し、保育を支援するための相談活動である。園を訪れた相談員が支援を必要とする子どもと取り巻く保育状況についてアセスメントを行い、そのあとに保育士とケースカンファレンスを行う形式が多い。

B 保育士と相談員と協働しての保育の振り返りは、支援を必要とする子どもの行動を深く理解することにつながる。さらに園全体で子ども理解を共有することによって、その子どもと保育士との関わりが意味あるものへと発展していく。

C 相談員は、保育士が直面している問題を把握し、具体的な支援につなげる手立てを保育士と共に考える。このように保育と発達という異なる領域の専門家同士が互いの立場を尊重しながら自由で対等な話し合いを通して保育上の問題解決にあたることは発達臨床カウンセリングと呼ばれる。

（組み合わせ）

	A	B	C
1	○	○	○
2	○	○	×
3	○	×	○
4	×	○	×
5	×	×	○

次のうち、観察法についての記述として、適切なものを○、不適切なものを×とした場合の正しい組み合わせを一つ選びなさい。

令和３年（前期）問８

A 観察法は、構造化の程度によって構造化観察、半構造化観察、非構造化観察の３種類に分類される。

B 観察者が存在することによる影響をできるだけ避けようとする場合、傍観的観察を行う。

C 参与観察は、人の生活の場で対象となる人たちと関わりながら、観察することをいう。

D 現場に解決すべき課題があると気づいたとき、当事者たちの生活や社会をよくするために観察し、実践研究を進めていくことをアクションリサーチという。

（組み合わせ）

	A	B	C	D
1	○	○	○	×
2	○	×	○	×
3	○	×	×	○
4	×	○	○	○
5	×	○	×	×

A 41

正解 2

A ○ 巡回相談の一つの機能が**アセスメント**である。具体的には支援を必要とする子どもの障害や問題の種類、程度、内容などを判定し、 必要な援助や資源などについての評価を行う。なお、巡回相談の専門相談員は医師、児童指導員、保育士、臨床心理士、作業療法士、言語聴覚士、また大学で関連の課程を修めた者などで**発達障害**に関する知識を有する者が担当する場合が多い。

B ○ 巡回相談支援では、保育所等の一般的な子育て支援機関を巡回したり、子育て支援センターの機能を持つ施設で相談会を開いたりすることによって、保護者や親を通して間接的に**子ども支援**に関わることになる。**振り返り**もその重要な要素である。相談員と協働して振り返ることにより、保育士だけでは気づかないことに気づくことができる。

C × 発達臨床カウンセリングとは、対話や会話を通して**クライエント**が困っている発達に関する問題を解決していく心理学的・臨床心理学的な援助のことをいう。他職種、他領域の専門家が連携して話し合い、問題解決にあたる営みは**ケースカンファレンス**、あるいは**保育カンファレンス**というべきである。

A 42

正解 4

A × **面接法**についての記載である。面接法は構造化の程度によって構造化面接、半構造化面接、非構造化面接の３種類に分類される。例えば、構造化面接法では、事前に用意した質問の内容や順番を変えずに面接を行うのに対して、非構造化面接法では、質問内容を準備せずに面接を行う。観察法の説明文ではない。

B ○ 観察者が存在することによる影響をできるだけ避けようとする場合、**傍観的観察**を行うというのは正しい。

C ○ **参与観察**とは、人の生活の場で対象となる人たちと関わりながら、観察する観察法である。

D ○ 現場に解決すべき課題があると気づいたとき、当事者たちの生活や社会をよくするために観察し、実践研究を進めていくことを**アクションリサーチ**という。なお、アクションリサーチは、当事者と協働して行われるため、このときの観察法は参与観察に分類される。

次の文は、子どもの他者との関わりについての記述である。（ A ）～（ D ）にあてはまる語句を【語群】から選択した場合の最も適切な組み合わせを一つ選びなさい。 平成27年 問7

日常、保育士が子どもに「なぜそれをしてはいけないか」を説明することによって、子どもは自分の行為が相手の気持ちにどのように影響するかがわかるようになる。このような経験によって、子どもは相手の（ A ）に気づき、相手の気持ちに寄り添うことができる（ B ）が育つ。また、相手の立場に立って考えることができる（ C ）も育つと言われている。これらが他者を思いやる（ D ）行動を育むことにつながる。

【語群】

ア	感情	**イ**	能力
ウ	共感性	**エ**	自尊感情
オ	役割取得能力	**カ**	自己調整能力
キ	合理的	**ク**	向社会的

（組み合わせ）

	A	B	C	D
1	ア	ウ	オ	キ
2	ア	ウ	オ	ク
3	ア	エ	カ	ク
4	イ	ウ	オ	キ
5	イ	エ	カ	キ

次の【事例】を読んで、【設問】に答えなさい。 平成31年（前期）問20

【事例】

Ｚちゃん（１歳半、男児）は、１か月前に保育所に入所した。入所以来園への行きしぶりが続いた。ある日登園中に雷が鳴るのを聞いて以来、全く園に行けなくなった。

【設問】

考えられる事項として適切な記述を○、不適切な記述を×とした場合の組み合わせを一つ選びなさい。

A Ｚちゃんは、場所見知りがあるのかもしれない。

B Ｚちゃんは、分離不安があるのかもしれない。

C Ｚちゃんは、感覚過敏があるのかもしれない。

D Ｚちゃんは、雷を経験したことにより、トラウマ反応を起こしたのかもしれない。

（組み合わせ）

	A	B	C	D
1	○	○	○	○
2	○	○	×	×
3	○	×	○	○
4	×	×	○	○
5	×	×	×	×

A 43

正解 2

日常、保育士が子どもに「なぜそれをしてはいけないか」を説明することによって、子どもは自分の行為が相手の気持ちにどのように影響するかがわかるようになる。このような経験によって、子どもは相手の（ A.**ア 感情** ）に気づき、相手の気持ちに寄り添うことができる（ B.**ウ 共感性** ）が育つ。また、相手の立場に立って考えることができる（ C.**オ 役割取得能力** ）も育つと言われている。これらが他者を思いやる（ D.**ク 向社会的** ）行動を育むことにつながる。

共感性の発達についての保育士の支援に関する設問である。他者に関しての能力的な側面の認知は比較的たやすいが、感情についての認知は**心の中の問題**であるだけに困難を伴う場合もある。よって、自身の行動が相手の感情にどのように影響するかということに関して、保育士の側から説明することも時には必要である。それによって、子どもは相手の感情に関しての気づきを得て、それに寄り添えるようになる。さらに、相手の気持ちを自分のことのように考え、相手の立場に立ったり、その気持ちを推測したりすることができるようになる。**セルマン**（Selman, R.L.）はこれを**役割取得能力**と呼んだ。この能力が備わってくると、さらには、相手が嫌がったり不快になるようなことはできるだけせず、相手が喜んだり相手のためになったりする行動を積極的に行うようになる。このような行動を一般的に**向社会的行動**という。

A 44

正解 1

A ○ 不適応の原因は様々なものが考えられ、またそれらが複合していることも考えられるので、表面的にとらえず、よく見極めることが重要である。例えば、入所してからまだ1か月ということを考えると、もともと保育所という未知の場所に対する**場所見知り**があり、それがある日、雷をきっかけに表面化した可能性はある。

B ○ 親など特定の養育者からの**分離不安**があり、保育所で養育者から離れることにストレスを感じており、それがある日、雷をきっかけに表面化した可能性はある。

C ○ 保育所は他者が多くいるので、様々な感覚刺激に取り囲まれる状況である。もしZちゃんが**感覚過敏**であるならば、保育所で過ごすことは本人にとってもともとストレスであったはずである。そして、ある日、雷という強い刺激がきっかけで、とうとう園に行けなくなった可能性はある。

D ○ 保育所への行きしぶり自体は他の原因かもしれないが、直接的に行けなくなったのは、雷が非常に大きな脅威となり、それが**トラウマ反応**を起こしたことが原因である可能性はある。

次のうち、ヴィゴツキー（Vygotsky, L.S.）が指摘した事柄に関する記述として、適切なものを○、不適切なものを×とした場合の正しい組み合わせを一つ選びなさい。

令和４年（後期）問6

A 子どもは環境の中に埋め込まれている情報を見出しながら行動を起こしており、環境は子どもが関わるものにとどまらず、環境が子どもに働きかけている。

B 子どもの発達には、他者の援助がなくても独力で達成できる水準と、他者の援助があれば達成できる水準の２つがあり、他者との関わり合いの中で発達は促されていく。

C 子どものひとりごとは、他者に向かうコミュニケーションのための言葉が、自分に向かう思考のための言葉となっていく過程で現れる。

D 子どもの概念は、日常の生活経験を通して自然に獲得する生活概念と、主に学校で教育される科学的概念が相互に関連をもちながら発達していく。

（組み合わせ）

	A	B	C	D
1	○	○	○	○
2	○	×	○	×
3	○	×	×	×
4	×	○	○	○
5	×	×	×	○

次の文は、保育所での生活習慣の形成に関する記述である。適切な記述を○、不適切な記述を×とした場合の正しい組み合わせを一つ選びなさい。

平成30年（前期）問14

A 生活習慣を身に付けるために、家庭との連携は不可欠であり、食事、排泄、睡眠について連絡帳などで情報交換を行う。

B ３歳以上の幼児クラスでは、午睡をするか、午睡の時間を遊んで過ごすかを幼児自身が選ぶようにする必要がある。

C 子どもの生活リズムの個人差を配慮するためには、ランチルームや午睡室などを設置しなければならない。

D 子どもが主体性を身につけるようになると、自分で判断するようになり、一旦、できるようになった基本的生活習慣行動をしなくなることもある。

（組み合わせ）

	A	B	C	D
1	○	○	○	○
2	○	○	×	×
3	○	×	×	○
4	×	○	○	×
5	×	×	○	×

A 45

正解 4

A × これは、子どもが環境の中に埋め込まれている意味(**アフォーダンス**)を見出しながら行動を起こすというギブソン(Gibsonn, J.J)の考え方である。

B ○ 子どもの発達には、他者の援助がなくても独力で達成できる水準と、他者の援助があれば達成できる水準の2つがあり、他者との関わり合いの中で発達は促されていくというのは、**発達の最近接領域**の考え方である。

C ○ 言葉の働きには、コミュニケーションの働き、思考の働き、行動調整の働きがあるが、子どものひとりごとは、自分に向かう**思考**のための言葉が**外言化**されたものである。

D ○ 子どもの概念は、日常の生活経験を通して自然に獲得する生活概念と、主に学校で教育される**科学的**概念が相互に関連をもちながら発達しているので正しい。

A 46

正解 3

A ○ 保育所と家庭の連携は必須であり、**連絡帳**などを使い連絡を密に取っておく必要がある。

B × 自由意志や主体性は尊重されるべきであるが、生活習慣の形成と身体的な休養という観点からは、ある程度**一律で一定のリズム**を取り入れるべきである。

C × 個人差にはある程度配慮する必要があるが、部屋の設置など物理的な側面は必須というわけではない。実際に「児童福祉施設の設備及び運営に関する基準」でもランチルームや午睡室に関する規定はない。

D ○ **主体性の発達**によって、時には**生活習慣からの逸脱や反抗**という形を取ることがある。

よく出るポイント ◆エリクソンの発達段階説

ライフサイクルのそれぞれの段階に発達課題があるとする生涯発達の理論である。発達に関して社会的な側面を重視しているところに特徴がある。

1. 乳児期 (0～1歳頃)	**【基本的信頼対不信】**➡母親の愛情に基づいた養育により他人への信頼感を持つようになるが、不適切な養育をされると、不信感を持つようになる
2. 幼児期前期 (1～3歳頃)	**【自律性対恥・疑惑】**➡心身の機能の発達により、自身の身の周りのことを自分で行う自律心を持つようになるが、過度の批判や制限により羞恥心や自分の適正さに対する疑惑の感覚を持つこともある
3. 幼児期後期 (3～6歳頃)	**【自発性対罪悪感】**➡自発的な知的活動・運動活動により自由や自発性の感覚が生まれるが、周囲が不適切に対応した場合は罪悪感が生まれる
4. 児童期 (6～12歳頃)	**【勤勉性対劣等感】**➡規則の遵守、秩序の維持などによる勤勉性が生まれるが、結果につながらないと劣等感を持つこともある
5. 青年期 (12～20歳頃)	**【同一性対同一性拡散】**➡他者と異なる一貫した自分自身の同一性（アイデンティティ）の確立と受容がなされる。同一性を発達させることができないと、自分は何者なのか混乱したり、社会的に受容されない役割を作り上げる
6. 成人期 (20～40歳頃)	**【親密対孤立】**➡家族以外の他者に対する性的、情緒的、道徳的親密感を確立する。それがなされない場合は、人間関係から孤独感が生じることがある
7. 壮年期 (40～65歳頃)	**【生殖性対停滞】**➡子ども、孫、後輩、生徒など次の世代の人々に知識、経験、愛情などを伝えていく時期。それができないと、自分自身にだけ関心を持つようになり停滞に陥る
8. 老年期 (65歳頃～)	**【自我の統合対絶望】**➡今までの人生を振り返り、色々なことがあったが全体としては良かったと自己の統合を図る時期。それができなければ人生に対して絶望を感じる

2

保育原理

アクセスキー　2
（数字のに）

2章 保育原理

①保育の意義及び目的

Q 01 ★★★

次の表は、「保育所保育指針」第１章「総則」（２）「養護に関わるねらい及び内容」の一部である。表中の（ Ａ ）～（ Ｃ ）にあてはまる記述をア～オから選択した場合の正しい組み合わせを一つ選びなさい。 令和４年（前期）問１

表

生命の保持（ねらい）	情緒の安定（ねらい）
①（ Ａ ） ② 一人一人の子どもが、健康で安全に過ごせるようにする。 ③（ Ｃ ） ④ 一人一人の子どもの健康増進が、積極的に図られるようにする。	① 一人一人の子どもが、安定感をもって過ごせるようにする。 ②（ Ｂ ） ③ 一人一人の子どもが、周囲から主体として受け止められ、主体として育ち、自分を肯定する気持ちが育まれていくようにする。 ④ 一人一人の子どもがくつろいで共に過ごし、心身の疲れが癒されるようにする。

ア 一人一人の子どもが、自分の気持ちを安心して表すことができるようにする。

イ 一人一人の子どもが、快適に生活できるようにする。

ウ 一人一人の子どもの生理的欲求が、十分に満たされるようにする。

エ 一人一人の発育に応じて、はう、立つ、歩くなど、十分に体を動かす。

オ 一人一人の生活リズムに応じて、安全な環境の下で十分に午睡をする。

（組み合わせ）

	A	B	C
1	ア	イ	エ
2	ア	ウ	オ
3	イ	ア	ウ
4	イ	エ	ア
5	ウ	エ	イ

A 01

正解 3

A イ 「生命の保持」の主なねらいは、「子ども一人一人の**生きることそのものを保障**すること」である(『保育所保育指針解説』)。ここは「生命の保持」のねらいの最初であり、**「生活」全体が快適**であることがねらいとして挙げられている。

B ア 情緒の安定では「一人一人の子どもが、保育士等に受け止められながら、安定感をもって過ごし、自分の**気持ちを安心して表す**ことができること」を子どもの心の成長の基盤として位置付けている。

C ウ 快適な生活を送り、健康の増進が図られるようにするためには、「食べる」「寝る」「排泄する」などの**生理的欲求が満たされる**ことが必然の条件である。オの「午睡」もその一部だが、ここは「生命の保持」のために必要かつ全体的な生理的欲求の方が適切と考えられる。

◆保育所保育指針改正(平成30年4月施行)のポイント

保育所保育指針(平成30年4月施行)では、幼稚園教育要領や認定こども園教育・保育要領と共通して、育みたい資質・能力が新設された(第1章4(1))。以下の資質・能力は3つの柱としてよく理解しておこう。

(1) 育みたい資質・能力

ア 保育所においては、生涯にわたる生きる力の基礎を培うため、1の(2)に示す保育の目標を踏まえ、次に掲げる資質・能力を一体的に育むように努めるものとする。

(ア) 豊かな体験を通じて、感じたり、気付いたり、分かったり、できるようになったりする**「知識及び技能の基礎」**

(イ) 気付いたことや、できるようになったことなどを使い、考えたり、試したり、工夫したり、表現したりする**「思考力、判断力、表現力等の基礎」**

(ウ) 心情、意欲、態度が育つ中で、よりよい生活を営もうとする**「学びに向かう力、人間性等」**

イ アに示す資質・能力は、第2章に示すねらい及び内容に基づく保育活動全体によって育むものである。

次のうち、「保育所保育指針」第２章「保育の内容」に関する記述として、適切なものを○、不適切なものを×とした場合の正しい組み合わせを一つ選びなさい。

令和５年(後期) 問4

A 「ねらい」は、子どもが保育所において安定した生活を送り、充実した活動ができるように、保育を通じて育みたい資質・能力を、子どもの生活する姿から捉えたものである。

B 「内容」は、「ねらい」を達成するために、子どもの生活やその状況に応じて保育士等が適切に行う事項と、保育士等が援助して子どもが環境に関わって経験する事項を示したものである。

C 保育における「養護」とは、子どもの生命の保持及び情緒の安定を図るために保育士等が行う援助や関わりのことである。

D 保育における「教育」とは、子どもが健やかに成長し、その活動がより豊かに展開されるために保育士等が行う発達の援助のことである。

E 「保育の内容」では、主に養護に関わる側面からの視点が示されており、実際の保育においても、教育より養護を優先して展開されることに留意する必要がある。

(組み合わせ)

	A	B	C	D	E
1	○	○	○	○	×
2	○	○	○	×	×
3	○	×	×	○	○
4	×	○	×	×	×
5	×	×	○	○	○

次の文は、「保育所保育指針」に通底する保育の考え方に関する記述である。適切な記述を○、不適切な記述を×とした場合の正しい組み合わせを一つ選びなさい。

令和元年(後期) 問1

A 乳児期から、月齢・年齢の標準的な子どもの姿をもとに集団的な一斉保育を大切にする。

B 保育の環境として、保育士や子どもなどの人的環境よりも、施設や遊具などの物的環境がより重要であると考える。

C 保育の方法として、子どもが自発的・意欲的に関われるような環境を構成して、子どもの主体的な活動を大切にする。

D 子どもの状況や発達過程を踏まえ、保育所における環境を通して、養護及び教育を一体的に行うことを特性としている。

(組み合わせ)

	A	B	C	D
1	○	○	○	×
2	○	○	×	×
3	×	○	○	×
4	×	×	○	○
5	×	×	×	○

A 02

正解 1

A ○ 保育所保育指針第2章の冒頭部分に「ねらい」「内容」「養護」「教育」についての説明がある。保育所保育指針における「ねらい」とは、到達すべき目標ではなく、**育みたい資質・能力を子どもの生活する姿から捉えたもの**と説明される。保育所保育指針解説では、乳児では5領域ではなく「三つの視点」と呼ばれるが、このような考え方を参考に、**資質・能力の見方**であると考えると理解しやすい。

B ○ 保育の内容の「内容」は、**保育士等**が行うことと、**子どもが経験**することの二つが軸になることを覚えておきたい。子どもの経験は、**環境**に関わって経験することであるという原則が貫かれている。

C ○ 養護が「**生命の保持**」と「**情緒の安定**」から成り立つことは、必ず覚えておきたい。生命の保持は主に体に関することであり、情緒の安定は主に心に関することである。

D ○ 教育の定義はさまざまであるが、保育所保育指針では「発達の**援助**」のことである。幼稚園教育においても同様の考え方があり、幼児教育の「指導」とは「**援助**の総体」と説明される。

E × 養護は保育所保育の基盤にあるが、あくまで養護と教育は**一体**に行われるものである。どちらが優先されるということではない。

A 03

正解 4

A × 一人ひとりの**心身の状態や家庭生活の状況**などを踏まえて、**個別**に丁寧に対応していくことが重要であるとされている。一人ひとりの育ちから、次第に集団への関わりが生まれていく。

B × 保育の環境は「人、物、場が相互に関連し合ってつくり出されていくもの」とされており、物的環境だけではなく、人的環境も重要である。

C ○ 保育所保育指針第1章1(3)「保育の方法」オにこの記載がある。子どもが**自発的**に環境に関わり、活動を展開することから子どもの育ちが生まれていく。

D ○ 保育所保育指針第1章1(1)「保育所の役割」イにこの記載がある。子どもの状況等を踏まえること、環境を通した保育、**養護と教育の一体性**は保育の基本となる。

②保育に関する法令及び制度

次のうち、日本の保育制度の変遷に関する記述として、適切な記述を○、不適切な記述を×とした場合の正しい組み合わせを一つ選びなさい。

令和4年（前期）問3

A 1999（平成11）年、文部省と厚生省の幼児教育に関わる担当局長の連名による通知においてはじめて、「保育所のもつ機能のうち、教育に関するものは、幼稚園教育要領に準ずることが望ましいこと」とされた。

B 2008（平成20）年、「保育所保育指針」は大臣告示として改定され、規範性を有する基準としての性格が明確になった。

C 2017（平成29）年の「保育所保育指針」改定で、教育に関わる側面のねらい及び内容に関して、「幼稚園教育要領」、「幼保連携型認定こども園教育・保育要領」との整合性を図った。

D 2012（平成24）年の子ども・子育て支援新制度により、保育所が幼児教育を行う施設として位置づけられた。

（組み合わせ）

	A	B	C	D
1	○	○	○	×
2	○	×	○	○
3	×	○	○	×
4	×	○	×	○
5	×	×	○	×

次のうち、「子ども・子育て支援新制度」に関する記述として、適切なものの組み合わせを一つ選びなさい。

令和4年（後期）問14

A 認定こども園、幼稚園、保育所を通じた共通の給付として施設型給付が創設された。

B 認定こども園について、認可・指導監督の一本化、「学校教育法」及び「少年法」の施設としての法的位置づけがなされた。

C 地域型保育として、家庭的保育、小規模保育、企業主導型保育、居宅訪問型保育が創設された。

D 従業員が働きながら子育てしやすいように環境を整えて、就労の継続、女性の活躍等を推進する企業を支援する仕事・子育て両立支援事業が創設された。

（組み合わせ）

1 A　B
2 A　C
3 A　D
4 B　C
5 C　D

A 04

正解 3

A × 設問の文章は、**1963（昭和38）**年の、文部省と厚生省の幼児教育に関わる担当局長の連名による通知**「幼稚園と保育所の関係について」**の内容である。

B ○ 正しい。**2008（平成20）**年の改定から**大臣告示**となり、**規範的な基準**となっている。それまでは、厚生省児童家庭局による「通知」であった。

C ○ 正しい。3要領・指針においては第2章に**保育内容**に関する部分が記載されるようになり、「保育士」「幼稚園教諭」「保育教諭」等の文言を除いて**ほぼ完全に同じ**ものとなっている。

D × **2015（平成27）**年の**子ども・子育て支援新制度**の内容である。なお、保育所保育指針では2017（平成29）年の改定で保育所が幼児教育を行う施設であると位置づけられ、保育所でも3歳以上児は**幼児教育**を行うことが明確化された。

A 05

正解 3

A ○ 2015（平成27）年からの子ども・子育て支援新制度において、**「施設型給付」**と**「地域型給付」**が創設された。施設型給付では認定こども園、幼稚園、保育所の財政支援の仕組みを共通化し、地域型給付では「小規模保育」「家庭的保育」「居宅訪問型保育」「事業所内保育」の4事業を対象とした財政支援が行われている。

B × 認定こども園は**「就学前の子どもに関する教育、保育等の総合的な提供の推進に関する法律」**（「認定こども園法」と呼ばれる）に定めがある。なかでも幼保連携型認定こども園は、学校教育法第1条における学校（一条校と呼ばれる）ではなく、**教育基本法第6条**に基づく**「法律に定める学校」**であり、**児童福祉施設**としての性格もあることから、児童福祉法第7条にも記載がある。

C × 上記Aの解説を参照。企業主導型保育事業ではなく、**事業所内保育事業**が対象となっている。

D ○ いわゆる**企業主導型保育事業**のことであり、多様な就労形態に対応した**保育サービスの拡大支援**であり、その企業の従業員のみの利用（**従業員枠**）だけでなく、地域の住民等が利用する**「地域枠」**を設けて運営することも可能である。

よく出るポイント ◆ **保育のキーワード：「一体的」に行われる保育**

保育所保育指針では、「養護に関わるねらい及び内容」は第1章「総則」2に「養護に関する基本的事項」として位置付けられている。「保育所における保育は、養護及び教育を一体的に行う」ことは保育の原則の一つといってよい。第2章「保育の内容」におけるそれぞれの「基本的事項」において「養護における『生命の保持』及び『情緒の安定』にかかわる保育内容と、一体となって展開されるものである」とされており、また同章の「保育の実施に関わる配慮事項」では養護的内容への言及が多くみられる。

次の文のうち、「子ども・子育て支援新制度」による地域型保育事業に含まれる事業についての記述として、適切な記述を○、不適切な記述を×とした場合の正しい組み合わせを一つ選びなさい。 令和元年(後期) 問19

A「小規模保育事業」とは、保育を必要とする乳児・幼児であって満３歳未満のものの保育を、利用定員が６人から19人までの施設で行う事業である。

B「家庭的保育事業」とは、保育を必要とする乳児・幼児であって満３歳未満のものの保育を、家庭的保育者の居宅等において行う事業であり、利用定員は10人以下である。

C「居宅訪問型保育事業」とは、保育を必要とする乳児・幼児であって満３歳未満のものの保育を、乳児・幼児の居宅において家庭的保育者により行う事業である。

D「事業所内保育事業」とは、事業主がその雇用する労働者の監護する乳児・幼児及びその他の乳児・幼児の保育を、自ら設置する施設又は事業主が委託した施設において行う事業である。

（組み合わせ）

	A	B	C	D
1	○	○	×	×
2	○	×	○	○
3	○	×	○	×
4	×	○	×	○
5	×	×	○	×

次の文は、「児童福祉施設の設備及び運営に関する基準」（昭和23年厚生省令第63号）に関する記述である。（ A ）～（ D ）にあてはまる数値および語句の正しい組み合わせを一つ選びなさい。 令和３年（前期）問４

・「児童福祉施設の設備及び運営に関する基準」第33条によれば、保育所における保育士の数は、満１歳以上満３歳未満の幼児おおむね（ A ）人につき１人以上とされている。

・「児童福祉施設の設備及び運営に関する基準」第34条によれば、保育所における保育時間は、１日につき（ B ）時間を原則とするとされている。

・「児童福祉施設の設備及び運営に関する基準」第36条によれば、保育所の長は、常に入所している乳幼児の保護者と密接な連絡をとり、（ C ）等につき、その保護者の理解及び協力を得るよう努めなければならないとされている。

・「児童福祉施設の設備及び運営に関する基準」第６条では、児童福祉施設において、非常災害に対する具体的計画を立てるとともに、避難及び消火に対する訓練は、少なくとも毎月（ D ）回は行わなければならないとされている。

（組み合わせ）

	A	B	C	D
1	3	8	保育の内容	2
2	3	11	保護者の支援	2
3	3	8	保育の内容	1
4	6	11	保護者の支援	2
5	6	8	保育の内容	1

A 06

正解 2

A ○ 設問文の通りである。なお、小規模保育事業や家庭的保育事業では、一部の例外を除き、保育を受けていた子どもが３歳となる場合には、**認可保育園等での保育**が原則となる。

B × 家庭的保育事業は定員**５**名以下である。

C ○ 設問文の通りである。なお、対象児童は、**障害・疾病があり集団保育が困難**である場合や、離島などで居宅訪問型保育事業以外の地域保育事業が受けられない場合などの制限がある。

D ○ **企業等**が労働者のために設置する保育事業であり、外部の保育事業者に委託して行うこともある。

A 07

正解 5

・「児童福祉施設の設備及び運営に関する基準」第33条によれば、保育所における保育士の数は、満１歳以上満３歳未満の幼児おおむね（ A.**6** ）人につき１人以上とされている。

・「児童福祉施設の設備及び運営に関する基準」第34条によれば、保育所における保育時間は、１日につき（ B.**8** ）時間を原則とするとされている。

・「児童福祉施設の設備及び運営に関する基準」第36条によれば、保育所の長は、常に入所している乳幼児の保護者と密接な連絡をとり、（ C.**保育の内容** ）等につき、その保護者の理解及び協力を得るよう努めなければならないとされている。

・「児童福祉施設の設備及び運営に関する基準」第６条では、児童福祉施設において、非常災害に対する具体的計画を立てるとともに、避難及び消火に対する訓練は、少なくとも毎月（D.**1** ）回は行わなければならないとされている。

子どもの年齢に応じた保育士の配置については、ぜひ覚えておきたいところである。保育所における保育士の数は、**乳児おおむね３人**、**１歳～３歳未満児６人**、**３歳～４歳未満児15人**、**４歳以上児25人**につき、それぞれ１人以上の保育士が必要となる。
また、保育標準時間は８時間を基準としている。保育所では保育の内容についても、保護者の理解を得ることが**努力義務**となっている。

加点のポイント

◆保育士・保育教諭の配置基準の改正

令和６年４月から、保育士・保育教諭の配置基準が改正されました。それに伴い、「児童福祉施設の設備及び運営に関する基準」第三十三条、「幼保連携型認定こども園の学級の編制、職員、設備及び運営に関する基準」第五条なども改正されています。なお幼保連携型認定こども園、幼稚園の１学級の人数は35人以下で変更はありません。

<保育士１人当たりの子どもの人数>

満４歳以上　30人　→　25人
満３歳以上　20人　→　15人
満１歳以上～満３歳未満　６人　→　６人（変更なし）
乳児　３人　→　３人（変更なし）

次のうち、障害や発達上の課題が見られる子どもの保育に関わる条約や法律に関する記述として、適切な記述を○、不適切な記述を×とした場合の正しい組み合わせを一つ選びなさい。 令和４年（前期）問９

A「障害を理由とする差別の解消の推進に関する法律」は、障害がある者にとって日常生活又は社会生活を営む上で障壁となるような段差などの建築物における障害物のみを社会的障壁と定義し、その除去のための合理的配慮について規定している。

B「子ども・子育て支援法」は、保護者が子育てについての第一義的責任を有するので、子どもの発達上の課題に関する保護者の要望があったときのみ、社会のあらゆる分野における全ての構成員が、子ども・子育て支援における各々の役割を果たさなければならないと規定している。

C「障害者の権利に関する条約」は、障害者の社会への完全かつ効果的な参加及び包容を原則としている。

D「発達障害者支援法」は、保育所での保育において他の児童と別に生活することを通じて、発達障害児の健全な発達が図られるよう適切な配慮をするものと規定している。

（組み合わせ）

	A	B	C	D
1	○	○	○	×
2	○	○	×	○
3	○	×	×	×
4	×	○	×	○
5	×	×	○	×

次の【Ⅰ群】の記述と、【Ⅱ群】の語句を結びつけた場合の正しい組み合わせを一つ選びなさい。 令和４年（前期）問13

【Ⅰ群】

A 児童は、人として尊ばれる。児童は、社会の一員として重んぜられる。児童は、よい環境のなかで育てられる。

B 乳児又は幼児の保護者は、みずからすすんで、育児についての正しい理解を深め、乳児又は幼児の健康の保持及び増進に努めなければならない。

C 締約国は、すべての児童が生命に対する固有の権利を有することを認める。

【Ⅱ群】

ア 母子保健法　**イ** 児童憲章

ウ 子ども・子育て支援法　**エ** 児童の権利に関する条約

（組み合わせ）

	A	B	C
1	ア	エ	イ
2	イ	ア	エ
3	イ	ウ	エ
4	ウ	イ	エ
5	エ	ア	イ

加点のポイント

◆子育て・子どもの教育の第一義的責任

父母その他の保護者が子育てや子どもの教育に第一義的責任を有するという法律・条約は複数あります。

・教育基本法　第10条（子の教育）
・次世代育成支援対策推進法　第３条（子育て）
・児童の権利に関する条約　第18条（児童の養育及び発達）、第27条（発達に必要な生活条件の確保）

A 08

正解 5

A × 「障害を理由とする差別の解消の推進に関する法律（**障害者差別解消法**）」では、社会的障壁とは建築物における障害物に限られず「日常生活又は社会生活を営む上で障壁となるような**社会における事物、制度、慣行、観念その他一切のもの**」と定義されている。

B × 「子ども・子育て支援法」では、第２条で「子ども・子育て支援は、**父母その他の保護者**が子育てについての**第一義的責任**を有する」という基本的認識のもとに「家庭、学校、地域、職域その他の社会のあらゆる分野における**全ての構成員**が、各々の役割を果たすとともに、**相互に協力**して行われなければならない」とされている。要望があったときのみとはされていない。

C ○ 「**障害者の権利に関する条約**」は**2006**年に国連で採択され、2007年に日本も署名、2008年に発効した。ここでは第３条に「一般原則」として「社会に完全かつ効果的に**参加**し、及び社会に**受け入れられる**こと」記されている。

D × 「**発達障害者支援法**」の保育に関する条文（第７条）では、「発達障害児の健全な発達が**他の児童と共に生活すること**を通じて図られるよう適切な配慮をするものとする」とされている。

A 09

正解 2

A イ **児童憲章**の冒頭にある文章である。児童憲章は**1951（昭和26）**年に「日本国憲法の精神にしたがい、児童に対する正しい観念を確立し、すべての児童の幸福をはかるため」に定められた。

B ア **母子保健法**の内容。第４条で乳児または幼児の保護者に育児についての正しい理解が求められるほか、第３条では母性に対して、妊娠、出産または育児についての正しい理解が求められている。

C エ 「締約国」とあることから、条約であることがわかる。「**児童の権利に関する条約**」は1989（平成元）年に国連総会で採択、**1990（平成２）**年に発効、日本は1994（平成６）年に批准している。

加点のポイント ◆**こども家庭庁**

令和５年４月１日に、**内閣府の外局**として「**こども家庭庁**」が設置されました。
こども家庭庁の所掌事務のなかには「就学前のこどものある家庭における**子育て支援**」や「**子どもの保育及び養護**」「こどもの保健の向上」「こどもの**虐待防止**」「いじめの防止」などが含まれています。
また同日、「こども基本法」が施行されています。ここでは「こども」の定義として、「本法における「こども」は、**心身の発達過程にある者**をいい、一定の年齢で上限を画しているものではない。」としており、おとなになるまでの心身の発達過程を通じて**切れ目なく**こどもの健やかな成長に対する**支援が行われる**ものとされています（内閣府資料「こども基本法概要」より）。

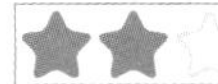

次のうち、「保育所保育指針」第３章「健康及び安全」４「災害への備え」に関する記述として、適切なものを○、不適切なものを×とした場合の正しい組み合わせを一つ選びなさい。 令和５年（前期）問９

A 災害の発生時に、保護者等への連絡及び子どもの引渡しを円滑に行うため、日頃から保護者との密接な連携に努め、連絡体制や引渡し方法等について確認をしておくこと。

B 防火設備、避難経路等の安全性が確保されるよう、定期的にこれらの安全点検を行うこと。

C 市町村の支援の下に、地域の関係機関との日常的な連携を図り、必要な協力が得られるよう努めること。

D 避難訓練は、少なくとも半年に１回定期的に実施するなど、必要な対応を図ること。

E 避難訓練については、地域の関係機関や保護者との連携の下に行うなど工夫すること。

（組み合わせ）

	A	B	C	D	E
1	○	○	○	○	×
2	○	○	○	×	○
3	○	×	×	×	○
4	×	○	×	○	×
5	×	×	×	×	○

③保育所保育指針における保育の基本

次のうち、「保育所保育指針」第２章「保育の内容」に照らして、１歳以上３歳未満児の保育についての記述として、不適切な記述を一つ選びなさい。

令和４年（前期）問７

1 自らの体を動かそうとする意欲が育つように、毎日決まった時間に必ず体を動かすようにすること。

2 この時期は自己と他者との違いの認識がまだ十分でないことから、子どもの自我の育ちを見守るとともに、保育士等の仲立ちにより他の子どもと多様な関わりがもてるようにすること。

3 身近な生き物との関わりについては、子どもが命を感じ、生命の尊さに気付く経験へとつながるものであることから、そうした気付きを促すような関わりとなるようにすること。

4 この時期は、大きく言葉の習得が進むことから、それぞれの子どもの発達の状況に応じて、遊びや関わりの工夫をすること。

5 身近な自然や身の回りの事物に関わる中で、発見や心が動く経験が得られるよう、諸感覚を働かせることを楽しむ遊びや素材を用意するなど保育の環境を整えること。

A 10

正解 2

A ○ 災害などの非常時については、日ごろからの訓練が重要であり、保護者とも緊密に**連携**し、円滑な**引渡し**ができるようにしておかなければならない。

B ○ 「**消防法**」第８条１項および「**児童福祉施設の設備及び運営に関する**基準」第６項に定めがある。設備を定期的に点検することは安全性確保の基本であり、また**避難経路**についてもその安全性を確保するため日常的な点検が必要である。

C ○ 保育所は限られた**職員**で多くの子どもを保育することから、地域の協力は重要であり、また保育所自体が**避難所**となることもあることから、**市町村**の支援のもと、地域と連携することは欠かせない。

D × 「児童福祉施設の設備及び運営に関する基準」において、避難訓練は「少なくとも**毎月一**回は、これを行わなければならない」と定められている。

E ○ 本文は以上の内容を集約したようなものであり、正しい。

A 11

正解 1

1 × 「毎日決まった時間に必ず体を動かすようにすること」は求められていない。**子どもの自発的な活動**が、保育の基本である。

2 ○ １歳以上３歳未満児の「人間関係」の内容の取扱いにみられる文言である。**保育士等の仲立ち**により、**他の子どもとの関わり方**を少しずつ身につける時期である。

3 ○ １歳以上３歳未満児の「環境」の内容の取扱いにみられる文言である。「**身近な生き物に気づき、親しみをもつ**」という内容とも関連する。

4 ○ １歳以上３歳未満児の「言葉」の内容の取扱いにみられる文言である。この時期は一語文から二語文へと進み、さらに体験した出来事や絵本の内容などを**記憶して再現**できるようにもなっていく時期である。

5 ○ １歳以上３歳未満児の「表現」の内容の取扱いにみられる文言である。

◆**保育所児童保育要録とは**

保育所児童保育要録は保育所入所のすべての子どもについて記録され、「保育所での子どもの育ちをそれ以降の**生活**や**学び**へとつなげていく」ために、「**子どもの最善の利益**を考慮し、**保育所から小学校**へ子どもの可能性を受け渡していくもの」であるとされる。一人ひとりの子どものよさを認め、全体像を記していくとともに、**保護者の思い**を踏まえることも重要であるとされている。当然のことながら個人情報としてその取り扱いには注意を要する。

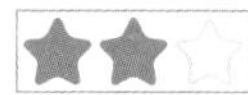

次の文は､｢保育所保育指針｣第１章｢総則｣(１)｢養護の理念｣の一部である。(Ａ)～(Ｄ)にあてはまる語句の正しい組み合わせを一つ選びなさい。

令和５年(前期) 問３

保育における養護とは、子どもの(Ａ)の保持及び(Ｂ)の安定を図るために保育士等が行う援助や関わりであり、保育所における保育は、養護及び(Ｃ)を一体的に行うことをその特性とするものである。保育所における保育全体を通じて、養護に関する(Ｄ)を踏まえた保育が展開されなければならない。

(組み合わせ)

	A	B	C	C
1	生命	情緒	教育	ねらい及び内容
2	安全	精神	学習	計画及び評価
3	生命	精神	教育	ねらい及び内容
4	安全	情緒	学習	ねらい及び内容
5	生命	情緒	教育	計画及び評価

次の文のうち、｢保育所保育指針｣第２章｢保育の内容｣の２｢１歳以上３歳未満児の保育に関わるねらい及び内容｣に関する記述として、不適切な記述を一つ選びなさい。

令和３年(後期) 問16

1 この時期の発達の特徴を踏まえ、保育の｢ねらい｣及び｢内容｣については５つの領域ごとに示されている。

2 一人一人の発育に応じて、体を動かす機会を十分に確保し、自ら体を動かそうとする意欲が育つようにする。

3 ゆったりとした雰囲気の中で食べる喜びや楽しさを味わい、進んで食べようとする気持ちが育つようにする。

4 思い通りにいかない場合等の子どもの不安定な感情の表出については、保育士等が受容的に受け止めるとともに、そうした気持ちから立ち直る経験へとつなげていけるように援助する。

5 数量や文字などに関しては、日常生活の中で子ども自身の必要感に基づく体験を大切にし、数量や文字などに関する興味や関心、感覚が養われるようにする。

A 12

正解 1

保育所における養護が「**生命の保持**」と「**情緒の安定**」であり、保育は「養護および教育を**一体的に行う**」ものであることは、保育所保育の大原則である。また養護にも「ねらい及び内容」（第１章総則、２養護に関する基本的事項、（２）養護に関わるねらい及び内容）があり、養護の目標が具体的に述べられている。

A 13

正解 5

1 ○　乳児については「**３つの視点**」だが、１歳以上３歳未満児と、３歳以上児については「**５領域**」で記載されている。

2 ○　「自ら体を動かそうとする意欲が育つように」との文言がすべての年代の「内容の取扱い」でみられるが、その前の文言が、乳児は「**発育に応じて**、遊びの中で体を動かす機会を十分に確保し」、１歳以上３歳未満児は「**一人一人の発育に応じて**、体を動かす機会を十分に確保し」、３歳以上児は「**十分に体を動かす**気持ちよさを体験し」とそれぞれ少しずつ異なる。

3 ○　上記２と同じく「進んで食べようとする気持ちが育つようにする」は共通。その前の文言が、乳児は「**和やかな雰囲気の中で**食べる喜びや楽しさを味わい」、１歳以上３歳未満児は「**ゆったりとした雰囲気の中で**食べる喜びや楽しさを味わい」、３歳以上児は「**食の大切さに気付き**」とそれぞれ少しずつ異なる。

4 ○　１歳以上３歳未満児の「人間関係」の内容の取扱いにある文言。この時期の子どもに対しては、「**十分に時間**をかけて**受容的**に受け止めるとともに、子どもなりに取り組んでいる**姿を認めたり**、時には一緒に行動しながら励ましたりすることが大切」とされる。

5 ×　**数量や文字**などについては、**３歳以上児**の保育内容、および「幼児期の終わりまでに育ってほしい姿」にみられる。設問は３歳以上児の内容の取扱いの文章である。

Q 14 

次の文のうち、「保育所保育指針」第１章「総則」の４「幼児教育を行う施設として共有すべき事項」に関する記述として、適切な記述を○、不適切な記述を×とした場合の正しい組み合わせを一つ選びなさい。 令和３年（後期）問３

A 育みたい資質･能力として、「知識及び技能の基礎」「思考力、判断力、表現力等の基礎」「学びに向かう力、人間性等」が示されている。

B 育みたい資質・能力は、保育のねらい及び内容に基づいた個別の活動によって育むものである。

C 「幼児期の終わりまでに育ってほしい姿」は、保育活動全体を通して資質・能力が育まれている子どもの小学校就学時の具体的な姿である。

D 「幼児期の終わりまでに育ってほしい姿」は、特に卒園を迎える年度の後半に見られるようになることから、５歳児クラスの保育の到達目標として掲げ、指導する内容である。

（組み合わせ）

	A	B	C	D
1	○	○	×	×
2	○	×	○	×
3	○	×	×	○
4	×	○	○	×
5	×	×	○	○

Q 15

次の図は、「保育所保育指針」第１章「総則」（２）「幼児期の終わりまでに育ってほしい姿」の一部を図に表したものである。図中の（ Ａ ）～（ Ｃ ）にあてはまる語句の正しい組み合わせを一つ選びなさい。 令和３年（前期）問２

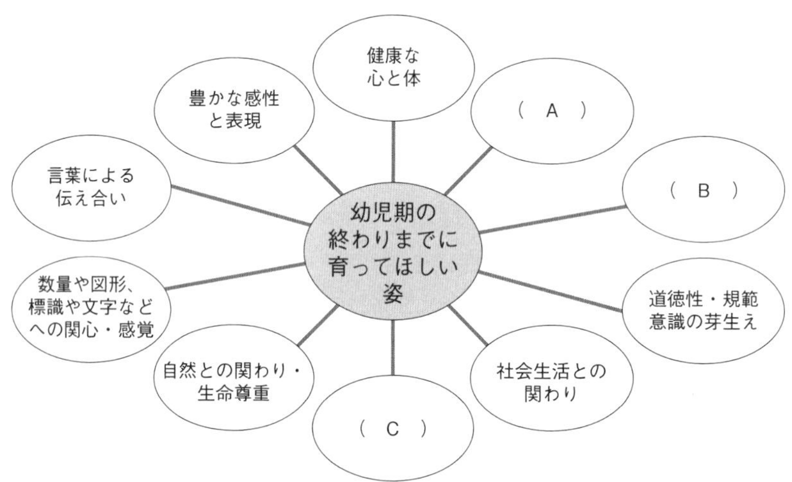

（組み合わせ）

	A	B	C
1	自立心	協調性	探求心の芽生え
2	自立心	協同性	思考力の芽生え
3	自律心	協同性	思考力の芽生え
4	自律心	協調性	思考力の芽生え
5	自立心	協同性	探求心の芽生え

A 14

正解 2

A ○ 「知識及び技能の基礎」「思考力、判断力、表現力等の基礎」「学びに向かう力、人間性等」の３つが、**幼児期に基礎**を置きその後の学校教育につながる学びの柱として位置づけられている。

B × 個別の活動によって、一つ一つを取り出して指導するものではない。幼児期の指導はあくまで**総合**的に行われるものである。

C ○ 「幼児期の終わりまでに育ってほしい姿」は、**保育活動全体**を通して育まれるものである。

D × 「幼児期の終わりまでに育ってほしい姿」は到達目標ではなく、**方向目標**であるといわれる。個別の姿に到達させるように指導するものではないことに特に注意したい。

A 15

正解 2

A 自立心

B 協同性

C 思考力の芽生え

「保育所保育指針」の「幼児教育を行う施設として共有すべき事項」の（1）「育みたい資質・能力」および（2）「幼児期の終わりまでに育ってほしい姿」については、**5領域**およびその「ねらい」との関連を踏まえながら覚えておきたい。

よく出るポイント ◆**育みたい資質・能力**

「幼児教育を行う施設として共有すべき事項の育みたい資質・能力」は、保育所保育指針、幼児教育要領、幼保連携型認定こども園教育・保育要領に共通して記載されているものである。

保育所保育指針解説（厚生労働省）には、「実際の指導場面においては、「知識及び技能の基礎」「思考力、判断力、表現力等の基礎」「学びに向かう力、人間性等」を**個別に取り出して**指導するのではなく、**遊びを通した総合的**な指導の中で**一体的**に育むよう努めることが重要である」と記載されている。

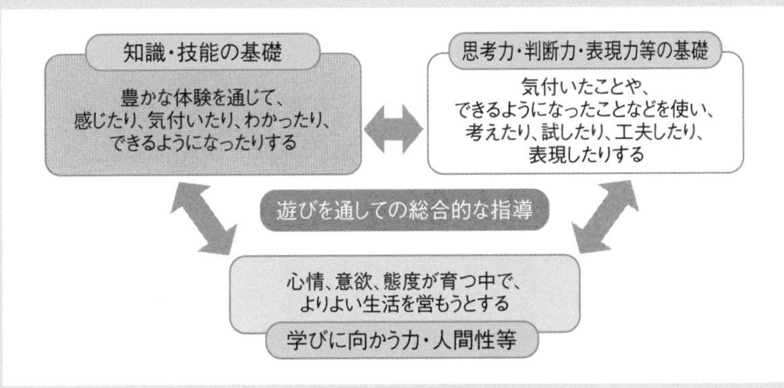

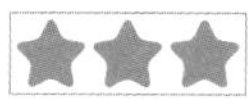

次の【Ⅰ群】は、ある保育所の園だよりに示された保育の目標である。「保育所保育指針」(厚生労働省告示第117号平成29年３月31日)第２章「保育の内容」に照らし、【Ⅰ群】の記述と【Ⅱ群】の項目を結び付けた場合の正しい組み合わせを一つ選びなさい。

平成30年(後期) 問4

【Ⅰ群】

A・保育所の生活の仕方を知り、自分たちで生活の場を整えながら見通しをもって行動する。
・友達のよさに気付き、一緒に活動する楽しさを味わう。

B・一人一人の生活のリズムに応じて、安心して十分に午睡をする。
・生活や遊びの中で、身近な人の存在に気付き、親しみの気持ちを表す。

C・身の回りを清潔に保つ心地よさを感じ、その習慣が少しずつ身に付く。
・保育者に助けられながら、他の子どもとの関わり方を少しずつ身に付ける。

（組み合わせ）

	A	B	C
1	ア	イ	ウ
2	ア	ウ	イ
3	イ	ウ	ア
4	ウ	ア	イ
5	ウ	イ	ア

【Ⅱ群】

ア 乳児保育に関わるねらい及び内容

イ １歳以上３歳未満児の保育に関わるねらい及び内容

ウ ３歳以上児の保育に関するねらい及び内容

よく出るポイント ◆幼児期の終わりまでに育ってほしい姿（10の姿）

最近では、2021（令和３）年、2022（令和４）年と続けて出題されているので、保育所保育指針を読み込んで、記載内容を確実に覚えておこう。また、「10の姿」は必ず達成しなければいけないような強制性があるものではない、ということもおさえておきたい。

加点のポイント ◆保育所保育指針解説における「ねらい」と「内容」の関係

「ねらい」は、「保育所保育指針」第１章の１の（２）に示された**保育の目標**をより具体化したものであり、子どもが保育所において、安定した生活を送り、充実した活動ができるように、保育を通じて**育みたい資質・能力を**、子どもの生活する姿からとらえたものである。
「内容」は、「ねらい」を達成するために、以下の２点を示したものである。
① 子どもの生活やその状況に応じて**保育士**等が適切に行う事項
② 保育士等が援助して**子ども**が環境に関わって経験する事項

A 16

正解 4

A ウ 例えば5領域「健康」の「ねらい」に着目すると、1歳以上3歳未満児の「ねらい」では、「③健康、安全な生活に必要な**習慣に気づき、自分でしてみようとする気持ち**が育つ」に対して、3歳以上児の「ねらい」では「③健康、安全な生活に必要な習慣や**態度を身に付け、見通しをもって**行動する」とある。見通しをもって自立的に行動することは、3歳以上児のねらいとなる。また友だちと一緒に活動する（並行遊び等から協同遊び等への移行など）姿も、3歳以上児にみられる。

B ア 乳児においては「**生活のリズムの感覚が芽生える**」時期であり、午睡も保育の内容に含まれる。「乳児保育に関わるねらい及び内容」の「内容」④を参照。

C イ 1歳以上3歳未満児の「健康」の内容⑤にあるように、この時期の子どもは清潔であることに心地よさを感じ、その**習慣が身についていく時期**である。また、I群Aにみられるように一緒に活動するまでには至っていないが、それに向けて他の子どもとの関わりが出てくる時期である（「人間関係の内容」④）。

加点のポイント

◆保育の「ねらい」

乳児保育から、3歳以上児までの「ねらい」を追って、育ちの様子を確認してみよう。

視点・領域	乳児保育	1歳以上3歳未満児	3歳以上児
体の育ちを中心に	① 身体感覚が育ち、快適な環境に心地よさを感じる。 ② 伸び伸びと体を動かし、はう、歩くなどの運動をしようとする。 ③ 食事、睡眠等の生活のリズムの感覚が芽生える。	① 明るく伸び伸びと生活し、自分から体を動かすことを楽しむ。 ② 自分の体を十分に動かし、様々な動きをしようとする。 ③ 健康、安全な生活に必要な習慣に気付き、自分でしてみようとする気持ちが育つ。	① 明るく伸び伸びと行動し、充実感を味わう。 ② 自分の体を十分に動かし、進んで運動しようとする。 ③ 健康、安全な生活に必要な習慣や態度を身に付け、見通しをもって行動する。
人との関わりを中心に	① 安心できる関係の下で、身近な人と共に過ごす喜びを感じる。 ② 体の動きや表情、発声等により、保育士等と気持ちを通わせようとする。 ③ 身近な人と親しみ、関わりを深め、愛情や信頼感が芽生える。	① 保育所での生活を楽しみ、身近な人と関わる心地よさを感じる。 ② 周囲の子ども等への興味や関心が高まり、関わりをもとうとする。 ③ 保育所の生活の仕方に慣れ、きまりの大切さに気付く。	① 保育所の生活を楽しみ、自分の力で行動することの充実感を味わう。 ② 身近な人と親しみ、関わりを深め、工夫したり、協力したりして一緒に活動する楽しさを味わい、愛情や信頼感をもつ。 ③ 社会生活における望ましい習慣や態度を身に付ける。
物との関わりを中心に	① 身の回りのものに親しみ、様々なものに興味や関心をもつ。 ② 見る、触れる、探索するなど、身近な環境に自分から関わろうとする。 ③ 身体の諸感覚による認識が豊かになり、表情や手足、体の動き等で表現する。	① 身近な環境に親しみ、触れ合う中で、様々なものに興味や関心をもつ。 ② 様々なものに関わる中で、発見を楽しんだり、考えたりしようとする。 ③ 見る、聞く、触るなどの経験を通して、感覚の働きを豊かにする。	① 身近な環境に親しみ、自然と触れ合う中で様々な事象に興味や関心をもつ。 ② 身近な環境に自分から関わり、発見を楽しんだり、考えたりし、それを生活に取り入れようとする。 ③ 身近な事象を見たり、考えたり、扱ったりする中で、物の性質や数量、文字などに対する感覚を豊かにする。

次の【事例】を読んで、【設問】に答えなさい。 令和２年（後期）問８

【事例】

Ｎ保育所の４歳児クラスで、外遊びから戻ってきた子どもたちが、麦茶を飲もうと列に並び始めた。Ｓ児、Ｙ児が順番に並んでいった。先頭のＳ児が後方に並んでいたＭ児に呼ばれ少しだけ列の横に動いた。Ｓ児がその場を離れると予想したのか、前に並びたいという気持ちが働いたのか、Ｙ児が先頭に並ぼうと前に出た。Ｓ児が「やめて。僕が一番なんだから」と強く言うが、Ｙ児は譲らず、２人がつかみ合いになった。担当保育士がやってきて、「どうしたの？」と言いながら間に入った。近くにいた子どもたちがじっとその様子を見ていた。担当保育士は、保育室の隅に２人を連れていきそれぞれに状況や理由を聴き始めた。先ほどから２人のいざこざの様子を見ていたＭ児がそばにやってきて、「あのね、私がＳちゃんに…」といざこざになった理由を説明し始めた。

【設問】

担当保育士の子どもへの対応として、「保育所保育指針」第１章「総則」の１「保育所保育に関する基本原則」、３「保育の計画及び評価」及び第２章「保育の内容」の３「３歳以上児の保育に関するねらい及び内容」に照らして、適切な記述を○、不適切な記述を×とした場合の正しい組み合わせを一つ選びなさい。

A 最も重要なことは、２人のいざこざの理由を当事者のそれぞれが自分で説明することなので、自分のこと（列に並んで麦茶を飲むこと）に専念するようＭ児をその場から遠ざける。

B 当事者それぞれが状況や理由を言葉で主張しあうことも大切だが、クラスの子どもが友達のいざこざに関心をもち、解決のプロセスに参加するように援助する。

C いざこざは、当事者が一番わかっていることなので、他の子どもが野次馬的な感情で参加することはいけないことだと、このような機会をとらえて全体に指導する。

D ４歳児クラスとして規範意識の育ちを促す良い機会なので、周囲の子どもと一緒にどうしたらよいかを考える。

E Ｍ児は自分がＳ児に呼びかけた結果、トラブルになったことで責任を感じているのかもしれない。Ｍ児の気持ちも配慮しながら、いざこざに対する援助をする。

（組み合わせ）

	A	B	C	D	E
1	○	○	○	×	×
2	○	○	×	×	○
3	×	○	×	○	○
4	×	×	○	○	×
5	×	×	×	×	○

A 17

正解 3

A × 人間関係について経験を通しながら学んでいく幼児期においては、このような機会をとらえて、当事者だけではなくまわりの子どもも人との関わりを指導していくことが必要である。保育士等やまわりの子どもたちとの**話し合い**などを通して、自他の気持ちや欲求が異なることに気づくきっかけとなる。

B ○ Aの解説と同じく、保育士等や仲間との話し合いは、他者の**気持ち**や**欲求**を知る機会にもなる。

C × 野次馬的な感情で参加はすることはもちろん望ましくないが、子どもたちが自分たちのクラスで起こっていることに関心をもつことは大切である。ほかの子どもも解決のプロセスに**参加**することで、トラブルの当事者も他者の考えを知ることができ、周囲の子どももこのようないざこざをきっかけに人との**かかわりを考える**機会となる。

D ○ **道徳性**や**規範意識**が育ち始める時期でもあり、適切な関わりといえる。

E ○ M児へのこのような配慮を含め、S児、Y児といった当事者だけに問題を限定せず、**周囲の子どもたち**を含めて考えていくことが求められる。

次の保育所での【事例】を読んで、【設問】に答えなさい。 令和3年(前期) 問16

【事例】

進級したばかりの5歳児クラスでは、ときどきクラス全員でドッジボールを行っていた。積極的にボールをキャッチして投げる子どももいるが、普段からまったくボール遊びに興味を示さない子どももいた。

保育士は「5歳児クラスでは、例年、秋になるとドッジボールが盛り上がりを見せるようになる。その時のために、今から投げられたボールを受け取る練習をしておけば、みんなが自信を持てるようになる。」と考えた。そこで、早速、登園後の好きな遊びを行う時間に、ドッジボールでボールに触りたがらない子ども3人を誘って、ボールを受け取る練習を始めた。そこでは、保育士も一緒に加わって、相手の投げたボールを受け取ると隣の子どもに投げ、その子どもがまた次の子どもに向かって投げることを順番に繰り返していた。参加している子どもたちの動きは緩慢で、表情もあまり楽しそうではなかった。

【設問】

この事例における保育士のボールに触りたがらない子どもたちへの対応や考え方として、「保育所保育指針」第1章「総則」、第2章「保育の内容」に照らして、適切な記述を○、不適切な記述を×とした場合の正しい組み合わせを一つ選びなさい。

A 保育士の援助として、これからの活動計画を見通した適切な援助である。特に、ボール遊びを苦手とする子どもに対しては、積極的に誘い、早めに練習させておくことが必要である。

B 子どもが何かに取り組むには、子どもなりの必要感や「〜したい」と思う気持ちが大切である。そのため、子ども自身が意欲をもつ前から早めに練習させておくという方法は適切ではない。

C ボールの受け取りをしている子どもたちの動きや表情から、子どもたちが積極的に参加していないことや楽しんでいない様子を理解し、保育士の見通しを保留して活動を変更する対応が必要である。

(組み合わせ)

	A	B	C
1	○	○	×
2	○	×	○
3	×	○	○
4	×	×	○
5	×	×	×

A 18

正解 3

A × 子どもの**興味・関心**を重視することは重要であり、子どもの**主体性**を尊重し、特定の運動の指導に偏らないことも求められていることから、適切な指導とはいえない。

B ○ 子どもが**意欲的**に活動に取り組めるようにするためにも、子どもの「～したい」という気持ちに基づいた活動は重要である。

C ○ 保育士には**柔軟な対応**が求められており、計画通りに遂行することだけが保育ではない。子どもの様子を理解し、気持ちを受け止めて、時には**計画を変更**したり、**環境を再構成**するなどの対応も必要である。

よく出るポイント ◆保育のキーワード「子どもの主体性」とは

「**子どもが（保育の）主体である**」という考えは保育所保育指針の基本的なもので、保育全般の理解において欠かせないものである。新しい保育所保育指針でも「保育全般に関わる配慮事項」として「子ども自らが周囲に働きかけ、試行錯誤しつつ自分の力で行う活動を見守りながら、適切に援助すること」とされている。

次のうち、「保育所保育指針」第１章「総則」（４）「保育の環境」に関する記述として、適切なものを○、不適切なものを×とした場合の正しい組み合わせを一つ選びなさい。 令和５年（前期）問２

A 保育の環境には、保育士等や子どもなどの人的環境、施設や遊具などの物的環境、更には自然や社会の事象などがある。

B 保育室は、温かな親しみとくつろぎの場となるとともに、生き生きと活動できる場となるように配慮すること。

C 子どもの活動が豊かに展開されるよう、保育所の設備や環境を整え、保育所の保健的環境や安全の確保などに努めること。

D 保育士自らが積極的に環境に関わり、子どもに遊びを提供するよう配慮すること。

（組み合わせ）

	A	B	C	D
1	○	○	○	×
2	○	○	×	×
3	○	×	○	×
4	×	×	○	○
5	×	×	×	○

A 19

正解 1

A ○ 保育の基本的な環境として「**人的**環境」「**物的**環境」「**自然**や**社会**の事象」を覚えておきたい。

B ○ 保育室は子どもが一日の生活を送る場であり、「**静**と**動**のバランス」がとれる場であることが求められる。

C ○ 子どもの活動が豊かに展開されるためには、子どもの活動のための環境が整えられるほか、**衛生**的で**安全**に活動が展開できる場であることが求められる。

D × 保育所における遊びとは、子どもが**自ら**環境に関わることで生み出されるものである。保育士はそのような環境を**構成**することが重要である。

よく出るポイント ◆環境を通した保育とは

環境を通した保育は、保育の根幹をなす重要事項である。環境とは「保育士等や子どもなどの**人的環境**、設備や遊具などの**物的環境**、そして、**自然や社会の事象**など」である。子どもがこれらの環境に自ら関わりさまざまな経験をしていくことが必要で、保育士の役割の一つは、この環境を**魅力的**かつ**安全**なものとして構成していくことである。

加点のポイント ◆まちがえやすい保育内容

保育の内容の５領域については、必ず保育所保育指針の原文を読んで内容を確認しておくこと。例えば、人間関係には他者との関係だけではなく、**自立**等の内容が含まれること、充実して遊ぶ、という内容が**健康領域**に含まれる等、どの領域か判断しにくい内容もみられる。

次の【事例】を読んで、【設問】に答えなさい。　令和２年（後期）問７

【事例】

M保育所の１歳児クラスに通うＫ君（１歳８か月）は、ごはんやうどんなどの主食は好きでよく食べるが、野菜やお肉などのおかずはなかなか食べない。また、自分で食べるときもあるが、「ママ！（やって）」と食べさせてもらうことを求めることが多い。Ｋ君の保護者は、Ｋ君に主食だけではなくおかずもしっかりと食べられるようになってほしい、また自分で食べるようになってほしいと思っている。しかし、なかなかそうならないＫ君に保護者はあせりを感じている。そこで連絡帳にＫ君の家庭での食事の様子を記入し、担当保育士にアドバイスを求めてきた。

保育所でもK君は食事の際、ごはんなどはスプーンを持って上手に食べるが、おかずになると手をひざの上において自分で食べようとしないことが続いている。保育士が声をかけると、自分でスプーンを持っておかずを食べる日もあり、担当保育士はK君を励ましながら食事を進めている。担当保育士から相談を受けた栄養士は、Ｋ君の食事の様子を最近よく見ている。

【設問】

担当保育士がＫ君の保護者の連絡帳に記入する内容として、「保育所保育指針」第３章「健康及び安全」の２「食育の推進」及び第４章「子育て支援」に照らして、適切な記述を○、不適切な記述を×とした場合の正しい組み合わせを一つ選びなさい。

A 保育所でのＫ君の食事に対する担当保育士の対応の様子を伝え、食べることを楽しむことが大切なので、あせらずにやっていきましょうと伝える。

B 食事は早くからの自立への援助が大切であるため、何でも自分でスプーンなどを持って食べるように保育所での指導を強めていきますと伝える。

C 子どもの食事は、保育所よりも保護者が指導することが大切なので、家庭でしっかりと指導してくださいと伝える。

D 保護者が希望するならば、栄養士も交えて一緒に相談しましょうと伝える。

（組み合わせ）

	A	B	C	D
1	○	○	○	×
2	○	○	×	○
3	○	×	×	○
4	×	×	○	○
5	×	×	○	×

A 20

正解 3

A ○ 食育には「**豊かな人間性を育み**」「**生きる力を身に付け**」ること、また「**健康増進**」のためと多様な目的が課されているが、幼児期においてはまず「**食べることを楽しみ**」「**食事を楽しみ合う**子どもに成長していくこと」が期待されている。

B × まずは**食べることを楽しむこと**が大切であるが、強制するような指導はかえって楽しむことや、食に対する意欲をそぐことにつながりかねない。

C × 家庭での保護者の関わりも大切であると考えられるが、保育所においても**食育の推進**が定められ、**保育内容「健康」**領域にも食育に関する内容が定められていることから、保育所の役割であることはいうまでもない。

D ○ **栄養士**が配置されている場合には、栄養士が**食育の計画**や実践においてその**専門性**を発揮することが期待される。このような役割は「保育所における子育て支援に関する基本的事項」でも期待されている内容である。

加点のポイント

◆幼稚園・保育園・認定こども園

幼稚園・保育園・認定こども園の成立と、その関係について整理します。

年号	出来事	内容
1876（明治９）年	東京女子師範学校付属幼稚園の開設	官立幼稚園の始まり
1899（明治32）年	幼稚園保育及設備規定の公布	初の幼稚園独自の規定
1900（明治33）年	二葉幼稚園の設立	野口幽香と森島美根によって設立
1916（大正５）年	二葉幼稚園から二葉保育園へ	保育所のルーツのひとつとなる
1926（大正15）年	幼稚園令の公布	初の幼稚園の単独勅令
1948（昭和23）年	学校教育法（第77条　幼稚園）	戦後の幼稚園が学校教育の一部として位置付けられる
	保育要領の刊行 児童福祉施設最低基準の制定	幼稚園、保育所、家庭保育の手引き
1956（昭和31）年	幼稚園教育要領の刊行（告示） 幼稚園設置基準の制定	６領域の保育内容の誕生 １クラス40名以下の基準 （1989（平成元）年改定で35人以下に）
1963（昭和38）年	「幼稚園と保育園の関係について」 （文部省、厚生省の共同通知）	保育所の持つ機能のうち教育に関するものは幼稚園教育要領に準ずることが望ましい
1965（昭和40）年	保育所保育指針の刊行（通知）	保育所独自の指針ができる
1989（平成元）年	幼稚園教育要領、６領域から５領域へ（保育所保育指針は1990（平成２）年に改訂）	現行の５領域となる
2006（平成18）年	認定こども園制度の開始（「就学前の子どもに関する教育、保育等の総合的な提供の推進に関する法律」の公布）	認定こども園制度のスタート
2008（平成20）年	保育所保育指針の告示化	告示化により規範性有する指針としての位置付けを明確に
2011（平成23）年	児童福祉施設最低基準から「児童福祉施設の設備及び運営に関する基準」へ	名称の変更、最低基準としての性格は維持
2015（平成27）年	子ども・子育て支援新制度の開始	施設型給付、地域型保育給付の創設
2023（令和５）年	こども家庭庁の発足	保育所の厚生労働省からの移管

次の文のうち、3歳以上児の保育の内容の取扱いに関する記述として、「保育所保育指針」に照らして、適切な記述を○、不適切な記述を×とした場合の正しい組み合わせを一つ選びなさい。 令和3年（前期）問14

A 自然の中で伸び伸びと体を動かして遊ぶことにより、体の諸機能の発達が促されることに留意し、子どもの興味や関心が戸外にも向くようにする。

B 一人一人を生かした集団を形成しながら人と関わる力を育てていくようにする。

C 子どもが自分の思いを言葉で伝え、他の子どもと言葉による伝え合いができるように、状況に関わらず保育士は仲立ちしないようにする。

D 子どもが日常生活の中で、文字などを使いながら思ったことや考えたことを伝える喜びや楽しさを味わいながら、同時に文字を書けるように指導する。

E 子どもの表現は、率直であり、直接的であるので、内容の面でも方法の面でも素朴に見えるときは、大人が考えるような形式を整えた表現方法を助言する。

（組み合わせ）

	A	B	C	D	E
1	○	○	○	○	×
2	○	○	×	×	×
3	○	×	○	×	○
4	×	○	×	×	×
5	×	×	○	○	○

次の保育所での【事例】を読んで、【設問】に答えなさい。 令和5年（前期）問17

【事例】

実習生のMさんは、初めて2歳児クラスで絵本の読み聞かせに取り組んだ。集中して絵本を見る子どももいるが、声を出したり、立ち上がったり、歩き回ったりする子どももいて、Mさんは対応に困りながらも何とか絵本を読み終えた。

【設問】

次のうち、実習生Mさんの振り返りの記述として、「保育所保育指針」第1章「総則」、第2章「保育の内容」に照らし、適切なものを○、不適切なものを×とした場合の正しい組み合わせを一つ選びなさい。

A 集中して絵本を見ている子どものじゃまをしてしまうので、声を出したり、立ち上がったり、歩き回ったりする子どもをしっかり注意するべきだった。

B 絵本に自然に子どもの関心が向くように、自分の読む位置に配慮したり、ござやマットを用意するなど、環境面で工夫ができないかを考えてみよう。

C 読み聞かせのときに声を出したり、立ち上がるのは、絵本に興味を持っていることの表れかもしれない。子どもなりの反応を肯定的に捉えてみよう。

D 子どもに何も声をかけられなかったが、2歳児クラスの子どもにはまだ何を言っても伝わらないから問題はないだろう。

E 選んだ絵本が、子どもの興味や関心に添うものだったかを検討してみよう。

（組み合わせ）

	A	B	C	D	E
1	○	○	×	○	×
2	○	×	×	○	×
3	×	○	○	×	○
4	×	×	○	○	○
5	×	×	×	×	○

A 21

正解 2

A ○ ３歳以上児の「健康」の内容の取扱い③に記載がある。子どもは**魅力的な環境**に出合うことで、生き生きと活動を展開することができる。なお、子どもの主体的な活動を大切にするようにし、特定の運動に偏った指導を行うことのないようにしなければならない、とされている。

B ○「人間関係」の内容の取扱い②に記載がある。一人一人の子どもが育つうえで、集団が一人一人の子どもにとって**安心して**十分に**自己を発揮**できる場になっていなければならない。

C × 子ども同士がいざこざや葛藤などの体験の中で、相手の**気持ちに気づいて**いくことも大切であるが、いざこざや言葉のやり取りが激しかったり、長い間続いたりしている場合には仲立ちをすることも大切となる。

D × 文字や数字などについては、関わりが生まれ、**関心**をもち、触れていく中で理解する手がかりを得ていくことが幼児期の姿であり、使うことや指導することは求められていない。

E × 子どもの表現が素朴であることはその通りだが、保育士等はそれを受容し、意欲を受け止めて、子どもが表現を楽しむことができるようにすることが求められている。

A 22

正解 3

A × まず２歳児クラスであることを念頭に考えることが必要である。１～３歳では、まず**自分**を受け止められることから、**他者**を受け入れることができ始める時期であり、注意して指導することが適切な年齢とはいえない。

B ○ 上記Aの解説にあるような状況の一方で、保育者の側では環境構成などにおいて、子どもがより絵本に親しみ、**時間**を共有する工夫を考えることができるか検討する必要がある。

C ○ 言葉が徐々に**明瞭**になる時期ではあるが、興奮したときなどに大きな声をあげたりすることも想像されるだろう。好きな絵本であることを他者に**伝えたい思い**や、自分の喜びを表現したい気持ちの表れとも考えられる。

D × 上記したように言葉が**明瞭**になる時期であるということは、言葉を理解し、表現しつつある時期でもある。周囲の大人の適切な**言葉かけ**によって、言葉を成長させていく時期である。

E ○ 保育において絵本の選択は重要である。絵の**大きさ**や数、使われている言葉など、絵本ごとの**違い**を把握し、子どもの育ちや、**興味・関心**に合うものを選択することが求められる。

Q 23 ★★★

次の文は、保育所における指導計画とその展開に関する記述である。「保育所保育指針」第1章「総則」の3「保育の計画及び評価」に照らして、適切な記述を○、不適切な記述を×とした場合の正しい組み合わせを一つ選びなさい。

令和元年（後期）問13

A 保育士等は、保育の過程を記録し、これらを踏まえ、指導計画に基づく保育内容の見直しを行い、改善を図る必要がある。

B 保育の過程の記録は、子どもの生活や遊びの姿に視点をあてた記録ではなく、保育士等の行った保育に視点をあて、ねらいや内容が適切であったか否かを記録することが重要である。

C 保育士等は計画通りに保育を展開することが重要なので、そのための保育技術を身に付けなければならない。

D 子どもに対する保育士等の援助には、場や生活の流れを調整するなどのように、直接子どもに関わらないで子ども自身の活動の展開を促す援助もある。

（組み合わせ）

	A	B	C	D
1	○	○	○	×
2	○	○	×	○
3	○	×	×	○
4	×	×	○	×
5	×	×	×	○

Q 24 ★★★

次の文のうち、「保育所保育指針」第1章「総則」3「保育の計画及び評価」の一部として、下線部分が正しいものを○、誤ったものを×とした場合の正しい組み合わせを一つ選びなさい。

令和3年（前期）問7

A 全体的な計画は、保育所保育の全体像を包括的に示すものとし、これに基づく<u>指導計画、環境計画、食育計画</u>等を通じて、各保育所が創意工夫して保育できるよう、作成されなければならない。

B 指導計画においては、保育所の生活における子どもの発達過程を見通し、<u>生活の連続性、季節の変化</u>などを考慮し、子どもの実態に即した具体的なねらい及び内容を設定すること。

C 保育士等は、子どもの実態や子どもを取り巻く状況の変化などに即して保育の過程を記録するとともに、これらを踏まえ、<u>指導計画に基づく保育の内容</u>の見直しを行い、改善を図ること。

D 保育士等による自己評価に当たっては、子どもの活動内容やその結果だけでなく、<u>子どもの心の育ちや意欲、取り組む過程</u>などにも十分配慮するよう留意すること。

（組み合わせ）

	A	B	C	D
1	○	○	×	×
2	○	×	○	×
3	×	○	○	○
4	×	○	×	○
5	×	×	×	○

A 23

正解 3

A ○ 保育所保育指針第１章３（３）エにある通り、**保育の過程を記録**し、**保育の見直し**を行うことが求められている。この記録を通して客観的に自分の**保育を見直し**、保育中に気付かなかったことなどを発見していくことができる。

B × 保育所保育指針解説では、「記録をする際には、**子ども**に焦点を当てて、生活や遊びの時の様子を思い返してみる視点と、一日の保育やある期間の保育について、保育士等が自分の設定した**ねらい**や**内容・環境の構成・関わり**などが**適切であったか**といったことを見直してみる視点がある」とされている。保育の過程の記録は、保育者の保育のことだけではなく、**子どもをとらえ直す**機会ともなる。

C × 保育所保育指針解説第１章３（３）エには「子どもの**実態**や子どもを取り巻く**状況の変化**などに即して**保育の内容の見直し**を行う」と記載がある。保育者はねらいにもとづいて環境を構成していくが、偶発的に子どもが活動を展開することもあり、そのような場合には、計画通りに保育を展開することにこだわらず、**子どもの気付き・発想・工夫**を大切にしながら、子どもと共に**環境を再構成**していくことが大切である。

D ○ 指導計画の展開においては遊び等の環境を整え、「子どもが望ましい方向に向かって**自ら活動を展開**できるよう必要な援助を行うこと」が求められている。

A 24

正解 3

A × 環境計画ではなく、**保健計画**が正しい。「全体的な計画の作成」のウに本文がある。

B ○ 保育所に通園することで発生する家庭生活と園生活とを接続する**連続性**や、**季節の変化**や**行事**との関連性なども考慮して計画が作成される必要がある。

C ○ 計画は作成して実施すれば終わりというものではなく、常にさらに良い計画へと向上させる必要がある。そのためには保育を**記録**し、**振り返り**を行って改善していくことが求められる。

D ○ **自己評価**のなかで子どもの様子を捉える際には「発達には**個人差**があること、できることとできないことだけではなく、子どもの**心の動き**や物事に対する意欲など内面の育ちを捉えること」が大切であり、「子どもが何をしていたのかということやその結果のみでなく、どのようにして**興味や関心**をもち、取り組んできたのか、その**過程を理解**すること」が保育の質の向上のために必要である。

◆ **3歳以上児の保育計画について**

集団での遊びが活発になり、**友達との関わり**が増える３歳以上児では、集団において「一人一人の子どもの主体性が重視されてこそ**集団の育ち**があるという点を十分に認識した上で（指導計画を）作成することが重要」であるとされる（保育所保育指針解説より）。また子どもの「いま」を重視して計画を作成することが重要である一方で、就学後の生活も見通すことが求められる。

「保育所保育指針」第１章の３「保育の計画及び評価」では、「３歳未満児については、一人一人の子どもの生育歴、心身の発達、活動の実態等に即して、個別的な計画を作成すること」とされている。その背景として、適切な記述を○、不適切な記述を×とした場合の正しい組み合わせを一つ選びなさい。 令和４年（後期）問４

A 特に心身の発育や発達が顕著な時期であると同時に、個人差が大きい時期でもあるため。

B 一日の生活全体の連続性を踏まえて家庭との連携が求められるため。

C 心身の諸機能が未熟であり、感染症対策からも１対１対応に近い少人数で保育することで、保護者の理解が得やすいため。

D 緩やかな担当制の中で、特定の保育士等が子どもとゆったりとした関わりをもちながら、情緒的な絆を深められるようにするため。

（組み合わせ）

	A	B	C	D
1	○	○	○	×
2	○	○	×	○
3	○	×	×	○
4	×	○	○	×
5	×	×	×	○

次の文は、保育所における小学校との連携に関する記述である。「保育所保育指針」第２章「保育の内容」の（２）「小学校との連携」に照らして、適切な記述を○、不適切な記述を×とした場合の正しい組み合わせを一つ選びなさい。

令和元年（後期）問15

A 保育所に入所している子どもが就学する際の子どもの情報に関しては、「幼児期の終わりまでに育ってほしい姿」を中心に保護者から直接情報を得て小学校に説明できるようにすることが大切である。

B 小学校では、「幼児期の終わりまでに育ってほしい姿」を踏まえた指導を工夫することによって、幼児期の保育を通して育まれた資質・能力を踏まえて教育活動を実施し、子どもが主体的に自己を発揮しながら学びに向かうことが可能となるようにすることが求められている。

C 保育所保育と小学校教育の円滑な接続を図るため、「幼児期の終わりまでに育ってほしい姿」をテーマにするなどして、小学校の教師との意見交換や合同の研究会や研修会の機会を設けることが大切である。

D 保育所保育を小学校以降の生活や学習の基盤の育成につなげていくための有効で確かな方法の一つは、「幼児期の終わりまでに育ってほしい姿」を到達目標にして小学校教育の先取りをすることである。

（組み合わせ）

	A	B	C	D
1	○	○	×	○
2	○	×	○	×
3	×	○	○	×
4	×	○	×	○
5	×	×	○	○

A 25

正解 2

A ○ 3歳未満児は、立って歩くことができるようになったり、言葉を用いて会話をするようになるなど、**心身の育ちが顕著**である。またそのような育ちのほかにも個人差が大きい時期であり、**個別的な計画の作成**が求められる。

B ○ **保健的・衛生的**な対応が重視される時期でもあり、そのような時期だけに保護者の養育に対する不安も小さくないことが想像される。保護者の思いを受け止め、保護者と「**子どもの育ちを共に喜び合う**」という姿勢で、生活リズムが安定に向かう3歳未満児の、一日の**生活全体の連続性**を踏まえていく必要がある。

C × 設問文は一見すると正しい内容にも見えるが、その目的が「保護者の理解」となっていることが適切ではない。保護者の理解が最優先ではなく、子どもの育ちそのものを重視した対応が必要である。

D ○ 「緩やかな担当制」という表現があるが、保育所保育指針解説では「指導計画の作成」のほか、第2章保育の内容の「社会的発達に関する視点」においても、「**緩やかな担当制の中で、特定の保育士等**」とのかかわりの中で愛着形成が行われることが述べられており、この表現に該当する。

A 26

正解 3

A × 「**幼児期の終わりまでに育ってほしい姿**」を用いて連携することは適切であるが、「保護者から直接情報を得て」が間違い。保護者から情報を得ることもあるが、**園での子どもの様子**などから子どもの姿を説明する。

B ○ 保育所保育指針には直接の記載はないが、小学校以降も「**主体的・対話的で深い学び**」が求められる。小学校学習指導要領(総則編)第3章第2節「4　学校段階等間の接続」(1)参照。

C ○ 「小学校との連携」イにこの記載がある。なお、「連携」の具体的な中身として、**意見交換や合同の研究会や研修会**があり、さらに保育所保育指針解説では、**保育参観や授業参観**が挙げられている。

D × 「幼児期の終わりまでに育ってほしい姿」の基本的な理解として、**「到達目標」ではなく、「方向目標」であること**は覚えておきたい。この姿は、到達しなければならない目標ではなく、それぞれの子どもにおいて、違った形でみえてくるものである。

④乳児保育

次のうち、乳児保育の内容の取扱いに関する記述として、「保育所保育指針」に照らし、適切な記述を○、不適切な記述を×とした場合の正しい組み合わせを一つ選びなさい。

令和４年（後期）問５

A 心と体の健康は、相互に密接な関連があるものであることを踏まえ、温かい触れ合いの中で、心と体の発達を促すこと。

B 和やかな雰囲気の中で食べる喜びや楽しさを味わい、進んで食べようとする気持ちが育つようにすることが大切であり、食物アレルギーのある子どもへの対応については、嘱託医等の指示や協力の下に適切に対応すること。

C 保育士等との信頼関係に支えられて生活を確立していくことが人と関わる基盤となることを考慮して、子どもの多様な感情を受け止め、温かく受容的・応答的に関わり、一人一人に応じた適切な援助を行うようにすること。

D 自分が大切にしている物だけではなく、友達の物も大切にする気持ちをもつようにすること。

E 子どもの発語はその都度保育士が言い直し、正しい言葉をくり返すことで、言葉が獲得されていくようにすること。

（組み合わせ）

	A	B	C	D	E
1	○	○	○	×	×
2	○	○	×	○	×
3	○	×	×	×	×
4	×	○	○	×	○
5	×	×	×	○	○

次のうち、乳児保育における保育の実施に関わる配慮事項に関する記述として、「保育所保育指針」第２章「保育の内容」１「乳児保育に関わるねらい及び内容」に照らして、適切なものの組み合わせを一つ選びなさい。

令和５年（前期）問６

A 保護者との信頼関係を築きながら保育を進めるとともに、保護者からの相談に応じ、保護者への支援に努めていくこと。

B 自我が形成され、子どもが自分の感情や気持ちに気付くようになる重要な時期であることに鑑み、情緒の安定を図りながら、子どもの自発的な活動を尊重するとともに促していくこと。

C 子どもの発達や成長の援助をねらいとした活動の時間については、意識的に保育の計画等において位置付けて、実施することが重要であること。

D 一人一人の子どもの生育歴の違いに留意しつつ、欲求を適切に満たし、特定の保育士が応答的に関わるように努めること。

（組み合わせ）

1 A B
2 A C
3 A D
4 B C
5 B D

A 27

正解 1

A ○ 乳児期は「心身の様々な**機能が未熟**であると同時に、発達の諸側面が互いに**密接な関連**をもち、**未分化**な状態」である。設問は乳児保育の３つの視点のうち「身体的発達に関する視点」の「内容の取扱い」①にみられる文章であり、ここにある通り「心と体の健康」が密接に関連していることで、温かい触れ合いの中で、心と体の双方の発達を促すことが必要とされる。保育士等には**温かく共感的**な関わりが求められる。

B ○ 設問は上記と同じく「身体的発達に関する視点」「内容の取扱い」にある、②の文章である。乳児の食は、口に入れるもの（乳汁からすり下ろしたものなど、そしてさらに固形のものへ）が移行し、**食事のリズム**や**タイミング**も変化していく時期である。この時期には「食べることへの**意欲**が育まれる」ことが重要であり、子どもの「**進んで食べようとする気持ち**」が育つようにすることが目指される。

C ○ 乳児の「社会的発達に関する視点」の「内容の取扱い」①の文章である。乳児期の子どもは、気持ちを言葉では表せず、泣く、ぐずる、笑うなどの感情の表出を中心に表現することになるが、保育士等はその子どもの**気持ちを受け止め**、応えていくことが求められる。その関わりの中で子どもとの**信頼関係**が築かれていくことになる。

D × 乳児期の子どもにまず求められるのは、身近なものに**親しみ**、**興味や関心**を持つことであり、それらに関わる中で様々な感覚、動きなどが育っていく。やがて保育士等へ気づいたことを知らせるようにもなるが、他者への共感や配慮などがみられる時期ではない。

E × クーイングから喃語、そして言葉の獲得へと次第に育っていく時期であるが、「社会的発達に関する視点」の「内容の取扱い」②解説によれば、一語一語修正するのではなく、子どもの発する音声を**受け止め**、**共感**して**言葉に置き換え**ていくことが言葉を育て、人とのやり取りをすることの**喜びと意欲**を育むことにつながる。

A 28

正解 3

A ○ 「乳児保育においては、特に**保護者**との密接な連携が必要である」（保育所保育指針解説）ことを踏まえ、設問文にあるような対応が求められる。

B × 乳児期の子どもの育ちを考えると、「**自我**の形成」や「自分の感情や気持ちに気付く」には少し早い。

C × 本文は３歳以上児の「保育の実施に関わる配慮事項」にみられる文章である。乳児保育では「**欲求**を適切に満たし、**特定**の保育士が応答的に関わるように努めること」が求められる。

D ○ 上記Ｃの解説にみられるように「**特定**の保育士」による関わりが「努めること」として挙げられている。「保育所保育指針解説」では、乳児期の子どもの成長には「**特定**の大人との継続的かつ応答的な関わり」が最重要とされている。

次の文のうち、乳児保育に関する記述として、「保育所保育指針」に照らして、適切な記述を○、不適切な記述を×とした場合の正しい組み合わせを一つ選びなさい。 令和3年(前期) 問11

A 乳児保育のねらい及び内容は、「健やかに伸び伸びと育つ」、「身近な人と気持ちが通じ合う」、「身近なものと関わり感性が育つ」といった3つの視点ごとに示されている。

B 指導計画は、一人一人の子どもの生育歴、心身の発達、活動の実態等に即して作成されるが、個別的な計画は必要に応じて作成する。

C 保育士等との信頼関係に支えられて生活を確立していくことが人と関わる基盤となることを考慮して、子どもの多様な感情を受け止め、温かく受容的・応答的に関わることが必要である。

D 全員が同じ生活のリズムで一日を過ごしていけるよう、午睡についても全員が同じ時間に入眠し、同じ時間に起床できるようにしなければならない。

E 玩具などは、音質、形、色、大きさなど子どもの発達状態に応じて適切なものを選び、その時々の子どもの興味や関心を踏まえるなど、遊びを通して感覚の発達が促されるものとなるように工夫する。

(組み合わせ)

	A	B	C	D	E
1	○	○	○	×	○
2	○	×	○	×	○
3	○	×	×	○	○
4	×	○	○	×	×
5	×	○	×	○	×

⑤保育の思想と歴史的変遷

次の文は、わが国の保育の歴史についての記述である。(A)~(D)にあてはまる語句の正しい組み合わせを一つ選びなさい。 平成29年(後期) 問14

わが国の保育の歴史において、大正時代は海外の思想も含めて様々な保育が紹介され、実践された時代であった。たとえば、河野清丸らによって(A)の教育法や教具が紹介された。大阪では、(B)が「家なき幼稚園」と称する園舎を持たない形態で野外保育を始めたり、(C)がリトミック運動を始めたりしたのもこの頃である。このような新しい時代の自由主義的な機運の中で、大正15年には(D)が公布された。

(組み合わせ)

	A	B	C	D
1	シュタイナー (Steiner, R.)	東基吉	土川五郎	保育要領
2	モンテッソーリ (Montessori, M.)	橋詰良一	小林宗作	幼稚園令
3	シュタイナー (Steiner, R.)	橋詰良一	西條八十	幼稚園設置基準
4	モンテッソーリ (Montessori, M.)	東基吉	土川五郎	幼稚園設置基準
5	フレーベル (Fröbel, F. W.)	赤沢鍾美	小林宗作	幼稚園令

A 29

正解 2

A ○ 乳児保育は設問にある**「３つの視点」**の通り、それぞれに「ねらい」「内容」などが設定されている。これが１歳以上では**５領域**となる。

B × 乳児保育に限らず、「指導計画の作成」にあたっては３歳未満児について**個別的な計画**が作成されることとなっている。「必要に応じて」という記載が誤りである。

C ○ もとより保育所保育においては**「受容的･応答的な関わり」**が求められるところであり、乳児保育においても例外ではない。「身近な人と気持ちが通じ合う」のねらいの前段にも「受容的・応答的な関わり」について記載がある。

D × 個別的な計画を作成することからもわかる通り、特に３歳未満児においては、**心身の発育・発達が顕著な時期**であると同時にその**個人差**も大きいため、**一人一人の子どもの状態**に即した保育ができるようにすることが必要である。

E ○ 個人差が大きいこの時期には、子どもの**探索意欲**を満たすためにも一人一人の**子どもの興味**を理解し、それに応じた適切な玩具を用意するなどの環境構成をしていくことが求められる。

A 30

正解 2

わが国の保育の歴史において、大正時代は海外の思想も含めて様々な保育が紹介され、実践された時代であった。たとえば、河野清丸らによって（ A.**モンテッソーリ（Montessori, M.）**）の教育法や教具が紹介された。大阪では、（ B.**橋詰良一** ）が「家なき幼稚園」と称する園舎を持たない形態で野外保育を始めたり、（ C.**小林宗作** ）がリトミック運動を始めたりしたのもこの頃である。このような新しい時代の自由主義的な機運の中で、大正15年には（ D.**幼稚園令** ）が公布された。

もともと医師であり、障害を持った子どもの治療にあたっていたモンテッソーリは、その方法が幼児の教育にも活用できると考え、数々の感覚教育のための教具を考案した。それらは河野清丸、倉橋惣三らによって日本でも広められた。よって、**A**は、モンテッソーリである。**B**の橋詰良一は、1922（大正11）年、大阪市郊外の池田に「家なき幼稚園」を作り、露天保育を実践した。その後、十三や宝塚でも同様の保育を展開した。**C**の小林宗作は、スイスのダルクローズが生み出したリトミックを、本人に師事して学び、日本で初めて取り入れた。**D**の幼稚園令は、日本で初めての幼稚園に関する法令であり、学制発布後50年以上の歳月を経てようやく出されたものである。

次の【Ⅰ群】の記述と、【Ⅱ群】の人名を結びつけた場合の正しい組み合わせを一つ選びなさい。

令和3年（前期）問19

★★★

【Ⅰ群】

A『学校と社会』（1899年）を著し、フレーベル（Fröbel, F.W.）の遊びを重んじる精神を評価しながらもその象徴主義を批判し、現実的な生活における子どもの自発的な活動の必要性を主張した。

B『新社会観』（1813年）を著し、人間の性格は環境に根差すものであり、環境を改善すれば人間はより良く形成されるとする人間観を描いた。

C アメリカの婦人宣教師として、1889年に頌栄幼稚園を開設し、頌栄保姆伝習所の初代所長に就任した。

【Ⅱ群】

ア デューイ（Dewey, J.）

イ オーエン（Owen, R.）

ウ ハウ（Howe, A.L.）

エ マクミラン（McMillan, M.）

（組み合わせ）

	A	B	C
1	ア	イ	ウ
2	ア	ウ	エ
3	イ	ア	ウ
4	イ	エ	ア
5	エ	イ	ウ

Q32

次の【Ⅰ群】の記述と、【Ⅱ群】の人物を結びつけた場合の正しい組み合わせを一つ選びなさい。

令和4年（前期）問16

★★★

【Ⅰ群】

A フランスの思想家で、主著とされる小説で人間は自然本性的に善良であることを根本原理として、教育の目的も方法もともに自然でなくてはならないと主張し、多くの教育者に影響を与えた。

B イタリアの医師で、「子どもの家」を創設し、環境を整え、子どもをよく観察したうえでその自由な自己活動を尊重し援助することを重視した教育法を実践した。

C イギリスの実業家で、1816年に自ら経営する紡績工場の中に幼児の自発的で自由な活動を重視する幼児学校を創設した。

D アメリカの心理学者で、人間の健康的な側面を重視した人間性心理学を確立し、自己実現の欲求を健康な人間の理想の最終的な段階とする５つの階層的欲求理論を論じた。

【Ⅱ群】

ア オーエン（Owen, R.）

イ フレーベル（Fröbel, F.W.）

ウ マズロー（Maslow, A.H.）

エ ルソー（Rousseau, J.-J.）

オ モンテッソーリ（Montessori, M.）

（組み合わせ）

	A	B	C	D
1	イ	ア	ウ	エ
2	イ	オ	ア	ウ
3	エ	ア	ウ	イ
4	エ	オ	ア	イ
5	エ	オ	ア	ウ

A 31

正解 1

A ア 『**学校と社会**』はデューイの著作。設問文の通り同書のなかでフレーベルの保育について論じている。

B イ 本文の内容はオーエンに関するものである。イギリスの工場経営者で、**性格形成学院**を設立した。

C ウ 日本に**キリスト教保育**を持ちこんだ人物の一人として、ハウがいる。**頌栄幼稚園**とともに覚えておきたい。

A 32

正解 5

A エ **ルソー**は『エミール』において**自然主義**、**消極主義**といわれる教育の方法について述べている。

B オ **モンテッソーリ**はもともと**医師**としてキャリアをスタートさせたが、知的障害を持つ子どもの治療を行うにあたって、医学において治療されるものではなく、教育によって改善されるものだと考えたといわれる。ローマに「**子どもの家**」を開設、障害を持つ子どものための保育方法を障害のない子どもにも用いた。

C ア **オーエン**はイギリスの工場経営者で「**性格形成学院**」と呼ばれる幼児学校を創設した。

D ウ マズローは**欲求の階層**を①生理的欲求、②安全の欲求、③愛情の欲求、④自尊の欲求、⑤自己実現の欲求とした。

加点のポイント ◆乳児期の保育の内容「３つの視点」

ア　身体的発達に関する視点「**健やかに伸び伸びと育つ**」

・健康な心と体を育て、自ら健康で安全な生活をつくり出す力の基盤を培う。

イ　社会的発達に関する視点「**身近な人と気持ちが通じ合う**」

・受容的・応答的な関わりの下で、何かを伝えようとする意欲や身近な大人との信頼関係を育て、人と関わる力の基盤を培う。

ウ　精神的発達に関する視点「**身近なものと関わり感性が育つ**」

・身近な環境に興味や好奇心をもって関わり、感じたことや考えたことを表現する力の基盤を培う。

よく出るポイント ◆フレーベルについて

19 世紀のドイツの教育者であるフレーベル（Fröbel, F.W.）は、**幼稚園**の創始者として知られる。その教育思想は「**遊戯**」によって子どものあらゆる善が育つとしたものであり、命令や規則、干渉による教育を排除しようとした。また子どもの心身発達に役立てる道具として**恩物**（**Gabe**）を考案した。

次の【Ⅰ群】の記述と、【Ⅱ群】の施設名を結びつけた場合の正しい組み合わせを一つ選びなさい。

令和3年(前期) 問5

【Ⅰ群】

A 野口幽香と森島峰が寄付を募って、1900(明治33)年に設立された。

B 園舎を持たない幼稚園で、1922(大正11)年に橋詰良一によってはじめられた。

C 日本の最初の官立「幼稚園」で、1876(明治9)年に開設された。

【Ⅱ群】

ア 東京女子師範学校附属幼稚園

イ 二葉幼稚園

ウ 愛珠幼稚園

エ 家なき幼稚園

(組み合わせ)

	A	B	C
1	ア	イ	ウ
2	ア	イ	エ
3	イ	ウ	ア
4	イ	エ	ア
5	ウ	エ	イ

Q34

次の【Ⅰ群】の記述と【Ⅱ群】の語句を結びつけた場合の正しい組み合わせを一つ選びなさい。

令和2年(後期) 問18

【Ⅰ群】

A 1899(明治32)年、文部省令として公布され、幼稚園の保育目的、編制、保育内容などに関して国として最初の基準を定めた。

B 1926(大正15)年、日本の幼稚園に関する最初の単独の勅令として公布された。

C 1948(昭和23)年に文部省から出された幼児教育の手引書で、幼稚園のみならず保育所や子どもを育てる母親を対象とする幅広い手引書となった。

D 1951(昭和26)年5月5日、「日本国憲法」の精神にしたがい、すべての児童の権利を保障し、幸福を図るために制定された。

【Ⅱ群】

ア 保育要領

イ 幼稚園保育及設備規程

ウ 児童憲章

エ 幼稚園令

(組み合わせ)

	A	B	C	D
1	ア	イ	ウ	エ
2	ア	ウ	エ	イ
3	イ	ア	ウ	エ
4	イ	エ	ア	ウ
5	ウ	エ	ア	イ

A 33

正解 4

A イ **野口幽香**と**森島峰**によって設立されたのは**二葉幼稚園**。のちに幼稚園の基準に合致しなくなり、1916（大正５）年に**二葉保育園**となった。

B エ 橋詰良一は「**家なき幼稚園**」を創始した。文字通り園舎を持たない幼稚園であった。

C ア 1876（明治９）年に開設された東京女子師範学校附属幼稚園は、最初の官立幼稚園でフレーベルの方法を取り入れた。初代の園長職に相当する役職に、**関信三**がつき、**松野クララ**の指導の元、**豊田芙雄**、近藤はまが保育を行った。

A 34

正解 4

A イ 1899（明治32）年に公布された「**幼稚園保育及設備規程**」は、幼稚園に関する単独の規程（勅令としては、Bの幼稚園令が最初）としては最も古いものである。保育は**満３歳から**とされ、一日の保育時間は５時間以内とされていた。

B エ 幼稚園に関する内容はそれまで小学校令などで規定されていた。その後、学制発布（1872（明治５）年）後50年以上の歳月をかけて、ようやく**幼稚園単独の勅令**として幼稚園令が出された。

C ア 戦後に「**幼児教育の手引き**」という副題で出された「**保育要領**」には、幼児期の発達や幼児の生活、保育内容としての**保育12項目**などが取り上げられている。**家庭と幼稚園についても言及**されており、幼稚園だけでなく、保育所、家庭も対象とした手引書であった。

D ウ **児童憲章**は1951（昭和26）年に日本独自のものとして制定された。命の尊厳など子どもの権利を守ることを目指したものである。国際条約である「児童の権利に関する条約」（1979年（国際児童年）提案、1989年に国連で採択、日本は1994年に批准）と区別して覚えたい。

よく出るポイント ◆日本における保育成立の歴史

日本における本格的な幼児教育の開始は、明治９（1876）年に設立された**東京女子師範学校附属幼稚園**であるが、ここには上中流階級の子どもが多く通っていた。やがて貧民幼稚園の必要性が唱えられ、**野口幽香**、森島峰によって**二葉幼稚園**が設立された。同園では貧しい家庭や、その子どものための無償保育、幼稚園の規定より長時間の保育などを行い、やがて保育時間などにおいて幼稚園の法規制から逸脱することから、保育園へと変化していくこととなった。

1916（大正５）年に、**二葉幼稚園**が文部省管轄の幼稚園から内務省管轄の純救済事業である保育園へと転換した他にも、新潟では子守学校であった赤沢鍾美の**新潟静修学校**が守孤扶独幼稚児保護会という保育事業として展開していく。また石井十次の**岡山孤児院附属愛染橋保育所**の設立、その影響を受けた倉敷さつき会の若竹の園（会社の保育所を地域に開放）、孤児院附属の保育園、会社の託児施設、また農繁期託児所等が保育所のルーツとなっていく。しかしこれらの保育施設と幼稚園との一元化、一体化を岡弘毅が唱えたが実現されなかった。

次のうち、保育所の歴史に関する記述として、適切なものを○、不適切なものを×とした場合の正しい組み合わせを一つ選びなさい。 令和4年（後期）問17

A 第二次世界大戦以前は、託児所などの保育施設は基本的に貧困対策事業だった。

B 1947（昭和22）年に「児童福祉法」が成立するまで、保育所は国の制度として規定されていなかった。

C 1997（平成9）年の「児童福祉法」改正で、保育所の利用については市区町村が措置決定していたものが、市区町村と利用者との契約に変わった。

D 2015（平成27）年の「子ども・子育て支援法」施行までは、両親が就労している場合しか保育所を利用できなかった。

（組み合わせ）

	A	B	C	D
1	○	○	○	×
2	○	○	×	○
3	○	×	○	×
4	×	○	×	○
5	×	×	×	○

⑥保育の現状と課題

次の文のうち、諸外国の幼児教育・保育に関する記述として、適切な記述を○、不適切な記述を×とした場合の正しい組み合わせを一つ選びなさい。

令和2年（後期）問19

A 「ラーニング･ストーリー」は、子どもたちの育ちや経験を観察し、写真や文章などの記録を通して理解しようとする方法であり、自らも保育者であったマーガレット・カー（Carr, M.）を中心にニュージーランドで開発された。

B 1965年に、スウェーデンで開始された「ヘッド・スタート計画」は、主に福祉的な視点から、貧困家庭の子どもたちに適切な教育を与えて小学校入学後の学習効果を高めることを意図した包括的プログラムである。

C イタリアのレッジョ・エミリア市では、第二次世界大戦後、ローリス・マラグッツィ（Malaguzzi, L.）のリーダーシップのもと、独創的な保育の取り組みが進められてきた。

（組み合わせ）

	A	B	C
1	○	○	○
2	○	○	×
3	○	×	○
4	×	○	×
5	×	×	×

A 35

正解 1

A ○ 保育所的な保育は、明治末期の**感化救済事業**から大正期には**社会事業**へと移行し、1920（大正９）年には**内務省社会局**がつくられた。社会局の行う、児童保護事業であり、一般貧困層を対象にしたり、子守学級に併設されるなど、貧困対策事業として行われていた。

B ○ 幼稚園が**1926（大正15）**年の**幼稚園令**によってその法的・制度的基盤が整えられた一方で、保育所については託児所令が検討されたが成立しなかった。戦後の幼稚園は学校教育法に位置づけられ、保育所は児童福祉法に位置づけられることで制度化された。

C ○ 設問の通り、1997（平成９）年の児童福祉法改正により、それまで「**措置**」であったものが「**契約**」へと変更され、「父母が入所を希望する**保育所を選んで申請**する」こととなった。

D × **2015（平成27）**年の法改正は、「子ども・子育て支援法」が改正され大きな変化があった。それ以前の保育は「**保育に欠ける**」場合に利用が認められ、保護者の就労を含め、保護者の疾病や災害からの復旧など６項目があった。改正後は、「**保育の必要性**」として、**求職中**や**就学**なども追加され、**10項目**となっている。

A 36

正解 3

A ○ ニュージーランドで幼児期の子どものアセスメント方法として開発された「**ラーニング・ストーリー**」は、ニュージーランドの保育のナショナル・カリキュラム（日本の保育所保育指針など、国が定めた保育の基準）である「**テ・ファリキ**」の作成者の一人でもある**マーガレット・カー**によって開発された。**子どもの肯定的な姿**をとらえていく点を特徴としている。

B × **ヘッド・スタート計画**は、1965年のアメリカ、ジョンソン大統領の時代に貧困撲滅のために始められたものであり、アメリカの恵まれない環境にある子どもたちのための**保育や教育、医療、福祉を包括したプログラム**である。

C ○ イタリアの**レッジョ・エミリア市**の保育は**ローリス・マラグッツィ**を理論的指導者として始められた。**プロジェクト型の保育**と、その中での**アート活動**などを取り入れた保育、その保育を記録して実践に活用する**ドキュメンテーション**がよく知られている。

よく出るポイント ◆法令による保育内容の変遷

年	名称	特徴
1899（明治32）年	**幼稚園保育及設備規程**	遊戯、唱歌、談話、手技
1926（大正15）年	**幼稚園令**	遊戯、唱歌、観察、談話、手技等
1948（昭和23）年	**保育要領**	見学、自由遊び、健康保育等の12項目
1956（昭和31）年	**幼稚園教育要領**	健康、社会、自然、言語、音楽リズム、絵画制作
2008（平成20）年	**保育所保育指針改正（告示化）**	養護（生命の保持、情緒の安定）と教育（５領域）
2017（平成29）年	**保育所保育指針改正**	乳児、１～３歳児、３歳以上児のそれぞれの保育内容を明記

次の文は、「児童の権利に関する条約」第27 条の一部である。（ A ）～（ C ）にあてはまる語句の正しい組み合わせを一つ選びなさい。

令和5年（後期）問18

1 締約国は、児童の身体的、精神的、道徳的及び社会的な発達のための相当な（ A ）についてのすべての児童の権利を認める。

2 父母又は児童について責任を有する他の者は、自己の能力及び資力の範囲内で、児童の発達に必要な生活条件を確保することについての（ B ）責任を有する。

3 締約国は、国内事情に従い、かつ、その能力の範囲内で、1の権利の実現のため、父母及び児童について責任を有する他の者を援助するための適当な措置をとるものとし、また、必要な場合には、特に栄養、衣類及び住居に関して、（ C ）及び支援計画を提供する。

（組み合わせ）

	A	B	C
1	教育環境	一定程度の	緊急避難所
2	生活水準	第一義的な	物的援助
3	文化水準	全面的な	保健衛生
4	教育環境	第一義的な	保健衛生
5	生活水準	全面的な	物的援助

次のうち、保育所などでの保育を希望する場合の保育認定にあたって考慮される「保育を必要とする事由」として、適切なものを○、不適切なものを×とした場合の正しい組み合わせを一つ選びなさい。

令和5年（前期）問15

A 災害復旧

B 就学

C 同居している親族の介護

D 起業準備

E 妊娠

（組み合わせ）

	A	B	C	D	E
1	○	○	○	○	○
2	○	○	○	○	×
3	○	○	○	×	○
4	○	×	×	○	○
5	×	×	○	○	○

A 37

正解 2

「児童の権利に関する条約」の第27条は、４項で構成されるが、設問はそのうちの最初の3項である。第１項では**生活水準**、第２項では父母に**第一義的責任**があること、第3項では**物的援助**及び**支援計画**について、第4項では父母による扶養料の回収について述べられている。

A 生活水準　Aはこの部分だけで正解を導き出すことはかなり難しい。他の選択肢との関係で考えることも必要である。

B 第一義的な　父母が子どもについての第一義的責任を有するという文言は、日本の**教育基本**法（第10条）、**こども基本**法（第３条の５）などにもみられることから、覚えておくべきである。

C 物的援助　空欄に先立つ部分に援助の文言があること、また栄養、衣類、住居が挙げられていることから、**物的**援助であることは予想しやすい。

A 38

正解 1

保育を必要とする事由としては、①**就労**、②妊娠・出産、③保護者の**疾病・障害**、④同居親族等の**介護・看護**、⑤**災害復旧**、⑥**求職**活動、⑦**就学**（職業訓練校などによる職業訓練を含む）、⑧虐待やDVの恐れがあること、⑨**育児休業取得**時に既に保育を利用していること、⑩その他、上記に類する状況にある場合、が挙げられる。起業準備は⑥に含まれる。

よく出るポイント ◆ヨーロッパ・アメリカの保育・教育史上の重要人物のまとめ

人物名	国名	著作や業績	覚えておくべき事項
コメニウス（1592-1670年）	チェコ	『大教授学』	パン・ソフィア（汎知）、直観、自然法則
ロック（1632-1704年）	イギリス	『教育に関する考察』	人間は白紙（タブラ・ラサ）で生まれる
ルソー（1712-1778年）	フランス	『エミール』	自然主義、人間は教育によって作られる
オーベルラン（1740-1826年）	フランス	編物学校	フランスの牧師、保育所を設立
ペスタロッチ（1746-1827年）	スイス	『隠者の夕暮』	直観教授、自発活動、生活主義、開発主義
オーウェン（1771-1858年）	イギリス	性格形成学院	1816年に幼児学校と初等学校を作る
イタール（1774-1838年）	フランス	『アヴェロンの野生児』	知的障害児教育の新分野を開拓
ヘルバルト（1776-1841年）	ドイツ	『一般教育学』	明瞭・連合・系統・方法の四段階の教授法
フレーベル（1782-1852年）	ドイツ	『幼稚園教育学』	子どもの本性にある神性の自己発展
エレン・ケイ（1849-1926年）	スウェーデン	『児童の世紀』	教育は児童の生命の自然的発展の助成
デューイ（1859-1952年）	アメリカ	『学校と社会』	プラグマティズム
シュタイナー（1861-1925年）	ドイツ	『神智学』	人智主義的教育。自律的人間形成
モンテッソーリ（1870-1952年）	イタリア	『子どもの発見』	児童の家、感覚教具、知的障害児
ブルーナー（1915-2016年）	アメリカ	『思考の研究』	年齢にとらわれた発達観を否定した

次の文のうち、「保育所保育指針」第５章「職員の資質向上」の一部として、正しいものを○、誤ったものを×とした場合の正しい組み合わせを一つ選びなさい。

令和３年（前期）問10

A 子どもの最善の利益を考慮し、人権に配慮した保育を行うためには、職員一人一人の倫理観、人間性並びに保育所職員としての職務及び責任の理解と自覚が基盤となる。

B 施設長は、保育所の保育課程や、各職員の職位等を踏まえて、体系的・計画的な研修機会を確保するとともに、職員の勤務体制の工夫等により、職員が計画的に外部研修に参加し、その専門性の向上が図られるよう努めなければならない。

C 職員が日々の保育実践を通じて、必要な知識及び技術の修得、維持及び向上を図るとともに、保育の課題等への共通理解や協働性を高め、保育所全体としての保育の質の向上を図っていくためには、日常的に職員同士が主体的に学び合う姿勢と環境が重要であり、職場内での研修の充実が図られなければならない。

D 保育所においては、当該保育所における保育の課題や各職員のキャリアパス等も見据えて、初任者から管理職員までの職位や職務内容等を踏まえた体系的な研修計画を作成しなければならない。

（組み合わせ）

	A	B	C	D
1	○	○	○	×
2	○	○	×	×
3	○	×	○	○
4	×	○	×	○
5	×	×	○	○

A 39

正解 3

A ○ 保育は職員一人一人の**人間性**が問われる仕事であり、職員の**倫理観**、**人間性**、**職務と責任の理解と自覚**が必要となる。

B × 現在の保育所保育指針では「保育課程」という文言は用いられておらず、「**全体的な計画**」となる。またここでは「**各職員の研修の必要性**」を踏まえて、体系的・計画的な研修機会を確保することが求められる。

C ○ 保育士等の研修には外部の研修、職場内での研修があるが、外部の研修に参加するには保育から離れる一定の時間が必要で、かつ同時に多くの職員を派遣することも難しい。保育現場での保育の質の向上のためには、どの職員も**主体的に参加**できる職場内での研修機会の充実が求められる。

D ○ それぞれの保育士が**ライフステージ**に合わせて研修を受け、かつ保育所全体の質の向上のために、職員自身の学ぶ意欲が高まるように職員とともに研修計画を**組織的**に作る必要がある。

よく出るポイント ◆**レッジョ・エミリアの保育**

レッジョ・エミリア（北イタリアの小都市）の幼児教育は、ピアジェの理論等を学んだ**ローリス・マラグッツィ**の思想による。子どもの**自由な発想を重視した**その保育は、ペダゴジスタ（教師）とアトリエリスタ（芸術教師）によって支えられ、子どもとのやり取りから生まれるプロジェクトを展開させていくものである。

⑦障害児保育

Q 40 ★★★

次の【事例】を読んで、【設問】に答えなさい。 令和４年（後期）問10

【事例】

軽度な発達の遅れがあるTちゃん（４歳、女児）は、３歳の頃から絵本を見たり積み木で遊ぶなど、一人で静かに過ごすことが多く、クラスの活動では楽しそうな様子があまり見られなかった。４歳児クラスになると、Pちゃんが Tちゃんのことを気にし、なにかと世話をするようになった。しばらくしてPちゃんが「〜して」「〜してはだめ」とTちゃんに指示することが多くなり、Tちゃんの表情がくもる場面も見られるようになった。ある日、クラスの友達が砂場で遊んでいるところに、Pちゃんに連れられたTちゃんも来て、一緒に遊び始めた。しばらくすると、「いや」とTちゃんにしてはめずらしい大きな声が聞こえ、砂場から一人離れる姿が見られた。担当保育士がPちゃんに「どうしたの？」と聞くと、「Tちゃんが私の言うことを聞いてくれない」と不満そうに話し始めた。

【設問】

担当保育士の今後の対応として、「保育所保育指針」第１章「総則」に照らし、適切なものを○、不適切なものを×とした場合の正しい組み合わせを一つ選びなさい。

A Tちゃんのこれまでの発達過程をよりよく理解するために、保護者からTちゃんの家庭での生活や遊びの様子を聞き取る。

B Tちゃんのことをどのように感じているかをPちゃんに聞き、Tちゃんの気持ちや思いにPちゃんが気付けるように援助する。

C PちゃんはTちゃんにとってかけがえのない存在であり、TちゃんからPちゃんに謝るように言い聞かせる。

D Tちゃんから思いや願いを聞き取り、状況に応じてTちゃんとクラスの友達との関わりを仲立ちする。

（組み合わせ）

	A	B	C	D
1	○	○	○	×
2	○	○	×	○
3	○	×	×	×
4	×	×	○	○
5	×	×	×	○

A 40

正解 2

A ○ 「保育所保育指針」第１章「総則」の３「保育の計画及び評価」（２）「指導計画の作成」キでは、障害のある子どもについて「一人一人の子どもの**発達過程や障害の状態を把握**」することの必要性が記載されており、また「子どもの**保護者や家庭との連携**が何よりも大切である」とされている。家庭と連携し、理解を深め、共通理解のもとに保育を進めていくことが重要である。

B ○ 総則以外も参照すると、第２章「保育の内容」、３歳以上児の領域「人間関係」の内容⑥解説にもあるように、「互いに**一方的**に自分の思っていることを伝える」状態から、「少しずつ相手の思っていることに**気づく**」ことへと向かう時期でもある。Pちゃんは Tちゃんのことを気にかけてお世話をしているが、まだTちゃんの思いに気づけるようにはなっておらず、Pちゃんに対して、保育士にはその思いに気づけるようになる援助が求められる。

C × おそらくPちゃんは良心的にTちゃんに関わり、よかれと考えてお世話をしているものと推測されるが、TちゃんにはTちゃんの思いがあり、一人一人そのような思いを持っていることに気づいていくことが重要である。一方的にどちらかの立場のみを重視する関わりは適切とは言えない。

D ○ Tちゃんなりの思いを聞き取り、**保育者が仲立ち**となってPちゃんや、その他の友達とのかかわりを仲立ちすることで、次第にそれぞれの思いに**気づいていける**ようになることが期待される。

次の文は、障害児保育についての記述である。「保育所保育指針」第１章「総則」の３「保育の計画及び評価」（２）「指導計画の作成」に照らして適切な記述を○、不適切な記述を×とした場合の正しい組み合わせを一つ選びなさい。

令和２年（後期）問14

A 保育所は、全ての子どもが、日々の生活や遊びを通して共に育ち合う場であるため、一人一人の子どもが安心して生活できる保育環境となるよう、障害や様々な発達上の課題など、状況に応じて適切に配慮する必要がある。

B 保育所では、障害のある子どもを含め、全ての子どもが自己を十分に発揮できるよう見通しをもって保育することが重要であり、障害のある子どもの指導計画はクラス等の指導計画に含めて作成するため、個別の計画を作成する必要はない。

C 障害や発達上の課題のある子どもの理解と援助は、子どもの保護者や家庭との連携が大切であり、連携を通して保護者が保育所を信頼し、子どもについての共通理解の下に協力し合う関係を形成する。

D 障害のある子どもの保育にあたっては、専門的な知識や経験を有する地域の児童発達支援センターや児童発達支援を行う医療機関などの関係機関と連携し、互いの専門性を生かしながら、子どもの発達に資するよう取り組んでいくことが必要である。

（組み合わせ）

	A	B	C	D
1	○	○	○	×
2	○	○	×	○
3	○	×	○	○
4	×	○	×	×
5	×	×	○	×

次の文は、「保育所保育指針」第１章「総則」３「保育の計画及び評価」（２）「指導計画の作成」の一部である。（　Ａ　）～（　Ｅ　）にあてはまる語句を【語群】から選択した場合の正しい組み合わせを一つ選びなさい。

令和５年（後期）問17

障害のある子どもの保育については、一人一人の子どもの発達（　Ａ　）や障害の状態を把握し、適切な（　Ｂ　）の下で、障害のある子どもが他の子どもとの生活を通して共に成長できるよう、（　Ｃ　）計画の中に位置付けること。また、子どもの状況に応じた保育を実施する観点から、家庭や関係機関と連携した（　Ｄ　）のための計画を（　Ｅ　）に作成するなど適切な対応を図ること。

【語群】

ア	段階	**イ**	環境	**ウ**	柔軟	**エ**	支援
オ	指導	**カ**	過程	**キ**	個別	**ク**	保育

（組み合わせ）

	A	B	C	D	E
1	ア	イ	オ	ク	ウ
2	ア	イ	ク	エ	キ
3	ア	ク	エ	オ	ウ
4	カ	イ	オ	エ	キ
5	カ	ク	エ	オ	キ

A 41

正解 3

A ○ 保育所は「**全ての子ども**」が「**共に育ち合う**」場であることから、**一人一人の子ども**が安心して生活できなければならないし、また障害のある子どもに対しても**適切な配慮**が求められる。

B × 障害のある子どもの保育については「**指導**計画の中に位置付けられる」とともに、「支援のための計画を**個別**に作成するなど**適切な対応**を図る」とされている。

C ○ 「指導計画の作成」のキの解説においては「障害や発達上の課題のある子どもの理解と援助は、子どもの保護者や家庭との**連携**が何よりも大切」であるとされている。保護者が悩みや不安を持つことも想定されることから、それらを理解し、連携を通して保護者に保育所を**信頼**してもらうように協力し合う関係を形成することが求められる。

D ○ 児童発達支援センター等や児童発達支援を行う医療機関は障害のある子どもの保育について専門性を有している。それらの機関とも連携し、話し合いなどを通じて互いの計画や内容について理解を深めていくことが求められる。また就学に際しては関係機関が協議し、支援が継続されていくことが求められる。

A 42

正解 4

A カ 発達が直前にあることから、段階か過程が候補と考えられるが、保育所保育指針では発達段階という言葉は用いられていないことを覚えておきたい。「ある時点で何かができる、できない」という捉え方ではなく、子どもの育ちゆく**過程の全体**を大切にしようとする考えに基づいて「発達**過程**」が用いられる。

B イ **環境**を通しての保育という基本から、適切な**環境**の下で、という文言が想像しやすい。

C オ 全体的な計画に基づいて作成されるのが、長期、短期、個別等の指導計画である。障害のある子どもの保育も、長期・短期の指導計画の中に位置付けられ、障害の**有無**にかかわらず相互に**人格**と**個性**を尊重する社会の基盤を築くことを目指して保育が行われる。

D エ 文脈から支援が入ることは想像しやすいが、ここは支援の考え方も理解しておきたい。家庭との連携では、保護者の**抱えてきた悩み**や**不安**などを理解し支えることで、子どもの育ちを共に**喜び合う**ことが大切であるとされている。

E キ 特別な配慮を要する子どもの計画は、クラスの指導計画に位置付けられているが、**必要に応じて**個別の指導計画を作成することとされている。そのさい、クラスの指導計画と**関連付け**ることや、子どもが少しずつ目標を達成していけるような**細やかな援助**の計画が必要である。

⑧子育て支援

次の【事例】を読んで、【設問】に答えなさい。　令和3年（後期）問8

【事例】

S保育所の園庭開放日のことである。あまり見かけない親子が園庭の砂場で遊んでいた。見ると親子は他の親子との交流はしておらず、また親子での会話もほとんどなく子どもはただ黙々とシャベルで砂をバケツに入れている。遠くからしばらくその様子を見ていた保育士が、親子に近づき「こんにちは。今日は良いお天気になりましたね。お住まいはお近くですか？お子さんは何歳？」と母親ににこやかに話かけた。すると母親は「息子は1歳半です。私は散歩が趣味でよく隣町やさらに遠くまで歩いています。子どもの歩行訓練のためにも散歩はとても良いと聞いているので、午前中はずっと二人で自宅から遠方まで散歩をしていて、今日はたまたまこの前を通りかかっただけです」とあまり表情を変えることなく答えた。話を聞きながら子どもの遊びに関わっていた保育士は、子どもにも話しかけたが応答はなく、やはり表情は硬い印象を受けた。

【設問】

保育士のその後の対応として、「保育所保育指針」第4章「子育て支援」に照らし、適切な記述を○、不適切な記述を×とした場合の正しい組み合わせを一つ選びなさい。

A 母親に保育所のパンフレットを渡し、相談があったら保育所に電話をするように伝える。

B 家庭で育児されている子どものため、その場では丁寧に対応するが、生活状況や家庭環境などは個人情報なので触れないようにし、今後の来園については特に言及しないでおく。

C 次回の園庭開放日も来園するように誘い、親子との関係を築き、家庭における子育ての状況を把握することを心がける。

D その後の関わりのなかで母親の困りごとなど相談の希望がある場合に備えて、親子の住む地域を管轄する保健センターや子育て支援センターを紹介できるように調べておく。

（組み合わせ）

	A	B	C	D
1	○	○	○	×
2	○	○	×	○
3	○	×	○	○
4	×	○	○	○
5	×	×	○	×

A 43

正解 3

本設問ではまず設問の母と子どもの様子から想定される状況を推測しておく必要があるだろう。他の親子と距離を取り、親子の間でも会話が見られないこと、また表情の硬さなどから、母親が周囲に関わったり相談したりできない状況で子育てを行っていること、それにより育児疲れなどがあるかもしれない、ということが考えられる。一方で母親は子育てについて無関心ではなく、子育ての情報収集などは積極的に行っている様子がわかる。

A ○ 地域の保護者等に対する子育て支援では保護者が**参加しやすい雰囲気**づくりを心がけることが大切であり、「気軽に訪れ、**相談**することができる保育所が身近にある」と保護者が理解していることが大切である。母親側からいつでも連絡できるようにしておくという点で、パンフレットを渡しておくのはよい。

B × 個人情報への配慮はもちろん必要であるが、母親が「聞いてくれるきっかけがあれば話したい」という状況であることも考えられ、今後も来園しやすい状況をつくっておくことは大切である。保育所保育指針の「**地域に開かれた子育て支援**」における「地域の保護者等に対して、保育所保育の専門性を生かした子育て支援を**積極的**に行うよう努める」ことにも反する。

C ○ 上記Bの反対の対応であり、保育所側は受け入れる状況にあることを伝えておくとよい。

D ○ 保育所保育指針の子育て支援では「保護者に対する子育て支援における**地域の関係機関等**との**連携及び協働**を図り、保育所全体の体制構築に努める」ことが定められている。今後、母親が悩みを打ち明けて保育所を頼ることがあった場合に準備しておくことで、即座の対応が可能になる。保育者が子育て支援の期待に応えるためには、具体的な対応方法をとる必要がある。

加点のポイント

◆**フィンランドの子育て支援制度**

フィンランドには、母子保健サービスや、出産前後のケア、福祉の紹介などを総合的に行う「**ネウボラ**」という制度がある。また出産時には子育てスターターキットか、現金のどちらかが給付される。フィンランドは４歳以上児でも保育者と子どもの比率が１人： ７人であり、北欧の保育は総じて保育者１人あたりの子ども数が少なく抑えられている。

次の保育所の【事例】を読んで、【設問】に答えなさい。 令和5年(後期) 問10

【事例】

10月のある日、週1回の園庭開放に、脳性まひの障害があるNちゃん(3歳、女児)と母親が来所した。母親からの話では、Nちゃんは脳性まひの障害があり、週1回歩行の訓練で児童発達支援センターに通っており、食事前や寝る前にたんの吸引が必要であることがわかった。少し緊張している様子のNちゃんだったが、保育士に笑顔を見せたり、砂場のままごと道具に興味を示す姿も見られた。母親からは、新年度からNちゃんがこの保育所で集団生活を送ることを希望していて、継続して園庭開放に来たいといった言葉が聞かれた。

【設問】

次のうち、保育所の対応として、適切なものを○、不適切なものを×とした場合の正しい組み合わせを一つ選びなさい。

A Nちゃんに障害があることから保育所での生活は難しいと母親にまず伝える。

B 研修を受けた保育士は、たんの吸引などの医療的ケアができることを伝え、この保育所での対応に関する情報提供を行う。

C 母親の了解を得ていないが、Nちゃんの様子を聞くため児童発達支援センターに連絡する。

D Nちゃんや母親の様子を観察し、把握した結果を職員間で共有し、今後、この親子にどのように関わるかを話し合う。

(組み合わせ)

	A	B	C	D
1	○	○	○	○
2	○	×	×	○
3	×	○	○	×
4	×	○	×	○
5	×	×	○	×

A 44

正解 4

A × 障害を理由として保育を断ることは、**障害者の差別禁止**の観点から適切ではない。子どもの障害についての保護者の支援や、関係する法令については、「保育所保育指針解説第４章子育て支援２（２）イ」を参照。

B ○ 「保育所での医療的ケア児受け入れに関するガイドライン」(平成31年３月保育所における医療的ケア児への支援に関する研究会）によれば、**研修**を受けた保育士等が対応できる医療的ケアは①**口腔内の喀痰**吸引、②**鼻腔内の喀痰**吸引、③**気管カニューレ内の喀痰**吸引、④**胃ろう**または**腸ろう**による経管栄養、⑤**経鼻経管**栄養、の５つである。**研修**を受けていれば、保育士にもたんの吸引は可能である。

C × 園児や家族の個人的な情報であり、**保護者の承諾**を得ずにこのような問い合わせを行うことは適切ではない。当然ながら、仮に問い合わせがあったとしても、児童発達支援センターは保護者の了解なしに情報を提供すべきではない。

D ○ 園職員は**集団の守秘義務を負う**ことから、知りえた情報を園内で共有することは個人情報の漏洩等には当たらない。園内の生活での不測の事態に対応する必要性からも共有は必要であり、また対応について協議し、方法を共有しておくことは重要である。

◆**保護者との関係**

今回の解説で紹介した下記の条文は以下のとおりである。目を通しておこう。

■「保育所保育指針」第１章１（３）「保育の方法」カ

一人一人の保護者の**状況**やその意向を理解、**受容**し、それぞれの**親子関係**や家庭生活等に配慮しながら、**様々な機会**をとらえ、適切に援助すること。

■「保育所保育指針」第４章２（１）「保護者との相互理解」

ア　日常の保育に関連した**様々な機会**を活用し子どもの日々の様子の**伝達や収集**、**保育所保育の意図**の説明などを通じて、保護者との相互理解を図るよう努めること。

イ　保育の活動に対する保護者の**積極的な参加**は、保護者の子育てを**自ら実践する力**の向上に寄与することから、これを促すこと。

■「児童福祉施設の設備及び運営に関する基準」第 36 条

保育所の長は、常に入所している乳幼児の保護者と**密接な連絡**をとり、保育の内容等につき、その保護者の**理解及び協力**を得るよう努めなければならない。

次の【事例】を読んで、【設問】に答えなさい。

令和元年（後期）問8

【事例】

Ｋちゃん（生後７か月）は、家庭では保護者がおんぶ紐でおんぶをしたまま昼寝をする習慣がある。保育所に入所後は、担当保育士が保護者に家庭での昼寝の様子を聞き、家庭での入眠方法を踏襲し保育士がおんぶをして午睡をしていた。Ｋちゃんは入所後１か月が経過したが布団ではなかなか眠れず、ウトウトしてもすぐに目を覚ましては泣いてしまい、十分に睡眠がとれない日々が続いている。

【設問】

担当保育士の今後の対応として、「保育所保育指針」第１章「総則」、第２章「保育の内容」、第４章「子育て支援」に照らし、適切な記述を○、不適切な記述を×とした場合の正しい組み合わせを一つ選びなさい。

A 担当保育士との信頼関係を築けるようにＫちゃんが泣いたら応答し、担当保育士との関わりがＫちゃんにとって安心で心地よいものとなることをまず心がける。

B いずれ保育所の睡眠環境に慣れて眠るようになるとの見通しから、今後もしばらく担当保育士がおんぶして寝かせるようにしていく。

C 保護者に保育所でのＫちゃんの状況を伝え、家庭でも保育所の環境を想定して、睡眠導入時から布団で寝られるようにするためにおんぶ紐の使用をやめるように話す。

D なるべく早く保育所の睡眠環境に慣れて眠れるように、泣いても極力応答せずにＫちゃん自身が入眠リズムをつくっていくことを心がける。

（組み合わせ）

	A	B	C	D
1	○	○	×	×
2	○	×	○	○
3	○	×	×	○
4	×	○	○	×
5	×	×	○	×

A 45

正解 1

A ○ 保育における養護においては、「情緒の安定」のねらいにおいて、「**安定感をもって過ごせる**」ことが挙げられている。Kちゃんにとっては、まず園生活で落ち着いて過ごせるようになることが重要であると考えられる。

B ○ Aの解説と同じく、当面はKちゃんが落ち着いて寝つくことができる対応が必要であると考えられる。

C × 仮におんぶ紐の使用をやめ、Kちゃんの寝つきが悪くなれば、Kちゃんにとって落ち着かない状況になるのに加えて、そのような子どもの様子をみる保護者にとっても不安を増す結果となる。

D × 保育所の睡眠環境に慣れることよりも、Kちゃんが落ち着いて過ごせる環境を作ることが優先される必要がある。

加点のポイント

◆ **さまざまな保育事業の定義**

児童福祉法第6条の3

放課後児童健全育成事業	小学校に就学している児童であって、その保護者が労働等により昼間家庭にいないものに、授業の終了後に児童厚生施設等の施設を利用して適切な遊び及び生活の場を与えて、その健全な育成を図る事業
地域子育て支援拠点事業	乳児又は幼児及びその保護者が相互の交流を行う場所を開設し、子育てについての相談、情報の提供、助言その他の援助を行う事業
小規模住居型児童養育事業	保護者のない児童又は保護者に監護させることが不適当であると認められる児童の養育に関し相当の経験を有する者（中略）の住居において養育を行う事業
家庭的保育事業 ※地域の事情によっては3歳以上も可	家庭において必要な保育を受けることが困難である乳児又は幼児であつて満三歳未満のものについて、家庭的保育者の居宅その他の場所において、家庭的保育者による保育を行う事業（利用定員が五人以下であるものに限る）
小規模保育事業 ※地域の事情によっては3歳以上も可	保育を必要とする乳児・幼児であつて満三歳未満のものについて、保育することを目的とする施設（利用定員が六人以上十九人以下）において、保育を行う事業

児童福祉法第7条

この法律で、児童福祉施設とは、助産施設、乳児院、母子生活支援施設、保育所、幼保連携型認定こども園、児童厚生施設、児童養護施設、障害児入所施設、児童発達支援センター、児童心理治療施設、児童自立支援施設及び児童家庭支援センターとする。なお、令和6年4月1日より児童福祉法が改正され、新たに里親支援センターが児童福祉施設に追加された。試験範囲となるためおさえておきたい。

次の【事例】を読んで、【設問】に答えなさい。 令和4年(前期)問18

【事例】

5歳児クラスのK君には、同じ保育所の2歳児クラスに通う妹がいる。K君の母親は、保育所に着くと、まず1階にあるK君のクラスの入り口となっているテラスに行き、K君に「支度をしていてね」と伝えてから、2階にある妹のクラスに向かう。妹の支度を終えると、母親はK君の様子を見にくる。

5歳児クラスの子どもは登園してくると、保育室でタオルをかけるなど支度をして、どんどん園庭などで遊び始める。K君は、母親が妹のクラスでの支度を終えてK君の様子を見にくるまで、テラスに上がることなく、ずっと園庭に立っている。母親は、K君のところに戻ってくると「K君、早くお支度はじめていてよ」と声をかける。K君はやっと動き、支度を始める。母親がくるまでは朝の支度を始めないという様子がここ最近続いている。

【設問】

担当保育士の対応として、「保育所保育指針」に照らして、適切な記述を○、不適切な記述を×とした場合の正しい組み合わせを一つ選びなさい。

A K君の朝の支度や遊び始めるのが遅くても、保育として何か問題があるわけではないので、特に何もしない。

B 自分のことを自分で取り組んでいない姿は5歳児として問題なので、母親がくるのを待たずに、朝の支度に取りかかるよう毎朝声をかけていく。

C 母親が自分のところにくるのを待っていたいK君の気持ちを認め、「お母さんが来たら支度をするのね」と声をかけ、そのまま様子を見守っていく。

D 日々の保育の様子から、K君は母親に支度に付き合ってほしい気持ちがあるのではないかと考え、母親の思いを聞く。

E K君が朝、保育室にはりきって入ってきたくなるよう好きなことを探し、一緒にやろうと声をかける。

(組み合わせ)

	A	B	C	D	E
1	○	○	○	×	○
2	○	○	×	○	×
3	○	×	○	×	○
4	×	×	○	○	○
5	×	×	×	○	×

A 46

正解 4

A × 支度や遊び始めが遅いという事象だけではなく、その**背景**として２歳児の妹の世話に先に向かう**母親との関係**があることが予想される。保育士としては何もしないのではなく、K君の育ちにつながるアプローチを検討すべきである。保育所保育指針における養護「情緒の安定」の内容①では「一人一人の子どもの置かれている状態や発達過程などを**的確に把握**し、子どもの**欲求**を適切に満たしながら、**応答的**な触れ合いや言葉がけを行う」とあり、このケースではこの内容を基本とした関わりが求められる。

B × Aの解説の「情緒の安定」の内容を踏まえると、「自分で取り組んでいない」ことそのものだけを問題とせず、その**背景**も見据えた適切な関わりが必要である。

C ○ 保育士がK君に無理に支度をさせようとはせず、K君の母親を待って動きたい、という**思いを代弁**し、慎重にかかわろうとしていることがわかる。K君の置かれた**状況を把握**することが必要である。

D ○ K君の思い、母親の思いをそれぞれヒアリングするとともにK君の姿について**共有**し、**母親とともに**K君の育ちを支えていく取り組みをすすめていることがうかがえる。保育所保育指針では保護者の意向を踏まえた保育を行うことも求められており、母親から話を聞くことも必要な対応である。

E ○ K君が母親への思いのみにとらわれず、気持ちを切り替えて前向きにその日の保育所での生活に取り組めるような試みであるといえる。「情緒の安定」の内容③には、「保育士等との**信頼関係**を基盤に、一人一人の子どもが主体的に活動し、自発性や探索意欲などを高めるとともに、自分への**自信**をもつことができるよう成長の過程を見守り、適切に働きかける」とある。K君の気持ちを受け止めるとともに、K君が主体的に活動できるように働きかけていくことも求められる。

◆アプローチカリキュラムとスタートカリキュラム

■**アプローチカリキュラム**

幼児期の終わりに小学校への就学に向けて、幼稚園や保育所、認定こども園で編成され実施されるカリキュラムのこと。

■**スタートカリキュラム**

小学校において、幼児期から**小学校就学へと円滑に移行するため**、小学校教師等によって作成されるカリキュラム。

MEMO

3

子ども家庭福祉

アクセスキー　4
（数字のよん）

3章 子ども家庭福祉

①子ども家庭福祉の意義と歴史的変遷

Q 01

次の文は、子ども家庭福祉に尽力した人物の紹介である。正しい人物を一つ選びなさい。 令和５年（前期）問２

濃尾大震災で親を失った少女を引き取り「孤女学院」を開設した。その中に知的障害を持つ少女がいたことから障害児教育に専念するために「滝乃川学園」と改称している。

1 留岡　幸助
2 石井　亮一
3 高木　憲次
4 石井　十次
5 川田　貞治郎

次のうち、日本の児童福祉の歴史に関する記述として、不適切なものを一つ選びなさい。 令和５年（後期）問２

1 糸賀一雄は、第二次世界大戦後の混乱期に「近江学園」を設立し、園長に就任した。その後「びわこ学園」を設立した。「この子らを世の光に」という言葉を残したことで有名である。
2 野口幽香らは、東京麹町に「二葉幼稚園」を設立し、日本の保育事業の草分けの一つとなった。
3 岩永マキは、1887（明治20）年に「岡山孤児院」を設立した。
4 日本で最初の知的障害児施設は、1891（明治24）年に石井亮一が設立した「滝乃川学園」である。
5 留岡幸助は、1899（明治32）年に東京巣鴨に私立の感化院である「家庭学校」を設立した。

よく出るポイント ◆日本の児童福祉の歴史上の人物・施設名①

年代	施設名	人物	施設の概要
６世紀末～７世紀前半	悲田院	聖徳太子	孤児を収容した救護施設
1883（明治16）年	感化院	池上雪枝	大阪府の自宅に設立した。現在の児童自立支援施設
1885（明治18）年	予備感化院	高瀬真卿	現在の児童自立支援施設
1887（明治20）年	岡山孤児院	石井十次	現在の児童養護施設
1890（明治23）年	新潟静修学校・託児所	赤沢鍾美	現在の保育所にあたる施設
1891（明治24）年	滝乃川学園	石井亮一	現在の福祉型障害児入所施設
1899（明治32）年	家庭学校	留岡幸助	現在の児童自立支援施設

A 01

正解 2

1 × 留岡幸助は、少年の感化事業に尽力した社会事業家である。現在の児童自立支援施設である**北海道家庭学校**を設立した。

2 ○ 石井亮一は、日本で最初の**知的障害児**施設（現在の福祉型障害児入所施設）である**滝乃川学園**を設立した。

3 × 高木憲次は、日本で最初の**肢体不自由児施設**（現在の医療型障害児入所施設）である**整肢療護園**を設立した。肢体不自由児が、治療に専念すれば教育の機会を失い、教育を受けようとすれば治療の機を逸することから、治療とともに教育を受けることができる教療所が必要だと主張し「夢の楽園教療所」を提唱した。

4 × 石井十次は、日本で最初の孤児院である**岡山孤児院**を設立した。「児童福祉の父」と呼ばれる。

5 × 川田貞治郎は、**精神薄弱者**（現在の知的障害者）のための施設である**藤倉学園**の創始者である。「心練」と呼ばれる訓練によって、精神薄弱者に対する教育を行っていた。

A 02

正解 3

1 ○ 糸賀一雄は、**知的障害児**等の入所・教育・医療を行う「**近江学園**」を創設し園長となった。また、西日本で最初の重症心身障害児施設「**びわこ学園**」を設立した。

2 ○ **野口幽香**は**森島美根**とともに貧困層の子どもを対象とした**二葉幼稚園**を開設した。その後、**二葉幼稚園**は**二葉保育園**に改称した。

3 × **岩永マキ**は、潜伏キリシタンの家に生まれカトリック信者となった。多数の孤児を引き取り育て、後に**浦上養育園**と呼ばれる「子部屋（小部屋）」を開設した。

4 ○ **石井亮一**は、知的障害児の療育を行う「**滝乃川学園**」を設立した。

5 ○ 留岡幸助は、**感化教育**の必要性から1899年（明治32）年東京巣鴨に家庭学校を創設し、その後1914（大正3）年には、**北海道家庭学校**を設立した。

よく出るポイント ◆日本の児童福祉の歴史上の人物・施設名②

年代	施設名	人物	施設の概要
1900（明治33）年	二葉幼稚園 （後の二葉保育園）	野口幽香、森島峰	現在の保育所
1942（昭和17）年	整肢療護園	高木憲次	現在の医療型障害児入所施設
1946（昭和21）年	近江学園	糸賀一雄	現在の福祉型障害児入所施設
1963（昭和38）年	びわこ学園	糸賀一雄	現在の医療型障害児入所施設

次の文は、「民法」の一部である。（　A　）～（　D　）にあてはまる語句の正しい組み合わせを一つ選びなさい。　平成31年（前期）問5改

第818条　成年に達しない子は、父母の（ A ）に服する。

第820条　（ A ）を行う者は、子の（ B ）のために子の（ C ）をする（ D ）を有し、義務を負う。

第821条　（ A ）を行う者は、前条の規定による（ C ）をするに当たっては、子の人格を尊重するとともに、その年齢及び発達の程度に配慮しなければならず、かつ、体罰その他の子の心身の健全な発達に有害な影響を及ぼす言動をしてはならない。

第822条　子は、（ A ）を行う者が指定した場所に、その居所を定めなければならない。

（組み合わせ）

	A	B	C	D
1	監護	利益	保護及び養育	責任
2	監護	懲戒	監護及び教育	権利
3	養育	保護	監護及び教育	責任
4	親権	利益	監護及び教育	権利
5	親権	懲戒	保護及び養育	責任

②子どもの人権擁護

次の文は、子どもの権利に関する記述である。誤ったものを一つ選びなさい。　平成26年 問1改

1 国際連盟は、1924年に「児童の権利に関するジュネーブ宣言」を採択した。
2 国際連合は、1959年に「児童の権利に関する宣言」を採択し、その20年後を国際児童年とし、さらにその10年後に「児童の権利に関する条約」を採択した。
3 2017年7月現在、アメリカ合衆国は「児童の権利に関する条約」を批准していない国の一つである。
4 国際連合は、第二次世界大戦後に「世界人権宣言」を採択し、その後の「児童の権利に関する宣言」の採択などを経て、「国際人権規約」を採択した。
5 国際連合は、「児童の権利に関する宣言」を採択する8年前に「児童憲章」を採択した。

よく出るポイント　◆海外の児童福祉にかかわる人物①

人名	主な業績
アリス・ペティ・アダムス	1891（明治24）年に、アメリカ人宣教師として来日。医療・社会福祉に従事し「岡山博愛会」を創設
セオドア・ルーズベルト	1909年に、「第一回ホワイトハウス会議」で保護が必要な子どもの里親家庭への委託を主張

A 03

正解 4

第818条　成年に達しない子は、父母の（ A.**親権** ）に服する。

第820条　（ A.**親権** ）を行う者は、子の（ B.**利益** ）のために子の（ C.**監護及び教育** ）をする（ D.**権利** ）を有し、義務を負う。

第821条　（ A.**親権**）を行う者は、前条の規定による（ C.**監護及び教育**）をするに当たっては、子の人格を尊重するとともに、その年齢及び発達の程度に配慮しなければならず、かつ、体罰その他の子の心身の健全な発達に有害な影響を及ぼす言動をしてはならない。

第822条　子は、（ A.**親権** ）を行う者が指定した場所に、その居所を定めなければならない。

なお、2022年12月に成立した改正案により、**懲戒権**を認める第822条「親権を行う者は、第820条の規定による監護及び教育に必要な範囲内でその子を**懲戒**することができる。」という記述が削除された。

A 04

正解 5

1 ○　国際連盟は、1924年に「児童の権利に関するジュネーブ宣言」を採択し、子どもの健全な発達の保障と人権を守るために「**保護**」の考え方を宣言に盛り込んだ。

2 ○　「児童の権利に関する宣言」の前文で「人類は、児童に対し、**最善のものを与える**義務を負う」と述べられ、**子どもの人権擁護に関する理念**が、児童の権利に関する宣言、国際児童年、児童の権利に関する条約を通して引き継がれていった。

3 ○　アメリカ合衆国は「児童の権利に関する条約」に**批准していない**が、将来的に「批准」する意思があることを示す「**署名**」は行っている。

4 ○　**1966（昭和41）**年に採択された「国際人権規約」は**世界人権宣言**の内容を基礎として、これを条約化したものであり、人権諸条約の中で最も基本的かつ包括的なものである。

5 ×　「児童憲章」は、国際連合ではなく、**日本**で**1951（昭和26）**年5月5日の子どもの日に、すべての子どもの幸福を図るために制定された。なお「児童の権利に関する宣言」は、「児童憲章」制定の8年後の**1959**年に国際連合が採択した。

よく出るポイント ◆**海外の児童福祉にかかわる人物②**

人名	主な業績
ルソー	スイス生まれ。フランスの啓蒙期の思想家。著書『エミール』『人間不平等起源論』『社会契約論』
エレン・ケイ	スウェーデンの社会思想家。著書『児童の世紀』。子どもが幸せに育つ社会の構築を主張
ヤヌシュ・コルチャック	ポーランドの小児科医。ユダヤ人の孤児院運営。「児童の権利条約」に影響を与えた人物
トーマス・ジョン・バーナード	1870年にイギリスに孤児院「バーナードホーム」創設。現在の小舎制につながる生活環境を整備
ロバート・オーエン	イギリスの社会改革思想家。紡績工場支配人。児童労働に関する工場法を制定。性格形成新学院を開設

次の文は、「児童の権利に関する条約」に関する記述である。適切な記述を○、不適切な記述を×とした場合の正しい組み合わせを一つ選びなさい。

平成27年（地域限定）問7

A 児童に関するすべての措置をとるに当たっては、児童の最善の利益が主として考慮されることが規定されている。

B 児童とは、締約国の義務教育を終えるまでの年齢とされている。

C 「児童の権利に関する条約」は、1994年に国際連合で採択された。

D 前文には、家族が、社会の基礎的な集団として、並びに家族のすべての構成員、特に、児童の成長及び福祉のための自然な環境として、社会においてその責任を十分に引き受けることができるよう必要な保護及び援助を与えられるべきであることが述べられている。

（組み合わせ）

	A	B	C	D
1	○	○	○	×
2	○	○	×	○
3	○	×	×	○
4	×	○	○	×
5	×	×	○	○

次の文はこども基本法に関する記述である。誤ったものを一つ選びなさい。

予想問題

1 この法律は、日本国憲法及び児童の権利に関する条約の精神にのっとり、全てのこどもが、将来にわたって幸福な生活を送ることができる社会の実現を目指し、こども政策を総合的に推進することを目的としている。

2 この法律において「こども」とは、18歳までの者をいう。

3 この法律の基本理念として、全てのこどもについて、基本的人権が保障され、差別的取扱いを受けることがないようにすることが示されている。

4 都道府県は、こども大綱に基づき、都道府県におけるこども施策についての計画を定めるよう努めなければならない。

5 国は、こども施策の策定や実施に当たっては、こども又はこどもを養育する者その他の関係者の意見を反映させるよう取り組まなければならない。

A 05

正解 3

A ○ 「児童の権利に関する条約」の第３条第１項では、「児童に関するすべての措置をとるに当たっては、公的若しくは私的な**社会福祉施設**、**裁判所**、行政当局又は立法機関のいずれによって行われるものであっても、児童の**最善の利益**が主として考慮されるものとする」と規定されている。

B × 本条約における児童とは**18**歳未満のすべての者をいう。ただし、当該児童で、その者に適用される法律により、より早く成年に達したものを除く。

C × 「児童の権利に関する条約」は、**1989（平成元）**年に国際連合で採択された。日本は、**1994（平成６）**年に「児童の権利に関する条約」を**批准**している。

D ○ 前文において「児童は**特別な保護**及び**援助**についての権利を享有することができることを宣明したことを想起し、家族が、社会の基礎的な集団として、並びに家族のすべての構成員、特に、児童の成長及び福祉のための自然な環境として、社会においてその責任を十分に引き受けることができるよう必要な保護及び援助を与えられるべきである」ことが記されている。

A 06

正解 2

1 ○ 「こども基本法」の目的である。**全てのこども**が自立した個人として健やかに成長することができ、**心身の状況**、**置かれている環境等**にかかわらず、その権利が守られ、将来にわたって幸福な生活を送ることができる社会の実現を目指している。

2 × この法律において、「こども」とは、**心身の発達の過程にある者**を指す。そのため、年齢による明確な区分は行っていない。**新生児期**、**乳幼児期**、**学童期**及び**思春期**を経て、**おとな**になるまでの心身の発達の過程を通じ、**切れ目ない支援**を行うことが求められる。

3 ○ この法律の基本理念の一つである。設問文のほか、**基本的人権の尊重と差別の禁止**、**適切な養育と生活**、**教育の機会の保障**、こどもの**意見表明**、**社会参画等**が示されている。

4 ○ 都道府県は**都道府県こども計画**、市町村は**市町村こども計画**を定めるよう努めなければならない。

5 ○ **こども大綱**を策定するにあたっては、**こども・子育て当事者の意見を反映**させることが求められている。

よく出るポイント ◆子どもの権利に関する国際的な動き

1922（大正11）年	世界児童憲章
1924（大正13）年	児童の権利に関する宣言（ジュネーブ宣言）
1948（昭和23）年	世界人権宣言
1959（昭和34）年	児童の権利に関する宣言
1979（昭和54）年	国際児童年
1989（平成元）年	児童の権利に関する条約（子どもの権利条約）
1994（平成６）年	児童の権利に関する条約（子どもの権利条約）批准　（日本）

③子ども家庭福祉の制度と実施体系

次のA～Eは、子ども家庭福祉に関する法律である。これらを制定年の古い順に並べた場合の正しい組み合わせを一つ選びなさい。

令和5年（後期）問5

A 母子保健法

B 児童買春、児童ポルノに係る行為等の規制及び処罰並びに児童の保護等に関する法律

C 少子化社会対策基本法

D 少年法

E 児童福祉法

（組み合わせ）

1 A→E→D→C→B
2 D→A→B→E→C
3 D→E→A→B→C
4 E→A→D→C→B
5 E→D→A→B→C

◆**児童福祉六法**

児童福祉六法とは、下記にある法律を指す。

法律	制定年	目的、対象等
①児童福祉法	1947（昭和22）年	すべての子どもたちを対象に、子どもたちの健やかな心身の成長を目的としている法律
②児童扶養手当法	1961（昭和36）年	ひとり親家庭で子どもを育成している家庭生活の安定と自立促進のための手当を支給することを目的とした法律
③特別児童扶養手当等の支給に関する法律	1964（昭和39）年	精神または身体に障害のある子ども（20歳未満）へ福祉増進のための手当を支給することを目的とした法律
④母子及び父子並びに寡婦福祉法＊	1964（昭和39）年	母子家庭、父子家庭及び寡婦の生活の安定と向上、自立支援のための法律
⑤母子保健法	1965（昭和40）年	母性並びに乳児及び幼児の健康の保持及び増進を図るための法律。母子保健の原理、母性並びに乳児及び幼児に対する保健指導、健康診査、医療その他の措置を講じ、国民保健の向上に寄与することを目的としている
⑥児童手当法	1971（昭和46）年	児童を養育している者に児童手当を支給し、家庭等における生活の安定、次代の社会を担う児童の健やかな成長に資することを目的としている

＊2014（平成26）年に現在の名称に改称

A 07

正解 5

A この法律の制定は**1965年**である。母性並びに乳児及び幼児の健康の保持及び増進を図るため、母性並びに乳児及び幼児に対して**保健指導**、**健康診査**、**医療等**を行い、国民保健の向上に寄与することを目的としている。

B この法律の制定は**1999年**である。この法律での児童は**18歳未満の者**を指す。

C この法律の制定は2003年である。**第2条の基本理念**には**父母その他の保護者が子育てについての第一義的責任を有する**との認識の下に、次代の社会を担う子どもを安心して生み、育てることができる環境を整備することが記載されている。基本施策として、第11条に**保育サービスの充実**、第12条に地域社会における**子育て支援体制の整備**、第15条に**生活環境の整備**、第17条に**教育及び啓発**が示されているので、押さえておきたい。

D この法律は1948年に**制定**された。この法律で少年は**20歳未満の者**を指す。成人年齢が18歳に引き下げられたため、18歳と19歳は成人ではあるが少年法上は「**特定少年**」となり、**家庭裁判所**に全件送致される。

E この法律の制定は**1947年**である。この法律は試験では必ず出題される法律であるため、全般的に押さえておく必要がある。

よく出るポイント ◆**海外の児童福祉にかかわる人物③**

人名	主な業績
フレーベル	ドイツの教育家。著書『人間の教育』。世界最初の幼稚園設立。教育玩具を創作し恩物と名づけた
マリア・モンテッソーリ	イタリアの医師。保育施設「子どもの家」で、教育法（モンテッソーリ教育）を完成させる
J. アダムズ	アメリカのシカゴに「ハルハウス」を設立。そこを中心にセツルメント運動を広める
ボウルビィ	イギリスの児童精神科医。アタッチメント理論（愛着理論）を提唱した
ペスタロッチ	スイスの教育家。ルソーの影響を受け、孤児・民衆教育の改善に貢献。著書『隠者の夕暮』
オーベルラン	牧師。フランスに貧しい農家の幼児のための「幼児保護所」を創設

次のうち、法律における「児童」の年齢区分に関する記述として、適切な記述を〇、不適切な記述を×とした場合の正しい組み合わせを一つ選びなさい。

令和3年（後期）問1

A「児童手当法」で定められる「児童」とは、18歳未満の者である。

B「児童買春、児童ポルノに係る行為等の規制及び処罰並びに児童の保護等に関する法律」で定められる「児童」とは、18歳未満の者を指す。

C「母子及び父子並びに寡婦福祉法」で定められる「児童」とは、20歳未満の者である。

（組み合わせ）

	A	B	C
1	〇	〇	×
2	〇	×	〇
3	×	〇	〇
4	×	×	〇
5	×	×	×

A 08

正解 3

A × 「児童手当法」で定められる「児童」は、**18歳に達する日以後の最初の3月31日までの間にある者**を指しているため間違いである。ただし、支給対象は「**15歳**に達する日以後の最初の3月31日までの間にある児童（施設入所等児童を除く）」である点に注意する。

B ○ 「児童買春、児童ポルノに係る行為等の規制及び処罰並びに児童の保護等に関する法律」で定められる「児童」は、**18歳未満**の者である。

C ○ 「母子及び父子並びに寡婦福祉法」で定められる「児童」は**20歳未満**の者である。

なお、「児童福祉法」で定められる児童は、満18歳に満たない者をいい、児童を以下のように分けている。

1	乳児	**満1歳**に満たない者
2	幼児	**満1歳**から、**小学校就学の始期**に達するまでの者
3	**少年**	小学校就学の始期から、満18歳に達するまでの者

その他、「児童扶養手当法」の児童は、18歳に達する日以後の最初の3月31日までの間にある者、また「特別児童扶養手当法」では、「障害児」の年齢は20歳未満となっており、法律や制度によって対象となる年齢が異なることにも留意する必要がある。

◆ヤングケアラーの定義とサポートについて

ヤングケアラーとは、本来大人が担うと想定されている家事や家族の世話などを日常的に行っている子どものことを指す。例えば、障害や病気のある家族の代わりに幼いきょうだいの世話や家事をしたり、日本語が第一言語ではない家族、障害のある家族のために通訳をしたりすること等がそれにあたる。ヤングケアラーの子どもは、自分がヤングケアラーであることに気づいていない場合も多く、周囲が早期に気づき支援をしていく必要がある。また、学校や地域、医療、福祉の関係機関などが連携して支援していくことも必要であり、連携体制を構築するため合同研修を行うことも求められる。2020（令和2）年にヤングケアラー支援に関する法令として全国ではじめて「埼玉県ケアラー支援条例」が公布・施行された。

次の文は、児童福祉に関連する法律についての記述である。（ Ａ ）～（ Ｄ ）にあてはまる語句を【語群】から選択した場合の正しい組み合わせを一つ選びなさい。

平成26年 問3改

・（ Ａ ）法。この法律は、父母その他の保護者が子育てについての第一義的責任を有するという基本的認識の下に、児童を養育している者に（ Ａ ）を支給することにより、家庭等における生活の安定に寄与するとともに、次代の社会を担う児童の健やかな成長に資することを目的とする。

・（ Ｂ ）。第１条において、「全て児童は、児童の権利に関する条約の精神にのつとり、適切に養育されること、その生活を保障されること、愛され、保護されること、その心身の健やかな成長及び発達並びにその自立が図られることその他の福祉を等しく保障される権利を有する。」と児童福祉の理念が述べられている。

・（ Ｃ ）。この法律は、母子家庭等及び寡婦の福祉に関する原理を明らかにするとともに、母子家庭等及び寡婦に対し、その生活の安定と向上のために必要な措置を講じ、もって母子家庭等及び寡婦の福祉を図ることを目的とする。

・（ Ｄ ）等の支給に関する法律。この法律は、精神又は身体に障害を有する児童について（ Ｄ ）を支給し、精神又は身体に重度の障害を有する児童に障害児福祉手当を支給するとともに、精神又は身体に著しく重度の障害を有する者に特別障害者手当を支給することにより、これらの者の福祉の増進を図ることを目的とする。

【語群】

ア	児童扶養手当	**イ**	少子化社会対策基本法
ウ	児童手当	**エ**	母子及び寡婦福祉法※
オ	母子保健法	**カ**	児童福祉法
キ	特別児童扶養手当		

（組み合わせ）

	A	B	C	D
1	ア	イ	エ	キ
2	ア	カ	エ	ウ
3	ウ	イ	オ	キ
4	ウ	カ	エ	キ
5	キ	カ	オ	ア

※母子及び寡婦福祉法は、2014（平成26）年に母子及び父子並びに寡婦福祉法に改称

A 09

正解 4

- ・(A.**ウ 児童手当**)法。この法律は、父母その他の保護者が子育てについての第一義的責任を有する基本的認識の下に、児童を養育している者に(A.**ウ 児童手当**)を支給することにより、家庭等における生活の安定に寄与するとともに、次代の社会を担う児童の健やかな成長に資することを目的とする。
- ・(B.**カ 児童福祉法**)。設問文のとおり第１条において児童福祉の理念が述べられている。
- ・(C.**エ 母子及び寡婦福祉法**)。この法律は、母子家庭等及び寡婦の福祉に関する原理を明らかにするとともに、母子家庭等及び寡婦に対し、その生活の安定と向上のために必要な措置を講じ、もって母子家庭等及び寡婦の福祉を図ることを目的とする。
- ・(D.**キ 特別児童扶養手当**)等の支給に関する法律。この法律は、精神又は身体に障害を有する児童について(D.**キ 特別児童扶養手当**)を支給し、精神又は身体に重度の障害を有する児童に障害児福祉手当を支給するとともに、精神又は身体に著しく重度の障害を有する者に特別障害者手当を支給することにより、これらの者の福祉の増進を図ることを目的とする。

Aの児童手当法は、**1971（昭和46）**年に制定された。児童の養育に対する現金給付が目的である。

Bの児童福祉法は、**1947（昭和22）**年に制定された。法律の対象児童は**すべての児童**であったが、制定当初は戦後であり**戦災孤児**の救済が大きな社会の課題であり、彼らの救済に児童福祉法は活用された。

Cは、1964（昭和39）年に**母子福祉法**として制定され、1981（昭和56）年に**母子及び寡婦福祉法**へ、2014（平成26）年に**母子及び父子並びに寡婦福祉法**へと名称変更となっている。

Dの特別児童扶養手当等の支給に関する法律において「障害児」とは、「**20歳未満**であって、所定の障害等級に該当する程度の障害の状態にある者」とされている。**1964（昭和39）**年に制定された。なお、児童福祉法での「障害児」の年齢についての定義は**18歳未満**である。

次の文は、放課後児童健全育成事業に関する記述である。適切な記述を一つ選びなさい。

平成31年（前期）問11

1　1つの支援の単位を構成する児童の数は、おおむね50人以下とする。

2　特別支援学校の小学部の児童は、本事業ではなく放課後等デイサービス事業を利用することとする。

3　本事業の実施主体は、市町村（特別区及び一部事務組合を含む。）とする。

4　放課後児童支援員は、保育士資格や教員免許取得者でなければならない。

5　対象児童は、保護者が労働等により昼間家庭にいない小学校低学年までとする。

次の【Ⅰ群】の児童福祉施設と【Ⅱ群】の役割を結びつけた場合の正しい組み合わせを一つ選びなさい。

令和5年（前期）問9

【Ⅰ群】

A　児童心理治療施設

B　児童自立支援施設

C　医療型障害児入所施設

D　児童家庭支援センター

【Ⅱ群】

ア　地域の児童の福祉に関する各般の問題につき、児童に関する家庭その他からの相談のうち、専門的な知識及び技術を必要とするものに応じ、必要な助言を行う。

イ　障害のある児童を入所させて、保護、日常生活の指導、独立自活に必要な知識技能の付与及び治療を行う。

ウ　不良行為をなし、またはなすおそれのある児童及び家庭環境その他の環境上の理由により生活指導等を要する児童を入所させ、または保護者の下から通わせて、個々の児童の状況に応じて必要な指導を行い、その自立を支援し、あわせて退所した者について相談その他の援助を行う。

エ　保健上必要があるにもかかわらず、経済的理由により、入院助産を受けることができない妊産婦を入所させて、助産を受けさせる。

オ　児童を短期間入所させ、または保護者の下から通わせて、社会生活に適応するために必要な心理に関する治療及び生活指導を主として行い、あわせて退所した者について相談その他の援助を行う。

（組み合わせ）

	A	B	C	D
1	ウ	オ	イ	ア
2	ウ	オ	エ	イ
3	オ	ア	ウ	イ
4	オ	ウ	イ	ア
5	オ	ウ	エ	ア

A 10

正解 3

1 × 「放課後児童健全育成事業の設備及び運営に関する基準」では、支援の単位は、**放課後児童健全育成事業**における支援であって、その提供が同時に一又は複数の利用者に対して一体的に行われるものをいい、支援の単位を構成する児童の数は、**おおむね40人以下**とするとなっている。

2 × 「放課後児童健全育成事業実施要綱」では、放課後児童健全育成事業の対象児童は、児童福祉法第6条の3第2項及び基準に基づき、保護者が労働等により昼間家庭にいない小学校に就学している児童とし、その他に**特別支援学校の小学部の児童**も加えることができるとされている。なお、「**保護者が労働等**」には、**保護者の疾病や介護・看護、障害**なども対象となることが明記されている。

3 ○ 「放課後児童健全育成事業実施要綱」では、事業の実施主体は、**市町村（特別区及び一部事務組合を含む。）**としている。ただし、市町村が適切と認めた者に**委託等**を行うことができるものとすると記されている。

4 × 「放課後児童健全育成事業の設備及び運営に関する基準」では、放課後児童支援員は、同基準の第10条第3項に当該するものであって、**都道府県知事等が行う研修を修了したもの**でなければならないとされている。

5 × 「児童福祉法」では、対象児童は、「**小学校に就学している児童**であって、その保護者が労働等により昼間家庭にいないもの」とされている。小学校低学年までという規定はない。

A 11

正解 4

A オ 生活体験を通して治療する「**総合環境療法**」が取り入れられている。

B ウ **児童自立支援専門員**や**児童生活支援員等**による生活指導や学習指導、職業指導及び家庭環境の調整等を行う施設である。

C イ 障害のある児童を入所させて、**保護、日常生活の指導及び独立自活に必要な知識技能**の付与を行う「福祉型障害児入所施設」もある。

D ア 設問文の他、①市町村の求めに応じ、**技術的助言**その他必要な援助を行う、②児童相談所において、要保護性がある児童や施設を退所後間もない児童等、継続的な指導措置が必要であると判断された児童やその家庭について、**指導措置を受託して指導**を行う、③**里親**及び**ファミリーホームからの相談**に応ずる等、必要な支援を行う、④児童相談所、市町村、里親、児童福祉施設、要保護児童対策地域協議会、民生委員、学校等との**連絡調整**を行うことも事業内容である。

エは**助産施設**の説明である。

次の文は、「配偶者からの暴力の防止及び被害者の保護等に関する法律」の前文の一部である。（ A ）・（ B ）にあてはまる語句の正しい組み合わせを一つ選びなさい。 令和元年（後期）問7

我が国においては、日本国憲法に個人の尊重と法の下の平等がうたわれ、（ A ）と（ B ）に向けた取組が行われている。
ところが、配偶者からの暴力は、犯罪となる行為をも含む重大な人権侵害であるにもかかわらず、被害者の救済が必ずしも十分に行われてこなかった。また、配偶者からの暴力の被害者は、多くの場合女性であり、経済的自立が困難である女性に対して配偶者が暴力を加えることは、個人の尊厳を害し、（ B ）の妨げとなっている。

（組み合わせ）

	A	B
1	虐待の防止	社会福祉の推進
2	虐待の防止	民主主義の実現
3	人権の擁護	男女平等の実現
4	人権の擁護	社会福祉の推進
5	生存権の保障	男女平等の実現

◆放課後児童支援員の条件

放課後児童支援員は以下の３つに該当するものでなければならない（「放課後児童健全育成事業の設備及び運営に関する基準」第 10 条第３項より）。
- 保育士、社会福祉士、幼稚園、小学校、中学校、義務教育学校、高等学校又は中等教育学校の教諭となる資格を有する者、学校教育法の規定による大学において、社会福祉学、心理学、教育学、社会学、芸術学若しくは体育学を専修する学科又はこれらに相当する課程を修めて卒業した者、高等学校卒業者等であり、かつ、二年以上放課後児童健全育成事業に類似する事業に従事したもの、５年以上放課後児童健全育成事業に従事した者で市町村長が適当と認めたもの
- 都道府県知事が行う研修を修了したもの

◆こども基本法

2022（令和４）年に「**こども基本法**」と「**こども家庭庁設置法**」が成立した。「こども基本法」では、次の６点が基本理念としてうたわれている。以下の内容を押さえておきたい。

1）こどもの**個人の尊重**、**基本的人権**の保障、差別的取扱いの禁止
2）**適切な養育と生活の保障**、愛され保護されること、成長や発達、自立などの権利や**教育の機会**が保障されること
3）**意見を表明したり**社会的活動に参画したりする機会が確保されること
4）こどもの意見を尊重し、**最善の利益を優先して考慮されること**
5）こどもの養育は**父母その他の保護者が第一義的責任を持ち**、家庭での養育が難しい場合は、できる限り同様の養育環境を確保することにより**心身ともに健やかに育成されること**
6）子育てに伴う喜びを実感できる社会環境の整備をすること

A 12

正解 3

我が国においては、日本国憲法に個人の尊重と法の下の平等がうたわれ、（ A.**人権の擁護** ）と（ B.**男女平等の実現** ）に向けた取組が行われている。

ところが、配偶者からの暴力は、犯罪となる行為をも含む重大な人権侵害であるにもかかわらず、被害者の救済が必ずしも十分に行われてこなかった。また、配偶者からの暴力の被害者は、多くの場合女性であり、経済的自立が困難である女性に対して配偶者が暴力を加えることは、個人の尊厳を害し、（ B.**男女平等の実現** ）の妨げとなっている。

近年頻出している法律なので、前文以外も理解しておきたい。第1条では「配偶者からの暴力」の定義などについて規定されており、第2条では、「**国及び地方公共団体**は、配偶者からの暴力を防止するとともに、**被害者の自立**を支援することを含め、その適切な保護を図る責務を有する」と規定されている。

よく出るポイント ◆児童福祉に関する法制度

年度	法律	目的、対象等
1947（昭和22）年	**児童福祉法**	児童の福祉の向上
1956（昭和31）年	**売春防止法**	売春助長行為の禁止、売春を行うおそれのある女子の補導、保護更生
1961（昭和36）年	**児童扶養手当法**	ひとり親家庭の子ども
1964（昭和39）年	**特別児童扶養手当法（略称）**	精神または身体に障害がある子ども（20歳未満）
	母子福祉法（現在の母子及び父子並びに寡婦福祉法）	母子家庭、父子家庭、寡婦の生活の安定
1965（昭和40）年	**母子保健法**	母性並びに乳児及び幼児の健康の保持及び増進
1971（昭和46）年	**児童手当法**	子どもを養育している者の家庭生活の安定と次代の社会を担う児童の成長。中学校修了までの国内に住所を有する子どもが対象で、所得制限が設けられている
1999（平成11）年	**児童買春、児童ポルノに係る行為等の規制及び処罰並びに児童の保護等に関する法律**	子どもへの性的搾取・権利侵害の禁止
2000（平成12）年	**児童虐待の防止等に関する法律**	子どもへの虐待の予防と禁止
2001（平成13）年	**配偶者からの暴力の防止及び被害者の保護等に関する法律**	配偶者からの暴力防止、被害者保護
2003（平成15）年	**次世代育成支援対策推進法**	次世代の育成対策
	少子化社会対策基本法	少子化問題への対策
2004（平成16）年	**発達障害者支援法**	発達障害者の自立と社会参加支援、発達障害児の早期発見と発達支援
2009（平成21）年	**子ども・若者育成支援推進法**	子ども・若者をめぐる環境の悪化、ひきこもり、不登校、発達障害等への対応。子ども・若者の育成支援の施策の推進
2012（平成24）年	**子ども・子育て関連3法**	子ども・子育て支援新制度
2013（平成25）年	**子どもの貧困対策の推進に関する法律**	貧困状況にある子どもたちが健やかに育成される環境の整備、教育の機会均等
	いじめ防止対策推進法	児童の尊厳を保持するため、いじめの防止・早期発見・対策に対する国、地方公共団体の責務を規定
2018（平成30）年	**成育医療等基本法（略称）**	成育過程にある者及びその保護者並びに妊産婦に対し必要な成育医療等を切れ目なく提供するための施策の推進
2022（令和4）年	**こども基本法**	全てのこどもが、将来にわたって幸福な生活を送ることができる社会の実現
2022（令和4）年	**こども家庭庁設置法**	子育てに対する支援並びにこどもの権利利益の擁護に関する事務

次の【Ⅰ群】の施設名と、【Ⅱ群】の説明を結びつけた場合の正しい組み合わせを一つ選びなさい。

令和4年(前期) 問8

【Ⅰ群】

A 母子生活支援施設

B 助産施設

C 母子・父子福祉センター

D 婦人保護施設

【Ⅱ群】

ア 無料又は低額な料金で、母子家庭等に対して、各種の相談に応ずるとともに、生活指導及び生業の指導を行う等母子家庭等の福祉のための便宜を総合的に供与することを目的とする施設

イ 配偶者のない女子又はこれに準ずる事情にある女子及びその者の監護すべき児童を入所させて、これらの者を保護するとともに、これらの者の自立の促進のためにその生活を支援することを目的とする施設

ウ 保健上必要があるにもかかわらず、経済的理由により、入院助産を受けることが難しい妊産婦を入所させて、助産を受けさせることを目的とする施設

エ 「売春防止法」に基づき都道府県や社会福祉法人が設置し、また、「配偶者からの暴力の防止及び被害者の保護等に関する法律」に基づく保護も行う施設

(組み合わせ)

	A	B	C	D
1	ア	イ	エ	ウ
2	イ	ア	ウ	エ
3	イ	ウ	ア	エ
4	ウ	イ	エ	ア
5	エ	ア	イ	ウ

A 13

正解 3

A イ 母子生活支援施設は、児童福祉法第38条に規定された施設である。1998（平成10）年の児童福祉法改正により、「**母子寮**」から「**母子生活支援施設**」に名称が改称された。母子の**生活支援**と**自立支援**を行う施設であり、緊急一時保護事業も行っている。

B ウ **助産施設**は、児童福祉法第36条に規定された施設である。設問文の通りである。

C ア 母子・父子福祉センターは、母子及び父子並びに寡婦福祉法第39条に規定された施設である。第39条には「**無料**又は**低額な料金**で、母子家庭等に対して、**レクリエーションその他休養**のための便宜を供与することを目的とする施設」として、**母子・父子休養ホーム**も規定されている。

D エ 婦人保護施設は売春防止法第36条に規定された施設であり、もともと売春を行うおそれのある女子を収容保護する施設であった。しかし、「**配偶者からの暴力の防止及び被害者の保護等に関する法律**」に基づき、**配偶者からの暴力の被害者**も保護することが明確化された。なお、婦人保護施設は、「困難な問題を抱える女性への支援に関する法律」によって2024（令和6）年4月から「**女性自立支援施設**」に名称を変更している。

加点のポイント

◆**児童福祉施設の種類**

施設名	特徴
①助産施設	経済的理由により入院、助産を受けられない妊産婦を入所させ、助産を受けさせる施設
②乳児院	乳児を入院させて養育し、退所した者について相談、援助を行う施設
③母子生活支援施設	配偶者のない女子等、その者の児童を入所、保護して、自立支援や生活支援を行う施設
④保育所	保育を必要とする乳児、幼児を保護者の下から通わせて保育を行う施設
⑤幼保連携型認定こども園	満３歳以上の幼児の教育と、保育を必要とする乳児、幼児の保育を一体的に行う施設
⑥児童厚生施設	児童遊園、児童館等、児童に健全な遊びを与えて、健康増進、情操を豊かにする施設
⑦児童養護施設	保護者のない児童、被虐待児童等、環境上養護を要する児童を入所させて、養護する施設
⑧障害児入所施設（福祉型・医療型）	障害児を入所させて支援を行う施設
⑨児童発達支援センター	障害児を保護者の下から通わせて、支援を行う施設
⑩児童心理治療施設	家庭環境、学校における交友関係等の理由により、社会生活への適応が困難になった児童を入所・通所させて心理治療や生活指導を行う施設
⑪児童自立支援施設	不良行為をなし、またはなすおそれのある児童等を入所、通所させて指導や自立支援を行う施設
⑫児童家庭支援センター	児童に関する家庭等からの相談について、助言、援助を総合的に行う施設

※ なお、児童福祉法が改正され、令和６年４月１日より新たに里親支援センターが児童福祉施設に追加された。試験範囲となるため押さえておきたい。

Q14

次のうち、「児童発達支援ガイドライン」（令和６年７月こども家庭庁）に盛り込まれた提供すべき支援として、適切なものを○、不適切なものを×とした場合の正しい組み合わせを一つ選びなさい。 令和５年（後期）問17改

A 本人支援

B 家族支援

C 移行支援

（組み合わせ）

	A	B	C
1	○	○	○
2	○	○	×
3	○	×	○
4	○	×	×
5	×	×	×

Q15

次の文は、児童虐待とその防止に関する記述である。適切な記述を○、不適切な記述を×とした場合の正しい組み合わせを一つ選びなさい。

令和５年（前期）問10改

A 全国の児童相談所における令和４年度の児童虐待相談対応件数は20万件より多かった。

B 児童虐待を受けたと思われる子どもを見つけた時などに、ためらわずに児童相談所に通告・相談ができるように、児童相談所全国共通ダイヤル番号「189（いちはやく）」を運用している。

C 「児童虐待の防止等に関する法律」では、学校及び児童福祉施設は、児童及び保護者に対して、児童虐待の防止のための教育または啓発に努めなければならないこととされる。

D 毎年11月を「児童虐待防止推進月間」と位置付け、関係府省庁や、地方公共団体、関係団体等が連携した集中的な広報・啓発活動を実施している。

（組み合わせ）

	A	B	C	D
1	○	○	○	○
2	○	○	○	×
3	○	○	×	×
4	○	×	○	×
5	×	○	×	○

A 14

正解 1

A ○　**B** ○　**C** ○

「児童発達支援」は、2012(平成24)年の児童福祉法改正で、主に未就学の障害のある子どもを対象に発達支援を提供するものとして位置づけられた。2022(令和4)年の児童福祉法改正により**児童発達支援センター**が地域の**障害児支援の中核的役割を担う**ことが明確化されている。児童発達支援は、2024(令和6)年のガイドラインでは、「**本人支援**」、「**家族支援**」、「**移行支援**」、「**地域支援・地域連携**」に分けられている。

A 15

正解 1

A ○　2022(令和4)年の対応件数(速報値)は**21万9,170**件である。**心理的虐待**(59.1%)、**身体的虐待**(23.6%)、**ネグレクト**(16.2%)、**性的虐待**(1.1%)の順になっている。

B ○　要保護児童を発見した者は、**福祉事務所**や**児童相談所**に通告しなければならない**義務**がある。「**189**」にかけると地域を特定し、管轄の**児童相談所**につながることになっている。

C ○　児童虐待を受けた児童の**保護**や自立を支援する**人材の確保**、資質の向上を図るため、**研修等**必要な措置を講ずることが求められている。

D ○　児童虐待防止推進月間には、NPO団体や民間企業等と連携し、**オレンジリボン運動**等が推進されている。

加点のポイント

◆**児童虐待防止対策におけるルールの徹底について**

虐待による子ども死亡事件が後を絶たないことから、子どもの安全確認ができない場合の対応徹底の通知「児童虐待防止対策におけるルールの徹底について」が2019(令和元)年に厚生労働省より発出されている。通知には「虐待通告受理後、原則48時間以内に児童相談所や関係機関において、直接子どもの様子を確認するなど安全確認を実施する」ことが明記されている。

次のうち、児童委員・主任児童委員に関する記述として、適切な記述を○、不適切な記述を×とした場合の正しい組み合わせを一つ選びなさい。

令和４年(後期) 問8

A 市町村長は、児童委員の研修を実施しなければならない。

B 児童委員は、その職務に関し、市町村長の指揮監督を受ける。

C 都道府県知事は、児童委員のうちから、主任児童委員を指名する。

D 主任児童委員は、児童の福祉に関する機関と児童委員との連絡調整を行うとともに、児童委員の活動に対する援助及び協力を行う。

（組み合わせ）

	A	B	C	D
1	○	○	○	×
2	○	○	×	×
3	○	×	○	○
4	×	○	○	○
5	×	×	×	○

次の文は、「児童福祉法」第14条第２項の一部である。（　）にあてはまるものとして正しいものを一つ選びなさい。

令和３年(後期) 問9

（　　　）は、その担当区域内における児童に関し、必要な事項につき、その担当区域を管轄する児童相談所長又は市町村長にその状況を通知し、併せて意見を述べなければならない。

1 保健師

2 民生委員

3 主任児童委員

4 専門里親

5 児童福祉司

A 16　　正解 5

A × 児童福祉法第18条の2に記載がある。研修を実施するのは**都道府県知事**である。民生委員は、都道府県知事の**推薦**によって、**厚生労働大臣**が**委嘱する**ことも押さえておこう。

B × 児童福祉法第17条第6項第4号に記載がある。児童委員は、その職務に関し、**都道府県知事**の指揮監督を受ける。

C × 児童福祉法第16条第3項に記載がある。**厚生労働大臣**は、**児童委員**のうちから、主任児童委員を指名することになっている。

D ○ 児童委員は、児童及び妊産婦の生活及び取り巻く環境の状況の**適切な把握**、必要な**情報の提供**その他の**援助及び指導**、**児童福祉司**又は福祉事務所の**社会福祉主事**の行う職務への**協力等**の役割がある。主任児童委員は、児童委員の職務について、児童委員との**連絡調整**、**活動に対する援助及び協力**を行うこととされている。

A 17　　正解 5

1 × 「保健師」は保健師の名称を用いて保健指導を行う国家資格である。地域社会や人々の健康維持、病気の予防のため、**乳幼児**の**健康診査**や**母子相談**、また窓口や電話相談への対応だけでなく、**乳児全戸家庭訪問事業**や**養育支援訪問事業**を行っている。

2 × 「民生委員」は**厚生労働大臣**から委嘱された非常勤の地方公務員である。地域住民の相談に乗ったり、社会福祉の制度やサービスの情報提供をしたりするなど、地域福祉の担い手として**ボランティア**で活動している。任期は3年である。

3 × 「主任児童委員」は**民生委員（児童委員）**の中から厚生労働大臣によって指名され、児童の福祉に関する機関と児童委員との連絡調整や児童委員の活動に対する援助及び協力を行っている。

4 × 「専門里親」は、児童虐待等の行為により心身に有害な影響を受けた児童や非行等の問題を有する児童、身体障害、知的障害または精神障害がある児童等、**専門的ケア**を必要とする児童を養育する里親である。

5 ○ 「児童福祉司」の業務は、説明文の通りである。また、子どもや保護者から子どもの福祉に関する相談に応じ、必要に応じた支援や指導を行う。**児童相談所**に配置されている。

加点のポイント　◆**児童虐待防止対策の強化**

「児童虐待防止対策体制総合強化プラン」（2018（平成30）年12月18日児童虐待防止対策に関する関係府省庁連絡会議決定）が取りまとめられ、児童福祉司の配置標準の見直しで、2017（平成29）年度の約3,240人から2022（令和4）年度までに全国で2,020人程度増員が示された。2023（令和5）年度から2026（令和8）年度までを期間として、「新たな児童虐待防止対策体制総合強化プラン」（2022（令和4）年12月15日児童虐待防止対策に関する関係府省庁連絡会議決定）が策定された。そのなかで、児童相談所の体制強化として、更なる児童福祉司の増員や弁護士の配置、また児童福祉司のメンタルケアを行い、職員の職場定着を図ること等が示された。また、市区町村子ども家庭総合支援拠点として、こども家庭センターの全国展開を図ることも明記された。

次のうち、子ども・若者支援地域協議会に関する記述として、適切な記述を○、不適切な記述を×とした場合の正しい組み合わせを一つ選びなさい。

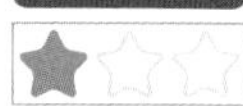

令和4年（前期）問17

A 運営は、構成機関の代表者で組織される代表者会議、実務者によって組織し進行管理等を担う実務者会議、個別のケースを担当者レベルで検討する個別ケース検討会議の三層構造としなければならない。

B 支援の対象となる「子ども・若者」の対象年齢は20歳代までを想定している。

C 支援の対象は、修学及び就業のいずれもしていない子ども・若者その他の子ども・若者であって、社会生活を円滑に営む上での困難を有するものである。

D 複数の市町村が共同で設置することが認められている。

（組み合わせ）

	A	B	C	D
1	○	○	○	×
2	○	○	×	×
3	×	○	○	○
4	×	×	○	○
5	×	×	×	○

次のうち、令和元年6月19日に成立した「児童虐待防止対策の強化を図るための児童福祉法等の一部を改正する法律」（令和元年法律第46号）に関する記述として、不適切な記述を一つ選びなさい。

令和4年（後期）問9

1 児童福祉審議会において児童に意見聴取する場合、その児童の状況・環境等に配慮することとされた。

2 都道府県（児童相談所）の業務として、児童の安全確保が明文化された。

3 学校、教育委員会、児童福祉施設等の職員は、正当な理由なく、その職務上知り得た児童に関する秘密を漏らさぬよう努めなければならないこととされた。

4 都道府県は、一時保護等の介入的対応を行う職員と保護者支援を行う職員を分ける等の措置を講ずることとされた。

5 要保護児童対策地域協議会から情報提供等の求めがあった関係機関等は、これに応ずるよう努めなければならないこととされた。

A 18

正解 4

A × 運営は、説明文のような**三層構造**にすることが理想だが、設置主体によって事情が異なるため一律に考える必要はない。そのためAは間違いである。

B × 「子ども・若者」の対象年齢は、**30歳代**までが想定されている。

C ○ 支援の対象として、ひきこもりや若年無業者だけでなく、**不登校**など**様々な困難を有する子ども・若者等**も幅広く含んでいる。

D ○ 子ども・若者支援地域協議会の設置主体は、**都道府県**及び**市町村**のほか、特別地方公共団体である**特別区**や**地方公共団体の組合**（一部事務組合や広域連合）も含まれる。

A 19

正解 3

1 ○ 児童福祉審議会における児童等の**意見聴取の際の配慮事項**である。児童以外に、**妊産婦**及び**知的障害者**、これらの者の**家族等**が含まれる。

2 ○ 児童の権利の保護のため、一時保護の解除後の家庭その他の**環境の調整**や**児童の状況の把握**等、児童の安全を確保することが規定された。

3 × 学校、教育委員会、児童福祉施設等の職員は正当な理由なくその職務に関して知り得た児童に関する秘密を漏らしてはならない。これは守秘義務であり、努力義務ではない。よって努めなければならないという記載が間違いである。

4 ○ 児童相談所の**介入機能**と**支援機能**を分けるため、児童の一時保護等を行った児童福祉司等以外の者が保護者支援を行うようにする必要がある。

5 ○ **要保護児童対策地域協議会**から情報提供等の求めがあった場合は応じるように努めなければならない。

④子ども家庭福祉の現状と課題

次のA～Eは、日本におけるこれまでの少子化対策の取り組みである。これらを年代の古い順に並べた場合の正しい組み合わせを一つ選びなさい。

令和5年(前期) 問11

A「新子育て安心プラン」の公表
B「子ども・子育てビジョン」の閣議決定
C「子ども・子育て応援プラン」の決定
D「少子化社会対策基本法」の施行
E「ニッポン一億総活躍プラン」の閣議決定

(組み合わせ)

1 B→A→D→C→E
2 B→C→D→A→E
3 D→A→C→B→E
4 D→B→C→E→A
5 D→C→B→E→A

加点のポイント

◆日本の少子化対策・子育て支援策、法律等のまとめ

名称	施行年度等
エンゼルプラン	1994(平成6)年
新エンゼルプラン	1999(平成11)年
少子化対策プラスワン	2002(平成14)年
少子化社会対策基本法	2003(平成15)年
次世代育成支援対策推進法	2003(平成15)年
子ども・子育て応援プラン	2004(平成16)年
「子どもと家族を応援する日本」重点戦略	2007(平成19)年
子ども・子育てビジョン	2010(平成22)年
子ども・子育て関連3法	2012(平成24)年
次世代育成支援対策推進法の延長	2014(平成26)年
子ども・子育て支援新制度	2015(平成27)年
ニッポン一億総活躍プラン	2016(平成28)年
働き方改革実行計画	2017(平成29)年
子育て安心プラン	2017(平成29)年
新しい経済政策パッケージ	2017(平成29)年
新子育て安心プラン	2020(令和2)年
こども政策の新たな推進体制に関する基本方針	2021(令和3)年
こども未来戦略(加速化プラン)	2023(令和5)年

A 20

正解 5

A 「**新子育て安心プラン**」は、2020（令和２）年に公表された。**女性（25～44歳）の就業率上昇**のため**待機児童の解消**を目指し、令和３年度から令和６年度末までに**約14万人分の保育の受け皿を整備**することとしている。その他、地域の特性に応じた支援、保育士不足解消のため魅力ある職場づくりの向上や幼稚園の空きスペースの活用等の子育て資源の活用を推進している。

B 「**子ども・子育てビジョン**」は、2010（平成22）年に閣議決定された。**社会全体で子育てを支え、個々人の希望がかなう社会の実現**を基本理念としている。また、2014年までの５年間の数値目標が明記された。

C 「**子ども・子育て応援プラン**」は、2004（平成16）年に決定された。**少子化対策大綱の具体的実施計画**（子ども・子育て応援プラン）は、少子化社会対策基本法の趣旨や少子化社会対策大綱の内容に加えて、**次世代育成支援対策推進法**に基づき、市町村と都道府県、従業員301人以上の企業等に対して次世代育成支援に関する**行動計画の策定等**が義務付けられたことと関連付けて策定された。2005（平成17）年度から2009（平成21）年度までの５年間に講ずる具体的な施策内容と目標を掲げている。

D 「**少子化社会対策基本法**」は、2003（平成15）年に施行された。1999年策定の**新エンゼルプラン**の後、**仕事と家庭の両立**や待機児童ゼロに向けた対応策の効果がなく、少子化に歯止めがかからなかったことから立法化された。

E 「**ニッポン一億総活躍プラン**」は、2016（平成28）年に閣議決定された。夢をつむぐ子育て支援を行い「**希望出生率1.8**」の実現に向けて、**多様な保育サービスの充実**（保育の受け皿の拡充・保育士の処遇改善）、**働き方改革推進**（同一労働同一賃金の実現など非正規雇用（我が国労働者の約４割）の待遇改善・長時間労働の改善）、**希望する教育を受けることを阻む制約の克服**（奨学金・教育相談機能の強化・地域未来塾の整備）が挙げられている。

次のうち、「令和４年版　厚生労働白書」(2022(令和４)年９月　厚生労働省)の保育人材に関する記述として、適切なものを○、不適切なものを×とした場合の正しい組み合わせを一つ選びなさい。 令和５年(後期) 問７

A 2020(令和２)年10月１日現在、保育士の登録者数は、150万人を超えている。

B 保育士資格を有しながら保育所等で働いていない潜在保育士数は、2011(平成23)年から2020(令和２)年まで毎年減少している。

C 保育士として就業した者が退職した理由として最も多いのは「職場の人間関係」である。

D 潜在保育士が保育士として就業を希望しない理由として最も多いのは「賃金が希望と合わない」である。

(組み合わせ)

	A	B	C	D
1	○	○	×	○
2	○	○	×	×
3	○	×	○	○
4	×	○	○	×
5	×	×	○	○

A 21

正解 3

A ○ 保育士の登録者数は、2020（令和２）年10月１日現在、**167万３千人**であり150万人を超えている。登録者数は年々増加している。

B × **潜在保育士数**は2020（令和２）年10月１日現在、102万８千人であり毎年**増加し続けている。**

C ○ 保育士の離職理由は、「**職場の人間関係**」が一番多く、次いで「給料が安い」「仕事量が多い」となっている。**保育人材の処遇改善**、特に民間の保育士等については、2019（令和元）年度から「新しい経済政策パッケージ」（2017（平成29）年12月８日閣議決定）に基づいて対策を行い、処遇改善を図っている。

D ○ 保育士への就業を希望しない理由は、「**賃金が希望と合わない**」が一番多く、次いで「他職種への興味」「責任の重さ、事故への不安」となっている。

◆若者支援に関する組織・施設

①**ひきこもり地域支援センター**：ひきこもりに関する専門的第一次相談窓口として、都道府県、指定都市に設置されている。2022（令和4）年度からは、より住民に身近なところで相談ができ、支援が受けられる環境づくりを目指して、設置主体を市町村にも拡充している。厚生労働省が整備を推進している。

②**地域若者サポートステーション**：厚生労働省が委託した全国の若者支援の実績やノウハウがあるNPO法人、株式会社等により実施されている「身近に相談できる機関」であり、就労支援を行っている。全ての都道府県に必ず設置されている。働くことに悩みを抱えている15歳から49歳までの若者支援を行う。

③**子ども・若者支援地域協議会**：内閣府は、各地域の実情に応じて段階的に子ども・若者育成支援推進法第19条第1項に規定する「子ども・若者支援地域協議会」の設置を促進している。子ども・若者支援地域協議会は、子ども・若者への支援が適切に行われるよう、必要な知見を有する相談員（ユースアドバイザー）を養成することを目的の一つとしている。

次の文は、「少子化社会対策大綱」(令和２年５月29日閣議決定)の一部である。（ Ａ ）～（ Ｅ ）にあてはまる語句の正しい組み合わせを一つ選びなさい。

令和４年(後期) 問12

一人でも多くの若い世代の結婚や出産の希望をかなえる「希望出生率（ Ａ ）」の実現に向け、令和の時代にふさわしい（ Ｂ ）し、国民が結婚、妊娠・出産、子育てに希望を見出せるとともに、男女が互いの生き方を（ Ｃ ）しつつ、（ Ｄ ）な選択により、希望する時期に結婚でき、かつ、希望するタイミングで希望する数の子供を持てる社会をつくることを、少子化対策における基本的な目標とする。

このため、若い世代が将来に展望を持てるような雇用環境の整備、結婚支援、男女共に仕事と子育てを両立できる環境の整備、地域・社会による子育て支援、（ Ｅ ）の負担軽減など、「希望出生率（ Ａ ）」の実現を阻む隘路の打破に取り組む。

(組み合わせ)

	A	B	C	D	E
1	1.57	雇用を創出	尊重	積極的	ひとり親世帯
2	1.57	環境を整備	共同	総合的	多子世帯
3	1.8	雇用を創出	共同	総合的	ひとり親世帯
4	1.8	環境を整備	尊重	主体的	多子世帯
5	1.8	環境を整備	共同	主体的	ひとり親世帯

次の文のうち、放課後児童対策に関する記述として適切な記述を○、不適切な記述を×とした場合の正しい組み合わせを一つ選びなさい。

令和３年(前期) 問３

A 「放課後児童健全育成事業」とは、小学校に就学している児童であって、保護者が労働等により昼間家庭にいないものに、授業の終了後に児童厚生施設等の施設を利用して適切な遊び及び生活の場を与えて、その健全な育成を図る事業をいう。

B 2014(平成26)年に、文部科学省と厚生労働省が共同で「放課後子ども総合プラン」を策定した。

C 「新・放課後子ども総合プラン」では、放課後児童クラブと保育所を一体的に、または連携して実施することを目指している。

(組み合わせ)

	A	B	C
1	○	○	○
2	○	○	×
3	○	×	○
4	×	○	×
5	×	×	○

A 22

正解 4

一人でも多くの若い世代の結婚や出産の希望をかなえる「希望出生率（ A.**1.8** ）」の実現に向け、令和の時代にふさわしい（ B.**環境を整備** ）し、国民が結婚、妊娠・出産、子育てに希望を見出せるとともに、男女が互いの生き方を（ C.**尊重** ）しつつ、（ D.**主体的** ）な選択により、希望する時期に結婚でき、かつ、希望するタイミングで希望する数の子供を持てる社会をつくることを、少子化対策における基本的な目標とする。
このため、若い世代が将来に展望を持てるような雇用環境の整備、結婚支援、男女共に仕事と子育てを両立できる環境の整備、地域・社会による子育て支援、（ E.**多子世帯** ）の負担軽減など、「希望出生率（ A.**1.8** ）」の実現を阻む隘路の打破に取り組む。

少子化社会対策大綱では、「若い世代が将来に展望を持てる**雇用環境等の整備**」「保育の受け皿整備」「育児休業や育児短時間勤務などの**両立支援制度の定着促進・充実**」「**妊娠期から子育て期にわたる切れ目のない支援**」「結婚、子育てに関する地方公共団体の取組に対する支援」「妊娠中の方や子供連れに優しい施設や外出しやすい環境の整備」「結婚支援・子育て分野におけるICTやAI等の科学技術の成果の活用促進」等の重点課題に取り組んでいくこととされている。

A 23

正解 2

A ○　説明文は児童福祉法第６条の３第２項の**放課後児童健全育成事業**（放課後児童クラブ）の説明である。放課後児童健全育成事業の設置状況は全国で２万5,807か所である（2023（令和５）年５月１日現在）。

B ○　「放課後子ども総合プラン」は、共働き家庭等の「小１の壁」を打破するとともに次代を担う人材を育成するため、すべての就学児童が放課後を安心・安全に過ごし、多様な体験・活動を行うことができるよう、総合的な放課後対策に取り組むことを目的に策定された。

C ×　「新・放課後子ども総合プラン」では、**放課後児童クラブ**と**放課後子ども教室**の２つの事業を**一体的**にまたは連携して実施し、うち小学校内で**一体型として１万か所以上**で実施することを目指している。

次の【Ⅰ群】の地域型保育事業についての説明と【Ⅱ群】の事業名を結びつけた場合の正しい組み合わせを一つ選びなさい。

令和5年(前期) 問14

【Ⅰ群】

A 保育を必要とする乳児・幼児であって、満3歳未満のものについて、当該保育を必要とする乳児・幼児の居宅において家庭的保育者による保育を行う事業。

B 保育を必要とする乳児・幼児であって、満3歳未満のものについて、家庭的保育者の居宅その他の場所において、家庭的保育者による保育を行う事業であり、利用定員が5人以下となっている。

C 保育を必要とする乳児・幼児であって、満3歳未満のものについて、当該保育を必要とする乳児・幼児を保育することを目的とする施設において保育を行う事業であり、利用定員が6人以上19人以下となっている。

【Ⅱ群】

ア 家庭的保育事業

イ 居宅訪問型保育事業

ウ 小規模保育事業

(組み合わせ)

	A	B	C
1	ア	イ	ウ
2	ア	ウ	イ
3	イ	ア	ウ
4	イ	ウ	ア
5	ウ	ア	イ

次のうち、「子ども・子育て支援法」における地域子ども・子育て支援事業を構成する事業として、誤ったものを一つ選びなさい。 平成30年(後期) 問6

1 多様な事業者の参入促進・能力活用事業

2 放課後児童健全育成事業

3 児童館事業

4 妊婦健康診査

5 利用者支援事業

A 24

正解 3

A イ 設問文は居宅訪問型保育事業の内容である。障害、疾病等から**集団保育が難しい場合**やひとり親家庭の保護者が**夜間**及び**深夜の勤務に従事する場合**等が対象となる。

B ア 設問文は家庭的保育事業の内容である。家庭的保育者一人が保育することができる乳幼児の数は**3人以下**であるが、家庭的保育補助者とともに保育をする場合は**5人以下**である。

C ウ 設問文は小規模保育事業の内容である。受入定員や職員配置基準によってA型、B型、C型に分かれている。2023（令和5）年4月から市町村が特に必要と認めた場合は**3歳以上児の受け入れ**も可能となった。

A 25

正解 3

1 ○ 多様な事業者の参入促進・能力活用事業とは、新規参入事業者に対する相談・助言等の巡回支援や、私学助成（幼稚園特別支援教育経費）や障害児保育事業の対象とならない特別な支援が必要な子どもを認定こども園で受け入れるための職員の確保を促進するための事業である。

2 ○ 放課後児童健全育成事業（放課後児童クラブ）とは、保護者が**労働等**により**昼間家庭**にいない**小学校**に就学している児童に対し、授業の終了後等に小学校の余裕教室や児童館等において適切な遊び及び生活の場を与えて、その健全な育成を図る事業のことである。

3 × 児童館事業は地域子ども・子育て支援事業を構成する事業に含まれない。児童館は**児童福祉施設**である。児童福祉法第40条による屋内型の児童厚生施設（他に屋外型の児童遊園あり）であり、子どもに健全な遊びを提供して、その心身の健康を増進し情操を豊かにすることを目的としている。

4 ○ 妊婦の健康の保持及び増進を図るため、妊婦に対する健康診査として、①健康状態の把握、②検査計測、③保健指導を実施するとともに、妊娠期間中の適時に必要に応じた医学的検査を実施する事業である。

5 ○ 利用者支援事業とは、子どもや保護者の身近な場所で、教育・保育施設や地域の子育て支援事業等の利用について**情報収集・提供**を行うとともに、それらの利用にあたっての**相談**に応じ、必要な助言を行い、関係機関等との**連絡調整等**を実施する事業のことである。

Q 26

★★☆

次のうち、子育て世代包括支援センター（母子健康包括支援センター）について、適切な記述を一つ選びなさい。

令和5年（前期）問13

1 2019（令和元）年の「児童虐待防止対策の強化を図るための児童福祉法等の一部を改正する法律」（令和元年法律第46号）において規定された。

2 都道府県が実施主体である。

3 対象は、妊産婦及び乳幼児のみである。

4 保健師、助産師、看護師及びソーシャルワーカーをすべて配置しなければならない。

5 母子保健事業や子育て支援事業を実施することができる。

Q 27

★☆☆

次のうち、多様な保育事業に関する記述として、適切な記述を○、不適切な記述を×とした場合の正しい組み合わせを一つ選びなさい。

令和4年（前期）問11

A 「夜間保育所の設置認可等について」（平成12年　厚生省）によると、開所時間は原則として概ね11時間とし、おおよそ午後10時までとすることとされている。

B 厚生労働省によると、2019（平成31）年4月1日現在、全国に設置されている夜間保育所は79か所となっており、2014（平成26）年4月1日現在に比べて10か所以上増加した。

C 延長保育事業には、都道府県及び市町村以外の者が設置する保育所又は認定こども園など適切に事業が実施できる施設等で実施される一般型と、利用児童の居宅において実施する訪問型がある。

D 厚生労働省によると、2018（平成30）年度の病児保育事業実施か所数は、2014（平成26）年度に比べて1,000か所以上増加した。

E 企業主導型保育事業は、企業が従業員の働き方に応じた柔軟な保育サービスを提供するために設置する保育施設であり、全企業に設置義務が課されている。

（組み合わせ）

	A	B	C	D	E
1	○	○	×	○	×
2	○	×	○	○	×
3	×	○	○	×	×
4	×	○	×	○	○
5	×	○	×	×	○

A 26

正解 5

1 × 子育て世代包括支援センター（母子健康包括支援センター）は、2016（平成28）年に改正された「**母子保健法**」第22条において規定された。

2 × 実施主体は**市町村**である。ただし、市町村が認めた者へ**委託等**を行うことができる。

3 × 対象は、主に、**妊産婦及び乳幼児並びにその保護者**であるが、地域の実情に応じて、18歳までの子どもとその保護者についても対象とする等、柔軟に運用することができる。

4 × **保健師等**を１名以上配置することになっている。さらに、保健師や助産師、看護師に加えて、精神保健福祉士、ソーシャルワーカー、利用者支援専門員、地域子育て支援拠点事業所の専任職員といった福祉職を配置することが望ましい。

5 ○ 設問文の他、①**妊産婦及び乳幼児等の実情把握**、②**妊娠・出産・子育てに関する相談や情報提供、助言、保健指導**、③**支援プランの策定**、④**保健医療又は福祉の関係機関との連絡調整等**の支援を行っている。なお、子育て世代包括支援センターは、2024（令和６）年に「**こども家庭センター**」と名称変更した。

A 27

正解 2

A ○ 開所時間は原則として概ね**11時間**とし、おおよそ午後**10時**までとすることとされている。なお、入所定員は、**20名以上**である。また、対象児童は、夜間、保護者の就労等により保育に欠けるため、市町村が保育の実施を行う児童とされている。

B × 2019（平成31）年４月１日現在の夜間保育所は**79か所**であるが、2014（平成26）年４月１日現在は**85か所**であった。2018（平成30）年から減少しており、2023（令和５）年４月１日現在**73か所**である。

C ○ 延長保育事業には**一般型**と**訪問型**がある。就労形態の多様化等に伴い、やむを得ない理由により、保育時間を延長して児童を預けられる環境が必要とされている。保育所、認定こども園等で引き続き保育を実施することで、安心して子育てができる環境を整備し、**児童の福祉の向上**を図ることを目的としている。

D ○ 2018（平成30）年度の病児保育事業実施箇所数は**3,130か所**であり、2014（平成26）年度は**1,782か所**である。1,348か所増加している。事業類型は、児童の病気が「**回復期に至らない場合**」であり、かつ、当面の症状の急変が認められない場合に、病院・診療所、保育所等に付設された専用スペース等で一時的に保育する「**病児対応型**」、病気の「**回復期**」であり、かつ、集団保育が困難な場合の「**病後児対応型**」、保育中に微熱を出すなど「**体調不良**」となった場合の「**体調不良児対応型**」、「回復期に至らない場合」又は、「回復期」であり、かつ、集団保育が困難な場合に、**児童の自宅**において一時的に保育する「**非施設型（訪問型）**」がある。

E × 企業主導型保育事業は、**2016（平成28）年度**に内閣府が開始した企業向けの助成制度であるが、設置義務は課されていない。

次の文のうち、利用者支援事業に関する記述として適切な記述を○、不適切な記述を×とした場合の正しい組み合わせを一つ選びなさい。

令和３年（前期）問17改

A 利用者支援事業は「児童福祉法」に規定する地域子ども・子育て支援事業の１類型であり、子どもまたはその保護者の身近な場所で、教育・保育・保健その他の子育て支援の情報提供及び必要に応じ相談・助言等を行うとともに、関係機関との連絡調整等を実施する事業である。

B 「利用者支援事業実施要綱」（令和６年３月30日　こども家庭庁・文部科学省）によると、利用者支援事業の特定型とは、子ども及びその保護者等が、教育・保育施設や地域の子育て支援事業等を円滑に利用できるよう、身近な場所において、当事者目線の寄り添い型の支援を実施することを目的としている。

C 「利用者支援事業実施要綱」（令和６年３月30日　こども家庭庁・文部科学省）によると、利用者支援事業に従事する者は、子どもの最善の利益を実現させる観点から、子ども及びその保護者等、または妊娠している方への対応に十分配慮するとともに、正当な理由なく、その業務上知り得た利用者又はその家族の秘密を漏らしてはならないとされている。

（組み合わせ）

	A	B	C
1	○	○	○
2	○	○	×
3	○	×	○
4	×	○	×
5	×	×	○

A 28　　正解 5

A × 利用者支援事業は「子ども・子育て支援法」第59条第１項に基づいた事業である。実施主体は市区町村であるが、**市区町村**が認めた者へ**委託**することも可能である。

B × 説明文は、基本型の内容であり、**特定型**の目的は「待機児童の解消等を図るため、行政が地域連携の機能を果たすことを前提に主として保育に関する施設や事業を円滑に利用できるよう支援を実施する」ことである。その他、**こども家庭センター型**がある。

C ○ Cの文章は**正しい**。さらに、同じく守秘義務が課せられた地域子育て支援拠点や市町村の職員などと情報交換や共有し、連携を図ることも留意する点である。

なお、2015（平成27）年度からは、妊娠期から子育て期にわたるまでの様々なニーズに対して総合的相談支援を提供するワンストップ拠点（**子育て世代包括支援センター**、令和６年４月から「こども家庭センター」に改称）を立ち上げ、保健師、助産師、ソーシャルワーカー等のコーディネーターが**すべての妊産婦等**に対して、**切れ目のない支援**の実施を図っている。子育て世代包括支援センターは、「**少子化社会対策大綱**」でも取組の強化が図られている。

◆利用者支援事業の３つの事業類型

基本型

○「利用者支援」と「地域連携」の２つの柱で構成。

【利用者支援】→当事者の目線に立った、寄り添い型の支援

地域子育て支援拠点等の身近な場所で、子育て家庭等から日常的に相談を受け、個別のニーズ等に基づいて、子育て支援に関する情報の収集・提供、子育て支援事業や保育所等の利用に当たっての助言・支援を行う。

【地域連携】→地域における、子育て支援のネットワークに基づく支援

利用者が必要とする支援につながるよう、地域の関係機関との連絡調整、連携・協働の体制づくりを行うとともに、地域の子育て資源の育成や、地域で必要な社会資源の開発等を行う。

※令和６年度以降、「地域子育て相談機関」として子育て家庭等と継続的につながりを持ちながら実施する相談・助言や、「こども家庭センター」との連携が上記に含まれる。

《職員配置》専任職員（利用者支援専門員）を１名以上配置（基本型Ⅲを除く）

※子ども・子育て支援に関する事業の一定の実務経験を有する者で、子育て支援員基本研修及び専門研修（地域子育て支援コース）の「利用者支援事業（基本型）」の研修を修了した者等

特定型（いわゆる「保育コンシェルジュ」）

○主として市町村の窓口で、子育て家庭等から保育サービスに関する相談に応じ、地域における保育所や各種の保育サービスに関する情報提供や利用に向けての支援などを行う。

《職員配置》専任職員（利用者支援専門員）を１名以上配置

※子育て支援員基本研修及び専門研修（地域子育て支援コース）の「利用者支援事業（特定型）」の研修を修了している者が望ましい

こども家庭センター型

○旧子育て世代包括支援センター及び旧市区町村子ども家庭総合支援拠点の一体的な運営を通じて、妊産婦及び乳幼児の健康の保持及び増進に関する包括的な支援及び全てのこどもと家庭に対して虐待への予防的な対応から個々の家庭に応じた支援まで、切れ目なく対応する。

《職員配置》専任職員（センター長及び統括支援員）を各1名配置（小規模自治体等、自治体の実情に応じてセンター長は統括支援員を兼務することが可能）

※その他、主に母子保健等を担当する保健師等、主に児童福祉（虐待対応を含む）の相談等を担当する子ども家庭支援員等を配置

（出典：こども家庭庁「利用者支援事業とは」）

次の文は、こども家庭センターに関する記述である。適切な記述を○、不適切な記述を×とした場合の正しい組み合わせを一つ選びなさい。

予想問題

A 実施主体は市区町村（一部事務組合を含む。以下同じ）とする。ただし、市区町村が適切かつ確実に業務を行うことができると認めた社会福祉法人等にその一部を委託することができる。

B 複数の地方自治体が共同で設置することは認められていない。

C 業務マネジメントを行う専任者として統括支援員を配置する。

D こども家庭センターは、ヤングケアラーを支援するために学校や関係機関と連携しておく必要がある。

E こども家庭センターの役割は、母子保健機能及び児童福祉機能の一体的な運営を通じて、妊産婦、こどもやその家庭の課題・ニーズを母子保健・児童福祉それぞれの専門性を活かし、合わせることでより深く汲み取ることである。

（組み合わせ）

	A	B	C	D	E
1	○	○	×	○	×
2	○	×	○	○	○
3	×	○	○	×	×
4	×	○	×	○	○
5	×	○	×	×	○

次の文のうち、「母子保健法」の一部として誤った記述を一つ選びなさい。

令和元年（後期）問9

1 市町村は、すべての妊産婦若しくはその配偶者又は乳児若しくは幼児の保護者に対して、医師、歯科医師について保健指導を受けることを命令しなければならない。

2 市町村長は、（中略）当該乳児が新生児であつて、育児上必要があると認めるときは、医師、保健師、助産師又はその他の職員をして当該新生児の保護者を訪問させ、必要な指導を行わせるものとする。

3 市町村は、（中略）厚生労働省令の定めるところにより、健康診査を行わなければならない。

4 市町村は、妊娠の届出をした者に対して、母子健康手帳を交付しなければならない。

5 市町村は、妊産婦が（中略）妊娠又は出産に支障を及ぼすおそれがある疾病につき医師又は歯科医師の診療を受けるために必要な援助を与えるように努めなければならない。

A 29

正解 2

A ○ 実施主体は市区町村であるが、社会福祉法人等への一部委託を行うことができる。委託先の選定に当たっては、センターが実施する業務の趣旨・理念、制度的位置づけを理解し、適切かつ確実に業務を行うことができる委託先を選定する。また、徹底した情報の管理や知り得た内容を外部に漏らすことがないように**守秘義務の徹底等**を図る体制が整備されている必要がある。

B × こども家庭センターは、小規模な市区町村においては、一部事務組合等による、複数の**地方自治体**が共同で設置することも可能となっている。

C ○ **統括支援員**は、センターが創設の目的や役割を着実に果たすことができるように、センター長の下で、実務面においてリーダーシップを執り、業務マネジメントを担う役割を有する。市町村等、自治体の実情に応じて**センター長**が、統括支援員を兼務することができる。

D ○ ヤングケアラーの支援のためには介護保険サービス・障害福祉サービス等の**関係機関**との支援内容の調整が必要であることから、それぞれの機関の担当部署やサービス調整者（ケアマネジャー・相談支援専門員等）との日常的な**連携関係を構築**しておくことも重要である。

E ○ **一体的な組織**として、子育て家庭に対する相談支援を実施し、母子保健・児童福祉の両機能の連携・協働を深め、虐待への予防的な対応から子育てに困難を抱える家庭まで、**切れ目なく、漏れなく対応する**ことを目的としている。

A 30

正解 1

1 × 市町村は、保健指導を受けることを「命令」しなければならないではなく、「**勧奨**」しなければならないと規定されている。また、医師、歯科医師のみでなく、助産師もしくは保健師についても同様である。

2 ○ 育児上必要があると認められる場合、市町村長は新生児の保護者に対して母子保健に関する**訪問指導**を行わせることができる。

3 ○ 「市町村は、内閣府令の定めるところにより、健康診査を行わなければならない」と規定されている。なお、法律上で定められている健康診査は1歳6か月児検診と3歳児検診である。「**満1歳6か月を超え満2歳**に達しない幼児、**満3歳を超え満4歳**に達しない幼児」と規定されている。

4 ○ 「市町村は、妊娠の届出をした者に対して、**母子健康手帳**を交付しなければならない」と規定されている。なお、妊産婦は、健康診査または保健指導を受けたときは、その都度、母子健康手帳に必要な事項の**記録**を受けなければならないと規定されている。

5 ○ 第17条第2項の内容になる。第17条では、「妊娠又は出産に支障を及ぼすおそれがある疾病にかかつている疑いのある者については、**医師又は歯科医師の診療を受けることを勧奨**する」とも規定されているので、併せて確認したい。

Q31

次の文は、「令和３年度子供・若者白書」における、子ども・若者を地域で支える担い手に関する記述である。不適切な記述を一つ選びなさい。

平成30年（後期）問３改

1 保護司は、法務大臣から委嘱された非常勤の国家公務員である。

2 厚生労働省は、様々な人権問題に対処するため、幅広い世代・分野の出身者に人権擁護委員を委嘱している。

3 児童委員は、厚生労働大臣から委嘱され、2019（令和元）年度末時点において、全国で約23万人である。

4 主任児童委員は、関係機関と児童委員との連絡調整や児童委員の活動に対する援助と協力を行っている。

5 内閣府は、地方公共団体が委嘱している少年補導委員の活動に対して、補導・相談の効果的な進め方などの情報共有を行っている。

次の少年非行に関する記述のうち、不適切な記述の組み合わせを一つ選びなさい。

令和２年（後期）問15

A 触法少年とは、刑罰法令に触れる行為をした12歳未満の者である。

B ぐ犯少年とは、犯罪行為をした14歳以上20歳未満の者である。

C 少年鑑別所は、家庭裁判所の求めに応じて、鑑別を行う。

D 2005（平成17）年以降、触法少年及びぐ犯少年の補導人数は、いずれも減少傾向にある。

（組み合わせ）

1 A B
2 A C
3 B C
4 B D
5 C D

A 31

正解 2

1 ○ 保護司は、「保護司法」に定めるところにより、**法務大臣**から委嘱された非常勤の国家公務員である。保護観察官と協働して、**保護観察**、**生活環境の調整**、地域社会における**犯罪予防活動**にあたる。2023（令和５）年１月１日現在、全国で約**４万6,956人**の保護司が法務大臣の定めた保護区ごとに配属され、それぞれの地域で活動している。

2 × 厚生労働省ではなく、**法務大臣**が正しい。2023（令和５）年１月１日現在、全国に約**１万4,000人**の人権擁護委員がおり、子どもや若者に関する人権問題に対処している。

3 ○ 児童委員は、子どもと妊産婦の生活の保護・援助・指導を行うが、**民生委員**も兼ねており、必ずしも児童福祉の専門的知識を持つわけではないので、研修の実施によりその知識の習得に努めている。また、関係機関などと連携して活動を行う。

4 ○ 主任児童委員は、**児童委員**の中から**約２万人**が指名され、児童福祉に関する事項を主に担当している。研修により児童に関する専門的知識の習得に努めている。民生（児童）委員の2022（令和４）年12月１日現在の定数は、**22万5,356人**（主任児童委員：**２万1,115人**）となっている。民生委員は児童委員も兼ねている。

5 ○ **内閣府**は、地方公共団体が委嘱している少年補導委員の活動に関して、青少年センター関係者が集まる会議・会合等の機会を活用して、情報共有を図っている。

A 32

正解 1

A × 触法少年とは、刑罰法令に触れる行為をした**14歳未満**の者である。

B × ぐ犯少年とは、**犯罪を犯してはいない**が、「保護者の正当な監督に服しない性癖のあること」「正当の理由がなく家庭に寄り附かないこと」「犯罪性のある人若しくは不道徳な人と交際し、又はいかがわしい場所に出入すること」「自己又は他人の徳性を害する行為をする性癖のあること」といった**犯罪を犯すおそれのある**少年のことという。また、特定少年の制定により、18～19歳の少年については、ぐ犯少年の定義は適用されないことになった。

C ○ 少年鑑別所は、**家庭裁判所**の求めに応じ鑑別対象者の鑑別を行う。また少年鑑別所に収容される者等に対して**健全な育成**のための支援を含む観護処遇を行うことや地域社会における**非行及び犯罪の防止に関する援助**を行うことを業務とする施設である。

D ○ 触法少年、ぐ犯少年の補導人数は減少傾向にある。

少年法に関する問題は近年頻出している。2022（令和４）年４月１日に成人年齢が18歳に引き下げられたのに合わせて、少年法の一部改正が施行となった。少年の定義を**20歳に満たない者**と引き続き定義し、18～19歳に少年法が変わらず適用されるとする一方で、罪を犯した18～19歳の少年は**「特定少年」**と位置づけられ、20歳以上、17歳以下とは異なる新たな処分や手続きが設定されていることを確認しておきたい。具体的には、全件が**家庭裁判所**に送致されるのは改正前と同様だが、原則として**検察官へ逆送される対象事件**が拡大し、逆送決定後は原則として**20歳以上の者と同様**に扱われることになる。

次の文は、「児童虐待の防止等に関する法律」第１条の一部である。（ Ａ ）～（ Ｃ ）にあてはまる語句の正しい組み合わせを一つ選びなさい。

令和３年（前期）問13

児童虐待が児童の（ Ａ ）を著しく侵害し、その心身の成長及び人格の形成に重大な影響を与えるとともに、我が国における将来の世代の育成にも懸念を及ぼすことにかんがみ、児童に対する虐待の禁止、児童虐待の予防及び（ Ｂ ）その他の児童虐待の防止に関する国及び地方公共団体の責務、児童虐待を受けた児童の（ Ｃ ）及び自立の支援のための措置等を定めることにより、児童虐待の防止等に関する施策を促進し、もって児童の権利利益の擁護に資することを目的とする。

（組み合わせ）

	A	B	C
1	人権	早期発見	保護
2	人権	保護	治療
3	発達	早期発見	治療
4	発達	治療	保護
5	発達	保護	治療

次のうち、子ども虐待に関する記述として、適切な記述を○、不適切な記述を×とした場合の正しい組み合わせを一つ選びなさい。

令和４年（後期）問14改

A「令和３年度福祉行政報告例の概況」（2023（令和５）年　厚生労働省）によると、全国の児童相談所における児童虐待に関する相談対応件数は、平成28年度より一貫して増加してきた。

B「令和４年版子供・若者白書」（2022（令和４）年　内閣府）によると、児童が同居する家庭における配偶者などに対する暴力がある事案（面前DV）について警察からの通告が増加している。

C「令和３年度福祉行政報告例の概況」（2023（令和５）年　厚生労働省）によると、令和３年度の全国の児童相談所の児童虐待相談における主な虐待者別構成割合では、実父による虐待が最も高かった。

（組み合わせ）

	A	B	C
1	○	○	○
2	○	○	×
3	○	×	○
4	×	○	○
5	×	×	×

A 33

正解 1

児童虐待が児童の（A．**人権**）を著しく侵害し、その心身の成長及び人格の形成に重大な影響を与えるとともに、我が国における将来の世代の育成にも懸念を及ぼすことにかんがみ、児童に対する虐待の禁止、児童虐待の予防及び（B．**早期発見**）その他の児童虐待の防止に関する国及び地方公共団体の責務、児童虐待を受けた児童の（C．**保護**）及び自立の支援のための措置等を定めることにより、児童虐待の防止等に関する施策を促進し、もって児童の権利利益の擁護に資することを目的とする。

「児童虐待の防止等に関する法律」第１条の一部である。児童虐待防止強化を図るため、2020（令和２）年より児童の親権者はしつけに際して、体罰を加えてはならないことが規定された。また、これは**児童相談所長**、**児童福祉施設の長**、**小規模住居型児童養育事業を行う者**または**里親**も同様である。
2022（令和４）年度の児童虐待相談対応件数は、**21万9,170件**であり、過去最多の件数であった（速報値）。主な増加要因は、**心理的虐待**の増加と警察等からの通告の増加が考えられる。相談内容別件数は、心理的虐待が59.1％、身体的虐待が23.6％、ネグレクトが16.2％、性的虐待が1.1％である。

A 34

正解 2

A ○ 児童虐待相談対応件数は平成28年度から増加している。2022（令和４）年度（速報値）は**21万9,170件**であり、過去最多の件数であった。

B ○ 家庭における配偶者などに対する暴力（面前DV）は心理的虐待にあたる。2022（令和４）年度の相談内容別件数（速報値）は、**心理的虐待**が**59.1％**、**身体的虐待**が**23.6％**、**ネグレクト**が**16.2％**、**性的虐待**が**1.1％**であった。

C × 虐待者別構成割合は、2021（令和３）年度は**実母**が**47.5％**で一番多く、**実父**が**41.5％**である。「実父」の構成割合は年々上昇している。

次の文は、社会的養護に関係する施設等の説明である。誤ったものを一つ選びなさい。

平成26年 問12改

1 児童養護施設は令和４年３月現在、全国に約600か所近く設置されている。

2 児童家庭支援センターは平成９年の「児童福祉法」改正により創設された児童福祉施設であり、地域の児童やその家庭への相談支援を行うことを目的としている。

3 児童自立支援施設には児童自立支援専門員と児童生活支援員のほか、個別対応職員や、家庭支援専門相談員、その他の職員が配置されており、令和４年３月現在、全国で約60か所設置されている。

4 里親への委託児童は４人を超えることはできないが、小規模住居型児童養育事業の定員は５人または６人である。

5 乳児院は、乳児を入院させて養育する施設であるため、１歳児になると児童養護施設へ措置することが規定されている。

A 35

正解 5

1 ○ 児童養護施設は2022（令和４）年３月末現在、全国に**610**か所設置されている。

2 ○ 児童家庭支援センターは、**1997（平成９）**年の「児童福祉法」改正により創設された児童福祉施設である。2022（令和４）年６月現在、全国に**167**か所設置されている。

3 ○ 児童自立支援施設には、児童自立支援専門員、児童生活支援員、個別対応職員、家庭支援専門相談員の他に、心理療法が必要な児童10人以上に心理療法を行う場合に**心理療法担当職員**が必置となっている。2022（令和４）年３月末現在、全国に**58**か所設置されている。

4 ○ 里親への委託児童は４人を超えることはできないが、小規模住居型児童養育事業（ファミリーホーム）の定員は５人または６人となっており、**小規模グループケア**を実施している。養育里親が同時に養育する委託児童は４人（委託児童及び当該委託児童以外の児童の人数の合計は６人）と人数の限度がある。

5 × 乳児院は、「乳児（保健上、安定した生活環境の確保その他の理由により特に必要のある場合には、**幼児**を含む）を入院させて、これを養育する」と**児童福祉法**に規定されているので、１歳児になると児童養護施設に措置することは定められていない。2022（令和４）年３月末現在、全国に145か所設置されている。

よく出るポイント ◆社会的養護に関する施設

施設	乳児院	児童養護施設	児童心理治療施設	児童自立支援施設	母子生活支援施設	自立援助ホーム
対象児童	乳児（特に必要な場合は、幼児を含む）	保護者のない児童、虐待されている児童その他環境上養護を要する児童（特に必要な場合は、乳児を含む）	家庭環境、学校における交友関係その他の環境上の理由により社会生活への適応が困難となった児童	不良行為をなし、又はなすおそれのある児童及び家庭環境その他の環境上の理由により生活指導等を要する児童	配偶者のない女子又はこれに準ずる事情にある女子及びその者の監護すべき児童	義務教育を終了した児童であって、児童養護施設等を退所した児童等
施設数	145か所	610か所	53か所	58か所	215か所	317か所
定員	3,827人	30,140人	2,016人	3,403人	4,441世帯	2,032人
現員	2,351人	23,008人	1,343人	1,103人	3,135世帯 児童5,293人	1,061人
職員総数	5,519人	21,139人	1,512人	1,847人	2,070人	1,221人

小規模グループケア	2,394か所
地域小規模児童養護施設	607か所

※里親数、FHホーム数、委託児童数、乳児院・児童養護施設・児童心理治療施設・母子生活支援施設の施設数・定員・現員は福祉行政報告例（令和4年3月末現在）
※児童自立支援施設の施設数・定員・現員、自立援助ホームの施設数・定員・現員・職員総数、小規模グループケア、地域小規模児童養護施設のか所数は家庭福祉課調べ（令和5年10月1日現在）
※職員総数（自立援助ホームを除く）は、社会福祉施設等調査報告（令和4年10月1日現在）
※児童自立支援施設は、国立2施設を含む

出典：こども家庭庁支援局家庭福祉課「社会的養育の推進に向けて」令和6年6月

次の文のうち、児童虐待とその防止に関する記述として不適切な記述を一つ選びなさい。

令和元年(後期) 問11改

1 「児童虐待の防止等に関する法律」では、児童虐待を受けたと思われる児童を発見した者は、速やかに市町村、福祉事務所もしくは児童相談所へ通告することに努めなければならないとされる。

2 「児童虐待の防止等に関する法律」では、学校及び児童福祉施設は、児童及び保護者に対して、児童虐待の防止のための教育または啓発に努めなければならないこととされる。

3 「子ども虐待による死亡事例等の検証結果等について(第19次報告)」によると、心中以外の虐待死では、0歳児死亡が最も多く、実母が抱える妊娠期・周産期の問題として「望まない妊娠／計画していない妊娠」、「妊婦検診未受診」が高い割合を占めていた。

4 毎年11月を「児童虐待防止推進月間」と位置付け、関係府省庁や、地方公共団体、関係団体等が連携した集中的な広報・啓発活動を実施している。

5 児童虐待を受けたと思われる子どもを見つけた時などに、ためらわずに児童相談所に通告・相談ができるように、児童相談所全国共通ダイヤル番号「189(いちはやく)」を運用している。

◆2019(令和元)年6月の児童虐待防止法の改正のポイント

■「しつけ」を理由とした体罰の禁止

・親権者は、児童のしつけに際して体罰を加えてはならないこととする。児童福祉施設の長等についても同様とする。

※民法上の懲戒権の在り方について、施行後2年を目途に検討を加え、必要な措置を講ずるものとする。

■児童相談所の体制強化

・都道府県は、一時保護等の介入的対応を行う職員と保護者支援を行う職員を分ける等の措置を講ずるものとする。

■関係機関間の連携強化

・学校、教育委員会、児童福祉施設等の職員は、正当な理由なく、その職務上知り得た児童に関する秘密を漏らしてはならないこととする。

A 36

正解 1

1 × 市町村、福祉事務所もしくは児童相談所へ通告することに努めなければならないではなく、通告しなければならない。つまり努力義務ではなく、**義務**である。

2 ○ 「児童虐待の防止等に関する法律」では、学校及び児童福祉施設は、児童及び保護者に対して、児童虐待の防止のための**教育または啓発**に努めなければならないこととされており、また、「学校、児童福祉施設、病院、都道府県警察、女性相談支援センター、教育委員会、配偶者暴力相談支援センターその他児童の福祉に業務上関係のある団体及び学校の教職員、児童福祉施設の職員、医師、歯科医師、保健師、助産師、看護師、弁護士、警察官、女性相談支援員その他児童の福祉に職務上関係のある者は、児童虐待を発見しやすい立場にあることを自覚し、**児虐待の早期発見**に努めなければならない」と規定されていることも併せて覚えておく必要がある。

3 ○ 「子ども虐待による死亡事例等の検証結果等について（第19次報告）」によると、心中以外の虐待死（50例・50人）の中で、「0歳」は24人（**48.0%**）であった（0歳のうち月齢0か月児が6人（25.0%））。

4 ○ 毎年11月を「**児童虐待防止推進月間**」と位置付け、関係府省庁や、地方公共団体、関係団体等が連携して、集中的な広報・啓発活動を実施しており、学校・家庭・地域・社会全般に対して虐待防止への理解と協力を呼びかけている。「児童虐待防止推進月間」標語の公募やポスター・リーフレットの作製・全国配布を行っている。

5 ○ 虐待を受けたと思われる子どもについて、児童相談所に通告・相談をするための児童相談所全国共通ダイヤル番号「**189（いちはやく）**」は、子どもたちや保護者のSOSの声をいちはやくキャッチするため、2019（令和元）年より、通話料を無料化している。「189」は、2015（平成27）年より開始されたサービスである。

よく出るポイント ◆**児童相談所の虐待対応の流れ**

①一般市民、関係機関などから**虐待の通告**がされる。
②通告を受けた児童相談所は受理会議を行い、必要な場合は調査を行う。
③緊急な対応が必要な場合、**立ち入り調査**を行うこともある。また、必要に応じて、子どもの**一時保護**、施設入所等の措置を行う。
④調査結果を基に、判定会議を行い、処遇を決定する。
⑤処遇には、**措置による指導**と、**措置によらない指導**がある。

措置による指導	在宅による**保護者指導**、**児童福祉施設入所**、**里親委託**、**親権喪失宣言請求**、その他関連機関における指導等。
措置によらない指導	在宅による**助言指導**、**継続的指導**、他機関へのあっせん等。

次のうち、「児童養護施設入所児童等調査の概要（令和５年２月１日現在）」（2024（令和６）年２月　厚生労働省）に関する記述として、適切な記述を○、不適切な記述を×とした場合の正しい組み合わせを一つ選びなさい。　令和４年（後期）問10改

A　０歳で委託された児童の委託先は、里親より乳児院が多い。

B　児童養護施設に委託された児童の在所平均期間は、10年を超える。

C　児童養護施設の「児童の委託（入所）経路」で最も多いのは、「家庭から」である。

D　児童養護施設の「委託（入所）時の保護者の状況」では、「両親又は一人親あり」の割合が90％を超える。

（組み合わせ）

	A	B	C	D
1	○	○	×	×
2	○	×	○	○
3	○	×	×	○
4	×	○	○	○
5	×	×	○	×

次のうち、「児童養護施設入所児童等調査の概要（令和５年２月１日現在）」（厚生労働省）における障害等のある児童について、不適切な記述を一つ選びなさい。

令和５年（前期）問15改

1　乳児院における障害等のある児童の割合は、約３割であった。

2　児童養護施設における障害等のある児童の割合は、約４割であった。

3　児童自立支援施設における障害等のある児童の割合は、約７割であった。

4　自立援助ホームにおける障害等のある児童の割合は、約５割であった。

5　児童心理治療施設における障害等のある児童の割合は、約５割であった。

A 37

正解 2

A ○ ０歳で委託された児童の委託先は**乳児院**が**1,729**、**里親**が**816**、**ファミリーホーム**が**92**、**児童養護施設**が**68**である。

B × 児童養護施設に委託された児童の在所平均期間は、**5.2年**である。里親が**4.5年**、ファミリーホームが**4.3年**、児童心理治療施設が**2.5年**、乳児院**1.4年**、自立援助ホームが**1.2年**、児童自立支援施設**1.1年**である。

C ○ 児童養護施設の委託経路は、**「家庭から」**が一番多く、**62.4%**、次いで**「乳児院から」**が**22.5%**である。

D ○ 児童養護施設の委託時の保護者の状況は、**「両親又は一人親あり」**が**95.4%**である。

この他、各児童養護施設に入所している児童の心身の状況や被虐待経験の有無等も確認しておこう。

A 38

正解 5

1 ○ 乳児院における障害等のある児童の割合は**27.0%**である。

2 ○ 児童養護施設における障害等のある児童の割合は**42.8%**である。

3 ○ 児童自立支援施設における障害等のある児童の割合は**72.7%**である。

4 ○ 自立援助ホームにおける障害等のある児童の割合は**50.8%**である。

5 × 児童心理治療施設における障害等のある児童の割合は**87.6%**である。

Q39 次の文は、里親に関する記述である。(A)～(D)にあてはまる語句を【語群】から選択した場合の正しい組み合わせを一つ選びなさい。

平成29年(前期) 問13

里親は、都道府県知事、指定都市の市長、児童相談所設置市の市長が認定し、(A)が社会的養護を必要とする児童を里親に委託する。里親の種類は、養育里親、専門里親、養子縁組を希望する里親、(B)がある。社会的養護ではないが、(C)上の親子関係を結ぶものとして(D)や特別養子縁組がある。

【語群】

ア	養子縁組	**イ**	児童福祉法
ウ	ファミリーホーム	**エ**	家庭児童相談室
オ	児童相談所	**カ**	親族里親
キ	民法	**ク**	家庭養育

(組み合わせ)

	A	B	C	D
1	エ	ウ	イ	カ
2	エ	ウ	キ	ア
3	エ	カ	イ	ア
4	オ	カ	キ	ア
5	オ	ク	キ	カ

A 39

正解 4

里親は、都道府県知事、指定都市の市長、児童相談所設置市の市長が認定し、（ A.**オ 児童相談所** ）が社会的養護を必要とする児童を里親に委託する。里親の種類は、養育里親、専門里親、養子縁組を希望する里親、（ B.**カ 親族里親** ）がある。社会的養護ではないが、（ C.**キ 民法** ）上の親子関係を結ぶものとして（ D.**ア 養子縁組** ）や特別養子縁組がある。

A 児童相談所は、社会的養護を必要とする児童を里親に委託している。また、里親支援についても、児童相談所の業務として**児童福祉法**で位置付けられている。

B 里親の種類は４種類ある。対象児童は、養育里親の場合は、**要保護児童**。専門里親の場合は、**被虐待児、障害児、非行等の問題を有する児童**。養子縁組を希望する里親の場合は、要保護児童。親族里親の場合は、当該親族里親に**扶養義務のある児童**。これは、児童の両親その他当該児童を監護する者が死亡、行方不明、拘禁、入院等の状態で、養育が期待できない状況に置かれている児童を指す。

C 養子縁組は児童福祉法ではなく、**民法**で規定されている。養子縁組は、行政機関である児童相談所により里親制度の中で実施される場合と、民間の養子縁組団体（養子縁組を斡旋する事業を行う者）によって実施される場合がある。

D 養子縁組には**普通養子縁組**と**特別養子縁組**がある。普通養子縁組の場合は、養子の年齢に制限はなく、親子関係は実親・養親ともに存在する。特別養子縁組の場合は、養子の年齢は原則15歳未満であり、実親との親子関係は消滅する。また、特別養子縁組の場合は、家庭裁判所の審判によって成立する。

加点のポイント

◆**主な発達障害の特徴**

障害	特徴
自閉スペクトラム症（自閉症スペクトラム障害）	コミュニケーション能力、社会性に関連する脳の領域に関する発達障害の総称（自閉症やアスペルガー症候群も自閉スペクトラム障害に含まれる）
自閉症	脳機能の障害。社会性の発達障害、コミュニケーション障害、活動と興味の偏り等がある
アスペルガー症候群（ASD）	言葉の不自由さ、その場の雰囲気を理解しにくい、規則性へのこだわり等がある
限局性学習症（学習障害（LD））	読み、書き、計算などの特定の能力取得について困難を伴う障害
注意欠如・多動症（AD/HD）	年齢、発達に不釣り合いな注意力、衝動性、多動性を特徴とする行動の障害

次のうち、「子供の貧困対策に関する大綱」（内閣府）の一部として、不適切な記述を一つ選びなさい。 令和３年（後期）問16

1 目指すべき社会を実現するためには、子育てや貧困を家庭のみの責任とするのではなく、地域や社会全体で課題を解決するという意識を強く持ち、子供のことを第一に考えた適切な支援を包括的かつ早期に講じていく必要がある。

2 子供の貧困対策を進めるに当たっては、子供の心身の健全な成長を確保するため、親の妊娠・出産期から、生活困窮を含めた家庭内の課題を早期に把握した上で、適切な支援へつないでいく必要がある。

3 生まれた地域によって子供の将来が異なることのないよう、地方公共団体は計画を策定しなければならない。

4 学校を地域に開かれたプラットフォームと位置付けて、スクールソーシャルワーカーが機能する体制づくりを進める。

5 ひとり親のみならず、ふたり親世帯についても、生活が困難な状態にある世帯については、親の状況に合ったきめ細かな就労支援を進めていく。

次の文は、「新しい社会的養育ビジョン」（2017（平成29）年　厚生労働省）に関する記述である。適切な記述を○、不適切な記述を×とした場合の正しい組み合わせを一つ選びなさい。 令和５年（前期）問20

A 代替養育は施設での養育を原則とする。

B 代替養育の目的の一つは、子どもが成人になった際に社会において自立的生活を形成、維持しうる能力を形成し、また、そのための社会的基盤を整備することにある。

C 実親による養育が困難であれば、特別養子縁組による永続的解決（パーマネンシー保障）や里親による養育を推進する。

D 代替養育の場における自律・自立のための養育、進路保障、地域生活における継続的な支援を推進する際に当事者の参画と協働は必要としない。

（組み合わせ）

	A	B	C	D
1	○	○	×	○
2	○	○	×	×
3	○	×	○	×
4	×	○	○	×
5	×	×	×	○

A 40

正解 3

1 ○ 生活保護受給者が増加していることから、生活保護世帯の子どもが大人になって再び生活保護を受給するという「**貧困の連鎖**」を解消するために、地域や社会全体で課題を解決し、すべての子どもが夢や希望を持てる社会を目指すことが示されている。

2 ○ 母子保健サービスや保育施設、学校における支援、地域での子育て支援、居場所の提供・学習支援、若者の就業支援、保護者の就労・生活支援等が**切れ目なく、早期に**提供されるよう、関連機関の情報共有や連携の促進を図ることが示されている。

3 × 地方公共団体が、生まれた地域によって子どもの将来が異なることのないような計画を策定するのは望ましいが、**義務ではない**。

4 ○ スクールソーシャルワーカーだけでなく、**ケースワーカー**、**医療機関**、**児童相談所**、**要保護児童対策地域協議会**や**放課後児童クラブ**と教育委員会・学校等との連携強化を図ることも示されている。

5 ○ 親の就労支援として、**キャリアプランの再設計**、**リカレント教育**、**キャリアコンサルティング**を定期的に受けられる仕組みの普及に取り組むことも示されている。

A 41

正解 4

A × 「新しい社会的養育ビジョン」では、**子どもが権利の主体**であることを明確にし、**家庭養育優先**の理念を規定している。

B ○ 代替養育の目的の一つは、自立のための養育、進路保障、地域生活における**継続的な支援**を推進することである。自立支援（リービング・ケア、アフター・ケア）の視点が盛り込まれている。

C ○ 実親による養育が困難であれば、**特別養子縁組**による永続的解決（**パーマネンシー保障**）や**里親による養育**を推進することを明確にした。

D × 自立支援は**当事者の参画と協働**を基本原則とする。また、子どもの参加は権利保障として大切であるため、アドボケイト制度の構築も必要である。

Q 42 次の文のうち、障害児のための福祉サービスについての記述として、適切な記述を○、不適切な記述を×とした場合の正しい組み合わせを一つ選びなさい。

★★☆

令和元年（後期）問13

A 児童発達支援とは、日常生活における基本的な動作の指導、知識技能の付与、集団生活への適応訓練その他の厚生労働省令で定める便宜を供与することである。

B 放課後等デイサービスとは、授業の終了後または休業日に、生活能力の向上のために必要な訓練、社会との交流の促進その他の便宜を供与する事業で、障害児入所支援の一つである。

C 福祉型障害児入所施設とは、障害児を入所させて、保護、日常生活の指導及び独立自活に必要な知識技能の付与を行う施設である。

D 保育所等訪問支援では、幼稚園や認定こども園などの教育施設は対象外である。

（組み合わせ）

	A	B	C	D
1	○	○	○	×
2	○	×	○	○
3	○	×	○	×
4	×	×	○	○
5	×	×	×	○

⑤子ども家庭福祉の動向と展望

Q 43 次の文のうち、要保護児童対策地域協議会に関する記述として、適切な記述を○、不適切な記述を×とした場合の正しい組み合わせを一つ選びなさい。

★★☆

令和２年（後期）問16

A 協議の対象には、要保護児童だけでなく、保護者の養育を支援することが特に必要と認められる児童とその保護者も含まれる。

B 地方公共団体は、要保護児童対策地域協議会を必ず設置しなければならない。

C 複数の市町村による共同設置が可能である。

D 要保護児童対策地域協議会の構成員は正当な理由がなく、協議会の職務に関して知り得た秘密を漏らしてはならない。

（組み合わせ）

	A	B	C	D
1	○	○	○	×
2	○	○	×	○
3	○	×	○	○
4	×	○	○	○
5	×	×	○	○

A 42

正解 3

A ○ 児童発達支援では、日常生活における**基本的な動作の指導、知識技能の付与**、集団生活への**適応訓練**などを行う。「児童発達支援」は、大別すると「**発達支援**（本人支援及び移行支援）」「**家族支援**」及び「**地域支援**」からなる。「**移行支援**」とは、障害の有無にかかわらず、全ての子どもがともに成長できるよう、可能な限り、地域の保育、教育等の支援を受けられるようにし、かつ同年代の子どもとの仲間づくりができるよう手助けしていくことである。

B × 放課後等デイサービスとは、対象児童の授業の**終了後または休業日**に、生活能力の向上のために必要な訓練、社会との交流促進などを行う事業で、「障害児入所支援」ではなく、「**障害児通所支援**」の一つである。

C ○ 「**福祉型障害児入所施設**」とは、障害児を入所させて、保護、日常生活の指導及び独立自活に必要な知識技能の付与を行う施設である。「**医療型障害児入所施設**」は、福祉型障害児入所施設の福祉サービスに加え、治療を行う施設である。

D × 保育所等訪問支援は、幼稚園や認定こども園などの教育施設は対象外ではない。訪問先機関は、保育所、幼稚園、認定こども園、学校、放課後児童クラブ等になる。2012（平成24）年施行の改正児童福祉法により創設された支援であり、障害児が通う当該施設を**訪問**し、当該施設における障害児以外の児童との集団生活への適応のための**専門的な支援**その他の便宜を供与することを目的としている。

A 43

正解 3

A ○ 児童福祉法で要保護児童対策地域協議会の支援対象者は、**要保護児童、要支援児童及びその保護者、特定妊婦**と定められている。なお、2016（平成28）年の児童福祉法の一部改正により、協議会の支援対象は「**18歳以上20歳未満の延長者**及び保護延長者（以下「延長者等」）を含めるとともに、その**保護者**についても、延長者等の**親権を行う者、未成年後見人その他の者で、延長者等を現に監護する者**を含める」とされた。

B × 児童福祉法第25条の２第１項において、「要保護児童対策地域協議会を置くように努めなければならない」とされており、**努力義務**になっている。そのため義務ではない。なお、**99%**以上の市町村に設置されている。

C ○ 協議会は、「基本的には住民に身近な市町村が設置主体となると考えられるが、地域の実情に応じて複数の市町村が共同で設置することも考えられる」そのため、「複数の市町村による共同設置については、一部事務組合や広域連合を設けることなく、事実上**共同で設置する**ことも可能である」とされている。

D ○ 構成員は、地域協議会の職務に関し知り得た秘密を漏らしてはならない義務があるため、地域協議会の構成員以外の者と連携を図る際には、この**守秘義務**との関係に留意した対応が必要である。守秘義務に違反した場合は罰金が科される場合もある。

次の【Ⅰ群】の記述と、【Ⅱ群】の用語を結びつけた場合の正しい組み合わせを一つ選びなさい。 令和4年（前期）問18

【Ⅰ群】

A 親の妊娠から子どもが就学するまでの間、幅広い育児支援サービスを提供するもので、フィンランドで始まった。

B 経済的困窮等を抱えている就学前の子どもとその家庭を対象とした早期介入施策の総称であり、イギリスにおいて1999年に当時のブレア政権によって開始された。

C 子どもの権利が守られているかどうか行政から独立した立場で監視、子どもの権利の保護・促進のための法制度等の提案・勧告、子どもからのものを含む苦情申立て等への救済の提供、子どもの権利の教育啓発などを行う機関で、ノルウェーで初めて設置された。

【Ⅱ群】

ア シュア・スタート

イ ネウボラ

ウ 子どもオンブズパーソン

（組み合わせ）

	A	B	C
1	ア	イ	ウ
2	ア	ウ	イ
3	イ	ア	ウ
4	イ	ウ	ア
5	ウ	ア	イ

⑥子ども家庭支援論

次の【事例】を読んで、【設問】に答えなさい。 平成31年（前期）問19

【事例】

保育所で５歳児クラスに在籍するM君は、好き嫌いが非常に多いため、給食を残すことが多い。M君の母親はM君の偏食が気になり、「どうしたら他の子どもたちのように、好き嫌いせずに食べるようになるのでしょうか」と担当のN保育士に相談をした。

【設問】

次の文のうち、N保育士の対応として、適切な記述を○、不適切な記述を×とした場合の正しい組み合わせを一つ選びなさい。

A 「ご両親が、好き嫌いを許したりしているのがいけないと思います。好き嫌いせず食べるように、家庭でも取り組んでください」と伝える。

B 「M君の偏食が心配なのですね。どうすればよいか一緒に考えましょう」と共感する。

C 「確かに好き嫌いは多いですが、去年に比べると食べられるものが増えてきていますよ」とM君の成長の様子を伝える。

D 「保育所でM君がよく食べている料理の一覧をお渡ししますので、よろしければ参考にしてはいかがでしょうか」と提案する。

（組み合わせ）

	A	B	C	D
1	○	○	○	○
2	○	○	○	×
3	×	○	○	○
4	×	×	○	○
5	×	×	×	○

A 44

正解 3

A イ これは、フィンランド語で「**助言の場**」を指すネウボラのことである。日本では、妊娠・出産から子育て期にわたって親子を**切れ目なく支援する**という共通した理念をもつ日本版ネウボラとして、「**子育て世代包括支援センター**」(令和6年4月1日より**こども家庭センター**に改称) が実施されている。

B ア これは、イギリスの**シュア・スタート**プログラムの説明である。

C ウ これは、**1981年**にノルウェーで制度化された**子どもオンブズパーソン**の説明である。子どもの権利や利益が守られているか、**行政から独立**した立場で監視する役割を果たしている。

A 45

正解 3

A × 「好き嫌いを許したりしているのがいけないと思います」と両親を責めるような内容を伝えている部分は適切ではなく、家庭でのM君の食事をとる際の状況やどのような食べ物には興味があるのか、苦手なものは何かなどM君の**家庭での食事についての情報を聞くこと**を保育士は行う必要がある。

B ○ 「偏食が心配なのですね」と**母親の話を傾聴**し、「どうすればよいか一緒に考えましょう」と**共感し、寄り添う姿勢**をみせている。

C ○ 「去年に比べると食べられるものが増えてきていますよ」と**子どもの成長の様子**を伝え、偏食に困っている**母親を励まし、子育てに向き合えるようにアプローチ**している。

D ○ 「保育所でM君がよく食べている料理の一覧をお渡しします」と、**M君の食に対する情報を提供**している。「よろしければ参考にしてはいかがでしょうか」と保育士の意見を押し付けずに、提案している。指導しがちになるところを提案という形で、**母親の気持ちを尊重する援助**を行っている。

次の【事例】を読んで、【設問】に答えなさい。　令和５年（前期）問18

【事例】

Mちゃんは、N保育所に通う２歳児（女児）である。発話が極端に少なく、意思表示が明確でないことも多い。担当のS保育士は、Mちゃんの腕に、打撲のような跡があるのを見つけた。さらに１か月後に、着替えの際に、脇腹にはっきりとしたあざを見つけた。送迎の際、母親とはコミュニケーションは取れるものの、保育士からの会話を避けるような様子が見られた。

【設問】

次のうち、N保育所の対応として、不適切な記述を一つ選びなさい。

1　S保育士は、母親の様子について、保育所長に報告した。

2　子ども虐待の可能性もあるため、市町村と情報共有を行った。

3　保育所内で情報共有するとともに、あざについて記録を作成した。

4　母親に過去にも打撲痕を確認したことを伝え、なぜあざができたのか明確な説明を求めた。

5　母親に何か子育てで困ったことがあったらいつでも相談に乗れることをさりげなく伝えた。

A 46

正解 4

1 ○ 虐待対応は、園全体で**チーム**として対応することが大切である。そのため、保育所長や主任等に**報告**することが必要である。

2 ○ 園内、関係機関との**情報共有**の機会は大切である。記録等も活用しながら、共有することが求められる。

3 ○ 記録は、園内や関係機関との情報共有で重要な資料となるため、**具体的**に記録をとる必要がある。

4 × 明確な説明を求めることは、保護者にとって尋問のように受け取られる可能性がある。保護者の気持ちに**寄り添い**、一緒に解決方法を考えたいという気持ちを伝えることが大切である。

5 ○ 児童虐待を予防するためには、保護者を見守り支える必要がある。そのため保護者が困っていることや心配なこと等に寄り添い、保護者との**信頼関係**を築くことが大切である。

加点のポイント

◆児童家庭福祉にかかわる専門職についてのまとめ

職種	内容
児童指導員	児童福祉施設において、子どもの自立支援、生活指導を行う
こども家庭ソーシャルワーカー	2022年児童福祉法の改正により、新設された。児童相談所や市区町村のこども家庭センター、児童養護施設などの福祉施設、学校などの教育機関や保育園等の場所で働く子ども家庭福祉実務者の専門性向上が目的である
母子支援員	母子生活支援施設で、利用者（母子）が自立できるように生活支援、指導を行う
少年指導員	母子生活支援施設において、子どもの健全育成のための支援を行う
児童自立支援専門員	児童自立支援施設において、子どもの自立支援を行う
児童生活支援員	児童自立支援施設において、子どもの生活支援を行う
放課後児童支援員	放課後児童クラブ（学童保育）の指導員。遊びの指導・見守り、子どもの健全育成をうながす
利用者支援専門員	地域の子育て支援事業等の利用に関するコーディネートを行う
児童福祉司	児童相談所に配置。子どもの保護や子どもの福祉に関する相談、指導等を行う
児童心理司	児童相談所に配置。判定業務、一時保護中の子どもの心理療法、心理面からの援助方針策定等を行う
母子・父子自立支援員	福祉事務所に配置。母子・父子家庭、寡婦への自立に関する情報提供、相談援助等を行う
家庭相談員	福祉事務所の家庭児童相談室に配置。家庭・子どもに関する相談、指導等を行う
家庭支援専門相談員	児童養護施設、乳児院等に入所している子どもと家族の関係調整を行う
里親支援専門相談員	児童養護施設、乳児院に配置。里親支援、施設の入所児童の里親委託の推進等を行う
個別対応職員	児童養護施設等に配置。生活場面の個別対応を通して、被虐待児等の対応を行う
心理療法担当職員	児童養護施設等に配置。心理療法が必要な乳幼児、保護者に対して心理療法的ケアを行う

◆児童福祉法の改正（平成28年６月）に伴う「理念の明確化」について

■改正のポイント

①児童福祉法は 1947（昭和 22）年に制定されているが、それ以降、理念に関する部分が改正されたのは 2016（平成 28）年の改正において初めてであった。

②日本が「児童の権利に関する条約」を批准したのは 1994（平成６）年であるが、その条約の精神を児童福祉法の理念に含めたことは、子どもの権利をいかに守るかということを強く示したことを意味している。子どもの最善の利益の優先、子どもの意見の尊重等、児童の権利条約で述べられている「子どもが権利の主体である」という部分を重視している内容となっている。

■改正前と改正後、どのように変更されたか

今回の改正では、児童福祉法の条文の中に、児童の権利に関する条約の中で記されているキーワードが使われている。

第１条に、「児童の権利に関する条約の精神にのつとり」と明記され、児童の権利に関する条約を基本理念として位置づけられていることがわかる。また「（中略）…権利を有する」と記載されており、子どもが権利の主体であることが示されている。

第２条では、「児童の年齢及び発達の程度に応じて、その意見が尊重され、その最善の利益が優先して考慮され」と記述されており、子どもの意見の尊重、子どもの最善の利益の優先を重視していることがわかる。

■（参考）改正後の児童福祉法の条文

第一章　総則

第一条　全て児童は、児童の権利に関する条約の精神にのつとり、適切に養育されること、その生活を保障されること、愛され、保護されること、その心身の健やかな成長及び発達並びにその自立が図られることその他の福祉を等しく保障される権利を有する。

第二条　全て国民は、児童が良好な環境において生まれ、かつ、社会のあらゆる分野において、児童の年齢及び発達の程度に応じて、その意見が尊重され、その最善の利益が優先して考慮され、心身ともに健やかに育成されるよう努めなければならない。

○２　児童の保護者は、児童を心身ともに健やかに育成することについて第一義的責任を負う。

○３　国及び地方公共団体は、児童の保護者とともに、児童を心身ともに健やかに育成する責任を負う。

■（参考）改正前の児童福祉法の条文

第一章　総則

第一条　すべて国民は、児童が心身ともに健やかに生まれ、且つ、育成されるよう努めなければならない。

２　すべて児童は、ひとしくその生活を保障され、愛護されなければならない。

第二条　国及び地方公共団体は、児童の保護者とともに、児童を心身ともに健やかに育成する責任を負う。

4

社会福祉

アクセスキー　R
（大文字のアール）

4章 社会福祉

①現代社会における社会福祉の意義と歴史

Q 01 ★★★

次のA～Dは、児童福祉に関連する法令である。これらを制定順に並べた場合の正しい組み合わせを一つ選びなさい。 令和4年（後期）問6

A「就学前の子どもに関する教育、保育等の総合的な提供の推進に関する法律」

B「子ども・子育て支援法」

C「児童虐待の防止等に関する法律」

D「次世代育成支援対策推進法」

（組み合わせ）

1 B→C→A→D
2 C→D→A→B
3 C→D→B→A
4 D→C→A→B
5 D→C→B→A

Q 02 ★★

次の文のうち、2000（平成12）年の「社会福祉法」の成立前後に関連する社会福祉体制の見直しに関する記述として、適切な記述を○、不適切な記述を×とした場合の正しい組み合わせを一つ選びなさい。 令和3年（前期）問3

A 保育所および母子生活支援施設の措置制度が廃止された。

B 介護保険制度が導入された。

C 子どもの権利の明確化、社会的養護の大幅見直しを含む「社会的養育ビジョン」が示された。

D 社会福祉の供給主体が、地方公共団体、社会福祉法人中心から、特定非営利活動法人や企業など民間へも拡大することが進められた。

（組み合わせ）

	A	B	C	D
1	○	○	○	○
2	○	○	○	×
3	○	○	×	○
4	○	×	○	○
5	×	○	○	○

A 01

正解 2

児童虐待の防止等に関する法律は2000（平成12）年公布、**次世代育成支援対策推進法**は2003（平成15）年公布、**就学前の子どもに関する教育、保育等の総合的な提供の推進に関する法律**は2006（平成18）年公布、**子ども・子育て支援法**は2012（平成24）年公布である。よって正答は**2**となる。

A 02

正解 3

A ○ 保育所及び母子生活支援施設は児童福祉法改正により**措置制度**から**利用契約制度**に変更された。

B ○ 高齢者の介護を社会全体で支え合う仕組みとして、介護保険制度が創設され、1997（平成９）年に介護保険法が成立し、2000（平成12）年に施行された。

C × 社会的養育ビジョンは2017（平成29）年に示されている。

D ○ 社会福祉の供給主体は特定非営利活動法人や企業など**民間へ拡大**している。

よく出るポイント ◆日本の社会福祉が成立したポイントをおさえておこう

戦後に**日本国憲法**の公布に伴って、（旧）生活保護法が制定され、その後、**児童福祉法**、**身体障害者福祉法**、新たな生活保護法が制定され社会福祉三法となった。これによって、国家の責任において社会福祉が推進されることとなった。その後、**知的障害者福祉法**、老人福祉法、母子及び寡婦福祉法（現：母子及び父子並びに寡婦福祉法）が制定され**福祉六法**となった。

次の文は、イギリスの福祉政策等である。年代の古い順に並べた場合の正しい組み合わせを一つ選びなさい。 令和３年（後期）問４

A『社会保険および関連サービス』（通称『ベヴァリッジ報告：Beveridge Report』）の提出

B 慈善組織（化）協会（COS）の設立

C「救貧法」（Poor Law）の制定

（組み合わせ）

1 A→C→B

2 B→A→C

3 B→C→A

4 C→A→B

5 C→B→A

次のうち、日本の社会福祉の基本的な考え方に関する記述として、適切なものを○、不適切なものを×とした場合の正しい組み合わせを一つ選びなさい。

令和５年（後期）問１

A 社会福祉における自立支援は、障害者福祉の分野ばかりでなく、高齢者福祉、子ども家庭福祉の分野にも共通の理念と考えられている。

B 私たち人間の幸福追求について、国が福祉政策によって関与することはない。

C「日本国憲法」では、生存権を保障するため、最低限度の生活に関する基準を示している。

D 社会福祉における相談援助は、福祉サービスを必要とする人と社会資源を結びつける役割を果たす。

（組み合わせ）

	A	B	C	D
1	○	○	×	○
2	○	×	○	×
3	○	×	×	○
4	×	○	○	×
5	×	×	○	○

よく出るポイント ◆**戦前の日本における社会福祉の歴史**

日本では、近代以前の福祉事業は慈善・救済事業によって担われてきた。1874（明治７）年に**恤救規則**が制定されている。この恤救規則で対応することができない人たちのために、**石井十次**（岡山孤児院）、**石井亮一**（滝乃川学園）などによって社会福祉施設の原型が作られている。社会事業の成立期では、その推進者の１人である大阪府知事の林市蔵、小河滋次郎らによって**方面委員制度**（現在の民生委員制度の始まりの一つ）が考案された。1929（昭和４）年には恤救規則にかわり**救護法**が制定（施行は 1932（昭和７）年）されている。

A 03

正解 5

Aの『社会保険および関連サービス』(通称『ベヴァリッジ報告：Beveridge Report』)の提出は**1942年**である。
Bの慈善組織(化)協会(COS)の設立は**1869年**である。
Cの「救貧法」(Poor Law)の制定は**1601年**である。
以上より、**C→B→A**となる。

A 04

正解 3

A ○　自立支援は社会福祉の基本的な理念として、**障害者福祉、高齢者福祉、子ども家庭福祉**の共通の理念として、各法令で示されている。

B ×　日本における人間の幸福追求については、**日本国憲法第13条に「幸福追求権」**が規定されている。つまり、憲法で保障される日本国民の権利である。

C ×　**日本国憲法第25条「生存権」**で「第1項　すべて国民は、健康で文化的な最低限度の生活を営む権利を有する。」と規定されている。しかし、最低限度の生活に関する基準は示されていない。

D ○　社会福祉における相談援助は、**社会資源(地域にある人・物・サービスなど)**と**福祉サービス**を必要とする人を結びつける役割がある。

よく出るポイント ◆**海外における社会福祉の歴史**

社会福祉は、文化的、宗教的な背景をもとに福祉事業として慈善・救済事業や地域共同体などによる相互扶助が展開されてきた。社会福祉の制度や実践はイギリスのCOS（慈善組織協会）や**セツルメント活動**に始まりを見ることができる。また、イギリスでは1601年にエリザベス救貧法が制定され、全国的に統一された救貧行政を実施し、労働力を基準に①有能貧民、②無能力貧民、③児童の3つに区分し①については強制労働を課した。**1834**年に新救貧法が制定され、救済水準を全国一律として劣等処遇の原則が定められた。その後、**1886**年にはチャールズ・ブースがロンドンで貧困調査を行い市民の3分の1が貧困線以下の生活をしていることを明らかにした。1942年には「社会保険と関連サービス」(ベヴァリッジ報告）が提出された。

次の文のうち、社会福祉におけるノーマライゼーションの理念に関する記述として、適切な記述を○、不適切な記述を×とした場合の正しい組み合わせを一つ選びなさい。 令和元年(後期)問1

A ノーマライゼーションとは、国民に対して最低限度の生活を保障することを意味し、「入所施設での生活を、より普通の生活に近づける」という考え方から始まった。

B ノーマライゼーションの考え方は、障害者福祉分野に限らず社会福祉分野全般の理念として使用されるようになっている。

C ノーマライゼーションの理念が国際的な場で初めて表明されたのは、1994年のサラマンカ声明(スペインのサラマンカで開催された「特別ニーズ教育世界会議」で採択された声明)である。

D ノーマライゼーションの理念とは、北欧の国から提唱された、障害者を施設から健常者が暮らす「ノーマルな社会」に戻すことである。

(組み合わせ)

	A	B	C	D
1	○	○	○	×
2	×	○	×	×
3	×	×	○	×
4	×	×	×	○
5	×	×	×	×

次の文は、社会福祉の概念等に関する記述である。適切な記述を○、不適切な記述を×とした場合の正しい組み合わせを一つ選びなさい。 平成30年(後期)問1

A 「社会福祉法」第1条(目的)では、「福祉サービスの利用者の利益の保護及び地域における社会福祉(地域福祉)の推進を図る」ことが、定められている。

B 「児童福祉法」第1条(児童福祉の理念)では、「全て児童は、児童憲章の精神にのっとり、適切に養育されること」が、定められている。

C 「老人福祉法」第4条(老人福祉増進の責務)では、「国及び地方公共団体は、老人の福祉を増進する責務を有する」ことが、定められている。

D 「発達障害者支援法」の支援の対象は、発達障害児を含まず、18歳以上の発達障害がある者と定められている。

(組み合わせ)

	A	B	C	D
1	○	○	○	×
2	○	○	×	○
3	○	×	○	×
4	×	○	×	○
5	×	×	○	○

A 05

正解 2

A × **最低限度の生活の保障**を意味するのは、ナショナルミニマムである。

B ○ 歴史的には**障害者福祉**の分野から始まり、現在では社会福祉領域全般に広がっており、日本の社会福祉政策の理念としても定着している。

C × サラマンカ声明ではなく、「**完全参加と平等**」をテーマとした1981年の国際障害者年でノーマライゼーションの理念が広く表明された。

D × ノーマライゼーションの理念とは障害者を施設から解放することや、障害を軽減することではなく、障害があっても、地域社会でありのままの姿で生活できる社会環境を整えることである。

A 06

正解 3

A ○ 設問文の通り、社会福祉法の目的として、利用者の利益の保護とともに**地域福祉**の推進が記されている。

B × 児童福祉法の理念は「**児童の権利に関する条約**の精神」にのっとっていると明記されている。

C ○ 設問文の通り、国と地方公共団体には老人の福祉を増進する**義務**がある。

D × 発達障害者支援法第２条第２項では、「『発達障害児』とは、発達障害者のうち十八歳未満のものをいう」と示されている。よって、発達障害児も含む。

◆児童の権利についての考え方の変遷

「児童の権利に関する宣言」では、児童の人権について一定の考え方が示され、児童は特別な保護を受ける存在とされた。あくまでも保護の対象であり、児童の**能動的な権利**の主張までを規定しているものではなく受動的な権利といえる。その後、時代の変遷とともに、児童の権利については見直され「児童の権利に関する条約」では、第12条「**意見表明権**」の他、第13条「**表現の自由についての権利**」、第23条「**障害児の権利**」、第28条「**教育への権利**」等で児童の主体的な権利を保障している。

次のうち、社会福祉の歴史的な事柄に関する記述として、適切なものを○、不適切なものを×とした場合の正しい組み合わせを一つ選びなさい。

令和5年（後期）問2

A ベヴァリッジ報告では、貧困を生みだす5つの要因に対して、新たな社会保障システムを打ち出した。

B 「新救貧法」（1834（天保5）年）では、窮民の援助は、最下層の労働者の生活以下にとどめ、働ける者には強制労働を課した。

C 「恤救規則」（1874（明治7）年）では、血縁や地縁などの無い窮民に対してのみ公的救済を行ったが、救済の責任は、本来血縁や地縁などの人民相互の情誼によって行うべきであるとした。

D 「救護法」（1929（昭和4）年）では、保護の対象を13歳以下の幼者のみと規定した。

（組み合わせ）

	A	B	C	D
1	○	○	○	×
2	○	×	○	×
3	○	×	×	○
4	×	○	○	×
5	×	×	○	○

A 07

正解 1

A ○ 1942年に「ベヴァリッジ報告」（社会保険および関連サービス）において、貧困を生みだす要因として、**窮乏**、**疾病**、**無知**、**不潔**、**怠惰**を５つの巨悪として、それらに対して新たな社会保障制度（システム）を打ち出した。

B ○ 設問は、新救貧法の３つの原則の一つである「**劣等処遇の原則**」（被救済者の生活水準は、最下層の自立労働者より劣っているものでなければならない）に当たる。その他、**全国統一の原則**、**ワークハウス・システムの原則**がある。

C ○ 設問の通り、恤救規則では、本来救済は**家族および親族（血縁）**、**近隣（地縁）による扶養や相互扶助**にて行うべきであるとした。**無告の窮民**（身寄りのない貧者）のみ規則による救済を行うとしている。

D × 救護法では、救護の対象を**13歳以下の幼者**、**65歳以上の老衰者**、**妊産婦**、**身体・精神などの障害**があり業務遂行が困難な者とした。

よく出るポイント ◆子ども・子育て支援法に位置づけられた「地域子ども・子育て支援事業」

事業	内容
利用者支援事業	子育て家庭や妊産婦が、教育・保育施設や地域子ども・子育て支援事業、保健・医療・福祉等の関係機関を円滑に利用できるよう、身近な場所での相談や情報提供、助言等必要な支援をするとともに、関係機関との連絡調整、連携・協働の体制づくり等を行う。
地域子育て支援拠点事業	子育て家庭等の負担感・不安感を軽減するため、子育て親子が気軽に集い、交流することができ、子育てに関する相談・援助を行う場の提供や、地域の子育て関連情報の提供、子育て及び子育て支援に関する講習を行う。
一時預かり事業	家庭において保育を受けることが一時的に困難となった乳幼児について、主として昼間において、認定こども園、幼稚園、保育所、地域子育て支援拠点その他の場所において、一時的に預かり、必要な保護を行う。なお、令和6年4月1日より子育て負担を軽減する目的（レスパイト利用など）での利用が可能であることが明確化されている。
ファミリー・サポート・センター事業	乳幼児や小学生等の児童を有する子育て中の保護者を会員として、児童の預かり等の援助を受けることを希望する者と当該援助を行うことを希望する者との相互援助活動に関する連絡、調整を行う。
子育て短期支援事業	保護者の疾病等の理由により家庭において養育を受けることが一時的に困難となった児童について、児童養護施設等に入所させ、必要な保護を行う。なお、令和6年4月1日より保護者も子どもとともに入所・利用可能となった。また、子どもが自ら入所・利用を希望した場合の入所・利用も可能となった。

Q 08 ★★★

次のうち、戦前の社会事業と、それに関わりのある人名の組み合わせとして、適切なものを○、不適切なものを×とした場合の正しい組み合わせを一つ選びなさい。 令和4年(後期) 問1

＜戦前の社会事業＞ ＜人名＞

A 非行少年を対象とした「家庭学校」 ――― 留岡幸助

B 知的障害児を対象とした「滝乃川学園」 ――― 石井十次

C 孤児などを対象とした「岡山孤児院」 ――― 石井亮一

D 民生委員・児童委員制度の前身とされる「方面委員制度」 ――― 小河滋次郎

(組み合わせ)

	A	B	C	D
1	○	○	○	○
2	○	○	×	×
3	○	×	×	○
4	×	○	○	○
5	×	×	○	×

次のうち、社会福祉の対象に関する記述として、適切な記述を○、不適切な記述を×とした場合の正しい組み合わせを一つ選びなさい。 令和5年(前期) 問2

A 病院に入院している患者が、医療費を支払えない等の問題を抱えている場合は、社会福祉の対象となる。

B 保護者の養育を支援することが特に必要と認められる要支援児童は、児童福祉の対象ではない。

C 社会福祉は生活問題を対象とするが、その問題状況を解明するために、生活の全体像を理解することが求められる。

D 保育所は保育を必要とする乳幼児の保育を行うことを目的とする施設であるので、地域住民は対象としない。

(組み合わせ)

	A	B	C	D
1	○	○	×	×
2	○	×	○	×
3	×	○	×	○
4	×	×	○	×
5	×	×	×	○

A 08

正解 3

A ○ **家庭学校**を設立したのは**留岡幸助**である。東京巣鴨で感化院として創設された。

B × **滝乃川学園**（現在の知的障害児施設）を設立したのは**石井亮一**である。

C × **岡山孤児院**（現在の児童養護施設）を設立したのは**石井十次**である。

D ○ **方面委員制度**（今の民生委員制度）を全国に先駆けて生み出したのは**小河滋次郎**である。

A 09

正解 2

A ○ 経済的理由などから病院に入院中の患者が医療費が払えない場合は、社会福祉の対象として、**生活保護法、生活困窮者支援法**による支援対象となる場合がある。

B × 要支援児童とは、保護者の養育を支援することが特に必要と認められる児童であって**要保護児童**にあたらない児童のことをいう。児童福祉の対象となる。

C ○ 生活問題を解決するためには、**生活全体を把握して課題や**問題を明確にし、対応することが求められる。

D × 保育所は乳幼児の保育と同時に、**地域住民への子育て支援**なども役割の一つである。保育所保育指針第四章3にも示されている。

よく出るポイント ◆**社会福祉事業について**

第一種社会福祉事業	**利用者への影響が大きい**ため、経営安定を通じた利用者の保護の必要性が高い事業（主として入所施設サービス）。経営主体は、行政及び社会福祉法人が原則。施設を設置して第一種社会福祉事業を経営しようとするときは、都道府県知事等への届け出が必要である。救護施設、更生施設等（生活保護法に規定）、**乳児院、児童養護施設、母子生活支援施設、障害児入所施設**等（児童福祉法に規定）、養護老人ホーム、特別養護老人ホーム等（老人福祉法に規定）等がある
第二種社会福祉事業	**比較的利用者への影響が小さい**ため、公的規制の必要性が低い事業（主として在宅サービス）。経営主体に制限はなく、すべての主体が届け出ることで事業経営ができる。**児童福祉法**に規定するものとして、障害児通所支援事業、放課後児童健全育成事業、保育所、児童家庭支援センター、障害児相談支援事業、また、就学前の子どもに関する教育、保育等の総合的な提供の推進に関する法律に規定する事業として、幼保連携型認定こども園を経営する事業等がある

次の法律を、制定された順に並べた場合の正しい組み合わせを一つ選びなさい。

令和5年(前期) 問1

A 救護法

B 介護保険法

C 子ども・子育て支援法

D 社会事業法

(組み合わせ)

1 A→C→D→B
2 A→D→B→C
3 B→C→D→A
4 C→A→B→D
5 D→C→A→B

②社会福祉の制度と実施体系

次のセンター名と支援の内容の組み合わせのうち、誤ったものを一つ選びなさい。

平成31年(前期) 問7

1 医療型児童発達支援センター ―― 医療的ケアが必要な子どもへの支援
2 地域包括支援センター ―― 介護等を要する高齢者への支援
3 地域活動支援センター ―― 障害者に対する社会参加等の支援
4 基幹相談支援センター ―― 生活困窮者に対する支援
5 配偶者暴力相談支援センター ―― 暴力被害女性に対する支援

A 10

正解 2

A　救護法は**1929（昭和４）年公布、1932年施行**された。

B　介護保険法（法律第百二十三号）は**1997（平成９）年に公布**された。

C　子ども・子育て支援法（法律第六十五号）は**2012（平成24）年公布**された。

D　社会事業法は**1938（昭和13）年制定**された。

A 11

正解 4

1 ○ 医療型児童発達支援センターは上肢、下肢または体幹の**機能の障害のある児童**に対する児童発達支援及び治療を行う。また、日常生活における基本的な動作の指導、知識技能の付与、集団生活への適応訓練などを行う福祉型児童発達支援センターもある。なお、児童福祉法等の一部を改正する法律（令和４年法律第６６号）で、児童発達支援センターは、地域における障害児支援の中核的役割を担うことの明確化や、障害種別にかかわらず障害児を支援できるようにすることを目的として、児童発達支援の類型（福祉型、医療型）の一元化がおこなわれている。

2 ○ 地域包括支援センターは**介護保険法**に規定され「地域住民の心身の健康の保持及び生活の安定のために必要な援助を行うことにより、その保健医療の向上及び福祉の増進を包括的に支援することを目的とする施設」とされている。

3 ○ 地域活動支援センターは、**障害者総合支援法第5条第27項**に規定される施設で、障害のある人を対象として創作的活動・生産活動・社会との交流促進などの機会を提供する。

4 × 基幹相談支援センターは、**障害者総合支援法**に規定され、身体障害者、知的障害者、精神障害者の相談を総合的に行う施設である。

5 ○ 配偶者暴力相談支援センターは、**配偶者暴力防止法（DV防止法）**に規定される施設である。各都道府県が設置する現在は「女性相談支援センター」や男女共同参画センター、児童相談所、福祉事務所などが、配偶者暴力相談支援センターの機能を果たしている。

次のセンター名と、このことが定められている法律名の組み合わせとして、適切なものを○、不適切なものを×とした場合の正しい組み合わせを一つ選びなさい。

令和4年(前期) 問19

<センター名> <法律名>

A 児童発達支援センター ——— 「児童福祉法」

B 基幹相談支援センター ——— 「介護保険法」

C 障害者就業・生活支援センター ——— 「身体障害者福祉法」

D 精神保健福祉センター ——— 「精神保健及び精神障害者福祉に関する法律」

(組み合わせ)

	A	B	C	D
1	○	×	×	○
2	○	×	×	×
3	×	○	○	○
4	×	○	×	×
5	×	×	×	○

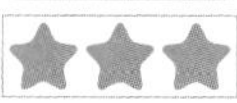

次のうち、「社会福祉法」に定められているものを○、定められていないものを×とした場合の正しい組み合わせを一つ選びなさい。

平成31年(前期) 問4

A 社会福祉協議会

B 障害者差別解消支援地域協議会

C 共同募金会

(組み合わせ)

	A	B	C
1	○	○	○
2	○	○	×
3	○	×	○
4	×	○	○
5	×	×	×

加点のポイント

◆成年年齢18歳へ引き下げ

2018（平成30）年6月13日、民法の成年年齢を20歳から18歳に引き下げること等を内容とする民法の一部を改正する法律が成立し、2022（令和4）年4月1日から施行された。これにより、成年になると、親の同意がなくてもローンを組む、一人暮らしの部屋を借りるなどができる。また、飲酒や喫煙、ギャンブル（競馬の馬券を買うなど）はこれまでと変わらず20歳にならないとできない。さらに、女性が結婚できる最低年齢は16歳から18歳に引き上げられ、結婚できるのは男女ともに18歳以上となる。

A 12

正解 1

A ○ **児童発達支援センター**は障害児の通所支援を提供することを目的とする施設である。支援の内容により医療型と福祉型の2つが設けられていたが、令和4年の法改正で一元化されている。**児童福祉法第43条**に規定されている。

B × **基幹相談支援センター**は障害者支援を行う施設で、全国の市町村に設置されている。障害者総合支援法第77条の2で規定されている。

C × **障害者就業・生活支援センター**は、障害者の職業生活における自立を図るため、雇用、保健、福祉、教育等の地域の関係機関の連携の下、障害者の身近な地域において就業面及び生活面における一体的な支援を行う施設である。障害者の雇用の促進等に関する法律第4節「障害者就業・生活支援センター」に規定されている。

D ○ **精神保健福祉センター**は、精神保健及び精神障害者の福祉に関する知識の普及、調査研究、相談及び指導を行う施設。**精神保健及び精神障害者福祉に関する法律**第2章「精神保健福祉センター」に規定されている。

A 13

正解 3

A ○ 社会福祉協議会は、社会福祉法に基づき、**全国社会福祉協議会、都道府県社会福祉協議会、市町村社会福祉協議会**、地区社会福祉協議会がある。

B × **障害者差別解消支援地域協議会**は「障害を理由とする差別の解消の推進に関する法律」(障害者差別解消法)第17条に規定されている。

C ○ 共同募金会は、**社会福祉法第113条**に規定されている。なお、共同募金は第一種社会福祉事業である。

加点のポイント

◆法律ごとの年齢の定義のまとめ

児童福祉法	児童を満18歳に満たない者と定義し、次のように分けている。 乳児→**満1歳に満たない者**、幼児→満1歳から、**小学校就学の始期**に達するまでの者、少年→小学校就学の始期から、満**18**歳に達するまでの者。
母子保健法	乳児→**1**歳に満たない者、幼児→満1歳から小学校就学の始期に達するまでの者、新生児→出生後**28**日を経過しない乳児、未熟児→身体の発育が未熟のまま出生した乳児であって、正常児が出生時に有する諸機能を得るに至るまでの者。
少年法	この法律において「少年」とは、**20**歳に満たない者をいう。 なお、民法改正による成人年齢の引き下げにともない、少年法も改正され、2022(令和4)年4月1日より18歳以上20歳未満の者は**特定少年**とされた。18歳未満の犯罪少年と同様、全例、家庭裁判所に送致されるが、検察官へ逆送される犯罪の範囲が**1年以上の懲役・禁錮に当たる事件**に広がった。
母子及び父子並びに寡婦福祉法	児童とは**20**歳に満たない者。
児童扶養手当法	児童とは、**18**歳に達する日以後の最初の3月31日までの間にある者又は20歳未満で政令で定める程度の障害の状態にある者。
こども基本法	「こども」とは、**心身の発達の過程**にある者をいう。

4 社会福祉

Q14

次の文のうち、社会福祉の各法の年齢の定義に関する記述として、適切な記述を○、不適切な記述を×とした場合の正しい組み合わせを一つ選びなさい。

令和2年(後期) 問6

A 「児童福祉法」における「少年」とは、12歳以上18歳未満の者である。

B 「児童福祉法」における「障害児」とは、20歳未満の者である。

C 「母子及び父子並びに寡婦福祉法」における「寡婦」とは、65歳未満の者である。

D 「介護保険法」における「第一号被保険者」とは、65歳以上の者である。

(組み合わせ)

	A	B	C	D
1	○	○	×	×
2	○	×	○	×
3	×	○	×	○
4	×	×	○	×
5	×	×	×	○

Q15

次の文は、子どもの貧困問題への対応に関する記述である。適切な記述を○、不適切な記述を×とした場合の正しい組み合わせを一つ選びなさい。

平成30年(前期) 問4

A 「生活困窮者自立支援法」は、生活困窮世帯の子どもやその保護者に対して包括的な支援を行う自立相談支援事業を規定している。

B 「生活困窮者自立支援法」は、生活困窮者である子どもに対する学習支援事業を都道府県等の任意事業としている。

C 「生活困窮者自立支援法」は、経済的に厳しい状況におかれたひとり親家庭等に対して一時的に家事援助、保育等のサービスが必要になった際に、家庭生活支援員を派遣するなどの日常生活支援事業を規定している。

D 「母子及び父子並びに寡婦福祉法」は、ひとり親家庭の子どもの生活の向上を図るための事業として、生活に関する相談に応じ、又は学習に関する支援を行うことができると規定している。

(組み合わせ)

	A	B	C	D
1	○	○	○	×
2	○	○	×	○
3	○	×	○	○
4	×	○	×	○
5	×	×	○	×

よく出るポイント ◆生活保護法の基本原理

国家責任の原理(第1条)	**日本国憲法第25条**の理念に基づき、国が生活に困窮するすべての国民に対し、その困窮の程度に応じ、必要な保護を行い、その**最低限度の生活**を保障するとともに、その**自立**を助長する。
無差別平等の原理(第2条)	すべて国民は、この法律の定める要件を満たす限り、この法律による保護を、**無差別平等**に受けることができる。
健康的で文化的な最低生活保障の原理(第3条)	この法律により保障される**最低限度の生活**は、健康で**文化的**な生活水準を維持することができるものでなければならない。
保護の補足性の原理(第4条)	保護は、生活に困窮する者が、その利用し得る資産、能力その他あらゆるものを、その**最低限度の生活**の維持のために活用することを要件として行われる。

A 14

正解 5

A × 児童福祉法における少年とは、小学校就学始期から18歳に達するまでの者をいう。また、同法では、1歳に満たない者を乳児、1歳から小学校の始期に達するまでの者を幼児と定義している。

B × 児童福祉法における**障害児は、18歳に満たない者**をいう。

C × 母子及び父子並びに寡婦福祉法における寡婦とは、**配偶者のない女子で、かつて配偶者のない女子として児童を扶養していた者**である。年齢の規定はない。

D ○ 介護保険法において、第一号被保険者は**65歳以上の者**、第二号被保険者は**40歳以上65歳未満の医療保険加入者**と定められている。

A 15

正解 2

A ○ 生活困窮者自立支援法第3条第2項に**生活困窮者自立相談支援事業**の定義が示されている。

B ○ 生活困窮者自立支援法第7条第2項で、都道府県は生活困窮者である子どもに対し**子どもの学習・生活支援事業**を行うことができる、としている。なお、**生活困窮者自立相談支援事業**と**生活困窮者住居確保給付金の支給**は都道府県の義務として定められている。

C × **日常生活支援事業**は母子及び父子並びに寡婦福祉法に規定されるものである。

D ○ 母子及び父子並びに寡婦福祉法第31条の5（**母子家庭生活向上事業**）、及び31条の11（**父子家庭生活向上事業**）に規定されている。

よく出るポイント ◆**生活保護の種類**

生活扶助	衣食、光熱費等の日常生活費が支給される。**金銭給付**。
教育扶助	義務教育を受けている子どもに必要な学用品や給食費などの費用等が支給される。**金銭給付**。
住宅扶助	アパートを借りた場合の家賃、地代、転居費、住居の補修などの費用が支給される。**金銭給付**。なお、宿所提供施設などの現物支給の場合もある。
介護扶助	介護保険による要介護者及び要支援者で保険料や利用の負担が困難な場合、介護保険と同じ介護サービスを支給する。**現物給付**。
出産扶助	出産に必要な費用が支給される。**金銭給付**。
生業扶助	生業費、技能習得費、就職支度金等の費用が支給される。**金銭給付**。
葬祭扶助	葬祭ができない場合、葬祭に必要な費用が支給される。**金銭給付**を原則とする。
医療扶助	入院、通院などの医療に必要な費用が支給される。**原則は現物給付**であるが、治療費や治療材料は金銭給付。

Q16 ★★★

次の文のうち、適切な記述を○、不適切な記述を×とした場合の正しい組み合わせを一つ選びなさい。 令和元年（後期）問4

A「保育所保育指針」では、保護者の苦情などへの対応に関する規定はない。

B 児童福祉施設の長は、入所中の児童等で親権を行う者、未成年後見人のない者に対し、一部都道府県知事の許可を得て、親権を行うことができる。

C 福祉専門職としての保育士は、子どもや保護者が抱える問題やニーズを代弁（アドボカシー）して支援していくことが求められている。

D「児童の権利に関する条約」では、「児童の最善の利益」という言葉を規定している。

（組み合わせ）

	A	B	C	D
1	○	○	×	○
2	○	×	×	×
3	×	○	○	○
4	×	×	○	○
5	×	×	○	×

次のうち、介護保険制度に関する記述として、適切な記述を一つ選びなさい。 令和4年（前期）問10

1 要介護認定・要支援認定は、都道府県が行う。

2 第２号被保険者とは、市町村の区域内に住所を有する65歳以上の者である。

3 要介護認定・要支援認定には、有効期間がある。

4 介護認定審査会には、民生委員の参加が規定されている。

5 保険者は国である。

A 16

正解 3

A × 「保育所保育指針」第１章「総則」１（５）「**保育所の社会的責任**」ウでは「保育所は、入所する子ども等の個人情報を適切に取り扱うとともに、保護者の苦情などに対し、その解決を図るよう努めなければならない」と示されている。

B ○ 「児童福祉法」第47条に「児童福祉施設の長は、入所中の児童等で親権を行う者又は未成年後見人のないものに対し、親権を行う者又は**未成年後見人**があるに至るまでの間、親権を行う」と示されている。

C ○ 保育士には子どもや保護者への支援が求められる。その場合、子ども・保護者が抱える問題やニーズの代弁など**ソーシャルワークの機能**を用いた支援も有効であるとされている。

D ○ 「児童の権利に関する条約」第３条に示されている。

A 17

正解 3

1 × 要介護認定・要支援認定は認定調査として市町村が行う。また、審査判定業務のため**市町村に介護認定審査会を置く**こととなっている。

2 × 介護保険の第２号被保険者とは、**40歳以上65歳未満**の健保組合、全国健康保険協会、市町村国保などの医療保険加入者である。設問の内容は第１号被保険者のものである。

3 ○ 要介護認定・要支援認定は、初回認定が原則として６か月間、**継続認定が原則として12か月**となっている。その他、**介護認定審査会の意見に基づき必要**と認める場合、有効期間を原則よりも短く、または長く定めることがある。

4 × 介護認定審査会は**保健、医療、福祉に関する学識経験者**によって構成される合議体であり、民生委員の参加は規定されていない。

5 × 介護保険制度の保険者は全国の市町村および特別区（東京23区）である。

Q18 ★★★

次の文は、「社会福祉法」で定められているサービス提供者による情報提供に関する記述である。適切な記述を○、不適切な記述を×とした場合の正しい組み合わせを一つ選びなさい。 平成28年（前期）問17

A 社会福祉事業経営者に対して、経営する社会福祉事業に関する情報の提供を行うよう努めなければならないと定められている。

B 社会福祉事業経営者に対して、利用申請時における利用契約内容等に関する説明を行うよう努めなければならないと定められている。

C 社会福祉事業経営者に対して、児童福祉施設を利用した場合のみ、利用契約成立時の書面（重要事項説明書）の交付をしなければならないと定められている。

D 社会福祉事業経営者に対して、情報通信の技術を利用する方法で、提供する福祉サービスについての広告等を行う際には、原則として市町村に届け出を行わなければならないと定められている。

（組み合わせ）

	A	B	C	D
1	○	○	×	×
2	○	×	○	○
3	○	×	○	×
4	×	○	×	○
5	×	×	○	○

★★★

次の文のうち、生活保護制度に関する記述として、適切な記述を○、不適切な記述を×とした場合の正しい組み合わせを一つ選びなさい。 令和3年（後期）問8

A 小学校の学校給食費は、扶助の対象外である。

B 要介護者に対する介護は、扶助の対象外である。

C 救護施設は、医療を必要とする要保護者に対して、医療の給付を行うことを目的としている。

D 宿所提供施設は、住居のない要保護者の世帯を対象としている。

（組み合わせ）

	A	B	C	D
1	○	○	×	×
2	○	×	×	○
3	×	○	×	×
4	×	×	○	○
5	×	×	×	○

A 18

正解 1

A ○ 社会福祉法第75条では「**社会福祉事業の経営者**は、福祉サービスを利用しようとする者が、適切かつ円滑にこれを利用することができるように、その経営する社会福祉事業に関し**情報の提供**を行うよう努めなければならない」と示されている。

B ○ 社会福祉法第76条では、「社会福祉事業の経営者は、その提供する福祉サービスの利用を希望する者からの申込みがあつた場合には、その者に対し、当該福祉サービスを利用するための契約の内容及びその履行に関する事項について**説明するよう努めなければならない**」と示されている。

C × 社会福祉法第77条で「社会福祉事業の経営者は、**福祉サービスを利用するための契約**（厚生労働省令で定めるものを除く。）が成立したときは、その利用者に対し、遅滞なく、次に掲げる事項を記載した書面を交付しなければならない」と示している。児童福祉施設利用の場合のみではない。

D × 社会福祉法第79条で「社会福祉事業の経営者は、その提供する福祉サービスについて広告をするときは、広告された福祉サービスの内容その他の厚生労働省令で定める事項について、著しく事実に相違する表示をし、又は実際のものよりも著しく優良であり、若しくは有利であると人を誤認させるような表示をしてはならない」と示されているが、広告等において原則、市町村への届け出義務はない。

A 19

正解 5

A × 小学校の**学校給食費**は、生活保護の**教育扶助**の対象となる。

B × 要介護者に対する介護は、生活保護の**介護扶助**の対象となる。

C × **救護施設**は、身体上または精神上著しい障害があるために日常生活を営むことが困難な者に生活扶助を行う施設である。

D ○ **宿所提供施設**は、住宅のない要保護者の世帯に対して、生活保護の住居扶助を行う施設である。なお、類似の施設に社会福祉法に基づく**無料低額宿泊所**がある。この施設は、生活困窮者が無料、または低額で一時的に滞在できるものである。

次の文のうち、生活保護制度に関する記述として、適切な記述を○、不適切な記述を×とした場合の正しい組み合わせを一つ選びなさい。

令和3年(前期) 問7

A 原則として、保護は、個人ではなく世帯を単位としてその要否及び程度を定める。

B 原則として、保護は、「民法」に定める扶養義務者の扶養に優先して行われる。

C 原則として、保護は、他の法律による扶助に優先して行われる。

D 原則として、保護は、要保護者、その扶養義務者又はその他の同居の親族による申請がなくても開始することができる。

(組み合わせ)

	A	B	C	D
1	○	○	×	×
2	○	×	×	×
3	×	○	×	×
4	×	×	○	○
5	×	×	×	○

次の文は、国民年金制度に関する記述である。適切な記述を○、不適切な記述を×とした場合の正しい組み合わせを一つ選びなさい。

平成31年(前期) 問5

A 保険料の支払い期間は、20歳から70歳未満である。(任意加入被保険者を除く)

B 20歳以上の大学生は、本来は保険料を支払う義務を負うが、学生納付特例制度によって、在学期間の納付が免除される。

C 遺族基礎年金は、子どもの有無に関わらずに支給される。

D 障害者が障害年金を受給するためには、原則として事前の保険料拠出を必要とするが、国民年金に加入する20歳前に障害を持った場合はこの限りではない。

(組み合わせ)

	A	B	C	D
1	○	○	○	○
2	○	○	×	○
3	○	×	○	×
4	×	○	○	×
5	×	×	×	○

A 20

正解 2

A ○ 生活保護制度の原側として**世帯単位の原則**があり、生活保護費の支給も世帯単位で行われる。

B × 生活保護制度の原理に**保護の補足性の原理**があり、「保護は、生活に困窮する者が、その利用し得る資産、能力その他あらゆるものを、その最低限度の生活の維持のために活用することを要件として行われる」とされている。そのため、原則として民法上の親族等の扶養義務者から援助を受けることができる場合は、**扶養義務者の援助が優先**される。

C × 他の**制度、法律によって給付**が受けられる場合はそれらが**優先**される。

D × 生活保護制度の原則として**申請保護の原則**がある。**要保護者、その扶養義務者、同居の親族などの申請**に基づいて行われる。

A 21

正解 5

A × 保険料支払い期間は**原則20歳から60歳未満**である。

B × 学生については、**申請**により在学中の保険料の納付が猶予される「**学生納付特例制度**」が設けられている。免除される制度ではない。

C × 遺族基礎年金は、死亡した者によって生計を維持されていた、**子がある配偶者と子に支給**される。

D ○ **障害基礎年金**については、20歳前や、60歳以上65歳未満（年金制度に加入していない期間）でも受給できる。

加点のポイント

◆**障害年金の受給要件**

障害年金の受給には以下の3つの要件を満たす必要があるが、**20歳前**に障害をもった場合は①と②について、**60歳以上65歳未満**の間に障害をもった場合は①について例外的な扱いとなり、障害年金を受給することができる。

①**初診日要件**：その病気やケガで初めて医療機関を受診した日が国民年金または厚生年金保険の被保険者期間中であること

②**保険料納付要件**：加入期間の2/3以上は保険料を納めているか、直近1年間に滞納期間がないこと

③**障害状態該当要件**：国で定めた障害等級に該当する障害であること

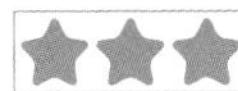

次のうち、保護者支援・子育て支援に関する記述として、適切なものを○、不適切なものを×とした場合の正しい組み合わせを一つ選びなさい。

令和５年（後期）問４

A 子育ての相談にあたっては、保護者の話を頭から否定せずに、気持ちを受け止める姿勢を常に持つべきである。

B 不適切な養育等が疑われる家庭への支援では、保護者の子ども観や、子育て意識・方法などへの介入が必要となることがある。

C 家庭支援・子育て支援においては、親子と地域社会との関係を構築するという視点は、現状の地域社会における人間関係の希薄化現象を考えると、不要である。

D 子育て環境の整備に関しては、出産を含む医療保障制度、各種手当、育児休業、保育所や幼稚園、認定こども園の整備など、家庭支援・子育て支援に関する制度環境の改善も重要である。

（組み合わせ）

	A	B	C	D
1	○	○	○	×
2	○	○	×	○
3	○	×	×	○
4	×	○	○	○
5	×	×	×	○

加点のポイント

◆**社会福祉関連法令のまとめ**

介護保険法	2020（令和２）年改正2021（令和３）年施行の介護保険法のポイント ・地域包括支援センターの役割強化（世代や属性を問わない相談窓口の創設、交流の場の確保など） ・認知症対策の強化（支援体制の整備、予防のための調査研究の推進、地域住民との共生、他分野との連携など） ・医療、介護データ基盤の整備 ・介護人材確保、業務効率化に向けた取り組みの強化 ・社会福祉連携推進法人の創設
障害を理由とする差別の解消の推進に関する法律（障害者差別解消法）	国連の「障害者の権利に関する条約」の締結に向けた国内法制度の整備の一環として、全ての国民が、障害の有無によって分け隔てられることなく、相互に人格と個性を尊重し合いながら共生する社会の実現に向け、障害を理由とする差別の解消を推進することを目的として、2013（平成25）年６月、「障害を理由とする差別の解消の推進に関する法律」（いわゆる「**障害者差別解消法**」）が制定され、2016（平成28）年４月１日から施行された。同法では「**不当な差別的取扱の禁止**」「**合理的配慮の提供**」について明記されている
児童福祉法	・2019（令和元）年６月の主な改正内容 ①親権者は、**児童のしつけに際して体罰を加えてはならない** ②児童福祉施設の長等についても同様
配偶者からの暴力の防止及び被害者の保護等に関する法律（DV防止法）	・2013（平成25）年改正公布、2014（平成26）年施行 「生活の本拠を共にする交際（婚姻関係における共同生活に類する共同生活を営んでいないものを除く。）をする関係にある相手からの暴力及びその被害者について、この法律を準用するとなった」としている ・2020（令和２）年４月１日施行 DV保護などの連携、協力すべき関係機関として**児童相談所**が法文上明確化された
子どもの貧困対策の推進に関する法律	2019（令和元）年６月改正公布のポイント ・目的規定の充実①子どもの「将来」だけでなく「現在」に向けた対策であること②貧困解消に向けて、児童の権利条約の精神に則り推進すること ・基本理念の充実① 子どもの年齢等に応じて、その意見が尊重され、その最善の利益が優先考慮され、健やかに育成されること② 各施策を子どもの状況に応じ包括的かつ早期に講ずること③ 貧困の背景に様々な社会的要因があることを踏まえること

A 22

正解 2

A ○ 保護者の話を否定しない、気持ちを受け止める姿勢は子育て相談の基本的事項であり、**ソーシャル・ケースワークの原則**である。「保育所保育指針」第４章１（１）アにも記載されている。

B ○ 保育所保育指針解説では、「ア 保護者に育児不安等が見られる場合には、**保護者の希望に応じて個別の支援を行う**よう努めること。」と示されている。この場合、設問のような対応も必要な場合がある。

C × 家庭支援・子育て支援においては、**親子と地域社会との関係を構築**するという視点が重要である。

D ○ 子育て環境の整備は、保育所、幼稚園、認定こども園の制度･整備だけでなく、**医療、保健**、**各種手当**、**就労環境整備**、**子育て支援**、**相談体制整備**など包括的な支援･制度･整備の改善が重要である。

加点のポイント

◆社会福祉法の要点

社会福祉法は、日本の社会福祉の中心となる法律である。福祉サービスの基本理念や原則、社会福祉事業の範囲、社会福祉の実施体制・組織について規定されている。また、福祉サービス事業の適正な運営等に関する事柄として、苦情解決や人材確保などが示されている。

第１条（目的）	福祉サービスの利用者の**利益の保護**及び地域における社会福祉（以下「地域福祉」という。）の推進を図るとともに、社会福祉事業の公明かつ適正な実施の確保及び社会福祉を目的とする事業の健全な発達を図り、もつて社会福祉の増進に資することを目的とする
第２条（定義）	この法律において「社会福祉事業」とは、**第一種社会福祉事業**及び**第二種社会福祉事業**をいう
第３条（福祉サービスの基本的理念）	福祉サービスは、**個人の尊厳の保持**を旨とし、その内容は、福祉サービスの利用者が心身ともに健やかに育成され、又はその有する能力に応じ自立した**日常生活**を営むことができるように支援するものとして、良質かつ適切なものでなければならない
第４条（地域福祉の推進）	地域福祉の推進は、地域住民が相互に人格と個性を尊重し合いながら、参加し、**共生する地域社会の実現**を目指して行われなければならない
第60条（経営主体）	社会福祉事業のうち、第一種社会福祉事業は、**国、地方公共団体又は社会福祉法人**が経営することを原則とする
第75条（情報の提供）	社会福祉事業の経営者は、福祉サービス（社会福祉事業において提供されるものに限る。以下この節及び次節において同じ。）を利用しようとする者が、適切かつ円滑にこれを利用することができるように、その経営する社会福祉事業に関し**情報の提供**を行うよう努めなければならない
第82条（社会福祉事業の経営者による苦情の解決）	社会福祉事業の経営者は、常に、その提供する福祉サービスについて、利用者等からの苦情の**適切な解決**に努めなければならない
第89条（基本指針）	**厚生労働大臣**は、社会福祉事業の適正な実施を確保し、社会福祉事業その他の政令で定める社会福祉を目的とする事業（以下この章において「社会福祉事業等」という。）の健全な発達を図るため、社会福祉事業に従事する者（以下この章において「社会福祉事業従事者」という。）の確保及び国民の社会福祉に関する活動への参加の促進を図るための措置に関する基本的な指針（以下「基本指針」という。）を定めなければならない

Q23

次のうち、生活保護制度に関する記述として、適切なものを○、不適切なものを×とした場合の正しい組み合わせを一つ選びなさい。 令和5年（後期）問5

A「生活保護法」では、保護の原則として、申請保護の原則、基準及び程度の原則、必要即応の原則、世帯単位の原則の４つを掲げている。

B「生活保護法」第11 条で定めている保護の種類は、生活扶助、教育扶助、住宅扶助、医療扶助、介護扶助、出産扶助、生業扶助、葬祭扶助の８つがある。

C「生活保護法」による保護施設は、救護施設、更生施設、医療保護施設の３つである。

D 令和４年版の「厚生労働白書」によると、生活保護制度の被保護者数は、1995（平成７）年を底に増加し、2015（平成27）年３月に過去最高を記録し、以降減少に転じたと示されている。

（組み合わせ）

	A	B	C	D
1	○	○	×	○
2	○	×	○	○
3	○	×	○	×
4	×	○	×	×
5	×	×	×	○

Q24

次の文のうち、相談援助の方法・技術に関する記述として、適切な記述を○、不適切な記述を×とした場合の正しい組み合わせを一つ選びなさい。

令和３年（後期）問13

A スーパービジョンとは、指導者であるスーパーバイジーから、指導を受けるスーパーバイザーに行う専門職を養成する過程である。

B コンサルテーションとは、異なる専門性をもつ複数の専門職者が、特定の問題について検討し、よりよい援助のあり方について話し合う過程をいう。

C コミュニティワークは、地域社会に共通する福祉ニーズや課題の解決を図るために、地域の診断、社会サービス・資源の開発、地域組織のコーディネートなど、住民組織や専門機関などの活動を支援する援助技術である。

（組み合わせ）

	A	B	C
1	○	○	○
2	○	×	○
3	○	×	×
4	×	○	○
5	×	×	○

A 23

正解 1

A ○ 生活保護法第７条から第10条に**申請保護の原則、基準及び程度の原則、必要即応の原則、世帯単位の原則**がある。

B ○ 生活保護法第11条第１項に「**一生活扶助　二教育扶助　三住宅扶助　四医療扶助　五介護扶助　六出産扶助　七生業扶助　八葬祭扶助**」が示されている。

C × 「生活保護法」第38条第１項で、保護施設の種類は「**一救護施設　二更生施設　三医療保護施設　四授産施設　五宿所提供施設**」と示されている。

D ○ **令和４年版「厚生労働白書」**に「全体的な保護動向としては、生活保護受給者数は平成７年を底に増加に転じ、平成27年３月に過去最高を記録したが、近年は減少傾向で推移している。」と示されている。

A 24

正解 4

A × 指導者側が**スーパーバイザー**、指導を受ける側が**スーパーバイジー**である。

B ○ 設問文の内容は**正しい**。専門職を**コンサルタント**、援助を受ける側を**コンサルティー**と呼ぶ。

C ○ 設問文の内容は**正しい**。**地域社会の課題や問題解決に取り組む**ことである。**子育て相談やネットワークづくり**などもコミュニティワークの一つである。

◆失業等給付

失業等給付は労働者が失業した場合や雇用継続が困難になった場合に、必要な給付を行い、生活及び雇用の安定を図る給付である。以下の４種類に分けられる。

求職者給付	被保険者が離職し、失業状態にある場合に失業者の生活の安定を図ることなどを目的として支給される給付である。
就職促進給付	失業者が再就職することを援助、促進することを目的とする給付である。
教育訓練給付	働く人の主体的な能力開発の取り組みを支援し、雇用の安定と再就職の促進を目的とする給付である。
雇用継続給付	働く人の職業生活の円滑な継続を援助、促進することを目的とする給付である。

加点のポイント

◆公的年金制度の仕組み

◆公的年金制度は、加齢などによる稼得能力の減退・喪失に備えるための社会保険。（防貧機能）
◆**現役世代は全て国民年金の被保険者**となり、高齢期となれば、基礎年金の給付を受ける。（１階部分）
◆民間サラリーマンや公務員等は、これに加え、**厚生年金保険に加入し、基礎年金の上乗せ**として報酬比例年金の給付を受ける。（２階部分）

次の文は、「社会福祉法」第４条（地域福祉の推進）の一部である。（ A ）～（ D ）にあてはまる語句の正しい組み合わせを一つ選びなさい。

令和４年（後期）問20

地域住民等は、地域福祉の推進に当たつては、福祉サービスを必要とする地域住民及びその世帯が抱える福祉、介護、介護予防（中略）、（ A ）、住まい、（ B ）に関する課題、福祉サービスを必要とする地域住民の地域社会からの（ C ）その他の福祉サービスを必要とする地域住民が日常生活を営み、あらゆる分野の活動に参加する機会が確保される上での各般の課題（中略）を把握し、（ D ）の解決に資する支援を行う関係機関（中略）との連携等によりその解決を図るよう特に留意するものとする。

（組み合わせ）

	A	B	C	D
1	生活困窮	就労及び教育	疎外	生活福祉課題
2	保健医療	余暇及び健康	疎遠	利用援助課題
3	社会活動	雇用及び学習	疎遠	地域生活課題
4	保健医療	就労及び教育	孤立	地域生活課題
5	社会活動	雇用及び学習	孤立	生活福祉課題

③社会福祉における相談援助

次のうち、子ども家庭支援の目的に関する記述として、適切な記述を○、不適切な記述を×とした場合の正しい組み合わせを一つ選びなさい。

令和４年（後期）問５

A 保護者が子どもの育ちの阻害要因になっている場合であっても、親子関係を支援する目的から、決して介入してはならない。

B 保護者への相談・援助活動は、社会福祉援助技術におけるバイステックの７原則等を理解し、応用していく姿勢が求められる。

C 家庭支援、子育て支援とは、地域の子育て拠点や相談支援体制の整備のことであり、出産を含む医療保険制度や、各種手当制度などは含まれない。

D 子育て家庭は地域の中で生活していることから、親子、家庭と地域社会との関係を構築するという視点が重要となる。

（組み合わせ）

	A	B	C	D
1	○	○	×	×
2	○	×	○	×
3	×	○	×	○
4	×	×	○	○
5	×	×	×	○

A 25

正解 4

地域住民等は、地域福祉の推進に当たつては、福祉サービスを必要とする地域住民及びその世帯が抱える福祉、介護、介護予防（中略）、（A.**保健医療**）、住まい、（B.**就労及び教育**）に関する課題、福祉サービスを必要とする地域住民の地域社会からの（C.**孤立**）その他の福祉サービスを必要とする地域住民が日常生活を営み、あらゆる分野の活動に参加する機会が確保される上での各般の課題（中略）を把握し、（D.**地域生活課題**）の解決に資する支援を行う関係機関（中略）との連携等によりその解決を図るよう特に留意するものとする。

A 保健医療：地域保健の推進などがある。

B 就労及び教育：就労や教育、社会参加の機会の提供などがある。

C 孤立：地域住民の地域からの孤立を防ぐことが重要である。

D 地域生活課題：地域生活課題の解決には、関係機関との連携が重要である。

A 26

正解 3

A × **親子関係を支援**し、子どもの育ちを阻害しないためにも介入する必要がある。

B ○ **バイステックの7原則**等を理解し、知識と技術を用いて相談・援助活動に当たることは有効である。

C × 家庭支援、子育て支援は、地域の子育て拠点や相談支援体制の整備と同時に、妊娠・出産に至る過程も支援の対象になり、**医療保険制度**や、**各種手当制度**なども含まれる。

D ○ 地域子育て支援の観点からも、地域社会で**親子、家庭と地域社会**が良好な関係を構築することは重要である。

Q27

★★★

次のうち、保育と相談援助に関する記述として、適切な記述を○、不適切な記述を×とした場合の正しい組み合わせを一つ選びなさい。 令和4年（前期）問5

A「保育所保育指針解説」では、保育士等は援助の内容によって、ソーシャルワークやカウンセリング等の知識や技術を援用することが有効であるとされている。

B「保育所保育指針」では、保護者の気持ちを受け止めること、保護者の自己決定を尊重すること、知り得た事柄の秘密を保持することが、子育て支援の基本的事項として示されている。

C「保育所保育指針解説」では、保育所における子育て支援について、地域において子育て家庭に関するソーシャルワークの中核を担う機関と連携をとる必要があり、そのためにソーシャルワークの基本的な姿勢や知識、技術を理解し、支援を展開することが望ましいとされている。

（組み合わせ）

	A	B	C
1	○	○	○
2	○	○	×
3	○	×	○
4	×	○	○
5	×	×	○

Q28

★★★

次のうち、相談援助の展開過程の中の「インテーク」に関する記述として、適切な記述を○、不適切な記述を×とした場合の正しい組み合わせを一つ選びなさい。

令和5年（後期）問9

A インテークでは、相談者から発せられた非言語的表現に左右されることなく、相談者の発言から困っていることを明らかにする。

B インテークでは、信頼関係を形成するためにも、話しやすい雰囲気や環境を整える。

C インテークで支援者は、相談者にどのような支援ができるのかを伝える。

（組み合わせ）

	A	B	C
1	○	○	×
2	○	×	○
3	○	×	×
4	×	○	○
5	×	×	○

Q29

次のうち、相談援助の方法・技術とその説明として、適切な記述を○、不適切な記述を×とした場合の正しい組み合わせを一つ選びなさい。

令和4年（後期）問14

★★☆

A チームアプローチとは、専門職でチームを形成し目標に向かって、チームの強みを意識し、意図的に活用して支援することをいう。

B 社会福祉調査法は、社会福祉に関する実態（福祉ニーズや問題の把握）、社会福祉サービスや政策の評価、個別ケースにおける支援の効果測定などを目的とする調査の総称である。

C ソーシャルアクションとは、支援の必要な状況であるにもかかわらず、それを認識していない、あるいは支援につながっていない利用者に対して、ソーシャルワーカーから援助につなげるためのはたらきかけを行うことである。

（組み合わせ）

	A	B	C
1	○	○	○
2	○	○	×
3	○	×	○
4	×	○	○
5	×	×	×

A 27

正解 1

A ○ 保育所保育指針解説で「内容によっては、それらの知識や技術に加えて、**ソーシャルワークやカウンセリング等の知識**や技術を援用することが有効なケースもある」と示されている。

B ○ 保育所保育指針第4章「子育て支援」では、1「保育所における子育て支援に関する基本事項」(1)「保育所の特性を生かした子育て支援」として、**保護者の気持ちを受け止めること、保護者の自己決定を尊重**すること、知り得た事柄の秘密を保持することなどが示されている。

C ○ 保育所保育指針解説(2)「子育て支援に関して留意すべき事項」に「地域において子どもや子育て家庭に関する**ソーシャルワークの中核を担う機関**と、必要に応じて連携をとりながら行われるものである。そのため、ソーシャルワークの基本的な姿勢や知識、技術等についても理解を深めた上で、支援を展開していくことが望ましい」と示されている。

A 28

正解 4

A × 相談援助では、相談者から発せられた**言語的表現**だけでなく、表情や態度、口調など**非言語的表現**に十分に留意して対応する必要がある。

B ○ インテークは、**相談者と支援者の信頼関係を形成する**ことを目指すことでもあり、当然、話しやすい雰囲気作りや環境を整えることは必要である。

C ○ インテークでは、**相談者の主訴(問題、悩みや課題など)に対して相談機関や支援者が支援できる内容**などを説明する。相談者と支援者が協働して相談者が抱える問題・課題を解決するための、最初の面接である。

A 29

正解 2

A ○ **チームアプローチ**とは、**他職種の専門職**も含めて、**チームの強み**を意識し、意図的、計画的に支援することである。

B ○ 社会福祉調査法とは、社会福祉に関する**ニーズや問題**の把握、**社会福祉サービスや政策の評価**、**個別ケース**における支援の効果測定などを目的とする調査の総称である。

C × 設問はアウトリーチの説明である。ソーシャルアクションとは、**地域社会における生活上の広範な個別ニーズを把握**することである。さらに、社会改良を目標として取り組む技術をいう。

次の【事例】を読んで、【設問】に答えなさい。　令和元年（後期）問12

★★★

【事例】

H保育士が勤務するS保育所には、最近、休みがちになっているK君（4歳、男児）がいる。10日ぶりにK君が登園したが、いつもと違って元気がなく、午睡の着替えの際に背中や腹部にうっすらとあざが数か所見つかった。H保育士はK君が午睡から目覚めた後に、あざについて「ここどうしたの？」と尋ねると、K君は「転んだ」と返答した。H保育士は虐待ではないかと思った。

【設問】

次のうち、この段階におけるH保育士の対応として、適切な記述を○、不適切な記述を×とした場合の正しい組み合わせを一つ選びなさい。

A「先生には何を言っても大丈夫だよ。」とK君に笑顔で対応する。

B 同僚の保育士、主任保育士に報告・相談する。

C 迎えに来た母親に虐待の有無を尋ね、あざの原因について追求する。

D あざの状態について詳細に記録に残す。

（組み合わせ）

	A	B	C	D
1	○	○	×	○
2	○	○	×	×
3	○	×	○	○
4	○	×	×	○
5	×	×	○	○

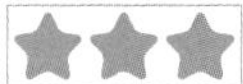

次の文のうち、グループワークの過程に関する記述として、適切な記述を○、不適切な記述を×とした場合の正しい組み合わせを一つ選びなさい。

★★★

令和3年（前期）問15

A 準備期とは、利用者がグループに溶け込むために利用者同士の接触、交流をうながす働きかけをし、相互作用を活性化していく時期である。

B 開始期とは、グループの目的を明確にし、具体的な援助計画を立て、その支援ができる環境を整える時期である。

C 作業期とは、グループの主体的な展開を重視し、利用者と少し距離を保ちながら側面的に援助していく時期である。

D 終結期とは、利用者自身、自らが自己の目標を評価し、同時に支援者の行う援助を振り返って評価する時期である。

（組み合わせ）

	A	B	C	D
1	○	○	×	×
2	○	×	○	×
3	○	×	×	○
4	×	○	×	○
5	×	×	○	○

加点のポイント

◆ **国際生活機能分類（ICF）とは**

世界保健機関（WHO）は障害理解の概念として提唱した国際障害分類（ICIDH）を改め、2001年から国際生活機能分類（ICF）となった。ICFは人間の生活機能と障害に関する状況を記述することを目的とした分類であり、「健康状態や変調・病気」について、「**心身機能・身体構造**」「**活動**」「**参加**」の3つのレベルからとらえ、同時に3つのレベルは相互に影響を与えるとしている。また、背景因子である「**環境因子**」「**個人因子**」との間で相互作用があるとしている。

A 30

正解 1

A ○ K君の気持ちを和らげ、思いが伝えられるようにする適切な配慮である。

B ○ 組織で対応するためにも情報を共有することは必要である。虐待の疑いがある場合、**情報共有**することは**守秘義務違反**には当たらないと解釈できる。

C × 母親に虐待の有無を聞くのではなく、まずは、母親が悩みや生活問題など、保育士に何でも**相談できる環境**を作っていくことが大切である。

D ○ **状況を記録**することは必要である。

A 31

正解 5

A × 準備期とは、グループ活動を開始する準備を始め、**援助者とメンバーが初めて顔を合わせる前段階**である。設問文は、開始期の説明である。

B × 開始期とは、最初の顔合わせから**グループとして活動を開始するまでの段階**である。設問文は、準備期の説明である。

C ○ 設問文の内容は、グループが本格的に**目標達成のための活動を行う段階**であり、作業期に該当する。

D ○ 設問文の内容は、グループ援助の**終わりの段階**であり、終結期に該当する。

加点のポイント

◆相談援助技術のまとめ

直接援助技術	個別援助技術（**ケースワーク**）、集団援助技術（**グループワーク**）
間接援助技術	地域援助技術（コミュニティワーク）、社会活動法（ソーシャル・アクション）、社会福祉計画法（**ソーシャル・プランニング**）、社会福祉調査法（ソーシャルワーク・リサーチ）、社会福祉運営管理（ソーシャル・アドミニストレーション）等
関連援助技術	ケアマネジメント、**スーパービジョン**、カウンセリング、**コンサルテーション**、ネットワーク等

加点のポイント

◆相談援助（ソーシャルワーク）の過程についての用語説明

アウトリーチ	自分から支援を求めない利用者に対して、相談機関から専門家が直接出向いて対面し利用者がニーズを出すことができるように支援すること。
アセスメント	利用者が抱える問題や課題を評価すること。問題や課題分析として支援計画（プランニング）を作成するために行われる。
プランニング	アセスメントで明らかになった問題や課題を解決するための支援計画（プランニング）のこと。
モニタリング	支援計画（プランニング）に照らし状況把握を行い、現在のサービスや支援が適切に行われているか観察・把握すること。

次のうち、相談援助の方法・技術等に関する記述として、適切なものを○、不適切なものを×とした場合の正しい組み合わせを一つ選びなさい。

令和5年(後期) 問11

A ケアマネジメントとは、利用者に対して、効果的・効率的なサービスや社会資源を組み合わせて計画を策定し、それらを利用者に紹介や仲介するとともに、サービスを提供する機関などと調整を行い、さらにそれらのサービスが有効に機能しているかを継続的に評価する等の一連のプロセス及びシステムである。

B ソーシャルアクションとは、関係機関、専門職、住民と問題の解決に向けて、情報交換、学習、地域活動を通して相互の役割や違いを認め、既存の制度や組織の制約を超えて、多様的かつ多元的な価値観や関係性をつくりあげていくことをいう。

C ネットワーキングとは、行政や議会などに個人や集団、地域住民の福祉ニーズに適合するような社会福祉制度やサービスの改善、整備、創造を促す方法である。

(組み合わせ)

	A	B	C
1	○	○	○
2	○	×	×
3	×	○	×
4	×	×	○
5	×	×	×

次のうち、「援助技術アプローチ」と、その説明の組み合わせとして、適切なものを○、不適切なものを×とした場合の正しい組み合わせを一つ選びなさい。

令和2年(後期) 問13

〈援助技術アプローチ〉		〈援助技術アプローチの説明〉
A 心理社会的アプローチ	――	診断主義の流れをくむアプローチである。
B 機能的アプローチ	――	利用者の潜在的可能性を前提に社会的機能を高めることで問題解決を図るアプローチである。
C 課題中心アプローチ	――	「いま」「ここ」に焦点を当てたアプローチである。
D エンパワメントアプローチ	――	社会的に無力状態に置かれている利用者の潜在的能力に気づき対処することで問題解決することを目的としたアプローチである。

(組み合わせ)

	A	B	C	D
1	○	○	○	○
2	○	○	○	×
3	○	○	×	○
4	○	×	○	○
5	×	○	○	○

A 32

正解 2

A ○ ケアマネジメントは、利用者の生活上のニーズを充足させるために、適切な**社会資源（制度・人・サービスなど）**と利用者をつなぐなどの支援の総体である。

B × 設問は、ネットワーキングの説明である。ソーシャルアクションとは行政や議会などに対して、個人や集団、地域住民の**福祉ニーズ**に適合するよう、社会福祉制度やサービスの改善、整備、創造を促す方法である。

C × 設問は、ソーシャルアクションの説明である。ネットワーキングは、関係機関、専門職、住民と問題の解決に向けて、**情報交換、学習、地域活動を通して相互の役割や違いを認め、既存の制度や組織の制約を超えて、多様的かつ多元的な価値観や関係性**をつくりあげていくことをいう。

A 33

正解 1

A ○ 心理社会的アプローチは**診断主義の流れをくむアプローチ**で、ホリスによって広められた。

B ○ 機能的アプローチは利用者の**意志や潜在的可能性**などで問題解決できるように援助するアプローチである。

C ○ 課題中心アプローチは**利用者自身が問題を解決する**ため、「いま、ここ」に焦点を当て、課題の解決を目指すアプローチである。

D ○ エンパワメントアプローチは利用者が自らの**潜在能力に気づいて対処する**ことにより問題解決を図るアプローチである。

よく出るポイント ◆バイスティックの7つの原則

個別化	利用者を個人としてとらえる。似たような問題であっても同じ問題としてとらえない
意図的な感情表出	利用者の感情表出が自由にできるようにすること。抑圧したり、否定したりすることなく、利用者の心のままを表現してもらう
統制された情緒の関与	支援者自身が利用者の感情や状況に入り込み過ぎないようにすること。支援者が利用者を理解し、自身の感情をコントロールして対応する
受容	利用者の状況を受け止めること。利用者のあるがままを見つめることである
非審判的態度	利用者の問題行動や思考に対して批判したり、善悪を判断しない。善悪の判断は本人ができるように支援することも必要である
自己決定	利用者の問題や課題を解決するための行動は利用者自らが決定する。支援者が利用者に問題解決のための行動などを命令したりすることはなく、利用者自らが判断し行動するように支援する
秘密保持	利用者の個人情報、相談内容は絶対に他者に漏らしてはならない。情報漏洩は利用者との信頼関係を壊すと同時に利用者に不利益を生じさせることがある

Q 34 ★★★

次の文は、相談援助（ソーシャルワーク）の生活モデルに関する記述である。適切な記述を○、不適切な記述を×とした場合の正しい組み合わせを一つ選びなさい。

平成30年（前期）問10

A 生活モデルには、エコロジカル（生態学）アプローチが含まれている。

B 生活モデルは、生活全体の中で問題をとらえ、人と環境の相互作用に焦点を当てることを特徴とする。

C 生活モデルを生み出したのは、リッチモンド（Richmond, M.E.）のソーシャルケースワーク理論である。

D 生活モデルでは、利用者のニーズを充足するために既存の社会資源を活用するだけでなく、利用者を取り巻く環境への適応力を強める援助をも行う。

（組み合わせ）

	A	B	C	D
1	○	○	○	○
2	○	○	×	○
3	○	×	○	×
4	×	○	○	×
5	×	○	×	○

④利用者保護にかかわる仕組み

次の文のうち、児童養護施設入所児童が職員から虐待を受けた場合の児童の権利擁護に関する記述として、適切な記述を○、不適切な記述を×とした場合の正しい組み合わせを一つ選びなさい。

令和2年（後期）問15

A 虐待を受けた児童は、「社会福祉法」に苦情の解決に関する規定があり、苦情を申し立てることができる。

B 虐待を受けた児童は、都道府県社会福祉協議会に設置された運営適正化委員会に申し立てることができる。

C 虐待を受けた児童は、その旨を児童相談所、都道府県の行政機関または都道府県児童福祉審議会に届け出ることができる。

（組み合わせ）

	A	B	C
1	○	○	○
2	○	○	×
3	○	×	×
4	×	○	○
5	×	○	×

A 34

正解 2

A ○ 生活モデルは人と環境との相互作用に焦点を当てるアプローチであり、**生態学（エコロジカル）視点**が重要である。

B ○ 設問の通り、**生活モデル**は人と環境の相互作用に焦点を当て、クライエントの持っている力を引き出し（エンパワメント）、生活課題や問題を改善する試みである。

C × リッチモンドはケースワークの母と呼ばれている。生活モデルは、ジャーメインとギッターマンがこの**生態学的視点**を基礎理論として開発した。

D ○ 生活モデルは**資源を活用**しながら、環境を変えるために働きかけたり、適応したりしつつ、問題を解決していく技術である。

A 35

正解 1

A ○ 社会福祉法第82条に、社会福祉事業の経営者には、利用者等からの**苦情の解決**に努める義務があることが示されている。そのため、児童養護施設の入所児童についても、虐待を受けた場合は申し立てることができる。

B ○ 運営適正化委員会には福祉サービス利用者の苦情などを適切に解決し**利用者の権利を擁護する**目的があるため、虐待を申し立てることができる。

C ○ 施設内で虐待を受けた場合は**児童相談所、都道府県の行政機関等**に届けることができる。

次のうち、福祉サービス第三者評価事業に関する記述として、適切な記述を○、不適切な記述を×とした場合の正しい組み合わせを一つ選びなさい。

令和4年（前期）問16

A 児童養護施設等の社会的養護関係施設については、福祉サービス第三者評価を受けることが義務付けられている。

B 福祉サービス第三者評価事業の普及促進等は、国の責務となっている。

C 福祉サービス第三者評価を受けた結果は、市町村が公表することになっている。

D 福祉サービス第三者評価事業とは、公正・中立な福祉事務所が専門的・客観的立場から福祉サービスについて評価を行う仕組みのことである。

（組み合わせ）

	A	B	C	D
1	○	○	○	×
2	○	○	×	×
3	○	×	○	×
4	×	○	×	○
5	×	×	○	○

次の文のうち、福祉サービス利用援助事業（日常生活自立支援事業）に関する記述として、適切な記述を○、不適切な記述を×とした場合の正しい組み合わせを一つ選びなさい。

令和3年（前期）問17

A 判断能力が不十分な認知症高齢者のみを対象としている。

B 事業の実施主体は、地域包括支援センター及び福祉事務所とされている。

C 事業の具体的な援助内容は、日常的金銭管理サービスのみである。

D 全国社会福祉協議会によると、事業開始から2017（平成29）年度まで、実利用者数は漸次増加傾向にあるとされている。

（組み合わせ）

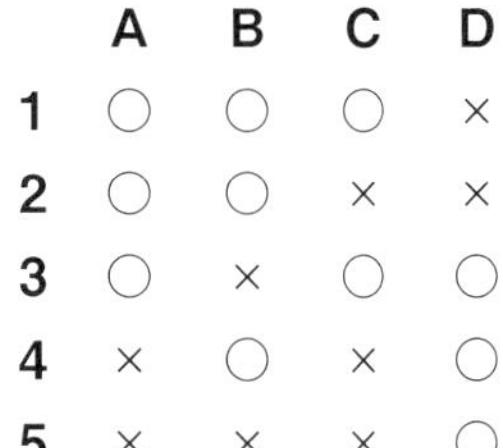

	A	B	C	D
1	○	○	○	×
2	○	○	×	×
3	○	×	○	○
4	×	○	×	○
5	×	×	×	○

A 36

正解 2

A ○ 児童養護施設、乳児院、母子生活支援施設など社会的養護関係施設は**3年に1度の受審が義務化**されている。

B ○ 福祉サービス第三者評価事業の普及促進等は、**国の責務**である。

C × 福祉サービス第三者評価の結果の公表は、市町村ではなく、**福祉サービス第三者評価事業の推進組織**が実施する。

D × 都道府県における福祉サービス第三者評価事業の推進組織は、都道府県、都道府県社会福祉協議会、公益法人または都道府県が適当と認める団体が評価する仕組みである。

A 37

正解 5

A × 判断能力が不十分な方として、認知症高齢者、知的障害者、精神障害者など、意思表示を本人のみでは適切に行うことが困難な方が対象となっている。

B × 実施主体は**都道府県・指定都市社会福祉協議会**である。

C × 援助内容は、日常的金銭管理サービスだけでなく、**福祉サービスや苦情解決制度の利用援助**などがある。

D ○ 全国社会福祉協議会によると、実利用者数は漸次増加しているが、1年間の新規契約件数は、2016(平成28)年度以降減少傾向にあり、終了件数の増加と相まって実利用者の伸びは鈍化している。

加点のポイント

◆ **福祉六法とその成立年**

● 福祉三法

生活保護法(旧) 生活保護法(新)	1946(昭和21)年 1950(昭和25)年
児童福祉法	1947(昭和22)年
身体障害者福祉法	1949(昭和24)年

● 福祉六法(上記の「福祉三法」とあわせて)

精神薄弱者福祉法(現在の知的障害者福祉法)	1960(昭和35)年
老人福祉法	1963(昭和38)年
母子福祉法(現在の母子及び父子並びに寡婦福祉法)	1964(昭和39)年

Q38 ★★★

次のうち、福祉サービス利用援助事業（日常生活自立支援事業）に関する記述として、適切な記述を○、不適切な記述を×とした場合の正しい組み合わせを一つ選びなさい。 令和５年（前期）問16

A 福祉サービス利用援助事業（日常生活自立支援事業）は、すべての高齢者を利用対象者としている。

B 福祉サービス利用援助事業（日常生活自立支援事業）の実施主体は、各都道府県及び指定都市の社会福祉協議会及び地域包括支援センターとされている。

C 福祉サービス利用援助事業（日常生活自立支援事業）は、「社会福祉法」に基づく利用者の権利擁護事業の一つである。

D 福祉サービス利用援助事業（日常生活自立支援事業）では、生活福祉資金貸付制度を実施している。

（組み合わせ）

	A	B	C	D
1	○	○	×	×
2	○	×	○	×
3	○	×	×	○
4	×	○	×	○
5	×	×	○	×

Q39 ★★☆

次のうち、社会福祉の理念に関する記述として、適切な記述を○、不適切な記述を×とした場合の正しい組み合わせを一つ選びなさい。 令和４年（後期）問４

A 権利擁護とは、当事者が持っている権利を擁護し、虐待や差別等から当事者を守ることである。

B エンパワメントとは、当事者自身が力を得て、自らの力で問題を解決していけるように側面的に支援することを意味している。

C ソーシャル・インクルージョンとは、国民に対して最低限度の生活を保障すること（最低生活保障）である。

D ノーマライゼーションとは、障害の有無にかかわらず、だれもが地域で普通に暮らせる社会を目指す理念である。

（組み合わせ）

	A	B	C	D
1	○	○	○	×
2	○	○	×	○
3	×	○	○	○
4	×	×	○	○
5	×	×	×	×

A 38

正解 5

A × 利用対象者の要件は、認知症、知的障害、精神障害などにより**判断能力が不十分**であること、日常生活自立支援事業の**利用契約の内容について、理解できる**ことの2つである。

B × 実施主体は、**都道府県及び指定都市（事業の一部を市区町村社会福祉協議会等に委託できる）の社会福祉協議会**であり、地域包括支援センターではない。

C ○ 利用者の利益の保護を図る仕組みの整備の一環として、**第二種社会福祉事業**に規定されている。

D × 「生活福祉資金貸付制度」は、**低所得者や高齢者、障害者の生活を経済的に支える**とともに、その**在宅福祉および社会参加の促進を図ること**を目的とした貸付制度であるため援助内容が異なり間違い。

A 39

正解 2

A ○ 権利擁護とは、福祉サービス利用者の権利を擁護し、**虐待や各種差別等**の不利益を被らないようにすることである。

B ○ **エンパワメント**とは、当事者が自ら持っている力に気づき、その力を得て、自らの力で問題解決を図ることを側面から支援することである。

C × 設問内容は、**ナショナルミニマム**の説明である。ソーシャル・インクルージョンについて、厚生労働省は「全ての人々を孤独や孤立、排除や摩擦から援護し、健康で文化的な生活の実現につなげるよう、社会の構成員として包み支え合う」と示している。

D ○ 厚生労働省は**ノーマライゼーション**を「人権そのものであり、社会的支援を必要としている人々をいわゆるノーマルな人にすることを目的としているのではなく、その障害を共に受容することであり、彼らにノーマルな生活条件を提供すること」と定義している。

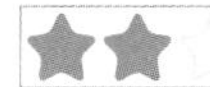

次の文のうち、福祉サービスにおける苦情解決の仕組みに関する記述として、適切な記述を○、不適切な記述を×とした場合の正しい組み合わせを一つ選びなさい。

令和３年(後期) 問17

A 「児童福祉法」で定められている児童福祉施設では、「児童福祉施設の設備及び運営に関する基準」(昭和23年厚生省令第63号)の中で、苦情を受け付けるための必要な措置を講じなければならないと定められている。

B 「介護保険法」で定められている養護老人ホームでは、「養護老人ホームの設備及び運営に関する基準」(昭和41年厚生省令第19号)の中で、苦情を受け付けるための必要な措置を講じなければならないと定められている。

C 「社会福祉法」では、市町村の区域内において、運営適正化委員会を市町村社会福祉協議会に置くことが定められている。

(組み合わせ)

	A	B	C
1	○	○	×
2	○	×	○
3	○	×	×
4	×	○	×
5	×	×	○

次のうち、成年後見制度に関する記述として、適切な記述を○、不適切な記述を×とした場合の正しい組み合わせを一つ選びなさい。

令和４年(後期) 問17

A 成年後見制度の国の所管は、総務省である。

B 成年後見制度は、認知症、知的障害、精神障害等により、判断能力が不十分な人の判断能力を補い、本人の保護と権利擁護を図るための法律上の制度である。

C 法定後見制度および任意後見制度は、それぞれ「民法」に基づいている。

D 法定後見制度に関する申し立てをすることができる者は、本人、配偶者、４親等内の親族のみである。

(組み合わせ)

	A	B	C	D
1	○	○	×	×
2	○	×	○	×
3	×	○	○	○
4	×	○	×	×
5	×	×	○	○

A 40

正解 3

A ○ 保育所を含む児童福祉施設では、苦情を受け付けるための必要な措置を講じることが**義務**として課されている。また、乳児院、児童養護施設、障害児入所施設、児童発達支援センター、児童心理治療施設及び児童自立支援施設では、苦情の解決にあたって**施設の職員以外の者**を関与させなければならないとされている。

B × 養護老人ホームは、**老人福祉法**において規定されており、苦情を受け付けるための必要な措置を講じることが**義務**として課せられている。

C × 都道府県の区域内において、**運営適正化委員会**を都道府県社会福祉協議会に置くことが**社会福祉法**で規定されている。

A 41

正解 4

A × 成年後見制度の国の所管は**法務省**である。

B ○ 成年後見制度とは、認知症、知的障害、精神障害などにより物事を判断する能力が十分でない人について、本人の権利を守る援助者（「成年後見人」等）を選ぶことで、**本人を法律的に支援する制度**である。

C × 法定後見は**民法**が根拠法であるが、任意後見は**任意後見契約法**が根拠法である。

D × 本人、配偶者、四親等内の親族以外に**市長村長**、**検察官**も申し立てできる。

⑤社会福祉の動向と課題

次のうち、地域福祉を推進するための拠点の名称と、その根拠となる法律名の組み合わせとして、適切なものを○、不適切なものを×とした場合の正しい組み合わせを一つ選びなさい。 令和2年（後期）問20

〈地域福祉を推進するための拠点の名称〉〈法律名〉

A 児童家庭支援センター ――― 「児童福祉法」
B 母子健康包括支援センター ――― 「母子保健法」
C 市町村障害者虐待防止センター ――― 「児童虐待の防止等に関する法律」
D 地域包括支援センター ――― 「介護保険法」

（組み合わせ）

	A	B	C	D
1	○	○	○	×
2	○	○	×	○
3	○	×	○	×
4	×	○	×	○
5	×	×	○	○

次の文は、「日本の将来推計人口（平成29年推計）」（国立社会保障・人口問題研究所）および「平成29（2017）年人口動態統計（確定数）」（厚生労働省）に基づく、日本の人口動態に関する記述である。（ A ）～（ C ）にあてはまる語句の正しい組み合わせを一つ選びなさい。 令和4年（後期）問3

日本の総人口は2010（平成22）年が増加のピークで、その後は減少している。この状況には（ A ）だけでなく、（ B ）が影響を与えている。これまで様々な対策が講じられてきたが、（ C ）は2016（平成28）年には1.44と低く、人口減少の状況は続いている。

（組み合わせ）

	A	B	C
1	老年人口の増加	年少人口の増加	合計特殊出生率
2	老年人口の増加	年少人口の増加	高齢化率
3	老年人口の増加	出生数の減少	合計特殊出生率
4	生産年齢人口の増加	出生数の減少	合計特殊出生率
5	生産年齢人口の増加	年少人口の増加	高齢化率

A 42

正解 2

A ○ 児童家庭支援センターは、児童福祉法第44条の2に基づく児童福祉施設の一つであり、**地域の児童の福祉に関する問題について助言・援助を行う**施設である。

B ○ 母子健康包括支援センター（令和6年4月1日より「**こども家庭センター**」と名称を変更）は、**母子保健法**第22条に基づくものである。なお、**子育て世代包括支援センター**とも呼ばれており、妊娠期から子育て期にわたって**切れ目のない支援**を行う施設である。

C × 市町村障害者虐待防止センターは、**障害者の虐待の防止、障害者の養護者に対する支援等に関する法律（障害者虐待防止法）**第32条に基づくものである。

D ○ 地域包括支援センターは、**介護保険法**第115条の46に基づくものである。高齢者などが要介護状態となっても住み慣れた地域で自分らしい暮らしを人生の最後まで続けることができることを目指した**地域包括ケアシステム**の中心となる施設である。

A 43

正解 3

日本の総人口は2010（平成22）年が増加のピークで、その後は減少している。この状況には（A.**老年人口の増加**）だけでなく、（B.**出生数の減少**）が影響を与えている。これまで様々な対策が講じられてきたが、（C.**合計特殊出生率**）は2016（平成28）年には1.44と低く、人口減少の状況は続いている。

令和4年（2022）人口動態統計（確定数）の概況では、出生数は**77万759**人で、前年の81万1622人より4万863人減少し、明治32年の人口動態調査開始以来最少となった。死亡数は**156万9050**人で、前年の143万9856人より12万9194人増加し、調査開始以来最多となった。婚姻は増加し、離婚は減少した。

よく出るポイント ◆**日本の人口推計**

日本の人口について 総務省「人口推計（2024（令和6）年1月1日確定値）」では、総人口は1億2,105万2千人で、前年同月に比べ84万1千人（−0.69%）の減少となっている。また、15歳未満人口は、1,408万9千人で、前年同月に比べ34万3千人（−2.38%）の減少である。65歳人口は、3,620万9千人で前年同月に比べ3万6千人（0.10%）増加している。

★★★

次の文のうち、少子高齢社会に関する記述として、適切な記述を○、不適切な記述を×とした場合の正しい組み合わせを一つ選びなさい。 令和3年(後期) 問18

A 日本における2016(平成28)年の出生数は100万人を割った。

B 第二次世界大戦後、増加が続いていた日本の総人口は、2005(平成17)年に戦後初めて前年を下回り、2011(平成23)年以後は減少を続けている。

C 「2019年　国民生活基礎調査の概況」(厚生労働省)によると、日本の世帯の動向について、世帯構造別にみた65歳以上の者のいる世帯で、2019(令和元)年時点では、夫婦のみの世帯より単独世帯の方が多い。

D 「令和元年(2019)人口動態統計月報年計(概数)の概況」(厚生労働省)によると、日本では、昭和50年代後半から75歳以上の高齢者の死亡数が増加しており、2012(平成24)年からは全死亡数の7割を超えている。

(組み合わせ)

	A	B	C	D
1	○	○	×	○
2	○	×	○	○
3	○	×	○	×
4	×	○	○	○
5	×	○	×	○

A 44　　正解 1

A ○ 2016（平成28）年人口動態統計（確定数）の概況によると、出生数は97万6,978人で、前年の100万5,677人より2万8,699人減少したと示されている。なお、出生数はその後も減少傾向にあり、2022（令和4）年では**77万759**人となっている。

B ○ 出生数の低下に加え、高齢人口の増加による死亡者数の増加により、設問文の通り、2011（平成23）年以降は総人口の減少が続いている。

C × 65歳以上の者のいる世帯は2,558万4千世帯で、世帯構造をみると、夫婦のみの世帯が32.3%、単独世帯が28.8%となっており、夫婦のみの世帯ほうが多い。なお、2022年（令和4）年では、夫婦のみの世帯が40.7%、単独世帯が21.7%となっている。

D ○ 少子高齢化や医療技術の進展等による平均寿命の延伸により、全死亡数における、いわゆる後期高齢者の割合が増加している。

よく出るポイント ◆少子高齢化、子育て支援に関する主な施策

施策	内容
放課後子ども総合プランの策定（2014（平成26）年7月〜）	「**小1の壁**」を打破するためには、児童が放課後等を安全・安心に過ごすことができる**居場所についても整備**を進めていく。
新たな少子化社会対策大綱の策定と推進（2015（平成27）年3月〜）	従来の少子化対策の枠組みを超えて、新たに結婚の支援を加え、①**子育て支援策**の一層の充実、②**若い年齢での結婚・出産**の希望の実現、③**多子世帯**への一層の配慮、④男女の**働き方改革**、⑤**地域の実情に即した取組強化**の5つの重点課題を設けている。
子ども・子育て支援新制度の施行（2015（平成27）年4月〜）	2012（平成24）年に成立した**子ども・子育て関連3法**に基づく**子ども・子育て支援新制度**について、2015（平成27）年4月1日から本格施行された。
子ども・子育て本部の設置（2015（平成27）年4月〜）	子ども・子育て本部の主な業務は、①子ども・子育て支援のための**基本的な政策・少子化の進展への対処**にかかわる**企画立案・総合調整**、②**子ども・子育て支援法に基づく事務**、③**認定こども園法に基づく事務**などである。
一億総活躍社会の実現に向けた取組（2015（平成27）年11月〜）	一億総活躍国民会議において、「**希望出生率1.8**」の実現を目標とすること等を盛り込んだ「一億総活躍社会の実現に向けて緊急に実施すべき対策ー成長と分配の好循環の形成に向けてー」が取りまとめられた。
子育て安心プラン（2017（平成29）年6月〜）	①保育の受け皿の拡大、②保育人材確保、③保護者への「寄り添う支援」の普及促進、④保育の受け皿拡大と車の両輪の「保育の質の確保」、⑤持続可能な保育制度の確立、⑥保育と連携した「働き方改革」の6つが主な支援の内容である。
新しい経済政策パッケージ（2017（平成29）年12月〜）	少子高齢化、子育て支援に関する内容では、①幼児教育の無償化、②待機児童の解消、③介護人材の処遇改善、④これらの施策を実現するための安定財源、④財政健全化との関連などがある。
子ども・子育て支援法改正（2019（令和元）年5月〜）	子育てを行う家庭の経済的負担の軽減を図るため、市町村の確認を受けた幼児期の教育及び保育等を行う施設等（特別支援学校の幼稚部、認可外保育施設、病児保育事業等）の利用に関する給付制度が創設された。
児童福祉法 改正2022（令和4）年公布、2024（令和6）年施行）	子育て世帯への支援体制の強化・事業拡充として、こども家庭センターの設置、訪問による家事支援、児童の居場所づくりの支援、親子関係の形成の支援等、児童発達支援センターの役割・機能の明確化などが示された。また、「こども家庭ソーシャルワーカー認定資格」が創設された。

次のうち、「2021（令和３）年　国民生活基礎調査の概況」（令和４年９月９日　厚生労働省）における2021（令和３）年の状況に関する記述として、適切なものを○、不適切なものを×とした場合の正しい組み合わせを一つ選びなさい。

令和５年（後期）問19

A 児童のいる世帯のうち、核家族世帯は８割以上を占めている。

B 児童のいる世帯は、全世帯の３割未満である。

C 平均世帯人員は、３人未満である。

D 65 歳以上の者のいる世帯では、夫婦のみの世帯よりも、三世代世帯が多い。

（組み合わせ）

	A	B	C	D
1	○	○	○	×
2	○	×	×	×
3	×	○	○	○
4	×	○	×	×
5	×	×	○	○

Q46

次の文は、国際生活機能分類（ICF）に関する記述である。適切な記述を○、不適切な記述を×とした場合の正しい組み合わせを一つ選びなさい。

平成28年（前期）問８

A 疾病に関する国際分類である。

B 各構成要素の間には相互作用がある。

C 教育分野での活用は想定していない。

D 生活機能とは、「活動」「参加」のみを指す。

（組み合わせ）

	A	B	C	D
1	○	×	○	×
2	○	×	×	○
3	×	○	○	×
4	×	○	×	×
5	×	×	×	○

A 45

正解 1

A ○ 「2021（令和３）年 **国民生活基礎調査の概況**」（令和４年９月９日 厚生労働省）（以下、概況という）では、世帯構造別児童のいる世帯数をみると、核家族世帯（割合）は82.6％となっている。なお、「2022（令和４）年 国民生活基礎調査の概況」（令和５年７月４日 厚生労働省）では、84.4％である。

B ○ 概況では、児童のいる世帯は1,073万７千世帯で全世帯の**20.7％**となっている。

C ○ 概況では、平均世帯人員は、**2.37人で３人未満**である。

D × 概況では、**「夫婦のみの世帯」**が825万１千世帯（65歳以上の者のいる世帯の32.0％）で最も多い。次いで「単独世帯」が742万７千世帯（同28.8％）、「親と未婚の子のみの世帯」が528万４千世帯（同20.5％）となっている。

A 46

正解 4

A × ICFは疾病ではなく**障害**に関する国際的な分類である。これまで、世界保健機関（WHO）が1980（昭和55）年に「国際疾病分類（ICD）」の補助として発表した「WHO国際障害分類（ICIDH）」が用いられてきたが、WHOは**2001（平成13）年**５月の第54回総会において、ICIDHの改訂版としてICFを採択した。

B ○ ICFは、人間の生活機能と障害を**「心身機能・身体構造」「活動」「参加」**の３つの要素からとらえている。また、背景因子として、**「環境因子」「個人因子」**から構成された、さまざまな構成要素間に相互作用があるという考え方である。

C × 教育分野においてもICFの考え方が重要となる。日本では、**特別支援学校学習指導要領解説書**でICFについて障害のとらえ方と自立活動について、ICFの考え方が広く浸透しつつあることを踏まえ、今後の自立活動の指導において十分考慮することが求められる、などと記載されている。

D × 生活機能とは「心身機能・身体構造」「活動」**「参加」**を指す。その他に「環境因子」と「個人因子」が**背景因子**として示されている。

次の文は、相談援助の展開過程の中の「ケースの発見」に関する記述である。最も不適切な記述を一つ選びなさい。 平成28年（後期）問17

1 ケースの発見の契機は、直接の来談、電話での受付、メールによる相談、訪問相談等、様々である。

2 利用者の能力や態度が相談援助の展開過程を左右することもある。

3 接近困難なクライエントが地域にいる場合、援助者は利用者の来訪を待つ姿勢が必要である。

4 地域の関係機関等と日頃から連携を強め、ケースの早期の発見に努めることも必要である。

5 利用者と援助者との好ましい信頼関係を構築することも重要なテーマである。

A 47

正解 3

1 ○ ケースの発見の契機は、設問の通り様々な場面が想定される。

2 ○ 利用者の能力や態度は相談援助の展開過程を左右する。

3 × 接近困難なクライエントが地域にいる場合は、利用者の来訪を待つだけでなく、援助者が積極的に出向くといった**アウトリーチ**も必要である。

4 ○ 地域の関係機関とは日頃から連携を図っておくことがケース発見につながりやすい。

5 ○ 援助の進展には、利用者と援助者の関係が影響を及ぼすので好ましい信頼関係の構築は重要である。

◆**民法における親権喪失について（要点）**

（親権喪失の審判）

第834条　父又は母による虐待又は悪意の遺棄があるときその他父又は母による親権の行使が著しく困難又は不適当であることにより子の利益を著しく害するときは、家庭裁判所は、子、その親族、未成年後見人、未成年後見監督人又は検察官の請求により、その父又は母について、親権喪失の審判をすることができる。ただし、2年以内にその原因が消滅する見込みがあるときは、この限りでない。

（親権停止の審判）

第834条の2　父又は母による親権の行使が困難又は不適当であることにより子の利益を害するときは、家庭裁判所は、子、その親族、未成年後見人、未成年後見監督人又は検察官の請求により、その父又は母について、親権停止の審判をすることができる。

2　家庭裁判所は、親権停止の審判をするときは、その原因が消滅するまでに要すると見込まれる期間、子の心身の状態及び生活の状況その他一切の事情を考慮して、2年を超えない範囲内で、親権を停止する期間を定める。

（管理権喪失の審判）

第835条　父又は母による管理権の行使が困難又は不適当であることにより子の利益を害するときは、家庭裁判所は、子、その親族、未成年後見人、未成年後見監督人又は検察官の請求により、その父又は母について、管理権喪失の審判をすることができる。

MEMO

5

教育原理

アクセスキー　W
（大文字のダブリュー）

5章 教育原理

①教育の意義・目的、児童福祉等との関連性

次の文は、「日本国憲法」の一部である。（ A ）～（ C ）にあてはまる語句の正しい組み合わせを一つ選びなさい。

平成27年 問3

すべて国民は、（ A ）として尊重される。生命、（ B ）及び幸福追求に対する国民の権利については、（ C ）に反しない限り、立法その他の国政の上で、最大の尊重を必要とする。

（組み合わせ）

	A	B	C
1	人間	自由	公共の福祉
2	人間	財産	法の下の平等
3	個人	自由	公共の福祉
4	個人	財産	法の下の平等
5	個人	自由	法の下の平等

次の文は、「教育基本法」の一部である。誤ったものを一つ選びなさい。

平成27年 問1

1 国及び地方公共団体は、障害のある者が、その障害の状態に応じ、十分な教育を受けられるよう、教育上必要な支援を講じなければならない。

2 義務教育として行われる普通教育は、各個人の有する能力を伸ばしつつ社会において自立的に生きる基礎を培い、また、国家及び社会の形成者として必要とされる基本的な資質を養うことを目的として行われるものとする。

3 法律に定める学校の教員は、自己の崇高な使命を深く自覚し、絶えず研究と修養に励み、その職責の遂行に努めなければならない。

4 学校は、児童生徒一人一人の教育について第一義的責任を有するものであって、生活のために必要な習慣を身に付けさせるとともに、自立心を育成し、心身の調和のとれた発達を図るよう努めるものとする。

5 幼児期の教育は、生涯にわたる人格形成の基礎を培う重要なものであることにかんがみ、国及び地方公共団体は、幼児の健やかな成長に資する良好な環境の整備その他適当な方法によって、その振興に努めなければならない。

A 01

正解 3

すべて国民は、（ A.**個人** ）として尊重される。生命、（ B.**自由** ）及び幸福追求に対する国民の権利については、（ C.**公共の福祉** ）に反しない限り、立法その他の国政の上で、最大の尊重を必要とする。

上記は、**日本国憲法第13条**（個人の尊重、生命・自由・幸福追求の権利の尊重）である。日本国憲法については、教育基本法ほど出題されることはないが、第23条（**学問の自由**）や第25条（**生存権、国の生存権保障義務**）、第26条（**教育を受ける権利**）等、教育に関係する条文については丁寧に確認すること。

A 02

正解 4

1 ○ 教育基本法**第４条**（**教育の機会均等**）第２項において、「国及び地方公共団体は、障害のある者が、その障害の状態に応じ、**十分な教育**を受けられるよう、教育上**必要な支援**を講じなければならない」と定められている。

2 ○ 教育基本法**第５条**（**義務教育**）第２項において、「義務教育として行われる**普通教育**は、各個人の有する能力を伸ばしつつ社会において自立的に生きる基礎を培い、また、国家及び社会の形成者として必要とされる**基本的な資質**を養うことを目的として行われるものとする」と定められている。

3 ○ 教育基本法**第９条**（**教員**）において、「法律に定める学校の教員は、自己の崇高な使命を深く自覚し、絶えず**研究と修養**に励み、その**職責の遂行**に努めなければならない」と定められている。併せて「教育職員免許法」や「**教育公務員特例法**」（第21条・研修）等もおさえておきたい。

4 × 教育基本法**第10条**（**家庭教育**）において、「学校は、児童生徒一人一人の教育について……」ではなく、「**父母その他の保護者**は、子の教育について**第一義的責任**を有するものであって、生活のために**必要な習慣**を身に付けさせるとともに、自立心を育成し、心身の**調和**のとれた発達を図るよう努めるものとする」と定められている。

5 ○ 教育基本法**第11条**（**幼児期の教育**）において、「幼児期の教育は、生涯にわたる**人格形成**の基礎を培う重要なものであることにかんがみ、国及び地方公共団体は、幼児の健やかな成長に資する**良好な環境**の整備その他適当な方法によって、その振興に努めなければならない」と定められている。

次のうち、「教育基本法」に関する記述として、適切なものを○、不適切なものを×とした場合の正しい組み合わせを一つ選びなさい。 令和５年（前期）問１

A 「教育基本法」は学校教育に関する法律であり、家庭教育や社会教育に関しては記述がない。

B 1947（昭和22）年に制定された「教育基本法」は、2006（平成18）年に改正されるまでの約60年間、一度も改正されることがなかった。

C 2006（平成18）年に改正された「教育基本法」では、第11条「幼児期の教育」の記載が加えられた。

（組み合わせ）

	A	B	C
1	○	○	×
2	○	×	○
3	×	○	○
4	×	○	×
5	×	×	×

Q 04

次の文は、教育職員免許状に関する記述である。（ A ）～（ C ）にあてはまる語句を【語群】から選択した場合の正しい組み合わせを一つ選びなさい。 平成29年（後期）問６

教育職員の免許状には、大学や短期大学等で教職課程の単位を満たしたのちに都道府県教育委員会に申請して得ることができる（ A ）免許状、社会的経験を有する者に教育職員検定を経て授与される（ B ）免許状、そして（ A ）免許状を有する者を採用することができない場合に限り、教育職員検定を経て授与される（ C ）免許状がある。

【語群】

ア	代用	**イ**	特任	**ウ**	臨時
エ	特別	**オ**	一般	**カ**	普通

（組み合わせ）

	A	B	C
1	オ	イ	ア
2	オ	イ	ウ
3	オ	エ	ア
4	カ	エ	ア
5	カ	エ	ウ

次の文は、「学校教育法」の一部である。（ A ）～（ C ）にあてはまる語句の正しい組み合わせを一つ選びなさい。 平成27年（地域限定）問２

幼稚園は、義務教育及びその後の教育の（ A ）を培うものとして、幼児を（ B ）し、幼児の健やかな成長のために適当な（ C ）を与えて、その心身の発達を助長することを目的とする。

（組み合わせ）

	A	B	C
1	基本	教育	環境
2	基礎	保育	刺激
3	基礎	教育	環境
4	基本	保育	刺激
5	基礎	保育	環境

A 03

正解 3

A × 「教育基本法」には学校教育だけでなく、「**家庭教育**」(第10条)や「**社会教育**」(第12条)に関しても記述されている。

B ○ 「教育基本法」は、1947(昭和22)年に公布・施行され、**2006(平成18)**年に改正されるまでの約60年間、一度も改正されることがなかった。

C ○ 2006(平成18)年の改正により、新たに「**家庭教育**」(第10条)、「**幼児期の教育**」(第11条)に関する条文が追加された。

5 教育原理

A 04

正解 5

教育職員の免許状には、大学や短期大学等で教職課程の単位を満たしたのちに都道府県教育委員会に申請して得ることができる(A.**カ　普通**)免許状、社会的経験を有する者に教育職員検定を経て授与される(B.**エ　特別**)免許状、そして(A.**カ　普通**)免許状を有する者を採用することができない場合に限り、教育職員検定を経て授与される(C.**ウ　臨時**)免許状がある。

教育職員にかかわる主要な法令としては、「**教育職員免許法**」や「**教育公務員特例法**」などをあげることができる。特に「教育職員免許法」では、「教育職員」の定義(第2条)、教育職員免許状の種類(第4条)や授与される条件等(第5条)、**教育職員検定**(第6条)、教育職員免許状の効力(有効年限)について定められており、出題の可能性があるので丁寧に確認すること。

A 05

正解 5

幼稚園は、義務教育及びその後の教育の(A.**基礎**)を培うものとして、幼児を(B.**保育**)し、幼児の健やかな成長のために適当な(C.**環境**)を与えて、その心身の発達を助長することを目的とする。

上記の条文は、**学校教育法**第22条(幼稚園の目的)である。「学校教育法」については、「教育基本法」ほど出題されることはないが、幼稚園関係の条文(特に第3章)については、丁寧に読み込むことが大切である。

②教育の思想と歴史的変遷

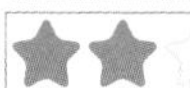

次の文は、日本における明治期の教育についての記述である。（ Ａ ）・（ Ｂ ）にあてはまる語句の正しい組み合わせを一つ選びなさい。 令和４年（前期）問７

明治維新後、近代教育制度が確立されていった。1871（明治４）年に文部省が創設され、1872（明治５）年には学区制度と単線型の学校制度を構想した（ Ａ ）が公布された。その後、初代文部大臣となった（ Ｂ ）は、国民教育制度の確立に力を注ぎ、特に初等教育の普及と教員養成の充実を図った。

（組み合わせ）

	A	B
1	教育令	西村茂樹
2	教育令	森有礼
3	学制	伊藤博文
4	学制	西村茂樹
5	学制	森有礼

次の文は、ある法令に関する説明である。正しいものを一つ選びなさい。 令和５年（後期）問６

1872（明治５）年の「学制」に代わる教育に関する基本法制として、1879（明治12）年９月に公布された。学区制を廃止し、町村を小学校の設置単位と位置付け、その行政事務を行うために町村に人民公選の学務委員を置くこととされた。また、小学校の最低就学期間を16か月とし、公立学校の教育課程を地域の実情に即して学務委員と教員が定めることとなった。しかし、この法令の施行後、教育現場に混乱が見られるなどしたため、翌年、全面的な改正が行われた。

1 学事奨励ニ関スル被仰出書
2 小学校令
3 教育ニ関スル勅語（教育勅語）
4 教育令
5 教育基本法

よく出るポイント ◆日本国憲法や教育基本法等の頻出箇所

日本国憲法、教育基本法、学校教育法に関して過去５年間の出題傾向を整理してみると、必ずいずれかの法律に関する問題が出題されている。

日本国憲法	1946（昭和21）年制定	日本の法体系上で最高の位置を占めており、国民主権、平和主義、基本的人権の尊重の３つを基本原理としている。教育に関して直接関係する条項として、**「学問の自由」**（第23条）、**「教育を受ける権利」**（第26条）がある
教育基本法	1947（昭和22）年制定	教育の目的及び理念、教育の実施に関する基本的な条項を定めるとともに、国及び地方公共団体の責務が明示されている。**2006（平成18）**年に改正され、新しく**「生涯学習の理念」**「大学」「私立学校」「教員」**「家庭教育」**「学校、家庭及び地域住民等の相互連携協力」**「教育振興基本計画」**に関する条文が追加された
学校教育法	1947（昭和22）年公布	**「教育基本法」**と同時に公布され、合計９年間の**義務教育**（六・三制）が実現した。幼稚園や家庭支援にかかわる条項は、第１条、第22条、第23条、第24条等がある

A 06

正解 5

明治維新後、近代教育制度が確立されていった。1871（明治４）年に**文部省**が創設され、1872（明治５）年には学区制度と単線型の学校制度を構想した（ A.**学制** ）が公布された。その後、初代文部大臣となった（ B.**森有礼** ）は、国民教育制度の確立に力を注ぎ、特に初等教育の普及と**教員養成**の充実を図った。

1872（明治５）年に交付され、学区制度と単線型の学校制度を構想したのは「学制」。「**教育令**」は、1879（明治12）年に公布されたもので、全国画一的で中央集権的な「学制」と比べて、教育の権限を大幅に地方に委譲する内容だった。

伊藤博文（1841-1909）は、**吉田松陰**に師事し、高杉晋作らとともに尊王攘夷運動に挺身した。1885（明治18）年に内閣制度を創設し、初代**内閣総理大臣**に就任した人物である。
西村茂樹（1828-1902）は、少年期より儒学・砲術を学び、1873（明治６）年に文部省に出仕し、編書課長として教科書や辞書の編纂に携わった。**『日本道徳論』**などを発表し、儒教中心・皇室尊重の国民道徳の普及に努めた。

A 07

正解 4

1 ×「**学事奨励ニ関スル被仰出書**」は、1872（明治５）年の「学制」頒布にあたり、国民皆学や学問の重要性などを説いたもので、近年では「**学制布告書**」と呼ばれている。

2 ×「**小学校令**」は、1886（明治19）年に、それまでの「教育令」を廃止して公布されたもので、初代文部大臣・**森有礼**によって制定された。「小学校令」では、小学校を「尋常小学校」と「高等小学校」に分け、**尋常小学校修了**までを義務教育とした。

3 ×「**教育ニ関スル勅語**」（教育勅語）は、1890（明治23）年に下され、教育の基本方針を示したもので、井上毅と元田永孚が中心となって起草し、全文315文字からなる。1948（昭和23）年の国会によって失効が確認されている。

4 ○「**教育令**」は、1879（明治12）年に、それまでの「学制」を廃止して公布された。「学制」が欧米の教育制度をモデルとして制定されたこともあり、日本の教育制度にさまざまな課題があり、「学制」に代わる教育制度として**田中不二麻呂**が中心となって制定された。

5 ×「**教育基本法**」は、1947（昭和22）年に公布・施行され、教育の根本を明示し続けてきた法令。2006（平成18）年に改正され、新たに「大学」「教員」「**家庭教育**」「**幼児教育**」「**教育振興計画**」等に関する条文が追加された。

次の【Ⅰ群】の記述と、【Ⅱ群】の人物を結びつけた場合の正しい組み合わせを一つ選びなさい。 令和4年（前期）問4

【Ⅰ群】

A 一般の庶民にも開かれた教育機関である綜芸種智院を設立し、総合的な人間教育をめざした。

B 町人社会における実践哲学である石門心学を創始した。子どもの教育の可能性、子どもの善性を説く大人の役割についても言及した。

【Ⅱ群】

ア 石田梅岩

イ 最澄

ウ 大原幽学

エ 空海

オ 広瀬淡窓

（組み合わせ）

	A	B
1	ア	エ
2	イ	ア
3	ウ	オ
4	エ	ア
5	エ	ウ

◆明治以降の日本の教育史

年	主な出来事
1872（明治5）年	福沢諭吉が**学問のすゝめ**を刊行 **学制**頒布
1879（明治12）年	**学制**が廃止され**教育令**公布
1880（明治13）年	「改正教育令」公布
1885（明治18）年	**森有礼**（もりありのり）が初代文部大臣に就任
1886（明治19）年	**教育令**が廃止され、「帝国大学令」「師範学校令」「小学校令」「中学校令」が公布
1890（明治23）年	**教育ニ関スル勅語（教育勅語）**渙発
1918（大正7）年	鈴木三重吉が**赤い鳥**刊行
1926（大正15）年	日本初の幼稚園を規定した法令**幼稚園令**公付
1941（昭和16）年	**国民学校令**公付、小学校が国民学校に改称
1946（昭和21）年	**日本国憲法**公布、**教育刷新委員会**設置
1947（昭和22）年	**教育基本法**、**学校教育法**公布

A 08

正解 4

A 空海 「一般の庶民にも開かれた教育機関である**綜芸種智院**を設立し、総合的な人間教育をめざした」人物は、空海である。

B 石田梅岩 「町人社会における実践哲学である**石門心学**を創始し」、「子どもの教育の可能性、子どもの善性を説く大人の役割について言及」した人物は、石田梅岩である。

最澄（766－822）は、766年に近江国（現在の滋賀県）に生まれ、804年に遣唐使の一人として中国に渡り、天台宗を学んだ人物である。翌年に帰国した後は、**比叡山延暦寺**を建立するなど、**天台宗**を日本に広める活動を展開した（天台宗の開祖）。

大原幽学（1797－1858）は、江戸時代の農政学者で、幕末にかけて農民の教化と**農村改革運動**を展開（現在の農業協同組合にあたる**先祖株組合**を世界で初めて創設）した人物である。

広瀬淡窓（1782－1856）は、江戸時代の儒学者で、豊後国日田郡（現在の大分県）に生まれ、入門時に年齢、学歴、身分の三つを問わないとする**「三奪の法」**や、月ごとの成績によって等級を分ける「月旦評」など独自の取り組みを展開した私塾・**咸宜園**を開いた人物である。

◆江戸時代の教育機関

手習塾（寺子屋）	江戸時代に普及した初等教育機関で、手習所とも称される。庶民や武士の子どもたちを主な対象とし、**読み・書き・算術**の基礎教育を授けた。幕末までに全国で5万〜6万以上の手習塾（寺子屋）が開業していたとされ、**往来物**や習字手本を用いた個別指導が実施されていた
私塾	民間人が設置した中等・高等教育機関で、江戸時代から明治初期にかけて主に専門教育が行われていた。江戸時代には約1,500か所にわたって設置されていたとされ、幕府の昌平坂学問所等も私塾が母体であった。代表的な私塾としては、江戸幕府儒者の林家による林家塾、緒方洪庵の**適塾**、吉田松陰の**松下村塾**、広瀬淡窓の**咸宜園**、福澤諭吉の**慶應義塾**等をあげることができる

次のア〜ウの図は、日本の教育制度を示したものである。年代を古い順に並べた場合の正しい組み合わせを一つ選びなさい。　令和元年(後期) 問7

ア

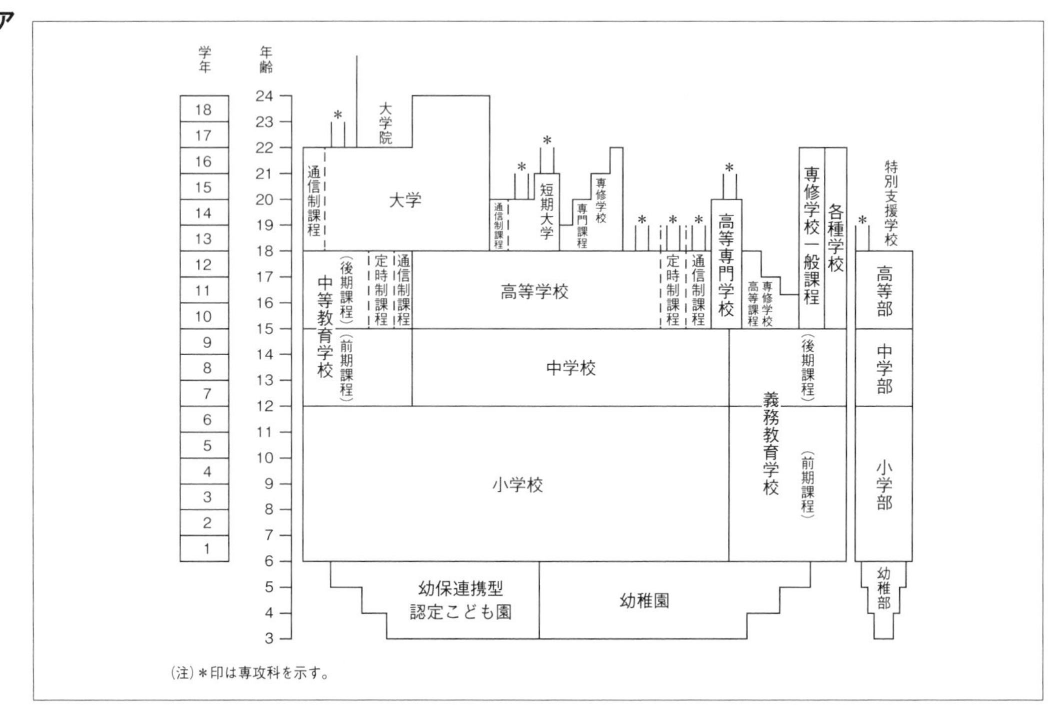

イ

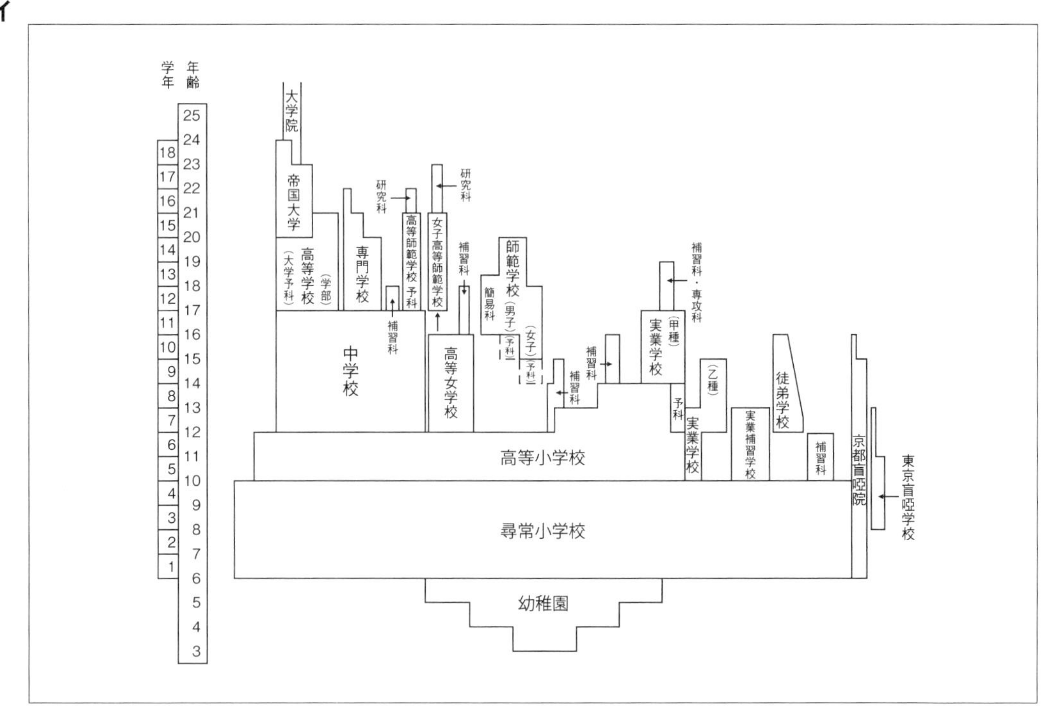

ウ

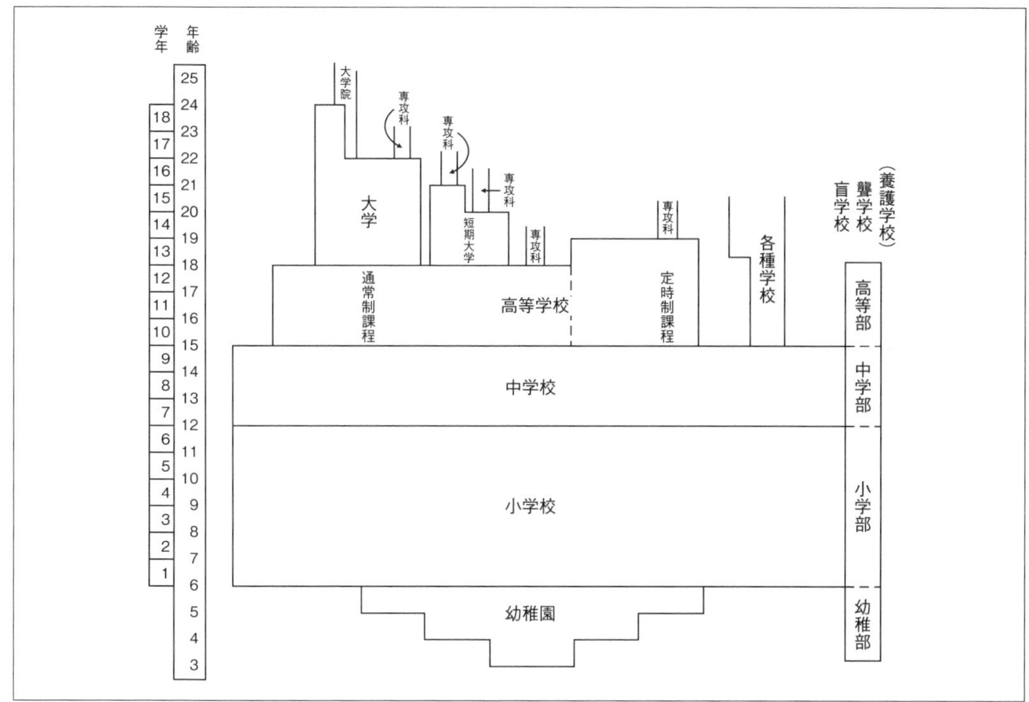

（組み合わせ）

1 ア→イ→ウ

2 ア→ウ→イ

3 イ→ア→ウ

4 イ→ウ→ア

5 ウ→イ→ア

A 09

正解 4

ア アとウについては、「幼稚園」「小学校」「中学校」など、現代と同じ名称があること、そして、6～15歳まではすべての人が教育を受ける義務教育になっていることから、戦後日本の教育制度であることがわかる。その中で、アについては、2006（平成18）年に創設された**幼保連携型認定こども園**や、2016（平成28）年に創設された**義務教育学校**があることから、ウよりも最近の教育制度を示した図であることがわかる。

イ 「尋常小学校」「高等小学校」をはじめ「師範学校」や「帝国大学」等があることから、戦前日本の教育制度（学校系統図）であることがわかる。なお、6～12歳を対象とする学校に着目すると、**尋常小学校**（一部、高等小学校）という名称がみられるのは、1941（昭和16）年の**国民学校令**が公布されるまでで、その後、第二次世界大戦中は**国民学校**という名称になった。戦後は、小学校となった。

ウ アで解説したとおり、アよりも古い戦後日本の教育制度（学校系統図）である。

以上より、**イ→ウ→ア**の順となる。

次の文は、昭和16〜22年にかけて保育者として働いていた女性が当時を思い出して書いた文の一部である。(　　　)に入る人物を一つ選びなさい。

令和3年(前期) 問6

「生活教材」という言葉は、この時代の私は、はっきりつかんでいない。というのは、当時の保育五項目や視聴覚に関する内容が、この欄に記されている、それぐらいの理解の仕方であった。

(　　　)先生が、保育教材を科学的に選び配列するようにとおっしゃって、保育を科学的にと力説なさっておられたのは、保育問題研究会始まって以来の事だったのに、それもわかってはいなかった。

鈴木とく『戦中保育私記』

1 関信三
2 倉橋惣三
3 城戸幡太郎
4 澤柳政太郎
5 中江藤樹

次の記述にあてはまる人物として、正しいものを一つ選びなさい。

令和3年(前期) 問7

ドイツの哲学者、教育学者。カントの後任としてケーニヒスベルク大学で哲学などの講座を受け持つ。教育の課題とは道徳的品性の陶冶であるとし、多方面への興味を喚起することが必要だと考え「教育(訓育)的教授」という概念を提示した。また、教授の過程は興味の概念に対応しており、「形式的段階」と呼ばれるようになった。この「形式的段階」概念は弟子たちに引き継がれ、「予備・提示・比較・総合・応用」の5段階へと改変された。

1 ヘルバルト(Herbart, J.F.)
2 ペスタロッチ(Pestalozzi, J.H.)
3 キルパトリック(Kilpatrick, W.H.)
4 デューイ(Dewey, J.)
5 コメニウス(Comenius, J.A.)

A 10

正解 3

1 × **関信三**は、**東京女子高等師範学校**創設時に英語教師として着任し、初代監事として同附属幼稚園の開設に**松野クララ**らとともに携わり、日本で最初の幼稚園経営に関与した人物である。主著に『幼稚園記』『幼稚園創立法』『幼稚園法二十遊嬉』がある。

2 × **倉橋惣三**は、1917（大正６）年に東京女子高等師範学校教授、同附属幼稚園主事を兼任し、充実した子どもの生活を目指す「**誘導保育**」を主張した。保育所保育指針の原型となる「**保育要領**」の作成にも関与した。

3 ○ **城戸幡太郎**は、日本における集団主義保育の理論的指導者であり、1936（昭和11）年に「**保育問題研究会**」を結成し、研究者と保育者との協同による実践的研究を推進した人物である。戦後は、「**教育刷新委員会**」委員などとして活躍した。

4 × **澤柳政太郎**は、明治期・大正期の文部官僚であり、教育学者。明治期は文部省の官僚として、「小学校令」の改正等に携わり、1911（明治44）年には**東北帝国大学**の初代総長として、初めて女性に入学を許可した。大正期には「**成城小学校**」を創設し、大正新教育運動に影響を与えた。

5 × **中江藤樹**は、江戸時代の陽明学者。近江（現在の滋賀県）に私塾（**藤樹書院**）をひらいた。

A 11

正解 1

1 ○ **ヘルバルト**は、ドイツの教育学者で、「教育学」を実践科学として最初に基礎づけた人物である。子どもの認識段階に関心をもち、のちに「**四段階教授法**」（明瞭→連合→系統→方法という四段階による教授段階論）を主張した。

2 × **ペスタロッチ**は、ルソーの思想を継承したスイスの教育思想家であり、「**生活が陶冶（とうや）する**」という名言で知られている。主著に『**隠者の夕暮**』（1780年）がある。

3 × **キルパトリック**は、デューイの経験主義に基づき、実践的な作業を通して問題解決をしていく「**プロジェクト・メソッド**」（目的設定→計画立案→実行→判断・評価の４段階からなる）を主張した人物である。

4 × **デューイ**は、**経験主義**、実験主義を教育の基本原理と考えており、戦前日本の大正自由教育の時代だけでなく、今日の生活科や総合的な学習の時間にも影響を与えている。主著に『**学校と社会**』『**民主主義と教育**』などがある。

5 × **コメニウス**は、**直感教授**の原理（知識は感覚から始まるという考え方）を具体化した人物で、主著『**世界図絵**』は世界で初めて絵入りの子ども向け教科書だといわれている。

次の【Ⅰ群】の記述と、【Ⅱ群】の人物を結び付けた場合の正しい組み合わせを一つ選びなさい。 令和元年（後期）問5

【Ⅰ群】

A『脱学校の社会』（1977年）で、学校制度を通じて「教えられ、学ばされる」ことにより、「自ら学ぶ」など、学習していく動機を持てなくなる様子を「学校化」として批判的に分析した。

B『被抑圧者の教育学』（1979年）で、学校を通じて子どもに知識が一方的に授けられる様子を「銀行型教育」と批判し、これに代わって教育では「対話」が重視されるべきだとした。

【Ⅱ群】

ア イリイチ（Illich, I.）

イ フレイレ（Freire, P.）

ウ フレネ（Freinet, C.）

（組み合わせ）

	A	B
1	ア	イ
2	ア	ウ
3	イ	ア
4	イ	ウ
5	ウ	イ

③教育の制度

次の文は、「教育基本法」第９条の一部である。（　A　）・（　B　）にあてはまる語句の正しい組み合わせを一つ選びなさい。 平成31年（前期）問1

法律に定める学校の教員は、自己の崇高な使命を深く自覚し、絶えず研究と（　A　）に励み、その（　B　）の遂行に努めなければならない。
前項の教員については、その使命と（　B　）の重要性にかんがみ、その身分は尊重され、待遇の適正が期せられるとともに、養成と研修の充実が図られなければならない。

（組み合わせ）

	A	B
1	研鑽	任務
2	研鑽	職責
3	修養	職責
4	修養	職務
5	修養	任務

A 12

正解 1

A ア 『脱学校の社会』を執筆したのは、**イリイチ**である。彼は、学校制度を通じて「教えられ、学ばされる」ことにより、学習していく動機を持てなくなる様子を「学校化」として批判的に分析した。「**脱学校(化)**」という語はイリイチの造語であり、このような学校の解体が必要であると主張した。

B イ 『被抑圧者の教育学』を執筆したのは、**フレイレ**である。フレイレはブラジルの教育学者であり、学校で子どもに知識が一方的に授けられる様子を「**銀行型**教育」と批判し、これに対してコミュニケーション(対話)を重視する問題提起型学習が重視されるべきであると主張した。

フレネは、フランスの小学校教師であり、1935年に南フランスのニース近郊のヴァンスに**フレネ小学校**(私立小学校)を設立した人物である。教科書中心の授業を批判し、小学校に印刷機を導入し、子どもたちの作文や実験・観察などの成果を印刷して教科書とし、子どもたちの自主的な学習を推進した。

A 13

正解 3

法律に定める学校の教員は、自己の崇高な使命を深く自覚し、絶えず研究と(A.**修養**)に励み、その(B.**職責**)の遂行に努めなければならない。
前項の教員については、その使命と(B.**職責**)の重要性にかんがみ、その身分は尊重され、待遇の適正が期せられるとともに、養成と研修の充実が図られなければならない。

「**教育基本法**」は、1947(昭和22)年に公布・施行され、教育の基本的な理念や目的を明示した法律である。「教育基本法」第9条(教員)では、教員は「自己の崇高な使命を深く自覚し、絶えず**研究**と**修養**に励み、その**職責**の遂行に努めなければならない」と述べている。教員という仕事は教員免許状を取得すれば完成するものではなく、絶えず「理論」と「実践」とを往還し「**反省的実践家**」としての力量形成を続けていくこと=「**学び続ける教員像**」が求められている。関連して、「教育職員免許法」や「教育公務員特例法」第21条(研修)なども確認しておこう。

よく出るポイント ◆**学校教育法のまとめ**

「学校教育法」は、1947(昭和22)年3月に「教育基本法」と同時に公布され、「日本国憲法」や「教育基本法」に示された理念を具現化した基本的・包括的な法律である。「学校教育法」により、六・三・三制の単線型学校体系が敷かれ、新制中学校(3年制)も含めた9年間にわたる**義務教育**が実現した。
「学校教育法」第1条に定められた学校は、「**幼稚園**、小学校、中学校、**義務教育学校**、高等学校、中等教育学校、特別支援学校、大学及び高等専門学校」であり、これらは「**一条校**」と称される。
「学校教育法」は成立以来、たびたび改正されてきており、近年の主な改正をあげると、義務教育学校(**小中一貫教育**制度)の導入(2015)、「教育基本法」改正に伴う大幅な改正(2007)、特別支援教育の推進(2006)、高校から大学への飛び入学制度(2001)、中等教育学校(**中高一貫教育**制度)の導入(1998)等がある。

Q14

★★☆

次の文のうち、「幼稚園教育要領」第1章「総則」第4「指導計画の作成と幼児理解に基づいた評価」の一部として、下線部分が正しいものを○、誤ったものを×とした場合の正しい組み合わせを一つ選びなさい。 令和3年(前期) 問3

A 長期的に発達を見通した年、学期、月などにわたる長期の指導計画やこれとの関連を保ちながらより具体的な幼児の生活に即した週、日などの短期の指導計画を作成し、適切な指導が行われるようにすること。

B 幼児が様々な人やものとの関わりを通して、多様な体験をし、心身の調和のとれた発達を促すようにしていくこと。その際、幼児の発達を促進するため教師が中心となって活動を促し、幼児がより高度な学びを実現していくようにすること。

C 言語に関する能力の発達と思考力等の発達が関連していることを踏まえ、幼稚園生活全体を通して、より高度な言語環境を整え、小学校教育との円滑な接続を見据えた言語活動の促進を図ること。

D 行事の指導に当たっては、幼稚園生活の自然の流れの中で生活に変化や潤いを与え、幼児が困難を乗り越えられるようにすること。なお、それぞれの行事については、教師や保護者等に喜びの感情が沸き起こるようなものにすること。

(組み合わせ)

	A	B	C	D
1	○	○	○	○
2	○	×	○	×
3	○	×	×	×
4	×	○	×	○
5	×	×	○	×

★★☆

次のうち、「子ども・子育て支援法」第7条において定められる「教育・保育施設」として、あてはまるものを○、あてはまらないものを×とした場合の正しい組み合わせを一つ選びなさい。 令和4年(前期) 問8

A 幼稚園

B 保育所

C 認定こども園

D 小規模保育

E 地域子育て支援センター

(組み合わせ)

	A	B	C	D	E
1	○	○	○	○	○
2	○	○	○	×	×
3	○	×	×	○	×
4	×	○	×	×	×
5	×	×	×	○	○

A 14

正解 3

A ○ 「幼稚園教育要領」第１章「総則」第４の３「指導計画の作成上の留意事項」(1)において、「長期的に発達を見通した年、学期、月などにわたる長期の指導計画やこれとの関連を保ちながらより具体的な幼児の生活に即した週、日などの短期の指導計画を作成し、適切な指導が行われるようにすること」と述べられている。

B × 「幼稚園教育要領」第１章「総則」第４の３「指導計画の作成上の留意事項」(2)において、「**幼児の発達に即して主体的・対話的で深い学びが実現する**ようにするとともに、心を動かされる体験が次の活動を生み出すことを考慮し、**一つ一つの体験が相互に結び付き、幼稚園生活が充実するようにする**こと」と述べられている。「高度な学びの実現」よりも上記のようなことが求められている。

C × 「幼稚園教育要領」第１章「総則」第４の３「指導計画の作成上の留意事項」(3)において、「**幼児の発達を踏まえた言語環境を整え、言語活動の充実を図る**こと」と述べられている。「より高度な言語環境を整え」という部分が誤りである。

D × 「幼稚園教育要領」第１章「総則」第４の３「指導計画の作成上の留意事項」(5)において、「**幼児が主体的に楽しく活動できるようにする**こと。なお、それぞれの行事についてはその**教育的価値を十分検討し、適切なものを精選し、幼児の負担にならないようにする**こと」と述べられている。教師や保護者等よりも、幼児が主体的に楽しく活動できることが求められている。

A 15

正解 2

A ○ 「子ども・子育て支援法」第７条において、**幼稚園**は「教育・保育施設」とされている。

B ○ 「子ども・子育て支援法」第７条において、**保育所**は「教育・保育施設」とされている。

C ○ 「子ども・子育て支援法」第７条において、**認定こども園**は「教育・保育施設」とされている。

D × 「子ども・子育て支援法」第７条において、**小規模保育**は「教育・保育施設」とされていない。

E × 「子ども・子育て支援法」第７条において、**地域子育て支援センター**は「教育・保育施設」とされていない。

◆**教育・保育施設**

「子ども・子育て支援法」第７条では、「教育・保育施設」は以下の通り定義されている。

この法律において「教育・保育施設」とは、就学前の子どもに関する教育、保育等の総合的な提供の推進に関する法律（平成十八年法律第七十七号。以下「**認定こども園法**」という。）第二条第六項に規定する**認定こども園**（以下「**認定こども園**」という。）、学校教育法（昭和二十二年法律第二十六号）第一条に規定する**幼稚園**（認定こども園法第三条第一項又は第三項の認定を受けたもの及び同条第十項の規定による公示がされたものを除く。以下「**幼稚園**」という。）及び児童福祉法第三十九条第一項に規定する**保育所**（認定こども園法第三条第一項の認定を受けたもの及び同条第十項規定による公示がされたものを除く。以下「**保育所**」という。）をいう。

次の文は、幼稚園における学校評価に関する記述である。不適切な記述を一つ選びなさい。

平成30年（後期）問9

1 学校評価の形態として、自己評価、学校関係者評価、第三者評価の３つが考えられる。

2 教職員による自己評価を行うが、その結果を公表する義務はない。

3 幼稚園において、幼児がより良い教育活動を享受できるよう、学校運営の改善と発展を目指し、教育の水準の保証と向上を図ることが重要である。

4 学校評価の結果を踏まえ、各学校が自らその改善に取り組むとともに、評価の結果を学校の設置者等に報告することにより課題意識を共有することが重要である。

5 学校評価の実施そのものが自己目的化してしまわないよう、地域の実情も踏まえた実効性のある学校評価を実施していくことが何よりも重要である。

A 16

正解 2

1 ○ **文部科学省「幼稚園における学校評価ガイドライン」**（平成23年改訂版）によれば、学校評価の形態は、**自己評価、学校関係者評価、第三者評価**の３つが考えられている。

自己評価とは、各学校の教職員が行う評価である。

学校関係者評価とは、保護者、地域住民等の学校関係者などにより構成された評価委員会等が、自己評価の結果を評価することを基本として行われるもの。

第三者評価とは、学校とその設置者が実施者となり、学校運営に関する外部の専門家を中心とした評価者により、自己評価や学校関係者評価の実施状況を踏まえつつ、教育活動その他の学校運営の状況について専門的視点から行う評価である。

2 × 「学校教育法施行規則」**第66条（学校運営自己評価と結果公表義務、幼稚園は第39条により準用）**により公表することが義務付けられている。また、文部科学省「幼稚園における学校評価ガイドライン」（平成23年改訂版）によれば、自己評価の「評価結果を公表することにより、学校運営の質に対する説明責任を果たし、保護者との連携協力を推進することができる」とされている。

3 ○ 文部科学省「幼稚園における学校評価ガイドライン」（平成23年改訂版）において、「幼稚園において、幼児がより良い教育活動を享受できるよう、学校運営の改善と発展を目指し、教育の水準の保証と向上を図ることが重要である」ことが述べられている。

4 ○ 文部科学省「幼稚園における学校評価ガイドライン」（平成23年改訂版）において、「学校評価の結果を踏まえ、各学校が自らその改善に取り組むとともに、評価の結果を学校の設置者等に報告することにより課題意識を共有することが重要である」と述べられている。

5 ○ 文部科学省「幼稚園における学校評価ガイドライン」（平成23年改訂版）において、「学校評価の実施そのものが自己目的化してしまわないよう、地域の実情も踏まえた実効性のある学校評価を実施していくことが何よりも重要である」ことが述べられている。

次のうち、「幼保連携型認定こども園教育・保育要領」第１章「総則」第３「幼保こども園として特に配慮すべき事項」の一部として、適切なものを○、不適切なものを×とした場合の正しい組み合わせを一つ選びなさい。

令和４年（後期）問５

A 園児の一日の生活の連続性及びリズムの多様性に配慮するとともに、保護者の生活形態を反映した園児の在園時間の長短、入園時期や登園日数の違いを踏まえ、園児一人一人の状況に応じ、教育及び保育の内容やその展開について工夫をすること。

B 満３歳未満の園児については睡眠時間等の個人差に配慮するとともに、満３歳以上の園児については集中して遊ぶ場と家庭的な雰囲気の中でくつろぐ場との適切な調和等の工夫をすること。

C 満３歳以上の園児については、特に長期的な休業中、園児が過ごす家庭や園などの生活の場が異なることを踏まえ、それぞれの多様な生活経験が長期的な休業などの終了後等の園生活に生かされるよう工夫をすること。

（組み合わせ）

	A	B	C
1	○	○	○
2	○	○	×
3	○	×	○
4	×	○	○
5	×	×	○

次の文は、「幼稚園教育要領」前文の一部である。（ A ）・（ B ）にあてはまる語句の正しい組み合わせを一つ選びなさい。

令和５年（前期）問２

これからの幼稚園には、学校教育の始まりとして、こうした教育の目的及び目標の達成を目指しつつ、一人一人の幼児が、将来、自分のよさや可能性を認識するとともに、あらゆる他者を価値のある存在として尊重し、多様な人々と協働しながら様々な社会的変化を乗り越え、豊かな人生を切り拓き、（ A ）の創り手となることができるようにするための基礎を培うことが求められる。このために必要な教育の在り方を具体化するのが、各幼稚園において教育の内容等を組織的かつ計画的に組み立てた（ B ）である。

（組み合わせ）

	A	B
1	持続可能な社会	教育課程
2	多様性を包含した社会	教育課程
3	持続可能な社会	保育課程
4	多様性を包含した社会	保育課程
5	国際化社会	教育課程

A 17

正解 1

A ○ 「幼保連携型認定こども園教育・保育要領」第１章「総則」第３「幼保連携型認定こども園として特に配慮すべき事項」の「**2　一日の生活の連続性及びリズムの多様性に配慮した保育の内容の工夫**」において、園児一人一人の**多様な生活リズム**に対応し、心身の負担や不安感を取り除きつつ、無理のない自然な生活をつくり出していくために、教育及び保育の内容や展開について工夫することが求められている。

B ○ 「幼保連携型認定こども園教育・保育要領」第１章「総則」第３「幼保連携型認定こども園として特に配慮すべき事項」の「**3　環境を通して行う教育及び保育**」(126－132ページ）において、満３歳以上の園児について集中して遊びに取り組む場と家庭的な雰囲気の中でくつろぐ場の配置などの環境の構成を、その場の状況に応じて柔軟に対応することが求められている。集中して遊びに取り組む場では、園児の**興味や関心に応じた遊びの充実**や発展につながる多様な材料や道具を用意したり、自分たちで様々な遊びが始められるような環境の構成が求められている。家庭的な雰囲気でくつろぐ場では、園児一人一人が静かに自分のペースで安心してゆったりと過ごす場となることを意図し、発達に応じて遊びに取り組める環境を構成し、園児の**自然な活動の欲求を満たせるようにすること**が重視されている。

C ○ 「幼保連携型認定こども園教育・保育要領」第１章「総則」第３「幼保連携型認定こども園として特に配慮すべき事項」の「**3　環境を通して行う教育及び保育**」(126－132ページ）において、長期的な休業期間（夏季休業や冬季休業など）は保護者の生活形態によって、毎日登園する園児と、家庭や地域等で過ごす園児がおり、それぞれの園児や保護者への配慮や対応が求められている。園生活を離れ、家庭や地域の生活の中で、様々な人と出会い、多様な経験を重ねることなどは、園児の世界を広げる大切な機会となる。毎日登園する園児については、少人数だからこそ可能な体験や外部人材の活用など、多様な体験を重ねることができるような工夫が求められている。

A 18

正解 1

A　持続可能な社会

B　教育課程

「幼稚園教育要領」では、幼稚園教育で育てたい資質・能力と、幼児期の終わりまでに育ってほしい具体的な姿が明確化され、幼児教育と**小学校教育との接続性**が強化された（**カリキュラム・マネジメント**も含む）。前文においては設問文をはじめ、１）「**教育基本法**」等に規定する教育の目的との関連性、２）「**社会に開かれた教育課程**」の実現、３）「幼稚園教育要領」を踏まえた**創意工夫に基づく教育活動**の充実等について示されている。

④教育の実践

次の文は、「幼稚園教育要領」第１章「総則」の一部である。(　　)にあてはまる語句として、正しいものを一つ選びなさい。 令和４年(後期) 問6

★★★

教育課程の実施に必要な人的又は物的な体制を確保するとともにその改善を図っていくことなどを通して、教育課程に基づき組織的かつ計画的に各幼稚園の教育活動の質の向上を図っていくこと(以下「(　　　)」という。)に努めるものとする。

1 潜在的カリキュラム
2 経験カリキュラム
3 アプローチ・カリキュラム
4 カリキュラム・マネジメント
5 カリキュラム・デザイン

次の文は、ある学習の方法に関する記述である。(A)・(B)にあてはまる語句の正しい組み合わせを一つ選びなさい。 平成28年(前期) 問7

★★★

(A)は、発見学習に対して、その効率の悪さに異を唱え、文化の継承として知識をそのまま受け容れて身につけることが大切であると主張した。そのためには機械的に知識を覚えさせるのではなく、新しい学習内容を学習者が既に所有している知識と関連づけて、その意味や重要性を理解できる形で提示すれば、新しい知識の定着がよくなるとして、(B)を提唱した。学習内容を理解しやすく方向づけるためにあらかじめ与える情報を、先行オーガナイザーという。

(組み合わせ)

	A	B
1	スキナー(Skinner, B.F.)	プログラム学習
2	ヘルバルト(Herbart, J.F.)	四段階教授法
3	ブルーム(Bloom, B.S.)	完全習得学習
4	オーズベル(Ausubel, D.P.)	有意味受容学習
5	キルパトリック(Kilpatrick, W.H.)	プロジェクト・メソッド

A 19　　正解 4

1 × **潜在的カリキュラム**（隠れたカリキュラム）とは、教える側が意図する/意図しないに関わらず、学校生活の中で子どもたちが学び取っていくすべての事柄を指す。

2 × **経験カリキュラム**とは、生活カリキュラムや活動カリキュラムとも呼ばれ、経験主義の立場で子どもたちの興味・関心から出発し、課題を解決していくことで生活経験を積み重ねていく。

3 × **アプローチ・カリキュラム**とは、幼児教育から小学校教育への接続期のカリキュラムを指す。就学前の幼児がスムーズに小学校での生活や学習活動に取り組むことができるよう、工夫された5歳児のカリキュラムであり、小学校入学後は「**スタートカリキュラム**」を実施することとされている。

4 ○ **カリキュラム・マネジメント**とは、教育課程の実施に必要な人的又は物的な体制を確保するとともに、その改善を図っていくことなどを通して、教育課程に基づき組織的かつ計画的に各幼稚園の教育活動の質の向上を推進していくことを指す。

5 × **カリキュラム・デザイン**とは、従来教師は教室の外で開発されたカリキュラムや教科書等を受動的に遂行することが求められていたのに対し、教育実践の主体である教師の側からカリキュラムと授業のあり方を捉え直し（パラダイム転換）、教師が教材や子どもたちなどと絶えず対話や試行錯誤等を繰り返しながら、教育における学びやカリキュラムを創造する（絶え間ないデザイン）ことを指す。

A 20　　正解 4

（ A.**オーズベル** ）は、発見学習に対して、その効率の悪さに異を唱え、文化の継承として知識をそのまま受け容れて身につけることが大切であると主張した。そのためには機械的に知識を覚えさせるのではなく、新しい学習内容を学習者が既に所有している知識と関連づけて、その意味や重要性を理解できる形で提示すれば、新しい知識の定着がよくなるとして、（ B.**有意味受容学習** ）を提唱した。学習内容を理解しやすく方向づけるためにあらかじめ与える情報を、先行オーガナイザーという。

スキナーが提唱した**プログラム学習**とは、学習内容を小さな段階に分け、学習者のレベルに応じた個別の学習プログラムを組むことである。ヘルバルトが提唱した**四段階教授法**とは、子どもが認識に至る段階を「**明瞭→連合→系統→方法**」の四段階に区別したものである。ブルームによる完全習得学習とは、個々の子どもの学習状況を把握し適切な判断を行うために**診断的評価**、**形成的評価**、**総括的評価**の必要性を提唱したものである。キルパトリックによるプロジェクト・メソッドとは、**デューイ**の経験主義にもとづき実践的な作業を通して問題解決を図る方法である。

次の記述にあてはまる人物として、正しいものを一つ選びなさい。

平成27年（地域限定）問6

アメリカの行動主義心理学者。動物が箱内部のレバーを押すと餌が出る実験装置を開発し、オペラント条件づけの実験を行った。この装置を用いて彼は実験的行動分析という学問分野を確立し、人間の行動の分析と修正を目的とした応用行動分析という臨床手法の基礎を築いた。また、学習者がなるべく誤りをしないで目標に到達できるように学習内容を細かいステップに分割するスモールステップの原理などを特色とするプログラム学習という教育方法を提唱したことでも知られる。

1 デューイ（Dewey, J.）
2 スキナー（Skinner, B.F.）
3 ブルーム（Bloom, B.S.）
4 ブルーナー（Bruner, J.S.）
5 キルパトリック（Kilpatrick, W.H.）

⑤生涯学習社会における教育

次の文の（　　）にあてはまる語句として、最も適切なものを一つ選びなさい。

平成26年 問10

「（　　　）のための教育」を国際的な立場から推進することを提唱したのは日本政府である。2002年9月に開催された（　　　）に関する世界首脳会議（ヨハネスブルグ・サミット）での日本の提案に基づき、同年12月の第57回国連総会において、2005年から2014年までの10年を「国連（　　　）のための教育の10年」とし、ユネスコをその主導機関とするとの決議が採択された。
国内実施計画では、「（　　　）のための教育」の目指すべきは、「地球的視野で考え、様々な課題を自らの問題として捉え、身近なところから取り組み、持続可能な社会づくりの担い手となる」よう個々人を育成し、意識と行動を変革することとされている。また、人格の発達や、自律心、判断力、責任感などの人間性を育むという観点、個々人が他人、社会、自然環境との関係性の中で生きており、「関わり」、「つながり」を尊重できる個人を育むという観点が必要であるとされている。

1 経済成長
2 持続可能な開発
3 世界平和
4 循環型社会
5 人権尊重

A 21

正解 2

1 × デューイは、**問題解決学習**（学習者自らの生活経験から問題を発見し、実践的に解決する作業を通して知識を習得していく学習）を提唱した人物であり、主著として**『学校と社会』**がある。

2 ○ スキナーは、アメリカの**行動主義心理学者**であり、**プログラム学習**（学習内容を小さな段階に分け、学習者のレベルに応じた個別の学習プログラム）を提唱した人物である。

3 × ブルームは、アメリカの**教育心理学者**であり、教育目標の分類学にもとづく**完全習得学習**を提唱した人物である。

4 × ブルーナーは、**発見学習**（直観や想像力を働かせ、知識の構造を自ら発見する過程、またそのような学習を通して学習の仕方を発見するもの）を提唱した人物である。

5 × キルパトリックは、**デューイ**の経験主義にもとづいて、**プロジェクト・メソッド**（実践的な作業を通して問題解決をしていく４段階による学習方法）を提唱した人物である。

A 22

正解 2

「（ **持続可能な開発** ）のための教育」を国際的な立場から推進することを提唱したのは日本政府である。2002年９月に開催された（ **持続可能な開発** ）に関する世界首脳会議（ヨハネスブルグ・サミット）での日本の提案に基づき、同年12月の第57回国連総会において、2005年から2014年までの10年を「国連（ **持続可能な開発** ）のための教育の10年」とし、ユネスコをその主導機関とするとの決議が採択された。
国内実施計画では、「（ **持続可能な開発** ）のための教育」の目指すべきは、「地球的視野で考え、様々な課題を自らの問題として捉え、身近なところから取り組み、持続可能な社会づくりの担い手となる」よう個々人を育成し、意識と行動を変革することとされている。また、人格の発達や、自律心、判断力、責任感などの人間性を育むという観点、個々人が他人、社会、自然環境との関係性の中で生きており、「関わり」、「つながり」を尊重できる個人を育むという観点が必要であるとされている。

持続可能な開発のための教育（**ESD**：Education for Sustainable Development）とは、現代社会における課題を**自らの問題**としてとらえ、身近なところから取り組むことにより課題の解決につながる新しい**価値観**や行動を生み出すことにより、持続可能な社会を創造していくことを目指す学習や活動である。

加点のポイント

◆**主な学習方法のまとめ**

左記Q17にあげられた学習方法以外の代表的なものとしては、**ソクラテス**の産婆術、ペスタロッチの**直観教授法**、**ツィラー**による五段階教授法、ラインによる五段階教授法、デューイの**問題解決学習**、シュタイナーによる**シュタイナー教育**、モンテッソーリによる**モンテッソーリ法**、モリソンによるモリソン・プラン、パーカーストによる**ドルトン・プラン**、ブルーナーによる**発見学習**等をあげることができる。

次の文は、『生徒指導提要』（文部科学省、令和４年）の中の「第１章　生徒指導の基礎」の一部である。（ A ）～（ C ）にあてはまる語句の正しい組み合わせを一つ選びなさい。 予想問題

生徒指導の目的は、教育課程の内外を問わず、学校が提供する全ての教育活動の中で児童生徒の（ A ）が尊重され、個性の発見とよさや可能性の伸長を児童生徒自らが図りながら、多様な社会的資質・能力を獲得し、自らの資質・能力を適切に行使して自己実現を果たすべく、自己の幸福と社会の発展を児童生徒自らが追求することを支えるところに求められます。生徒指導において（ B ）を支えるとは、児童生徒の心理面（自信・自己肯定感等）の発達のみならず、学習面（興味・関心・学習意欲等）、社会面（人間関係・集団適応等）、進路面（進路意識・将来展望等）、健康面（生活習慣・メンタルヘルス等）の発達を含む包括的なものです。また、生徒指導の目的を達成するためには、児童生徒一人一人が（ C ）を身に付けることが重要です。児童生徒が、深い自己理解に基づき、「何をしたいのか」、「何をするべきか」、主体的に問題や課題を発見し、自己の目標を選択・設定して、この目標の達成のため、自発的、自律的、かつ、他者の主体性を尊重しながら、自らの行動を決断し、実行する力、すなわち、「（ C ）」を獲得することが目指されます。

（組み合わせ）

	A	B	C
1	個性	成長	自己決定能力
2	個性	発達	自己指導能力
3	人格	成長	自己決定能力
4	人格	発達	自己指導能力
5	人格	成長	自己指導能力

◆SDGs

2015年９月、ニューヨーク国連本部で開催された「国連持続可能な開発サミット」で、「我々の世界を変革する：持続可能な開発のための2030アジェンダ」が採択された。そのアジェンダは、「人間、地球及び繁栄のための行動計画として宣言および目標」を掲げており、その目標が「**持続可能な開発目標（Sustainable Development Goals：SDGs）**」で、17の目標と169のターゲットから構成されている。SDGsは、2000年に採択され、2000年から2015年まで取り組んできた「**ミレニアム開発目標（MDGs）**」（８の目標と21のターゲット、60の指標）の後継にあたる。2030年までにSDGsを達成するために、2020年１月にはSDGs達成のための「**行動の10年**」がスタートした。

A 23

正解 3

生徒指導の目的は、教育課程の内外を問わず、学校が提供する全ての教育活動の中で児童生徒の（ A.**人格** ）が尊重され、個性の発見とよさや可能性の伸長を児童生徒自らが図りながら、多様な社会的資質・能力を獲得し、自らの資質・能力を適切に行使して自己実現を果たすべく、自己の幸福と社会の発展を児童生徒自らが追求することを支えるところに求められます。

生徒指導において（ B.**発達** ）を支えるとは、児童生徒の心理面（自信・自己肯定感等）の発達のみならず、学習面（興味・関心・学習意欲等）、社会面（人間関係・集団適応等）、進路面（進路意識・将来展望等）、健康面（生活習慣・メンタルヘルス等）の発達を含む包括的なものです。

また、生徒指導の目的を達成するためには、児童生徒一人一人が（ C.**自己指導能力** ）を身に付けることが重要です。児童生徒が、深い自己理解に基づき、「何をしたいのか」、「何をするべきか」、主体的に問題や課題を発見し、自己の目標を選択・設定して、この目標の達成のため、自発的、自律的、かつ、他者の主体性を尊重しながら、自らの行動を決断し、実行する力、すなわち、「（ C.**自己指導能力** ）」を獲得することが目指されます。

「生徒指導提要」は、小学校から高等学校段階までの生徒指導の理論・考え方や実際の指導方法等についてまとめられたもので、生徒指導に関する学校・教職員向けの基本書として**2010（平成22）年に作成**されました。それまでは、1965（昭和40）年の「**生徒指導の手引き**」と、1981（昭和56）年の「**生徒指導の手引（改訂版）**」があり、中学校・高等学校生を前提として記述されたものがあり、約30年ぶりの改訂だった。

その後、いじめや不登校、子どもの自殺者数の増加等、子ども達を取り巻く環境や諸問題の変化を踏まえ、**令和４年12月**、12年ぶりに改訂された。

よく出るポイント ◆**生涯教育・生涯学習の歴史**

年	概　要
1965（昭和40）年	ユネスコ成人教育推進国際会議で、**ポール・ラングラン**が「**生涯教育論**」を提唱した
1973（昭和48）年	OECDが「リカレント教育」を提唱した
1981（昭和56）年	中央教育審議会答申「生涯教育について」が提出された
1986（昭和61）年	臨時教育審議会答申で「生涯学習体系への移行」が打ち出される
1990（平成２）年	・中央教育審議会答申「生涯学習の基盤整備について」 ・「生涯学習の振興のための施策の推進体制等の整備に関する法律（**生涯学習振興法**）」が制定される ・文部省に「**生涯学習審議会**」が設置される
1992（平成４）年	生涯学習審議会答申「今後の社会の動向に対応した生涯学習の振興方策について」
1996（平成８）年	生涯学習審議会答申「地域における生涯学習機会の充実方策について」
1998（平成10）年	生涯学習審議会答申「社会の変化に対応した今後の社会教育行政の在り方について」
1999（平成11）年	生涯学習審議会答申「学習の成果を幅広く生かす～生涯学習の成果を生かすための方策について～」「**生活体験・自然体験**が日本の子どもの心をはぐくむ」
2006（平成18）年	教育基本法に新たに「**生涯学習の理念**」が盛り込まれる
2008（平成20）年	中央教育審議会答申「新しい時代を切り開く生涯学習の振興方策について～知の循環型社会の構築を目指して～」

文部科学省は、学校現場の参考に資するよう、「体罰の禁止及び児童生徒理解に基づく指導の徹底について（通知）」（平成25年3月）の別紙として、「学校教育法第11条に規定する児童生徒の懲戒・体罰等に関する参考事例」を示した。そこにおいて、「認められる懲戒（通常、懲戒権の範囲内と判断されると考えられる行為）（ただし肉体的苦痛を伴わないものに限る。）」とされているものを○、「体罰（通常、体罰と判断されると考えられる行為）」とされているものを×とした場合の正しい組み合わせを一つ選びなさい。 平成27年（地域限定）問10

A 立ち歩きの多い児童生徒を叱って席につかせる。

B 放課後に児童を教室に残留させ、児童がトイレに行きたいと訴えたが、一切、室外に出ることを許さない。

C 宿題を忘れた児童に対して、教室の後方で正座で授業を受けるよう言い、児童が苦痛を訴えたが、そのままの姿勢を保持させた。

（組み合わせ）

	A	B	C
1	○	○	○
2	○	×	○
3	○	×	×
4	×	○	○
5	×	×	×

次のA～Cのうち、「特別支援教育の推進について（通知）」（平成19年　文部科学省）の一部として、下線部分が正しいものを○、誤ったものを×とした場合の正しい組み合わせを一つ選びなさい。 令和元年（後期）問10

A 特別支援教育は、これまでの特殊教育の対象の障害だけでなく、知的な遅れのない発達障害も含めて、特別な支援を必要とする幼児児童生徒が在籍する全ての学校において実施されるものである。

B 特別支援教育は、障害のある幼児児童生徒への教育にとどまらず、障害の有無やその他の個々の違いを認識しつつ様々な人々が生き生きと活躍できる共生社会の形成の基礎となるものであり、我が国の現在及び将来の社会にとって重要な意味を持っている。

C 特別な支援が必要と考えられる幼児児童生徒については、担任一人が責任をもって保護者の理解を得ることができるよう慎重に説明を行い、学校や家庭で必要な支援や配慮について、保護者と連携して検討を進めること。

（組み合わせ）

	A	B	C
1	○	○	○
2	○	○	×
3	○	×	○
4	×	○	×
5	×	×	○

A 24

正解 3

A ○ 文部科学省「学校教育法第11条に規定する児童生徒の懲戒・体罰等に関する参考事例」として、「立ち歩きの多い児童生徒を叱って席につかせる」ことは、「**認められる懲戒（通常、懲戒権の範囲内と判断されると考えられる行為）（ただし肉体的苦痛を伴わないものに限る。）**」とされている。

B × 「放課後に児童を教室に残留させ、児童がトイレに行きたいと訴えたが、一切、室外に出ることを許さない」ことは、「**体罰（通常、体罰と判断されると考えられる行為）**」に該当する。この他、体罰に該当する行為については、文部科学省「学校教育法第11条に規定する児童生徒の懲戒・体罰等に関する参考事例」を確認するとよい。

C × 「宿題を忘れた児童に対して、教室の後方で正座で授業を受けるように言い、**児童が苦痛を訴えた**が、そのままの姿勢を保持させた」ことは、「体罰（通常、体罰と判断されると考えられる行為）」に該当する。

A 25

正解 2

A ○ 「特別支援教育の推進について（通知）」（平成19年　文部科学省）において、「特別支援教育は、これまでの特殊教育の対象の障害だけでなく、**知的な遅れのない発達障害**も含めて、特別な支援を必要とする幼児児童生徒が在籍する**全ての学校**において実施されるもの」と述べられている。

B ○ 「特別支援教育の推進について（通知）」（平成19年　文部科学省）において、「特別支援教育は、障害のある幼児児童生徒への教育にとどまらず、障害の有無やその他の個々の違いを認識しつつ**様々な人々**が生き生きと活躍できる**共生社会の形成の基礎**となるものであり、我が国の現在及び将来の社会にとって重要な意味を持っている」と述べられている。

C × 「担任一人が責任をもって」ではなく、「特別な支援が必要と考えられる幼児児童生徒については、**特別支援教育コーディネーター等**と検討を行った上で、保護者の理解を得ることができるよう慎重に説明を行い、学校や家庭で必要な支援や配慮について、保護者と連携して検討を進めること」とされている。

次のうち、「OECD生徒の学習到達調査2022年調査（PISA2022）のポイント」（令和5年12月5日、文部科学省・国立教育政策研究所）における日本の結果として、不適切な記述を一つ選びなさい。 令和4年（後期）改

1 数学的リテラシー及び科学的リテラシーは、引き続き世界トップレベルである。

2 前回の2018年調査と比較して、OECDの平均得点は低下したが、日本は3分野すべてにおいて前回調査よりも平均得点が上昇した。

3 日本の平均得点が上昇した理由の一つとして、新型コロナウイルス感染症のため休校した期間が、他国に比べて短かったことが影響した可能性が指摘されている。

4 OECDが分析する「レジリエントな」国・地域は4つあり、日本はその1つである。

5 「学校が再び休校になった場合に自律学習を行う自信があるか」という質問に対する回答で、「自信がある」と回答した生徒が日本は非常に多かった。

◆インクルーシブ教育

日本も批准している「**障害者の権利に関する条約**」第24条に「障害者を包容するあらゆる段階の教育制度」として記載されている。具体的には、**障害のある者と障害のない者**がともに学ぶ仕組みであり、自己の生活する地域において初等中等教育の機会が与えられること、個人に必要な「**合理的配慮**」が提供されることなどとされている。

よく出るポイント ◆特別支援教育をめぐる動向

2003（平成15）年	文部科学省・特別支援教育の在り方に関する調査研究協力者会議による「今後の特別支援教育の在り方について（最終報告）」
2004（平成16）年	文部科学省「小・中学校におけるLD（**学習障害**）、AD/HD（**注意欠陥／多動性障害**）、高機能自閉症の児童生徒への教育支援体制の整備のためのガイドライン（試案）」
2005（平成17）年	中央教育審議会の答申「特別支援教育を推進するための制度の在り方について」
2006（平成18）年	「学校教育法施行規則」の一部が改正され通級による指導の対象に自閉症・LD・AD/HDを追加
2007（平成19）年	「**特殊教育**」が「**特別支援教育**」へと転換。文部科学省「特別支援教育の推進について（通知）」
2012（平成24）年	中央教育審議会「**共生社会の形成に向けたインクルーシブ教育システム構築のための特別支援教育の推進（報告）**」
2013（平成25）年	「**学校教育法施行令**」の一部が改正され就学先を決定する仕組みが改正

A 26

正解 5

1 ○ 文部科学省・国立教育政策研究所「「OECD生徒の学習到達調査2022年調査(PISA2022)のポイント」(令和5年12月5日)によれば、日本の数学的リテラシー及び科学的リテラシーは引き続き**世界トップレベル**にあった(数学的リテラシー:1位、科学的リテラシー:1位、読解力:2位)。読解力、科学的リテラシーにおいて低得点層の割合が**優位に減少し**、数学的リテラシー及び科学的リテラシーにおいて高得点層の割合が**優位に増加した**。

2 ○ 文部科学省・国立教育政策研究所「「OECD生徒の学習到達調査2022年調査(PISA2022)のポイント」(令和5年12月5日)によれば、前回の2018年調査と比較して、OECDの平均得点は低下したが、日本は3分野すべてにおいて前回調査よりも**平均得点が上昇した**。

3 ○ 文部科学省・国立教育政策研究所「「OECD生徒の学習到達調査2022年調査(PISA2022)のポイント」(令和5年12月5日)によれば、日本の平均得点が上昇した理由の一つとして、新型コロナウイルス感染症のため休校した期間が、**他国に比べて短かったこと**が影響した可能性が指摘されている。

4 ○ 文部科学省・国立教育政策研究所「「OECD生徒の学習到達調査2022年調査(PISA2022)のポイント」(令和5年12月5日)によれば、OECDが分析する「レジリエントな」国・地域は4つあり、**日本はその1つとなった。**「レジリエントな」国・地域とは、①数学の成績、②教育におけるウェルビーイング、③教育公平性の3つの側面すべてにおいて安定又は向上が見られた国・地域を指す。日本以外は、**韓国、リトアニア、台湾。**

5 × 文部科学省・国立教育政策研究所「「OECD生徒の学習到達調査2022年調査(PISA2022)のポイント」(令和5年12月5日)によれば、「学校が再び休校になった場合に自律学習を行う自信があるか」という質問に対する回答で、「**自信がない**」と回答した生徒が日本は非常に多かった(第34位)。今後、「授業改善の推進により、自ら思考し、判断・表現する機会を充実したり、児童生徒一人一人の学習進度や興味・関心等に応じて教材や学ぶ方法等を選択できるような環境を整えたりするなど、**自立した学習者の育成に向けた取組を進めていく**」ことが求められている。

次の文は、2019（令和元）年12月に文部科学省から示された政策についての説明である。その政策の名称として、正しいものを一つ選びなさい。

令和5年（前期）問8

- 1人1台端末及び高速大容量の通信ネットワークを一体的に整備する。
- 多様な子供たちを誰一人取り残すことのない、公正に個別最適化された学びを全国の学校現場で持続的に実現させる。

1 SDGs教育プロジェクト
2 プログラミング教育プロジェクト
3 ICT活用教育プロジェクト
4 GIGAスクール構想
5 デジタルスクール構想

次の文は、中央教育審議会答申「「令和の日本型学校教育」の構築を目指して～全ての子供たちの可能性を引き出す、個別最適な学びと、協働的な学びの実現～」（令和3年1月）に関する記述である。適切なものを○、不適切なものを×とした場合の正しい組み合わせを一つ選びなさい。

令和5年（後期）問10

A 学校教育には、一人一人の児童生徒が、自分のよさや可能性を認識するとともに、あらゆる他者を価値のある存在として尊重し、多様な人々と協働しながら様々な社会的変化を乗り越え、豊かな人生を切り拓き、持続可能な社会の創り手となることができるよう、その資質・能力を育成することが求められている。

B 次代を切り拓く子供たちに求められる資質・能力として、文章の意味を正確に理解する読解力、教科等固有の見方・考え方を働かせて自分の頭で考えて表現する力、対話や協働を通じて知識やアイディアを共有し新しい解や納得解を生み出す力などが挙げられている。

C 「みんなと同じことができる」「言われたことを言われたとおりにできる」というように、均質な労働者の育成が現代社会の要請として学校教育に求められている。

D 「予測困難な時代」の中、目の前の事象から解決すべき課題を見いだし、主体的に考え、多様な立場の者が協働的に議論し、納得解を生み出すなどの資質・能力が求められている。

（組み合わせ）

	A	B	C	C
1	○	○	○	×
2	○	○	×	○
3	○	×	○	○
4	×	○	○	×
5	×	×	○	×

A 27

正解 4

文部科学省の「**GIGA スクール構想**」により、子ども1人に1台ずつ端末を配布し、高速大容量の通信ネットワークを整備することを通して、誰一人取り残すことのない、個別最適化された学びの実現が目指されている。

A 28

正解 2

A ○ 中教審答申「「令和の日本型学校教育」の構築を目指して～全ての子供たちの可能性を引き出す、個別最適な学びと、協働的な学びの実現～」(令和３年１月)、「第Ⅰ部 総論」のうち「１ 急激に変化する時代の中で育むべき資質・能力」の記述内容である。

B ○ 中教審答申「「令和の日本型学校教育」の構築を目指して～全ての子供たちの可能性を引き出す、個別最適な学びと、協働的な学びの実現～」(令和３年１月)、「第Ⅰ部 総論」のうち「１ 急激に変化する時代の中で育むべき資質・能力」の記述内容である。

C × 中教審答申「「令和の日本型学校教育」の構築を目指して～全ての子供たちの可能性を引き出す、個別最適な学びと、協働的な学びの実現～」(令和３年１月)、「第Ⅰ部 総論」(①社会構造の変化と日本型学校教育)では、「みんなと同じことができる」「言われたことを言われたとおりにできる」上質で均質な労働力の育成が、高度経済成長期までの社会の要請によって学校教育に求められてきたことを批判的に捉え、「**正解(知識)の暗記**」の比重が大きくなり、他者と協働し、**自ら考え抜く学び**が十分なされていないのではないかと指摘されている。

D ○ 中教審答申「「令和の日本型学校教育」の構築を目指して～全ての子供たちの可能性を引き出す、個別最適な学びと、協働的な学びの実現～」(令和３年１月)、「第Ⅰ部 総論」のうち「１ 急激に変化する時代の中で育むべき資質・能力」の記述内容である。

◆戦後の日本の教育史

年	主な出来事
1946（昭和21）年	「日本国憲法」公布、**教育刷新委員会**の設置
1947（昭和22）年	**「教育基本法」「学校教育法」**等の制定、「学習指導要領」（**試案**）
1956（昭和31）年	「地方教育行政の組織および運営に関する法律」成立（教育委員・任命制）
1958（昭和33）年	「学校教育法施行規則」改正、「学習指導要領」改訂（試案削除、告示化）
1961（昭和36）年	**全国一斉学力テスト**実施
1968（昭和43）年	「学習指導要領」改訂（理科・数学の高度化、最低から標準授業時数へ）
1971（昭和46）年	中教審答申「今後における学校教育の総合的な拡充整備のための基本的施策について」（四六答申、第三の教育改革）
1977（昭和52）年	「学習指導要領」改訂（ゆとりと充実）
1984（昭和59）年	**臨時教育審議会**設置
1986（昭和61）年	中野富士見中学校いじめ自殺事件
1989（平成元）年	「学習指導要領」改訂（臨教審路線、「新しい学力観」）
1990（平成２）年	共通一次学力試験にかわり**大学入試センター試験**開始
1994（平成６）年	西尾市東部中学校いじめ自殺事件
1997（平成９）年	神戸連続児童殺傷事件
1998（平成10）年	「学習指導要領」改訂（**ゆとり、生きる力、総合的な学習の時間**）
2000（平成12）年	教育改革国民会議設置、「学校教育法施行規則」改正（学校評議員制度等）
2002（平成14）年	中教審答申「今後の教員免許制度の在り方について」（教員免許更新制） 文部科学省「心のノート」配布、**完全学校週五日制**実施
2003（平成15）年	「学習指導要領」一部改訂（ゆとり教育から学力向上路線へ）
2004（平成16）年	国立大学法人化
2006（平成18）年	**教育再生会議**設置、**「教育基本法」**改正
2007（平成19）年	43年ぶりに**全国一斉学力テスト**実施
2010（平成22）年	文部科学省**『生徒指導提要』**
2013（平成25）年	**教育再生実行会議**設置、**「いじめ防止対策推進法」**公布

6

社会的養護

アクセスキー　7
（数字のなな）

6章 社会的養護

①社会的養護の歴史と意義

Q 01

次の文は、ある児童福祉施設の設立に携わった人物の著書である。この人物として正しいものを一つ選びなさい。 平成29年（後期）問1

私たちのねがいは、重症な障害をもったこの子たちも、立派な生産者であるということを、認めあえる社会をつくろうということである。「この子らに世の光を」あててやろうというあわれみの政策を求めているのではなく、この子らが自ら輝く素材そのものであるから、いよいよみがきをかけて輝かそうというのである。「この子らを世の光に」である。この子らが、うまれながらにしてもっている人格発達の権利を徹底的に保障せねばならぬということなのである。

1 高木憲次
2 野口幽香
3 留岡幸助
4 堀文次
5 糸賀一雄

よく出るポイント ◆社会的養護の運営指針・ガイドライン

運営指針やガイドラインからよく出題されるので、これらの運営指針やガイドラインを確認しておこう。

乳児院運営指針　2012（平成24）年制定
児童養護施設運営指針　2012（平成24）年制定
母子生活支援施設運営指針　2012（平成24）年制定
情緒障害児短期治療施設※運営指針　2012（平成24）年制定
児童自立支援施設運営指針　2012（平成24）年制定
里親及びファミリーホーム養育指針　2012（平成24）年制定
自立援助ホーム運営指針　2015（平成27）年制定
児童館ガイドライン　2011（平成23）年制定　2018（平成30）年見直し
里親委託ガイドライン　2011（平成23）年制定　2021（令和3）年見直し

※現在の児童心理治療施設

A 01　　　　正解 5

1 × **高木憲次**は我が国の**肢体不自由児療育事業の始祖**、**リハビリテーションの父**ともいわれている。1928（昭和３）年頃に、「奇形・不具」と呼ばれていた障害を「**肢体不自由**」に改め、1942（昭和17）年に我が国でリハビリテーションを実践する施設「**整肢療護園**」を開設し、治療と教育を合わせた「**療育**」という言葉を創り広めた。

2 × **野口幽香**は、1900（明治33）年、華族女学校付属幼稚園の教師であった同僚の**森島峰**とともに、貧民の子どもの保育を行う**二葉幼稚園（現在は二葉保育園）**を東京の新宿に創立し、フレーベルの保育・教育理念を基本にして**今日の保育所の先駆的な実践**を行った人物である。二葉保育園は母子家庭、孤児等困難を抱えた子ども家庭への取り組みをその後展開している。

3 × **留岡幸助**は、非行少年の自立には、罰を与えることではなく「**子どもは、救うべきもの、導くべきもの、教うべきもの、愛すべきもの**」という児童観に基づき、1899（明治32）年に東京の巣鴨に**家庭学校**を創立し、「家庭にして学校、学校にして家庭、愛と智がいっぱいにあふれた環境」での**生活教育**を掲げ、「能く（よく）働き、能く食べ、能く眠らしめる」という**三能主義**のもとに**個性を重視した人格形成**のために非行少年の教育を実践した人物である。現在の北海道家庭学校、東京家庭学校に引き継がれている。

4 × **堀文次**は、児童養護施設**東京都立石神井学園**の施設長であった1950（昭和25）年に発行された雑誌「社会事業」に、我が国で初めて**ホスピタリズム**に関する、**欧米での研究を紹介した**人物である。「養護理論確立への試み～ホスピタリズム」という論文は、1950年代にわが国でのいわゆる「**ホスピタリズム論争**」を引き起こし、施設の在り方に大きな影響を与えたことで知られている。

5 ○ 糸賀一雄は、滋賀県の公務員として勤め、障害児や障害者の福祉について取り組む。1946（昭和21）年に**近江学園**を創設し、全国に先駆けて障害児の福祉と教育を実践した。「**障害者福祉の父**」とも言われる人物である。**重度の知的障害がある子どもたちとの生活実践**の中から「この子らを世の光に」の思想が考えられた。1965（昭和40）年に「**この子らを世の光に―近江学園二十年の願い**」、1968（昭和43）年には「**福祉の思想**」の著書がある。

加点のポイント

◆ホスピタリズムとボウルビィ報告

ホスピタリズムは「**施設病**」などと訳され、長期間福祉施設や病院、刑務所などで社会から隔絶された生活を過ごすことにより生じる、社会への不適応症状及び心身の障害のことである。イギリスの児童精神科医**ボウルビィ**が1951年に提出した報告書「**乳幼児の精神衛生**」では、母性喪失の養育は子どもに深刻な発達上の障害をもたらすとされ、我が国の**ホスピタリズム論争**の根拠となった。

次の文は、平成28年6月に改正された「児童福祉法」に関する記述である。適切な記述を○、不適切な記述を×とした場合の正しい組み合わせを一つ選びなさい。

平成30年（前期）問3

A 国・地方公共団体は、家庭における養育が困難あるいは適当でない児童について、社会性を身につけさせるために、家庭における養育環境よりも集団で生活をおくれる環境で養育することを優先するとした。

B 都道府県（児童相談所）の業務として、里親の開拓から児童の自立支援までの一貫した里親支援を位置付けた。

C 養子縁組里親を法定化するとともに、都道府県（児童相談所）の業務として、養子縁組に関する相談・支援を位置付けた。

D 自立援助ホームを20歳になる前まで利用している大学等就学中の者について、22歳の年度末までの間、利用を継続できることとした。

（組み合わせ）

	A	B	C	D
1	○	○	○	○
2	○	○	×	×
3	○	×	×	○
4	×	○	○	○
5	×	×	○	×

次の文は、わが国の社会的養護の歴史に関する記述である。適切な記述を○、不適切な記述を×とした場合の正しい組み合わせを一つ選びなさい。

平成26年 問2

A 明治期の福田会育児院や岡山孤児院は、仏教やキリスト教の宗教関係者によって開設された。

B 1900（明治33）年の「感化法」の制定により、感化院が制度として規定された。

C 児童に軽業、見せ物、物売りなどをさせることを禁止する「児童虐待防止法」が1933（昭和８）年に制定された。

D 1947（昭和22）年の「児童福祉法」制定時に規定された児童福祉施設は、保育所、養護施設、虚弱児施設、教護院の４種別であった。

（組み合わせ）

	A	B	C	D
1	○	○	○	×
2	○	○	×	○
3	○	×	×	○
4	×	○	○	○
5	×	×	○	×

A 02

正解 4

A × この法改正では、第３条の２において、家庭における養育が困難あるいは適当でない児童については**家庭と同様**の養育環境において継続的に養育することを優先すると明記された。

B ○ この法改正で第11条第１項第２号において、都道府県（児童相談所）の役割を詳細に明記し、里親の**普及・啓発**、相談援助、里親支援、児童の養育計画の作成などを位置付けた。

C ○ この法改正で、第６条の４に、これまで里親制度運営要綱で定められていた里親の種類を明記して法定化した。また、第11条では養子縁組里親への相談・支援を都道府県の役割として位置付けた。

D ○ 以前は第６条の３「児童自立生活援助事業」の項に「義務教育を終了した児童又は児童以外の二十歳に満たない者」を対象と記載されていたが、この法改正で新たに文章を追加し、**高校や大学に就学中**の者については**満22歳の年度末**まで利用できることを明記した。

6 社会的養護

A 03

正解 1

A ○ 福田会育児院は、東京において**臨済宗**の僧侶である**今川貞山**が中心になって1879（明治12）年に設立された。岡山孤児院は、**キリスト教**の教えにより岡山で石井十次が**1887（明治20）**年に設立している。

B ○ 不良少年を保護する感化院は、**1883（明治16）**年に大阪で池上雪枝が、1885（明治18）年には東京で**高瀬真卿**が設立している。また、1899（明治32）年には**留岡幸助**が東京家庭学校を設立している。これらが1900（明治33）年に全国の道府県に設置を定める感化法を成立させる力になった。

C ○ 1929（昭和４）年の世界大恐慌や東北地方の大飢饉などにより、特に東北３県で子どもが身売りされる等の問題が多発し、1933（昭和８）年に**児童虐待防止法**が制定された。後に児童福祉法の成立により廃止されたが、禁止事項として法第34条に内容は引き継がれている。なお、児童虐待の社会問題化を受けて、2000（平成12）年に再び児童虐待防止法（児童虐待の防止等に関する法律）が制定された。

D × 児童福祉法の制定時に、**虚弱児施設**は規定されていなかった。また、制定当初の児童福祉施設は９種類で、問題文の３種類の他に、乳児院、児童厚生施設、**助産施設**、精神薄弱児施設、**母子寮**、療育施設があった。

②社会的養護の基本

次の文のうち、「児童養護施設運営指針」（平成24年３月　厚生労働省）において示されている「社会的養護の原理」に関する記述として最も適切な記述を一つ選びなさい。

令和元年（後期）問８

1 社会的養護は、できる限り特定の養育者による一貫性のある養育が望まれる。
2 社会的養護における養育は、つらい体験をした過去を現在、そして将来の人生と切り離すことを目指して行われる。
3 社会的養護における養育は、効果的な専門職の配置ができるよう、大規模な施設において行う必要がある。
4 社会的養護における支援は、子どもと緊密な関係を結ぶ必要があるので、他機関の専門職との連携は行わない。
5 社会的養護は、措置または委託解除までにすべての支援を終結し、自立させる必要がある。

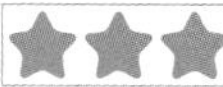

次のＡ～Ｄの事項を年代の古い順に並べた場合の正しい組み合わせを一つ選びなさい。

令和４年（前期）問５

A 「社会的養護の課題と将来像」（児童養護施設等の社会的養護の課題に関する検討委員会・社会保障審議会児童部会社会的養護専門委員会）
B 「新しい社会的養育ビジョン」（新たな社会的養育の在り方に関する検討会）
C 「児童の権利に関する条約」（国連）
D 「児童の代替的養護に関する指針」（国連）

＊C、Dについては国連総会採択時

（組み合わせ）

1 A→B→C→D
2 A→B→D→C
3 C→A→B→D
4 C→D→A→B
5 D→C→A→B

A 04

正解 1

1 ○ **「児童養護施設運営指針」**の第１部の２（２）⑤「継続的支援と連携アプローチ」に関する内容で記述の通りである。

2 × 選択肢１と同様に⑤「継続的支援と連携アプローチ」に「社会的養護における養育は、**『人とのかかわり**をもとにした営み』である。子どもが歩んできた過去と現在、そして将来をより良くつなぐために、一人一人の子どもに用意される社会的養護の過程は、**『つながりのある道すじ』**として子ども自身にも理解されるようなものであることが必要である」と書かれている。

3 × ①「家庭的養護と個別化」に「社会的養護を必要とする子どもたちに**『あたりまえの生活』**を保障していくことが重要であり、社会的養護を地域から切り離して行ったり、子どもの生活の場を大規模な施設養護としてしまうのではなく、できるだけ家庭あるいは家庭的な環境で養育する**『家庭的養護』**と、個々の子どもの育みを丁寧にきめ細かく進めていく**『個別化』**が必要である」と書かれている。

4 × ⑤「継続的支援と連携アプローチ」に「児童相談所等の行政機関、各種の施設、里親等の様々な社会的養護の担い手が、それぞれの専門性を発揮しながら、巧みに連携し合って、一人一人の子どもの社会的自立や親子の支援を目指していく社会的養護の連携アプローチが求められる」と書かれている。

5 × ⑥「ライフサイクルを見通した支援」に「社会的養護の下で育った子どもたちが社会に出てからの暮らしを見通した支援を行うとともに、入所や委託を終えた後も**長くかかわり**を持ち続け、**帰属意識**を持つことができる存在になっていくことが重要である」と書かれている。

A 05

正解 4

A **「社会的養護の課題と将来像」**は、2011年にまとめられた報告書で、社会的養護の基本的方向として、家庭的養護の推進や専門的ケアの充実等が示された。

B **「新しい社会的養育ビジョン」**は、2017年に公表された。「社会的養護の課題と将来像」を見直したもので、改正された児童福祉法を基本に、養育支援のあり方を整備していくことが数値目標とともに明確化された。

C **「児童の権利に関する条約」**は、1989年に国連で採択され、日本は1994年に批准した。国際人権規約で保障されている権利を子どもにも保障するために策定された。

D **「児童の代替的養護に関する指針」**は、2009年に出された。子どもの代替的養育は、実家庭では困難な状況にある子どもの養育は、里親や養子縁組といった家庭養護が望ましいが、難しい場合は家庭的な養育環境に配慮した施設養護で養育することを示したものである。

よって、**C→D→A→B**となる。

次の文は、乳児院に関する記述である。適切な記述を○、不適切な記述を×とした場合の正しい組み合わせを一つ選びなさい。

令和2年（後期）問5

A 乳児院は、保育所等訪問支援事業の訪問対象の施設である。

B 乳児院の長は、施設の所在する地域の住民につき、児童の養育に関する相談に応じ、及び助言を行うよう努めなければならない。

C 乳児院は、「児童福祉法」に定める「乳児」のみを対象とした施設である。

D 「児童養護施設入所児童等調査結果（平成30年2月1日現在）」（令和2年1月　厚生労働省）によると、被虐待経験のある乳児院入所児が受けた虐待の種類は、「ネグレクト」が最も多い。

（組み合わせ）

	A	B	C	D
1	○	○	×	○
2	○	○	×	×
3	○	×	○	×
4	×	○	×	○
5	×	×	○	×

次の文は、親権に関する記述である。不適切な記述を一つ選びなさい。

平成31年（前期）問3

1 親権者等は、児童相談所長や児童福祉施設の施設長、里親等による監護措置を、不当に妨げてはならない。

2 児童相談所長は、親権喪失、親権停止及び管理権喪失の審判について家庭裁判所への請求権を有する。

3 里親等委託中及び一時保護中の児童に親権者等がいない場合には、市町村長が親権を代行する。

4 子の親族及び検察官のほか、子、未成年後見人及び未成年後見監督人も、親権の喪失等について、家庭裁判所への請求権を有する。

5 家庭裁判所は、「父又は母による親権の行使が困難又は不適当であることにより子の利益を害するとき」に、２年以内の期間を定めて親権停止の審判をすることができる。

A 06

正解 1

A ○ **保育所等訪問支援事業**は、2018（平成30）年の児童福祉法改正から訪問先に児童養護施設と乳児院が加わった。

B ○ 設問文の通りである。なお、児童福祉法の第48条の2では、**乳児院**だけでなく、**母子生活支援施設**、**児童養護施設**、**児童心理治療施設及び児童自立支援施設**の長についても、地域の住民の児童の養育に関する相談に応じ、助言を行うよう努めなければならないと記載されている。

C × 2004（平成16）年の児童福祉法改正により、「**乳児（保健上、安定した生活環境の確保その他の理由により特に必要のある場合には、幼児を含む。）**」と変更となったため、乳児院は乳児のみを対象とした施設という記述は誤りである。

D ○ 被虐待経験のある乳児院入所児が受けた虐待の種類は、**ネグレクト**、**身体的虐待**の順に多い。

A 07

正解 3

1 ○ 児童福祉法第33条の2及び第47条に明記されており、適切な記述である。

2 ○ 児童福祉法第33条の7に明記されており、適切な記述である。

3 × 児童福祉法第33条の2には、一時保護中の児童で**親権を行う者**がいない場合の措置が定められており、親権を行う者が決まるまで**児童相談所長**が親権を行うことになっている。また、児童福祉法第47条には、里親に委託された子どもの場合の親権は**児童相談所長**が行うと定められており、この記述は不適切である。なお同法同条には、児童福祉施設入所児童で親権を行う者のない場合は**施設の長**が親権を行うこともあわせて定められている。

4 ○ **親権喪失の請求**は、2012（平成24）年の民法第834条の改正により、**子ども本人**も親権の停止、親権喪失の請求ができるようになった。そのため、この記述は適切である。

5 ○ 同じく、民法改正により、家庭裁判所は2年以内の期間を定めて親権を停止できることとなった。そのため、適切な記述である。

よく出るポイント ◆**児童福祉施設の設備及び運営に関する基準（総則）**

- 児童福祉法第45条にもとづく厚生労働省令で定める基準（以下、「設備運営基準」という）で、最低基準について定めたもの
- 第1条：**都道府県が条例で定める基準**について、**従うべき基準**、**参酌すべき基準**を指定し、そして、**内閣総理大臣**は、設備運営基準を常に**向上させる**よう努めるものとすると定めている。
- 第2条：「**都道府県が条例で定める基準**」を「**最低基準**」としている。国の定めたものは「設備運営基準」である。都道府県知事の監督に属する児童福祉施設に入所している者が、**明るくて**、**衛生的な環境**において、**素養**があり、かつ、適切な**訓練を受けた職員**の指導により、**心身ともに健やかにして**、社会に**適応するように育成されることを保障する**ものとする。
- 第3条：「**都道府県は**、最低基準を常に**向上させるよう努めるものとする**」
- 第4条：「**児童福祉施設**は、最低基準を**超えて**、常に、その設備及び運営を**向上させなければならない。**」「最低基準を超えて、設備を有し、又は運営している児童福祉施設においては、**最低基準を理由として**、その設備及び運営を**低下させてはならない**」

次の文のうち、「児童養護施設運営指針」（平成24年３月　厚生労働省）において示されている「権利擁護」に関する記述として最も不適切な記述を一つ選びなさい。

令和元年（後期）問３

1 子ども自身の出生や生い立ち、家族の状況については、義務教育終了後に開示する。

2 入所時においては、子どものそれまでの生活とのつながりを重視し、そこから分離されることに伴う不安を理解し受けとめ、不安の解消を図る。

3 子どもが相談したり意見を述べたりしたい時に、相談方法や相談相手を選択できる環境を整備し、子どもに伝えるための取り組みを行う。

4 いかなる場合においても、体罰や子どもの人格を辱めるような行為を行わないよう徹底する。

5 様々な生活体験や多くの人たちとのふれあいを通して、他者への心づかいや他者の立場に配慮する心が育まれるよう支援する。

③社会的養護の制度と実施体系

次の文は、里親制度に関する記述である。適切な記述を○、不適切な記述を×とした場合の正しい組み合わせを一つ選びなさい。

令和２年（後期）問３改

A 「社会的養育の推進に向けて」（令和５年４月　厚生労働省）によると、令和３年３月末の里親及び小規模住居型児童養育事業（ファミリーホーム）への社会的養護を利用する児童全体に占める委託率は約４割である。

B 小規模住居型児童養育事業（ファミリーホーム）は、「社会福祉法」に定める第一種社会福祉事業である。

C 都道府県知事は、児童を里親に委託する措置をとった場合には、児童福祉司、知的障害者福祉司、社会福祉主事のうち一人を指定して、里親の家庭を訪問して、必要な指導をさせなければならない。

（組み合わせ）

	A	B	C
1	○	×	○
2	○	×	×
3	×	○	○
4	×	○	×
5	×	×	○

A 08

正解 1

「児童養護施設運営指針」第Ⅱ部「各論」の4「権利擁護」に書かれていることを問う問題である。不適切なものは**選択肢1**である。「子どもが自己の生い立ちを知ることは、自己形成の視点から重要であり、**子どもの発達等に応じて、可能な限り事実**を伝える」と書かれており、義務教育終了後に開示するとはどこにも書かれていない。

A 09

正解 5

A × 里親及び小規模住居型児童養育事業(ファミリホーム)への委託率は、2021(令和3年)3月末時点で**23.5%**となっている。

B × 小規模住居型児童養育事業(ファミリーホーム)は、**第二種社会福祉事業**である。

C ○ 設問文にあるように、里親の家庭へ訪問指導を行うことが義務付けられている。なお、家庭を訪問する職種として、**里親支援専門相談員**が入っていないことに気をつけたい。里親支援専門相談員は、里親を指導するのではなく、ともに子どもの育ちを考える里親への寄り添い支援を行う。

6 社会的養護

よく出るポイント ◆児童福祉施設の設備及び運営に関する基準第5条(児童福祉施設の一般原則)

1. 児童福祉施設は、入所している者の**人権**に**十分配慮**するとともに、一人ひとりの**人格**を**尊重**して、その運営を行わなくてはならない。
2. 児童福祉施設は、**地域社会**との**交流**及び**連携**を図り、児童の保護者及び地域社会に対し、当該児童福祉施設の**運営の内容**を適切に**説明するよう**努めなければならない。
3. 児童福祉施設は、その運営の内容について、自ら**評価**を行い、その結果を**公表**するよう努めなければならない。
4. 児童福祉施設には、法で定めるそれぞれの**施設の目的**を**達成する**ために必要な設備を設けなければならない。
5. 児童福祉施設の構造設備は、**採光**、**換気**等入所している者の**保健衛生**及びこれらの者に対する**危害防止**に十分な配慮を払って設けられなければならない。

次のうち、里親支援専門相談員（里親支援ソーシャルワーカー）に関する記述として、適切なものを○、不適切なものを×とした場合の正しい組み合わせを一つ選びなさい。 令和５年（前期）問４

A 児童養護施設や乳児院に配置され、里親の支援に関わる職員である。

B 里親の新規開拓や里親委託の推進等を役割としている。

C 業務内容の範囲は里親委託までであり、委託後の里親支援については、児童相談所が担う。

D 資格要件は、保育士資格取得者でなければならないと定められている。

（組み合わせ）

	A	B	C	D
1	○	○	○	×
2	○	○	×	×
3	○	×	○	×
4	×	○	×	○
5	×	×	○	○

次の文は、「里親委託ガイドライン」（厚生労働省）の一部である。（ A ）～（ D ）にあてはまる語句の正しい組み合わせを一つ選びなさい。 平成30年（後期）問４

家族は、社会の基本的集団であり、家族を基本とした家庭は子どもの成長、福祉及び保護にとって最も自然な環境である。このため、保護者による養育が不十分又は養育を受けることが望めない（ A ）のすべての子どもの（ B ）は、（ C ）が望ましく、養子縁組里親を含む（ D ）を原則として検討する。特に、乳幼児は安定した家族の関係の中で、愛着関係の基礎を作る時期であり、子どもが安心できる、温かく安定した家庭で養育されることが大切である。

（組み合わせ）

	A	B	C	D
1	社会的養育	補完的養護	家庭養護	里親委託
2	社会的養護	代替的養護	家庭養護	里親委託
3	社会的養育	代替的養護	家庭的養護	里親委託
4	社会的養護	補完的養護	家庭的養護	特別養子縁組
5	社会的養育	代替的養護	家庭養護	特別養子縁組

A 10

正解 2

A ○ 里親支援専門相談員は、**児童養護施設**と**乳児院**に配置が義務付けられている。

B ○ 里親支援専門相談員は、**児童相談所**の里親担当職員等と連携して、入所児童の里親委託を推進したり、里親の新規開拓や研修、アフターケア等を担ったりしている。

C × 里親支援専門相談員の業務内容の範囲は、里親委託までではなく、委託後の里親支援や**アフターケア**、**地域支援**等も含まれるため誤りである。

D × 保育士資格取得は資格要件ではないので誤りである。

A 11

正解 2

家族は、社会の基本的集団であり、家族を基本とした家庭は子どもの成長、福祉及び保護にとって最も自然な環境である。このため、保護者による養育が不十分又は養育を受けることが望めない（ A.**社会的養護** ）のすべての子どもの（ B.**代替的養護** ）は、（ C.**家庭養護** ）が望ましく、養子縁組里親を含む（ D.**里親委託** ）を原則として検討する。特に、乳幼児は安定した家族の関係の中で、愛着関係の基礎を作る時期であり、子どもが安心できる、温かく安定した家庭で養育されることが大切である。

里親委託ガイドラインは、2016（平成28）年の児童福祉法改正を受けて、翌年に一部改正されている。里親委託の原則を定めた項目であるが、2017（平成29）年の改正前は、「里親委託を優先して検討することを原則」としていたが、改正後は「養子縁組里親を含む里親委託を**原則**として検討する」となっている。

次の文のうち、社会的養護に関わる相談援助の知識・技術に関する記述として、最も適切なものを一つ選びなさい。 令和4年(前期) 問8

1 入所児童の言動や家族の状況について情報を収集し、その全体像を把握し、現状を評価する取り組みをエンパワメントという。

2 入所児童数人で一つの目標に取り組み、その際に生じる相互関係を通して問題解決を図る取り組みを生活場面面接という。

3 子どもが本来持つ力に着目し、それを発揮しやすい環境を整えることをアセスメントという。

4 ティータイムなど、施設生活の中で職員が意図的に面接場面を設けることをインテークという。

5 子どもが永続的かつ恒久的に生活できる家庭環境で、心身の健康が保障された生活を実現するための援助計画をパーマネンシー・プランニングという。

次のうち、「児童福祉施設の設備及び運営に関する基準」(昭和23年厚生省令第63号)において、児童自立支援計画の策定が義務づけられている施設として、正しい組み合わせを一つ選びなさい。 令和3年(後期) 問4

A 乳児院
B 児童厚生施設
C 児童家庭支援センター
D 児童心理治療施設

(組み合わせ)

1 A B
2 A C
3 A D
4 B C
5 C D

A 12

正解 5

1 × これは**アセスメント**について記述である。**アセスメント**とは、集められた情報から支援の対象とする問題と課題解決の方向性を見極めるために分析し、事前評価することである。

2 × これは**グループワーク**についての記述である。

3 × これは**エンパワメント**についての記述である。**エンパワメント**とは、対象者の長所や本来持っている力に着目して、対象者が主体的に生活を送れるようにすることである。

4 × これは**生活場面面接**についての記述である。**生活場面面接**とは、利用者の日常生活の場面とその生活時間の中で行われる面接のことである。

5 ○ **パーマネンシー・プランニング**とは、子どもの成長には信頼関係を構築できた特定の養育者との継続的な関係性が必要不可欠という考えのもと、子どもの成長を見守ってくれる存在を確保することである。

なお、**インテーク**とは、利用者が援助者に初めて相談を持ちかけた時点の面接のこと。インテークの目的は、信頼関係を構築すること、利用者の問題に対して援助できるかを検討することである。

A 13

正解 3

児童自立支援計画の策定が義務づけられている施設は、**乳児院**、**母子生活支援施設**、**児童養護施設**、**児童心理治療施設**、**児童自立支援施設**である。よって、正解は**3**である。

これらの施設は入所後の観察を経て、子どもと保護者のニーズを探り（アセスメント）、児童自立支援計画を策定する。児童自立支援計画は、**生活支援計画**、**家庭支援計画**、**地域支援計画**の３つで構成されている。

◆**里親委託優先の意義**

里親委託ガイドラインの里親委託優先の原則では、里親家庭に委託することにより子どもが獲得できる大切なことについて次の３点を挙げている。

①特定の大人との**愛着関係**の下で養育されることにより、自己の存在を受け入れられているという安心感の中で、**自己肯定感**を育むとともに、人との関係において不可欠な**基本的信頼感**を獲得することができる。

②里親家庭において、適切な家庭生活を体験する中で、家族それぞれのライフサイクルにおけるありようを学び、将来、**家庭生活**を築く上でモデルとすることが期待できる。

③家庭生活の中で人との適切な関係の取り方を学んだり、身近な地域社会の中で、必要な**社会性**を養うとともに、豊かな生活経験を通じて**生活技術**を獲得することができる。

次のうち、「社会的養育の推進に向けて」（令和５年　厚生労働省）における親子関係再構築支援に関する記述として、適切なものを○、不適切なものを×とした場合の正しい組み合わせを一つ選びなさい。 令和５年（後期）問５改

A 里親は養育の一貫性を担うという意味において、実親との再統合のための支援は行わない。

B 親子関係再構築等の家庭環境の調整は、措置の決定・解除を行う市町村及び施設の役割である。

C 子どもの生い立ちや親との関係について、自分の心の中で整理をつけられるよう、子どもに対する支援も必要である。

D 里親支援専門相談員は、家庭復帰に向けて、親との面会や宿泊、一時的帰宅等を段階的に行う。

E 暴力以外の方法を知らずにしつけと称して虐待をしてしまう親に対し、ペアレントトレーニング等を取り入れる。

（組み合わせ）

	A	B	C	D	E
1	○	○	○	×	○
2	○	×	×	○	×
3	×	○	○	○	×
4	×	×	○	×	○
5	×	×	×	○	○

④社会的養護の内容と実際

次の文は、「里親及びファミリーホーム養育指針」（平成24年３月　厚生労働省）に示された家庭養護のあり方の基本に関する記述である。適切な記述を○、不適切な記述を×とした場合の正しい組み合わせを一つ選びなさい。

平成29年（後期）問６

A 一定一律の役割、当番、日課、規則を養育者が作り、それらを子ども達に厳守させることは、子どもたちに安心・安定した家庭生活を提供できることになる。

B 地域の普通の家庭で暮らすことで、子どもたちは養育者自身の地域との関係や社会生活に触れ、生活のあり方を地域との関係の中で学ぶことができる。

C 養育者はこれまで築き上げてきた独自の子育て観を優先することが大切であるため、他者からの助言に耳を傾けることは、これまでの養育に対して自信を失うことになるため避けた方がよい。

D 里親とファミリーホームが社会的養護としての責任を果たすためには、外からの支援を受けることが大前提である。

（組み合わせ）

	A	B	C	D
1	○	○	○	×
2	○	×	○	×
3	×	○	○	×
4	×	○	×	○
5	×	×	×	○

A 14

正解 4

A × この設問は「社会的養育の推進に向けて」の「8.(3)親子関係再構築支援の充実」から出題されている。**施設長**及び**里親**等は、入所・委託児童やその保護者に対し、**親子の再統合**等のために支援を行わなければならないため誤りである。

B × **措置の決定・解除**を行うのは、市町村及び施設の役割ではなく、**児童相談所**の役割であるため誤りである。ただし、家庭環境調整の役割は施設も担っており、児童相談所と連携しながら行う必要がある。

C ○ Cの文章は「8.(3)親子関係再構築支援の充実」に示されている。

D × 家庭復帰に向けて、親との面会や宿泊、一時的帰宅などの段階的な支援を行うのは、**家庭支援専門相談員**であるため誤りである。

E ○ Eの文章は「8.(3)親子関係再構築支援の充実」に示されている。**ペアレントトレーニング**は暴力に頼らずに、子どもの問題行動に対して教育的に対処できるスキルを身に付けられる術として有効である。

A 15

正解 4

A × 養育指針5の(1)の④生活の柔軟性では、最初に「**コミュニケーションに基づき、状況に応じて生活を柔軟に営む**こと」を定め、そして「一定一律の役割、当番、日課、規則、行事、献立表は、**家庭になじまない**」「家庭にも**ルール**はあるが…(中略)…**暮らしの中**で行われる柔軟なものである」としている。「日課、規則や献立表が機械的に運用されると…(中略)…自ら考えて行動する姿勢や、大切にされているという思いを育むことができない」としている。

B ○ 養育指針5の(1)の⑤地域社会に存在では、「地域社会の中で**ごく普通の居住場所**で生活すること」「地域に点在する家庭で暮らすことは…(中略)…子どもを**精神的に安定**させる」という記述とともに、出題された文章が定められている。

C × 養育指針5の(2)の①社会的養護の担い手としてでは、「里親及びファミリーホームにおける家庭養護とは、**私的な場で行われる社会的かつ公的な養育**である」ことを明記して、養育者に必要なことを定めているが、その中に、「養育者は**独自の子育て観を優先せず**、自らの養育のあり方を振り返るために、他者からの**助言に耳を傾ける謙虚さ**が必要である」ことが定められている。

D ○ 養育指針6の①支援の必要性では、「里親とファミリーホームは地域に点在する独立した養育である。このため、**閉鎖的で孤立的な養育となるリスク**がある」ことを明記し、「社会的養護としての責任を果たすためには、**外からの支援を受けることが大前提**である。家庭の中に『**風通しの良い部分**』**を作っておく**必要がある」としている。

次の文は、「児童養護施設運営ハンドブック」（平成26年　厚生労働省）の一部である。（ Ａ ）～（ Ｃ ）にあてはまる語句の正しい組み合わせを一つ選びなさい。

令和４年（前期）問４

記録は、子どもや家族の状況がそこに反映するのみならず、職員のその子どものとらえ方や家族に対しての思いも表現されます。（ Ａ ）にとらえ記録していくよう心がけても、そこにはその職員の（ Ｂ ）が反映されてきます。そうした記録の内容を振り返ることにより、子どもの理解の仕方や自分の（ Ｂ ）、こだわりがどこにあるのかを知り、子どもへの関わりに活かすことが求められます。その一方で、記録は養育を（ Ｃ ）いくための重要な資料です。子どもの問題行動についての記述も大切ですが、子どもの変化への気づきや成長を感じたエピソードなども重要な情報であることも忘れてはなりません。

（組み合わせ）

	A	B	C
1	主観的	価値観	決定して
2	主観的	習慣	引き継いで
3	客観的	価値観	引き継いで
4	客観的	習慣	引き継いで
5	客観的	価値観	決定して

次の【事例】を読んで、【設問】に答えなさい。

令和４年（前期）問10

【事例】

Ｌさん（20代、女性）とその娘のＭちゃん（４歳、女児）は、２年前から母子生活支援施設で暮らしている。Ｌさんの元夫からのＤＶが理由である。母子ともに入所当初、情緒的に混乱している様子がみられた。しかしＬさんは、母子支援員との信頼関係の構築や、離婚の手続きが完了したこと、心療内科通院による治療により、最近は落ち着いた暮らしができている。半年前から始めた事務の仕事にも慣れ、安定した収入が得られる見通しが立ち、Ｌさんから退所の意向が示された。ただしＭちゃんは今でも、大人の男性を怖がったり、大きな音に対して過敏に反応して泣き出したりするなど、情緒的に不安定な面がある。

【設問】

次のうち、Ｌさんを担当する母子支援員の対応として、適切な記述を○、不適切な記述を×とした場合の正しい組み合わせを一つ選びなさい。

A 母子生活支援施設の退所に際しては、児童相談所の措置解除の手続きが必要であることをＬさんに伝える。

B 退所後のアフターケアが効果的に行われるよう、退所後の支援計画を作成する。

C 必要に応じて、退所後に生活する地域の関係機関や団体とネットワークを形成する。

D Ｍちゃんの情緒面が心配であるため、退所を思いとどまるように指導する。

（組み合わせ）

	A	B	C	D
1	○	○	×	○
2	○	×	○	×
3	×	○	○	×
4	×	○	×	○
5	×	×	○	×

A 16

正解 3

児童養護施設運営ハンドブックは、運営指針の解説書として作成されている。総論と各論に分けられ、各論は、①養育・支援、②家族への支援、③自立支援計画、記録、④権利擁護、⑤事故防止と安全対策、⑥関係機関連携・地域支援、⑦職員の資質向上、⑧施設の運営から構成されている。問題に引用されているのは、「3.自立支援計画、記録」の「2）子どもの養育・支援に関する適切な記録」の内容である。記録は他の職員に事実を伝える大切な役目があるため、**客観的**に記述される必要がある。そのためにも、支援者は自身の**価値観**や特性など自己覚知に努めることが求められる。また、記録は子どもの成長発達の変化や養育の成果がわかるもので、養育を引き継いでいくための重要な資料である。よって**3**が正しい。

A 17

正解 3

A ×　母子生活支援施設は**利用契約**方式のため、児童相談所の措置解除手続きの必要はない。

B ○　自立した生活への支援として、退所後の**支援計画**を作成する必要がある。

C ○　退所後に生活する地域において、この母子を見守ることができるように**ネットワーク**作りを行う必要がある。

D ×　Lさんの現在の状況や母子関係から判断して、退所に適切な時期であると考えられるため、退所を思いとどまるように指導することは誤りである。しかし、Mちゃんの情緒面に関しては、関係機関と連携して、**心理的ケア**を始める必要がある。

◆ **里親制度の種類**

里親制度の対象となるのは**18歳未満**の要保護児童（引き続き20歳まで可）である。

養育里親	：要保護児童を養育する里親として認定を受けた者で、数か月以上数年間ないし長年にわたって里子を受託しケアする里親
専門里親	：養育里親であって、**2年**以内の期間を定めて延長可、児童虐待等によって心身に有害な影響を受けた児童、非行等の行動のあるもしくは恐れのある児童、障害のある児童に対し**専門性**を有していると認定された者が**2名**以内の里子を受託しケアする里親
養子縁組里親	：養子縁組によって養親となることを希望し、里子を養子として養育する里親
親族里親	：要保護児童の三親等以内の親族が里親としての認定を受け養育する里親。この場合には「**経済的に困窮していないこと**」という里親の要件は適用されない。児童の養育費が支給される。なお、三親等以内でも**扶養義務**のない親族（おじ、おば等）には、養育里親制度を適用して**里親手当**が支給される

Q 18

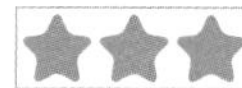

次のうち、「児童養護施設運営指針」(平成24 年３月　厚生労働省)の自立支援およびアフターケアに関する記述として、適切なものを○、不適切なものを×とした場合の正しい組み合わせを一つ選びなさい。 令和５年(後期) 問6

A 退所にあたっては、保護者の申し出を優先し、児童相談所と協議したうえで決定し、子どもに提示する。

B 退所者の状況を把握し、退所後の記録を整備する。

C アフターケアは施設の業務であり、退所後も施設に相談できることを伝える。

D 施設退所者が集まれるような機会を設けたり、退所者グループの活動を支援し、参加を促す。

(組み合わせ)

	A	B	C	D
1	○	○	○	×
2	○	○	×	×
3	○	×	○	○
4	×	○	○	○
5	×	×	×	○

次のうち、児童相談所の一時保護に関する記述として、適切なものを○、不適切なものを×とした場合の正しい組み合わせを一つ選びなさい。

令和４年(後期) 問５

A 児童養護施設や里親に委託一時保護することができる。

B 一時保護所における一時保護期間は、上限が２週間と定められている。

C 一時保護所には、近隣の小学校及び中学校の分教室が設置されている。

D 児童の保護者の同意なしに一時保護することはできない。

(組み合わせ)

	A	B	C	D
1	○	○	×	×
2	○	×	×	×
3	×	○	×	○
4	×	×	○	○
5	×	×	○	×

A 18

正解 4

A × この設問は「児童養護施設運営指針」の第Ⅱ部各論の「1．養育・支援」から主題されている。退所にあたり、施設は**子ども本人**や**保護者**の意向を踏まえ、児童相談所や関係機関等と適切な時期を**協議**する。したがって、保護者の申し出を優先するのは誤りである。

B ○ Bの文章は「（12）継続性とアフターケア」に示されている。退所した子どもが**安定した社会生活**を送ることができるよう、施設は個別のニーズに合わせ、電話や手紙、家庭訪問などの方法で状況の把握に努める必要がある。

C ○ Cの文章は「（12）継続性とアフターケア」に示されている。退所者とその家族にとって、家庭復帰は喜びと同時に不安と戸惑いを感じる場合が多い。そのようなときに、入所中に頼りにしていた施設に相談することができるのは、心強いことである。施設は親子関係再構築に向け、きめ細やかな**アフターケア**を行っていくことが大切である。

D ○ Dの文章は「（12）継続性とアフターケア」に示されている。必要に応じて、**児童相談所**、市町村の担当課、地域の関係機関、**自立援助ホーム**やアフターケア事業を行う団体等と積極的な連携を図りながら支援を行うこともある。

A 19

正解 2

A ○ 児童養護施設や里親に**委託一時保護**することができる。

B × 児童福祉法第33条の第３項・第４項で、**原則２か月**を超えてはならないことが規定されているが、必要があると認められる場合はそれ以上も可能である。

C × 一時保護所には、近隣の小学校及び中学校の分教室が設置されていない。在籍校や**教育委員会**等と緊密な連携を取り、学習を展開できるよう体制整備することが求められている。

D × 児童の安全確保のため、必要と認められる場合には、児童や保護者の同意を得なくても一時保護を行うことができる。

⑤社会的養護の現状と課題

次の【事例】を読んで、【設問】に答えなさい。

令和２年（後期）問９

【事例】

児童養護施設に勤務するＪ保育士（25歳、男性）は、実父からの激しい身体的虐待が原因で入所したＫ君（17歳、男児）を担当している。ある日、職員不在の場面でＫ君が同じ施設に入所している同室のＬ君（16歳、男児）の携帯電話を無理矢理に取り上げ、使い始めた。取り返そうとしたＬ君に対して押し倒し、３回蹴飛ばした。Ｌ君は悲痛な表情でＪ保育士に事情を伝えに来た。すぐにＪ保育士はＫ君とＫ君の自室で２人で話をすることにした。Ｊ保育士の注意に対してＫ君は悪びれる様子もなく、「あいつ、うざいんだよ。職員に言いつけやがって。今度殺してやる。」と話した。日頃から他児に対して暴力を振るうことが多かったＫ君に対してＪ保育士は腹を立て、Ｋ君の胸ぐらをつかみ、「自分がしていることを分かっているのか。反省しろ。」と怒鳴った。その後、罰としてＫ君にその日の夕食を与えないこととした。

【設問】

Ｊ保育士のこの対応の説明として、適切な記述の組み合わせを一つ選びなさい。

A 「民法」により親権者の懲戒権は認められており、時には子どもの行動を正すために、胸ぐらをつかみ、怒鳴ったり、食事を与えない程度であればしつけとして認められている。

B Ｋ君の行動は実父からの虐待が要因として考えられるため、Ｊ保育士のこうした対応は暴力を肯定することにつながるとともに、フラッシュバックを生じさせる可能性がある。

C Ｋ君の行動は実父からの虐待が要因として考えられるため、Ｊ保育士はＫ君の暴力を肯定するべきであった。

D Ｊ保育士のこの対応は、被措置児童等虐待にあたる可能性があるため、Ｋ君を含めこの状況を発見した者は児童相談所等に通告することとされている。

（組み合わせ）

1	A	B
2	A	C
3	A	D
4	B	D
5	C	D

Q 21 ★★☆

次のうち、社会的養護関係施設における第三者評価事業に関する記述として、適切なものを○、不適切なものを×とした場合の正しい組み合わせを一つ選びなさい。

令和５年（前期）問８

A 職員の参画による評価結果の分析・検討する場を設け実行する。

B 施設の利用者を対象とした調査を実施するよう努める。

C 毎年第三者評価を受けなければならない。

D 第三者評価の基準は施設が独自に決める。

（組み合わせ）

	A	B	C	D
1	○	○	○	×
2	○	○	×	×
3	○	×	×	×
4	×	○	○	○
5	×	×	○	○

A 20

正解 4

A × 2022年(令和4年)に民法等の一部が改正され、第822条に定められていた**懲戒権**に関する規定は削除された。またその法改正において、子の監護及び教育における親権者の行為規範として、第821条に「親権を行う者は、前条の規定による監護及び教育をするに当たっては、子の**人格**を尊重するとともに、その年齢及び発達の程度に配慮しなければならず、かつ、**体罰**その他の子の心身の健全な発達に有害な影響を及ぼす言動をしてはならない」と明文化された。したがって、胸ぐらをつかむ、怒鳴る、食事を与えないなどは第821条に示された「**体罰**その他の子の心身の健全な発達に有害な影響を及ぼす言動」であるため誤り。

B ○ 記述の通りであり、入所児童が養育されてきた背景を考慮した支援という点でもJ保育士の対応はよいものではない。

C × どのような背景があったとしても、K君の暴力は肯定されるべきではないため誤り。

D ○ 児童福祉法第33条の12に規定されている通り、児童虐待を受けたと思われる児童を発見した場合は児童相談所等への通告義務があり、今回のケースはそれに該当する。

A 21

正解 3

A ○ 社会的養護関係施設における**第三者評価事業**については、「児童福祉施設の設備及び運営に関する基準」で受審と自己評価、結果の公表が義務付けられている。社会的養護関係施設とは、里親支援センター、**乳児院**、**児童養護施設**、**児童自立支援施設**、**児童心理治療施設**、**母子生活支援施設**の5施設である。職員の参画による評価結果の分析・検討する場を設け、実行すると示されている。なお、2024(令和6)年に新設された里親支援センターでも、第三者評価の受審が義務付けられている。

B × 利用者調査を実施することが示されており、努力義務ではないため誤りである。

C × **3か年**度毎に1回以上第三者評価を受けるとともに、毎年度第三者評価基準の評価項目に沿って自己評価を行わなければならないとされているため誤りである。

D × 評価基準は定められているため誤りである。

次の【事例】を読んで、【設問】に答えなさい。

令和元年（後期）問10

★★☆

【事例】

児童養護施設に勤めるＸさん（保育士）は、Ｙ君（６歳）を担当している。Ｙ君は、年下のＺ君（３歳）が楽しそうに積み木を組み立てていると、それをわざと壊したりする。こういった場面が最近とても頻繁にみられるので、Ｘさんは、Ｙ君を注意することが多くなっている。そこでＸさんは主任保育士に相談をした。すると、主任保育士からは、Ｙ君の得意なことを活かした支援をするようにと指導を受けた。

【設問】

主任保育士からの指導の内容を表す最も適切な語句を一つ選びなさい。

1 スティグマ
2 パーマネンシー
3 社会的包摂
4 多様性
5 ストレングス

次の文は、入所型の児童福祉施設の運営管理に関する記述である。適切な記述を○、不適切な記述を×とした場合の正しい組み合わせを一つ選びなさい。

★★★

平成28年（後期）問10

A 入所児童等に関する情報管理の一環として、児童福祉施設の職員は、退職した職員を除き、利用者である子どもや家族の業務上知り得た秘密を漏らしてはならないという秘密保持義務がある。

B 入所児童の健康管理の一環として、入所児童に対し、入所時の健康診断、少なくとも１年に２回の定期健康診断及び臨時の健康診断を、「学校保健安全法」に規定する健康診断に準じて行わなければならない。

C 児童福祉施設の職員の健康管理の一環として、定期的に健康診断を行うとともに、特に入所児童の食事を調理する者に対して綿密な注意を払わなければならない。

D 職員の人事管理の一環として、必要に応じて精神科医などに相談できる窓口を施設内外に確保するなど、職員のメンタルヘルスに留意する。

（組み合わせ）

	A	B	C	D
1	○	○	○	×
2	○	×	○	○
3	×	○	○	○
4	×	○	×	×
5	×	×	×	○

A 22

正解 5

1 × **スティグマ**とは、個人の持つ特性や属性によって、ネガティブなレッテルを貼り、差別や偏見の対象とすることである。

2 × 社会的養護における**パーマネンシー**とは、家庭環境を奪われてしまった子どもが、恒久的な安定した家庭のような環境の中で成長できるように配慮することを指す。

3 × **社会的包摂**とは、**ソーシャル・インクルージョン**のことで、すべての人々が、社会の一員として社会に参加することを保障する概念である。

4 × **多様性**とは、価値観、文化、思考、性別、年齢、人種等の異なるさまざまな人間が存在することである。

5 ○ **ストレングス**とは、その人が潜在的に持っている力や強みのことで、Y君の得意なことを活かした支援をするようにという指導の内容と一致する。

A 23

正解 3

A × 「児童福祉施設の設備及び運営に関する基準」第14条の2には、「児童福祉施設の職員は、**正当な理由がなく** …(中略)… **秘密**を漏らしてはならない」「児童福祉施設は、職員であった者が …(中略)… 秘密を漏らすことがないよう、必要な措置を講じなければならない」と規定されており、「退職した職員を除き」は間違っているため不適切である。

B ○ 「児童福祉施設の設備及び運営に関する基準」第12条第1項に、選択肢Bの記述が明記されており正しい。

C ○ 「児童福祉施設の設備及び運営に関する基準」第12条第4項に、職員の健康診断について定められており正しい。

D ○ 社会的養護の施設では職員の定着が課題となっており、困難を抱えた関わりの難しい児童への支援の中で職員の**メンタルヘルスの留意**は極めて重要となっている。義務とされているわけではないが、スーパーバイザーや**心理職**、場合によっては**精神科医**等に職員が相談できる体制を整えることが重要で常に留意するという認識は適切である。

次の【事例】を読んで、【設問】に答えなさい。 平成30年(前期) 問10

【事例】

Mちゃん(1歳2か月、女児)は母親と2人暮らしで、母親が夜、家を空けることが頻繁にあったため、半年前に児童相談所で一時保護された。児童相談所は母親による虐待(ネグレクト)と判断し、乳児院への措置が決定された。母親は、Mちゃんの入所後一度も面会に来なかったが、ある日突然施設を訪れ、Mちゃんを引き取りたいと乳児院に申し出た。

【設問】

この乳児院の家庭支援専門相談員が最初に行うべき対応として、最も適切な記述を一つ選びなさい。

1 虐待を理由に入所した子どもは、法律上、家庭に帰すことができないという規定があることを母親に伝える。

2 親権を有する母親の意思を尊重し、家庭引き取りの手続きを行う。

3 引き取りに関する話は、児童相談所の児童福祉司が担当すべき事柄であり、乳児院は関与してはいけないため、児童相談所に行くように勧める。

4 母娘2人での生活は困難と判断し、母子生活支援施設の利用を勧める。

5 母親が引き取りを希望する理由や母親の生活の状況について、母親の気持ちに寄り添いながら話を聴く。

A 24

正解 5

1 × 家庭支援専門相談員の役割には、親の立場を理解して**親の子どもへのかかわり**を改善できるように支援することがある。法律上家庭に帰せないことを伝えるのではなく、母親が施設に来たこの機会を活かして**母親との関係づくり**を行えるように対応することがまず大切である。よって、最初に行う対応ではなく不適切である。

2 × 親権者であっても、虐待を理由とした施設入所であること、入所以来一度も面会に来なかったことから、家庭引き取りの手続きを行うのは不適切である。もちろん、手続きを取っても児童相談所が認めないことは明白である。よって、不適切である。

3 × 引き取りに関する話は、施設も関与して児童相談所と連携して進めていくものである。施設の家庭支援専門相談員は親の気持ちなどを丁寧に聞いて**親を支援**する役割がある。話もせずに児童相談所に行くように勧めるのは不適切である。

4 × 母子が一緒に生活することが現状で適切かどうかの**検討**もなく、**母親の現状**も十分な把握をしないまま、独断で母子生活支援施設の利用を勧めることは極めて不適切である。母子の再統合は虐待環境の改善等を十分に確認し、母親が適切な養育ができるまで支援を整えてから、関係機関とも相談して検討していくことが大切であり、現時点ですべき支援ではない。

5 ○ 母親が施設に来たことを喜び、まずは母親と信頼関係を築くことが必要である。そのために、母親が経験してきた困難や今の気持ちに寄り添うことが求められる対応である。

◆**虐待から子どもを守る上での親権の制限**

虐待を受けた児童の保護のために、以前の民法による親権の規定では、問題のある場合の**親権の剥奪**は明記されているものの、「親権の一時停止」規定がなく、施設入所後も親権がさまざまな問題となっていた。そこで、施設入所の場合に親権の停止等が柔軟に行えることが必要であるとして、2011（平成23）年に民法が改正され、裁判所への**児童相談所**の申し立てにより**2年間**の親権の**一時停止**が可能となった。

よく出るポイント ◆社会的養護の原理

家庭的養護と個別化
・適切な養育環境で、安心できる養育者によって、一人ひとりの個別的な状況を十分に考慮 ・愛され大切にされていると感じることができ、将来に希望が持てる生活の保障 ・「**当たり前の生活**」を保障していく、できるだけ家庭あるいは家庭的な環境で養育する「家庭的養護」と、個々の子どもの育みを丁寧に進めていく「個別化」
発達の保障と自立支援
・未来の人生を作り出す基礎となるよう、**子ども期の健全な心身の発達**の保障 ・愛着や基本的な信頼関係の形成を基盤として、**自立に向けた生きる力**の形成、健やかな身体的、精神的、社会的発達の保障 ・自立や自己実現を目指して、子どもの主体的な活動を大切にし、さまざまな生活体験を通して自立した社会生活に必要な力を形成
回復をめざした支援
・虐待体験や分離体験等による悪影響からの**癒しや回復**を目指した**専門的ケア**や**心理的ケア**などの治療的な支援 ・安心感を持てる場所で、大切にされる体験を積み重ね、信頼関係や**自己肯定感（自尊心）**を取り戻していける支援
家族との連携・協働
・子どもや親の問題状況の解決や緩和を目指して、それに的確に対応するため、**親とともに**、親を**支えながら**、あるいは親に**代わって**、子どもの発達や養育を保障していく包括的な取り組み
継続的支援と連携アプローチ
・始まりから**アフターケア**までの継続した支援と、できる限り特定の養育者による一貫性のある養育 ・児童相談所等の行政機関、施設、里親等の社会的養護の担い手が、専門性を発揮して巧みに**連携**し合ってのアプローチ ・支援の**一貫性**、**継続性**、**連続性**という**トータル**なプロセスの確保 ・一人ひとりの子どもに用意される社会的養護は「**つながりのある道すじ**」として子ども自身に理解されるアプローチ
ライフサイクルを見通した支援
・社会に出てからの**暮らしを見通した支援**、長く関わりを持ち続け**帰属意識**を持つことができる存在になる ・子どもが親になっていくという、世代間で繰り返されていく**子育てのサイクル**への支援 ・貧困や虐待の**世代間連鎖**を断ち切っていけるような支援

7

子どもの保健

アクセスキー T
（大文字のティー）

7章 子どもの保健

①子どもの心身の健康と保健の意義

Q 01

★★☆

健康の定義は、世界保健機関（WHO）憲章（1948年）の前文に述べられている。1951年の官報記載の日本語訳は次のとおりである。（ A ）～（ C ）にあてはまる語句の正しい組み合わせを一つ選びなさい。 令和3年（後期）問2

健康とは、（ A ）肉体的、（ B ）および社会的福祉の状態であり、単に疾病または（ C ）の存在しないことではない。

（組み合わせ）

	A	B	C
1	一体的な	心理的	病弱
2	完全な	精神的	機能不全
3	一体的な	心理的	機能不全
4	完全な	精神的	病弱
5	一体的な	精神的	機能不全

Q 02

次の文は、わが国の子どもの健康とその統計に関する記述である。適切な記述を○、不適切な記述を×とした場合の正しい組み合わせを一つ選びなさい。

平成27年（地域限定）問19

A 出生率の高い都道府県は、主に大都市とその周辺である。

B 健康指標のうち人口動態統計は、個別の健康状態を評価するために用いる。

C 乳幼児身体発育曲線は、文部科学省が10年ごとに行う乳幼児身体発育調査の結果をもとに作成している。

D 合計特殊出生率は、実際の値から得たものではなく、推計値である。

E 周産期とは、妊娠満22週から出生後７日未満までの期間のことである。

（組み合わせ）

	A	B	C	D	E
1	○	○	○	○	○
2	○	×	×	○	×
3	×	○	○	○	×
4	×	×	×	○	○
5	×	×	×	×	×

A 01

正解 4

健康とは、（ A.**完全な** ）肉体的、（ B.**精神的** ）および社会的福祉の状態であり、単に疾病または（ C.**病弱** ）の存在しないことではない。

健康というと、一般的には心身が病気に侵されたり、弱ったりしていないことをイメージするが、そこに**社会的健康**（他人や社会と建設的な良い関係を築けること）も含まれることに注意するとよい。

A 02

正解 4

A ×　出生率は**大都市**では低くなる。

B ×　人口動態統計は、個々の健康状態の評価ではなく、**地域の保健活動**の基礎資料として用いられる。

C ×　乳幼児の身体発育曲線は、乳幼児身体発育調査をもとに**厚生労働省**が作成する。

D ○　合計特殊出生率は、**15**歳から**49**歳までの女性の年齢別出生率を合計したもので、一人の女性が仮にその年次の年齢別出生率で一生の間に産むとした時の子ども数に相当し、推計値である。

E ○　周産期とは**出産前後の期間**のことで、出産となる可能性がある妊娠22週から出産後1週までのことである。

よく出るポイント ◆ **日本の出生率と出生数**

わが国の出生数は、第二次世界大戦後の 1947 ～ 1949 年頃にベビーブームがあり、その時出生した子が親となって、1971 ～ 1974 年に第二次ベビーブームとなったが、その後減少が続いている。人口 1,000 に対する出生数である出生率は、2023 年は 6.0 で、1947 年の 4 分の 1 となった。また、出生数より死亡数の方が上回るようになり、2011 年以降は人口減少が続いている。一人の女性が一生の間に出産する子どもの予測数である**合計特殊出生率**は、2005 年に **1.25** まで下がったが、その後増加と減少を繰り返し、2023 年は **1.20** となっており、先進国の中では低い状態が続いている。全体の人口が増加になるためには、合計特殊出生率は 2.07 ～ 2.08 となることが必要で、将来の人口の年齢構成に影響する。

次のうち、乳幼児の体調不良時において、保護者に連絡するだけでなく医療機関への緊急搬送が必要な場合として、適切な組み合わせを一つ選びなさい。

令和４年（後期）問２

A ７月の炎天下の中、散歩中に真っ赤な顔をして気持ち悪そうにしていたので声をかけたが、意識がもうろうとして返事をしなかった。

B ３歳児に39度の発熱がみられぐったりして横になっている。

C 午前中の保育が終わりお昼ご飯にしようとしたとき、急に目を上転させけいれんが起きた。数分後にけいれんは収まっているようにも見えたが、呼びかけても意識が戻らない。

D 登園時は元気だったが、次第に顔色が悪くなり嘔吐が２回あった。その後は顔色が戻り落ち着いている。

E 昨日の保育時から咳が出ていたが、本日は咳がひどくなり、発熱はないが咳込んで嘔吐した。

（組み合わせ）

1	**A**	**B**
2	**A**	**C**
3	**B**	**C**
4	**C**	**D**
5	**D**	**E**

②子どもの身体的発育・発達と保健

次の文は、頭囲の計測法についての記述である。（ Ａ ）～（ Ｄ ）にあてはまる語句の正しい組み合わせを一つ選びなさい。

令和５年（後期）問６

乳幼児期は脳神経系の発育が急速に進む時期である。乳児では（ Ａ ）の観察も行う。２歳未満の乳幼児はあおむけに寝かせ、２歳以上の幼児は座位または立位で計測する。計測者は一方の手で巻き尺の０点を持ち、他方の手で（ Ｂ ）を確認して、そこに巻き尺をあてながら前に回す。（ Ｃ ）に巻き尺を合わせてその周径を１（ Ｄ ）単位まで読む。

（組み合わせ）

	A	**B**	**C**	**D**
1	大泉門	両耳	眉と眉の間	cm
2	大泉門	後頭結節	眉と眉の間	mm
3	小泉門	両耳	前額の突出部	mm
4	大泉門	後頭結節	前額の突出部	cm
5	小泉門	後頭結節	前額の突出部	cm

A 03

正解 2

A ○ 熱中症で意識がはっきりしない時には、**緊急搬送**が必要である。救急車が到着するまで、涼しいところに連れて行き、しっかり冷やす。

B × 別室で**涼しく**し、保護者に迎えに来てもらい、医療機関を受診してもらう。

C ○ 痙攣を起こして意識がはっきりしない時には、緊急搬送が必要である。救急車が来るまで呼吸をしているか確認し、嘔吐した時のため**顔を横にむけて**おく。

D × 嘔吐が落ち着いて、**顔色**が良くなったら、別室で安静にし、保護者に早めに迎えに来てもらう。

E × 乳幼児は、咳き込みが増加して嘔吐することがしばしばある。**ひどい咳き込み**が続く時には、保護者に早めに迎えに来てもらう。

A 04

正解 2

A 大泉門　小泉門は触れないこともある。**大泉門**の観察が大切である。

B 後頭結節　前方は眉の上を通り、後ろは後頭結節を通る。

C 眉と眉の間　頭囲測定では、前方は眉の上を通り、mm単位まで測定する。

D mm　頭囲の測定では、後ろは後頭結節を通り、mm単位まで測定する。

次の文は、子どもの身体のバランスに関する記述である。（ A ）～（ E ）にあてはまる語句の正しい組み合わせを一つ選びなさい。 平成27年 問16

子どもの身体のバランスは、成人と異なる。成人は一般に（ A ）頭身といわれるが、これは頭部を1としたときに（ B ）全体がいくつになるかを指している。これに対し、子どもは、新生児期が（ C ）頭身、２～４歳児が（ D ）頭身など、成人に比べて頭部の占める割合が高い。そのため低年齢の子どもほど頭部が重く、その頭部を支える体幹や上肢・下肢が小さいため、（ E ）が安定せず転倒しやすい。

（組み合わせ）

	A	B	C	D	E
1	8	体重	3	4	歩行
2	6	身長	4	5	精神
3	7～8	身長	4	5	歩行
4	8	体重	5	6	体重
5	7～8	身長	3	4	精神

次のA～Dは、子どもの身体発育とその評価に関する記述である。適切な記述を○、不適切な記述を×とした場合の正しい組み合わせを一つ選びなさい。

令和元年（後期）問5

A 乳幼児身体発育調査における身長の計測は、２歳未満の乳幼児では仰向けに寝た状態で、２歳以上の幼児では立った状態で行われる。

B 胸囲はその大小によっていろいろな病気を発見することができる重要な指標である。

C 乳幼児のカウプ指数は、「体重g/（身長cm）^{2}×10」で計算される。

D 乳児の体重は、健康状態に問題がなければ、出生後少しずつ増加し減少することはない。

（組み合わせ）

	A	B	C	D
1	○	○	○	○
2	○	×	○	×
3	○	×	×	○
4	×	○	○	×
5	×	×	○	○

A 05

正解 3

子どもの身体のバランスは、成人と異なる。成人は一般に（ A．**7〜8** ）頭身といわれるが、これは頭部を１としたときに（ B．**身長** ）全体がいくつになるかを指している。これに対し、子どもは、新生児期が（ C．**4** ）頭身、２〜４歳児が（ D．**5** ）頭身など、成人に比べて頭部の占める割合が高い。そのため低年齢の子どもほど頭部が重く、その頭部を支える体幹や上肢・下肢が小さいため、（ E．**歩行** ）が安定せず転倒しやすい。

子どもは身体の中で**頭部**が占める割合が高いため、転倒による頭や上半身の怪我が多くなる。転倒した時の頭部打撲を予防するため、乳幼児が活動する場所にある角張ったものにクッションをつける等の安全対策が大切である。

A 06

正解 2

A ○ 身長の測定の仕方は、２歳未満児と２歳以上児で異なる。

B × 胸囲は、体重、身長、頭囲と比べると情報量は少ない。

C ○ カウプ指数の計算の仕方は正しい。単位を変更すると、体重（kg）/ 身長（m）^{2} となる。

D × 乳児の体重は生まれてすぐの時期は、**生理的体重減少**で１週間ほど減少することがある。

加点のポイント

◆乳児死亡率の変遷

日本の乳児死亡率は、この 60 年で 20 分の 1 に減少し、2023（令和５）年は出生千に対し約 1.8 で、世界でトップクラスの低さである。この死亡率改善に対し、第１子出生の母親の年齢の上昇が続いており、これが出生数の減少と関連していると考えられる。今後は、出生率上昇のためには子育て支援のための施策を一層考えていくことが必要になっている。（下図出典：厚生労働省平成 30 年「我が国の人口動態」）

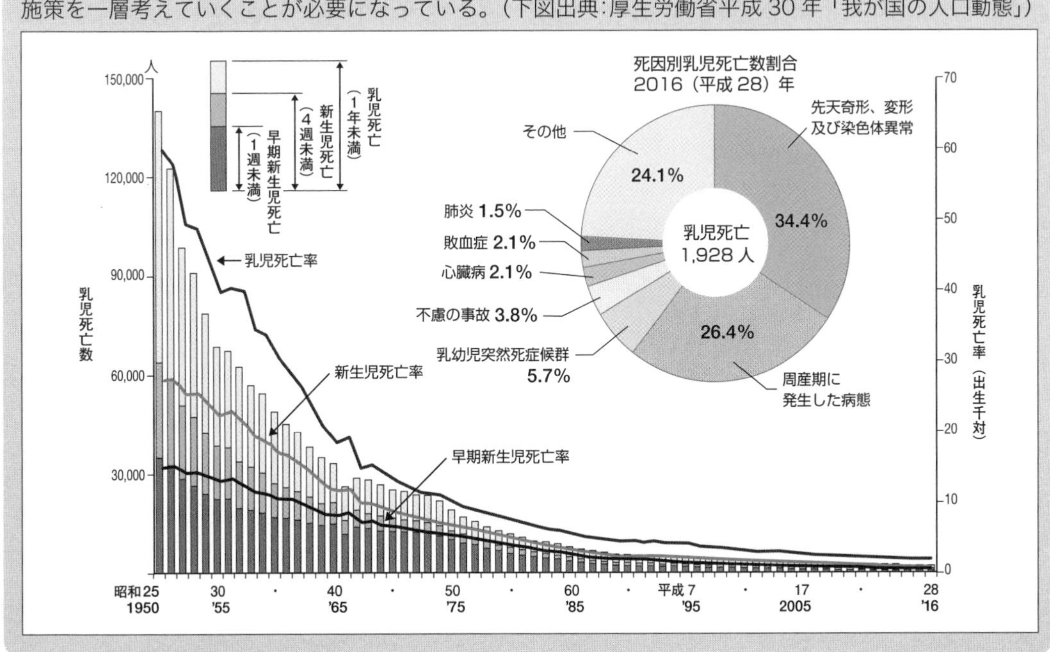

新生児に普通に見られる反射運動で、ある時期になると消えていくものを原始反射というが、次に示す反射と、その発現から消失時期の組み合わせで不適切なものを一つ選びなさい。 令和2年(後期)問7

	〈原始反射〉	〈発現〜消失時期〉
1	大きな音でびっくりしたときや落ちると感じたときに起こる。腕は伸び、さらに抱きしめるような動きがある(モロー反射)	出生時 〜 4か月ごろ
2	頬や口のまわりを指で触れるとそちらに顔を向けて探し、口を開けたりする反射(探索反射)	出生時 〜 4か月ごろ
3	口唇に触れると乳を吸う動作をする(吸啜反射)	出生時 〜 12か月ごろ
4	背臥位のときに頭部を右もしくは左の方向(一つの方向)に向けると、顔の向いた側の手足は伸びて、反対側の手足は曲がっている姿勢(フェンシングの姿勢)をとる(緊張性頸反射)	出生時 〜 5か月ごろ
5	足の裏をペンなどで刺激すると、足の指は背屈し扇状にひろがる(バビンスキー反射)	出生時 〜 24か月ごろ

次のうち、適切な記述を○、不適切な記述を×とした場合の正しい組み合わせを一つ選びなさい。 令和3年(後期)問3

A カウプ指数は身長と腹囲の相対的な関係を示す指標である。

B 母子健康手帳には、身体発育のかたよりを評価する基準の一つとして、体重、身長、頭囲それぞれの3パーセンタイルと97パーセンタイル曲線が図示されている。

C 新生児期の生理的体重減少においては通常、出生体重の15%程度減少する。

D モロー反射は出生時にみられるが、発達が進むとともに消失する。

(組み合わせ)

	A	B	C	D
1	○	○	×	×
2	○	×	○	×
3	○	×	×	○
4	×	○	○	×
5	×	○	×	○

加点のポイント

◆**幼児期運動指針とは**

子どもの体力の現状について、基本的な運動能力の低下が指摘されたことを受け、文部科学省で、平成19年度から21年度に幼児期に獲得しておくことが望ましい基本的な動き、生活習慣及び運動習慣を身に付けるための効果的な取組などについての実践研究を行った。これをもとに、**「幼児期運動指針」**をまとめ、幼児期に必要な**多様な動きの獲得や体力・運動能力等を向上させること**を目指している。幼児期は、運動発達の特性にあわせて、生涯にわたって必要な多くの運動の基となる多様な動きを幅広く獲得する非常に大切な時期である。動きの獲得には、**「動きの多様化」**と**「動きの洗練化」**の二つの方向性があり、経験しておきたい遊び(動き)を例示している。幼児期における運動については、適切に構成された環境の下で、幼児が自発的に取り組むさまざまな遊びを中心に体を動かすことを通して、幼児が自分たちで考え工夫し挑戦できるような指導が求められるとしている。また、多様な動きが経験できるようにさまざまな遊びを取り入れること、楽しく体を動かす時間を確保すること、発達の特性に応じた遊びを提供することを重視して、推進するようにとしている。

A 07

正解 3

1 ○ モロー反射が消えると**首が座って**、自分の意思で首を動かせるようになる。

2 ○ 探索反射が消えると、自分の意思で振り向くことができるようになる。

3 × 吸啜反射は出生時から生後３～４か月ごろにみられる。吸啜反射が消えると、自分の意思で口唇や舌を動かすことができるようになり、**離乳開始**の目安にもなる。

4 ○ 緊張性頸反射は、**寝返り**ができるようになると消失する。

5 ○ バビンスキー反射は、**２歳頃**までみられる。

A 08

正解 5

A × カウプ指数は身長と**体重**が関係し、栄養状態を示す指標である。

B ○ 母子健康手帳には、体重、身長、頭囲の発育成長曲線が掲載されており、**パーセンタイル曲線**では、発育の偏りは、３パーセンタイル値未満か97パーセンタイル値を超えている場合である。

C × 新生児期の**生理的体重減少**は、５～10%で、それを超えると病的である。

D ○ モロー反射は**原始反射**の一つで、通常生後３か月で消失する。

よく出るポイント ◆原始反射

刺激に反応して起こる新生児特有の反射を**原始反射**といい、これは本人の意思とは無関係に出るもので、通常生後３か月頃（遅くても生後６か月まで）には消失する。消失が遅い時には、運動発達障害を起こしている場合がある。

探索反射	モロー反射	吸啜反射
口唇や口角を刺激すると刺激の方向に口と頭を向ける	頭を急に落としたり、大きな音で驚かすと、両上下肢を開いて、抱きつくような動作を行う	口の中に指や乳首を入れると吸い付く
把握反射	**自動歩行反射**	**非対称性緊張性頸反射**
手のひらや足の裏を指で押すと握るような動作をする	新生児の脇の下を支えて足底を台につけると、下肢を交互に曲げ伸ばしして、歩行しているような動作をする	あおむけに寝かせて頭を一方に向けると、向けた側の上下肢は伸展し、反対側の上下肢は屈曲する

次の文は、「教育・保育施設等における事故防止及び事故発生時の対応のためのガイドライン【事故防止のための取組み】〜施設・事業者向け〜」（平成28年３月　内閣府）における「プール活動・水遊びの際に注意すべきポイント」に関する記述である。不適切な記述を一つ選びなさい。　平成31年（前期）問17

1 監視者は監視に専念する。
2 監視エリア全域をくまなく監視する。
3 動かない子どもや不自然な動きをしている子どもを見つける。
4 十分な監視体制の確保ができない場合は、プール活動の時間を短くして実施する。
5 時間的余裕をもってプール活動を行う。

次の文は、「幼児期運動指針」（平成24年　文部科学省）の４「幼児期の運動の在り方」の一部である。（　A　）〜（　E　）にあてはまる語句の正しい組み合わせを一つ選びなさい。　平成28年（前期）問5

幼児期は、生涯にわたって必要な多くの運動の基となる多様な動きを幅広く獲得する非常に大切な時期である。動きの獲得には、「動きの（　A　）」と「動きの（　B　）」の二つの方向性がある。
「動きの（　A　）」とは、年齢とともに獲得する動きが増大することである。幼児期において獲得しておきたい基本的な動きには、立つ、座る、寝ころぶ、起きる、回る、転がる、渡る、ぶら下がるなどの「体の（　C　）動き」、歩く、走る、はねる、跳ぶ、登る、下りる、這（は）う、よける、すべるなどの「体を（　D　）動き」、持つ、運ぶ、投げる、捕る、転がす、蹴る、積む、こぐ、掘る、押す、引くなどの「用具などを（　E　）動き」が挙げられる。通常、これらは、体を動かす遊びや生活経験などを通して、易しい動きから難しい動きへ、一つの動きから類似した動きへと、多様な動きを獲得していくことになる。
「動きの（　B　）」とは、年齢とともに基本的な動きの運動の仕方（動作様式）がうまくなっていくことである。幼児期の初期（３歳から４歳ごろ）では、動きに「力み」や「ぎこちなさ」が見られるが、適切な運動経験を積むことによって、年齢とともに無駄な動きや過剰な動きが減少して動きが滑らかになり、目的に合った合理的な動きができるようになる。

（組み合わせ）

	A	B	C	D	E
1	多様化	本格化	なめらかな	支える	操作する
2	洗練化	多様化	バランスをとる	操作する	支える
3	本格化	洗練化	なめらかな	移動する	支える
4	多様化	洗練化	バランスをとる	移動する	操作する
5	本格化	多様化	強い	操作する	移動する

A 09

正解 4

1 ○ 監視者は、保育はせずに監視に専念する。
2 ○ **監視エリア**をくまなく見ることが、大切である。
3 ○ 動かなくなったり、沈んでいることもあるので、注意する。
4 × 十分な監視体制がない時は、プール活動を中止する。
5 ○ あわただしい時には、事故が起こりやすいので注意する。

A 10

正解 4

幼児期は、生涯にわたって必要な多くの運動の基となる多様な動きを幅広く獲得する非常に大切な時期である。動きの獲得には、「動きの（ A.**多様化** ）」と「動きの（ B.**洗練化** ）」の２つの方向性がある。

「動きの（ A.**多様化** ）」とは、年齢とともに獲得する動きが増大することである。幼児期において獲得しておきたい基本的な動きには、立つ、座る、寝ころぶ、起きる、回る、転がる、渡る、ぶら下がるなどの「体の（ C.**バランスをとる** ）動き」、歩く、走る、はねる、跳ぶ、登る、下りる、這（は）う、よける、すべるなどの「体を（ D.**移動する** ）動き」、持つ、運ぶ、投げる、捕る、転がす、蹴る、積む、こぐ、掘る、押す、引くなどの「用具などを（ E.**操作する** ）動き」が挙げられる。通常、これらは、体を動かす遊びや生活経験などを通して、易しい動きから難しい動きへ、一つの動きから類似した動きへと、多様な動きを獲得していくことになる。

「動きの（ B.**洗練化** ）」とは、年齢とともに基本的な動きの運動の仕方（動作様式）がうまくなっていくことである。幼児期の初期（３歳から４歳ごろ）では、動きに「力み」や「ぎこちなさ」が見られるが、適切な運動経験を積むことによって、年齢とともに無駄な動きや過剰な動きが減少して動きが滑らかになり、目的に合った合理的な動きができるようになる。

文部科学省の幼児期運動指針は、子どもの**基本的な運動能力**の低下が指摘されていることに対し、幼児期に獲得しておくことが望ましい**基本的な動き**、**生活習慣**及び**運動習慣**を身に付けるための効果的な取組などについての指針をまとめたものである。

よく出るポイント ◆**粗大運動の発達時期**

運動	時期＊	運動の内容
首のすわり	４～５か月未満	仰向けにし、両手を持って、引き起こした時、首がついてくる。
寝返り	６～７か月未満	仰向けの状態から、自ら、うつぶせになることができる。
ひとりすわり	９～10か月未満	両手をつかず、１分以上座ることができる。
はいはい	９～10か月未満	両腕で体を支えて進む動作ができる。
つかまり立ち	11～12か月未満	物につかまって立つことができる。
ひとり歩き	１年３～４か月未満	立位の姿勢をとり、歩くことができる。

＊90％以上の乳幼児が可能になる時期（「平成22年乳幼児身体発育調査報告書」より）

次の【事例】を読んで、【設問】に答えなさい。

令和２年（後期）問14

【事例】

自閉スペクトラム症と診断されている５歳のＳくん。保育所で制作の時間に突然保育室を飛び出してしまった。担当保育士が後を追いかけると、水場のところでびしょ濡れになってひとりで遊んでいた。

【設問】

担当保育士による、Ｓくんに対する配慮として適切なものを○、不適切なものを×とした場合の正しい組み合わせを一つ選びなさい。

A あまりに楽しそうに遊んでいたので、制作は中止にして、みんなで一緒に遊ぶことにした。

B 今、何をする時間なのかがわかっていなかった可能性を考え、Ｓくんがわかるように絵を使って教えるようにした。

C 水遊び以外にＳくんが興味を持てる電車やくるまを制作に取り入れる工夫をした。

D 今は制作の時間であることを口頭で強く伝えた。

（組み合わせ）

	A	B	C	D
1	○	○	○	○
2	○	○	×	×
3	○	×	○	○
4	×	○	○	×
5	×	×	×	×

次の記述のうち、適切なものを○、不適切なものを×とした場合の正しい組み合わせを一つ選びなさい。

令和５年（前期）問８

A 子どもは新陳代謝が活発なので、体温は高めである。

B 子どもの血管壁は薄く硬化が少ないため、血圧は大人より高めである。

C 体温は睡眠中の早朝が最も低く、夕方が最も高い。

D 体温は測定箇所で異なり、腋窩温は直腸温より高い。

（組み合わせ）

	A	B	C	D
1	○	○	×	×
2	○	×	○	×
3	○	×	×	○
4	×	○	○	×
5	×	×	○	○

A 11

正解 4

A × 他の子どもの活動を変更させることは好ましくない。集団のルールに従えなくなる可能性があるため、行ってはならない。

B ○ 言葉だけで伝えるよりも図示する方がわかりやすいことが多い。

C ○ 集団に参加しやすくなるように工夫することは大切である。

D × 厳しく伝えることで、パニックになることがあるため、不適切である。

A 12

正解 2

A ○ 子どもの方が大人より体温が**高い**。

B × 子どもの方が大人より血圧が**低め**である。

C ○ 体温の日内変動は、子どもの方が大きく、**朝**よりも**夕方**の方が高い。

D × 体温の測定値は測定箇所により異なるが、直腸温が最も**高い**。

◆**子どもの体温調節**

子どもは、成人と比べ体重あたりの**体表面積**が広いため、環境温度に左右されやすいので、体温調節に気を付ける必要がある。新生児は、**低体温になりやすい**ため、保温が大切だが、2か月以降の乳児では、**着せ過ぎによるうつ熱**で、体温が**上昇**することもある。また、子どもは**新陳代謝**が盛んで産生熱が多いため、**平熱が成人より高い**ことが多く、平熱より1℃以上上昇した時に発熱かもしれないと考える。日内変動もあるので、発熱の判断では注意が必要である。

乳幼児が長時間にわたり集団で生活する保育所では感染症対策に留意が必要である。次のA～Eの記述のうち、感染症対策として適切な記述を○、不適切な記述を×とした場合の正しい組み合わせを一つ選びなさい。 令和元年（後期）問19

A 感染症で欠席した園児が再び登園して差し支えないかどうかの判断は、保護者が行うのが望ましい。

B 飛沫感染は、感染者の飛沫が飛び散る範囲である周囲2メートルで起こりやすい。

C 感染者は症状がなくても感染源となりうる。

D 皮膚に傷があるときは、皮膚のバリア機能が働かずそこから感染が起こる場合がある。

E 感染症が発生し、感染者が10名以上になったので、近くの医療機関に報告し指示を求めた。

（組み合わせ）

	A	B	C	D	E
1	○	○	○	×	×
2	○	○	×	×	○
3	○	×	○	×	○
4	×	○	○	○	×
5	×	○	×	○	○

次の文は、感染予防のために用いる消毒薬に関する記述である。適切な記述を一つ選びなさい。 平成31年（前期）問16

1 消毒用アルコールは多種類の病原体に効果があるため、よく用いられる。原液を2倍に薄めて使う。

2 消毒用アルコールは手指や、遊具、便器、トイレのドアノブなどに用いるが、ゴム製品や合成樹脂製品（おもちゃなど）は浸け置きして消毒する。

3 逆性石鹸は、ウイルスにも効果があるため、手指を含めて室内にある物品を消毒するのに用いる。

4 次亜塩素酸ナトリウムは、ノロウイルスを含めて多くのウイルス、細菌、一部の真菌に効果があるが、金属には使えない。

5 次亜塩素酸ナトリウムで消毒する時は、市販の漂白剤（塩素濃度約6％）を30倍に希釈して用いる。

A 13

正解 4

A × 感染症で欠席した園児が再び登園する時は、主治医の判断で、**登園許可書**か**治癒証明書**を提出してもらう。もしくは、それがない場合は保育士が判断する。

B ○ 飛沫感染を起こさないように人との距離を保ち、密にならないことが大切である。

C ○ 感染していても症状が出ない**不顕性感染**（ふけんせいかんせん）の場合は、症状がなくても感染源となる。

D ○ 通常は、病原体が皮膚に触れただけでは感染せず、病原体がついた指で目や鼻の**粘膜**や、口に触れることで感染が成立することが多い。皮膚からの感染症は、皮膚のバリア機能が働かない時に起きる。

E × 感染者が大勢出た時には、**保健所**に報告して指示を求める。

A 14

正解 4

1 × 消毒用アルコールは、最適な濃度に調製されているので薄めずに使用する。なお、多種類の病原体に効果があるが、食中毒の原因となる**ノロウイルス**には効果がない。

2 × 消毒用アルコールは、一部のゴム製品やプラスチック製品に長時間触れると、それらを**変質**させる可能性があるため、浸け置きでは用いない。

3 × 逆性石鹸は大部分のウイルスには効果がなく、こちらの記載は不適切である。

4 ○ 次亜塩素酸ナトリウムで消毒すると、金属は**腐食**する。

5 × 拭き取りや浸け置きでは、市販の漂白剤（塩素濃度６％）を300倍に希釈して**0.02%（200ppm）**で使用する。また、嘔吐物や排泄物が付着した箇所の拭き取りや浸け置きでは、60倍に希釈して**0.1%（1,000ppm）**で使用する。

加点のポイント

◆**設備・備品の消毒方法についてのまとめ**

手指	流水、薬用石鹸で手洗い後、手指専用消毒液で消毒する
衣類	洗濯後、次亜塩素酸ナトリウム6%を0.02%になるように希釈して30分浸す（洗えるものを消毒する場合は、洗浄後に0.02%の次亜塩素酸ナトリウム液に浸す。洗えないものを消毒する場合は、汚れを拭き取ったあと、0.05～0.1%次亜塩素酸ナトリウムを浸したペーパータオルなどで拭く）
ぬいぐるみ	定期的に衣類と同様に洗濯、消毒する。日光消毒も併用する
哺乳瓶、歯ブラシ	洗った後、0.02%（200ppm）の次亜塩素酸ナトリウムでの浸け置きを行うか、よく乾燥させる
おもちゃ、ドアノブ	おもちゃやドアノブは消毒用エタノールで拭く
トイレ	逆性石鹸または、消毒用エタノールで拭く

次の文は、乳幼児の排泄のケアに関する記述である。（ A ）～（ E ）にあてはまる語句の正しい組み合わせを一つ選びなさい。 平成27年（地域限定）問16

排泄とは摂取した食べ物の残りかすや老廃物を体外に出すことをいう。尿は（ A ）でつくられ、膀胱に溜められる。また、（ B ）で栄養分を吸収された食べ物は大腸で（ C ）が吸収されて便となる。
乳児期は無意識の反射により尿の排泄をしているが、２～３歳頃になると膀胱に尿が溜まったという刺激が脳に伝わるようになり、自分の意志で排尿の調節ができるようになる。
大腸に便が溜まって便意がおきると、自分の意志では動かせない（ D ）が弛緩する。通常は、その後、自分の意志で動かすことができる（ E ）を用いて便を排泄するが、乳児期から１歳の子どもでは排便機能は未熟で、排便が自分の意志で自由に行えるようになるのは、排尿と同じく２～３歳頃である。

（組み合わせ）

	A	B	C	D	E
1	肝臓	胃	塩分	内肛門括約筋	外肛門括約筋
2	腎臓	小腸	塩分	内肛門括約筋	外肛門括約筋
3	膀胱	十二指腸	水分	外肛門括約筋	内肛門括約筋
4	腎臓	小腸	水分	内肛門括約筋	外肛門括約筋
5	肝臓	小腸	糖分	外肛門括約筋	内肛門括約筋

◆**感染経路と感染予防策**

名称	感染が成立する経路	代表的な疾患と感染予防策
飛沫感染	感染している人が**咳やくしゃみ**、**会話**をした際に、病原体が含まれた小さな水滴（飛沫）が口から飛び、これを近くにいる人が吸い込むことで感染する。飛沫が飛び散る範囲は**１～２ｍ**	・**インフルエンザ**や**百日咳**、**新型コロナウイルス感染症**などの呼吸器症状を起こす疾患に多くみられる ・感染している者から**２ｍ**以上離れることや感染者が**マスク**の着用などの咳エチケットを確実に実施する ・症状がみられる子どもには、登園を控えてもらい、保育所内で急に発病した場合には医務室等の別室で保育する
空気感染	感染者の口から飛び出した飛沫が乾燥しても病原体が感染性を保ったまま空気の流れによって拡散し、感染を引き起こす。飛沫感染と異なり、感染は空調が共通の部屋間等も含めた**空間内の全域**に及ぶ	・保育所内で気を付けるべき疾患は、**風しん**、**水痘**及び**結核**であり、感染力が強く隔離のみでは対策が難しい場合も多く保健所と連携して対応を行う。また、予防接種が非常に重要である

A 15

正解 4

排泄とは摂取した食べ物の残りかすや老廃物を体外に出すことをいう。尿は（ A.**腎臓** ）でつくられ、膀胱に溜められる。また、（ B.**小腸** ）で栄養分を吸収された食べ物は大腸で（ C.**水分** ）が吸収されて便となる。

乳児期は無意識の反射により尿の排泄をしているが、２～３歳頃になると膀胱に尿が溜まったという刺激が脳に伝わるようになり、自分の意志で排尿の調節ができるようになる。

大腸に便が溜まって便意がおきると、自分の意志では動かせない（ D.**内肛門括約筋** ）が弛緩する。通常は、その後、自分の意志で動かすことができる（ E.**外肛門括約筋** ）を用いて便を排泄するが、乳児期から１歳の子どもでは排便機能は未熟で、排便が自分の意志で自由に行えるようになるのは、排尿と同じく２～３歳頃である。

自分の意志で排泄をコントロールできない時には、おむつを用いるが、**大脳**の発達で自分の意志で外肛門括約筋や外尿道括約筋を調整できるようになったら、**トイレトレーニング**を行うとよい。

名称	感染が成立する経路	代表的な疾患と感染予防策
経口感染	**病原体を含んだ食物や水分**を口にすることによって、病原体が消化管に達して感染が成立する	・保育所内で気を付けるべき疾患は、**ノロウイルス感染症**、**腸管出血性大腸菌**などの食中毒、**ロタウイルス感染症**など ・食事を提供する際には、調理中・調理後の温度管理に気を付ける ・感染の可能性のある、嘔吐物・下痢等の処理を適切に行う
接触感染	**病原体の付着した手**で口、鼻または眼をさわることや、**傷のある皮膚**から病原体が侵入することで感染が成立する。体の表面に病原体が付着しただけでは感染しない	・飛沫感染や経口感染を起こす疾患の多くや、ダニなどの皮膚感染症を起こす疾患でみられる ・最も重要な対策は**手洗い**等により手指を清潔に保つこと。使用中に不潔になりやすい固形石けんよりも**液体石けん**の使用が望ましい ・**タオルの共用をせず**に手洗いの時にはペーパータオルを使用することが望ましい ・飛沫感染予防でマスクをしている場合は、**マスク表面**を触らないように注意する

厚生労働省「保育所における感染症対策ガイドライン（2018年改訂版［2023（令和５）年５月一部改訂］）」を参考に作成

③子どもの心身の健康状態とその把握

Q 16 ★★★

次のうち、感染症名と「学校保健安全法施行規則」に定められる出席停止期間の組み合わせとして、適切なものを○、不適切なものを×とした場合の正しい組み合わせを一つ選びなさい。 令和２年（後期）問17

A 麻しん ―――― 解熱した後３日を経過するまで

B 流行性耳下腺炎 ―― 耳下腺、顎下腺又は舌下腺の腫脹が発現した後３日を経過し、かつ、全身症状が良好になるまで

C 風しん ―――― 発しんが消失するまで

D 水痘 ―――― すべての発しんが消失するまで

E 咽頭結膜熱 ―――― 主要症状が消退した後２日を経過するまで

（組み合わせ）

	A	B	C	D	E
1	○	○	○	×	×
2	○	×	○	×	○
3	×	○	○	×	○
4	×	×	○	×	○
5	×	×	×	○	○

Q 17 ★★★

次のうち、「保育所における感染症対策ガイドライン（2018年改訂版［2023（令和５）年５月一部改訂］）」（厚生労働省）における子どもが登園を控えるべき状況として、適切な記述を○、不適切な記述を×とした場合の正しい組み合わせを一つ選びなさい。 令和４年（前期）問５改

A 今朝の体温が37.2℃でいつもより高めであるが、食欲があり機嫌も良い。

B 昨夜の体温は38.5℃で解熱剤を１回服用し、今朝の体温は36.8℃で平熱である。

C 伝染性膿痂疹と診断され、掻き壊して浸出液が多くガーゼで覆いきれずにいる。

D 夜間は咳のために起き、ゼーゼーという音が聞こえていたが、今朝は動いても咳はない。

E 昨日から嘔吐と下痢が数回あり、今朝は食欲がなく水分もあまり欲しがらない。

（組み合わせ）

	A	B	C	D	E
1	○	○	○	○	○
2	○	×	×	○	○
3	×	○	○	×	○
4	×	×	○	○	×
5	×	×	×	×	×

A 16

正解 2

A ○ 麻しんの出席停止期間は、**解熱後３日**を経過するまでである。

B × 流行性耳下腺炎の出席停止期間は、**症状発現後５日以上**を経過するまででかつ全身状態が良好になるまでである。

C ○ 風しんの出席停止期間は**発しんが消失**するまでである。

D × 水痘の出席停止期間は、**全ての発しんが痂皮化する**までである。なお、痂皮化とはかさぶた状になることをいう。

E ○ 咽頭結膜熱の出席停止期間は、発熱、眼瞼結膜の発赤などの**主要症状が改善してから２日**経過するまでである。

A 17

正解 3

A × 子どもの場合、体温が高めでも、**37.5°C**以下で食欲があって機嫌が良ければ問題ない。

B ○ 前の晩に熱が出て解熱剤を使ったときは、朝の体温が平熱でも登園は控えてもらう。解熱して後、**24時間**してから登園可とする。

C ○ **伝染性膿痂疹**の浸出液が多く、ガーゼで覆い切れていない時には登園を控えてもらう。

D × ゼーゼーという音が聞こえていたという文言から、咳の原因は他者への感染の恐れがない**喘息**等であると考えられる。前の夜に咳が出ていても朝になって動いても咳がなければ問題ない。

E ○ 昨日に嘔吐と下痢があって、今朝の食欲が回復していなければ、登園を控えてもらう。

加点のポイント

◆新型コロナウイルス感染症（COVID-19）

2019（令和元）年より集団発生し、パンデミック（全世界的流行）となった感染症で、重症肺炎となると致命率が高くなる。ウイルスが何度か変異株となって、その度に大流行となっている。感染経路は飛沫感染が主で接触感染もある。潜伏期間は１～14日間で、**無症状感染**が８割と多く、発熱、呼吸器症状、頭痛、倦怠感で消化器症状や味覚・嗅覚障害があることもある。予防は、**手洗い**、**手指消毒**、手が触れるところの消毒、定期的**換気**をすることで、マスクの着用は飛沫感染の予防となるが、**熱中症**のリスクがあるので、２歳以下や運動時は控える。

よく出るポイント

◆子どもがかかる主な疾病

子どもでは、免疫の発達途上であるため、特に**集団生活**をし始めた時には、感染症にかかることが多い。子どもがかかりやすい感染症の中には、発熱の経過や発しんの性状で診断できる疾患もある。麻疹（はしか）、風しん（三日ばしか）、突発性発しん、水痘（水ぼうそう）、手足口病は発しんの出現時期、性状、出現場所に特徴があるウイルス感染症である。発しんのない流行性耳下腺炎（おたふくかぜ）、インフルエンザ、咽頭結膜熱（プール熱）、ヘルパンギーナは痛みの部位、症状に特徴がある**ウイルス感染症**である。また、苺舌がある溶連菌感染症、特徴的な咳がある百日咳などの**細菌性感染症**では、適切な抗生剤の投与が必要となる。感染症には**潜伏期間**があるので、接触してからの時期に注意する。

Q18

★★★

次のうち、ワクチンに関する記述として、<u>不適切なもの</u>を一つ選びなさい。

令和5年（前期）問15

1 生後2か月になったら、定期接種としてHib（ヒブ）ワクチン、小児用肺炎球菌ワクチン、B型肝炎ワクチンの予防接種を受けることが重要であることを周知する。

2 BCGは、標準接種期間の生後5か月から8か月までのできるだけ早い時期に接種することが勧められている。

3 水痘ワクチンは、1歳になったら3か月以上の間隔をあけて2回接種するのが重要である。

4 5歳児クラス（年長組）になったら、卒園までに麻しん風しん混合（MR）ワクチンの2回目の予防接種を受けることが重要であることを周知する。

5 ロタウイルス感染症の予防接種は、任意接種であるが、感染力が強い疾患のため、発症する前に予防接種を受けることが重要であることを周知する。

Q19

次の【Ⅰ群】の感染症と、【Ⅱ群】の内容を結びつけた場合の正しい組み合わせを一つ選びなさい。

令和4年（前期）問6

【Ⅰ群】

A 水痘

B 溶連菌感染症

C 伝染性紅斑

D 風しん

E 咽頭結膜熱

【Ⅱ群】

ア 秋から春にかけて流行し、両頬に赤い発しんがみられ、手足にレース様の紅斑ができる。妊娠前半期に感染すると胎児に影響を及ぼす。

イ 軽い発熱とともに発しんが表れ、最初は小紅斑で、やがて丘疹となり水疱ができる。いろいろな状態の発しんが同時にみられる。痂皮になると感染性はないものと考えられる。

ウ 急に39℃の発熱があり、目の結膜が赤くなり目やにが出て、喉の痛みを訴える。年間を通じて発生するが、夏季に多い。

エ 発熱があり、のどの痛みを訴える。手足、顔に発しんがみられ、舌がイチゴのように赤く腫れる。

オ 発熱があり、顔や首のまわりに発しんが表れ、頸部のリンパ節が腫れる。妊娠初期に感染すると胎児に影響を及ぼす。

（組み合わせ）

	A	B	C	D	E
1	ア	ウ	オ	エ	イ
2	イ	ウ	オ	ア	エ
3	イ	エ	ア	オ	ウ
4	ウ	エ	ア	オ	イ
5	オ	エ	ア	イ	ウ

A 18

正解 5

1 ○ 0歳児が受けなければならない予防接種の種類は多いため、**生後2ヶ月**から計画的に接種することが大切である。

2 ○ BCGは、**生後1年以内**に接種するが、生後5ヶ月以上の出来るだけ早い時期が望ましい。

3 ○ 水痘も感染性が強い疾患なので、**1歳**を過ぎたら、なるべく早く接種することが望ましい。

4 ○ MRワクチンは1歳時に1回目を接種し、**就学前の1年間**で2回目を接種する。

5 × **ロタウイルスワクチン**は、2020年10月から定期接種になった。

A 19

正解 3

A イ 水痘では水疱が見られる。**いろいろな状態の発しんが同時に見られる**のが特徴である。

B エ 溶連菌感染症は春先に多く、**喉の痛みと発しん**、イチゴ舌が見られる。

C ア 伝染性紅斑では、**両頬の他に**、手足にレース様の紅斑が見られる。**発しんが出た時には、感染性はなくなる。**

D オ 風しんでは、水疱はない。また、妊娠時に風しんにかかると、先天性風しん症候群を起こす場合がある。そのため、**麻しん風しん疹混合ワクチンであるMRワクチンの2回接種**が大切である。

E ウ 咽頭結膜熱では、発しんはないが、**眼瞼結膜の充血と喉の痛み**が認められる。夏季に多く見られ、プール熱とも呼ばれる。

次のうち、慢性疾患のある子どもや医療的ケアを必要とする子どもを保育所等で受け入れる場合の、適切なものの組み合わせを一つ選びなさい。

令和4年(前期) 問20

A 心臓の働きを強めたり、血圧を上げたり、気管・気管支など気管を拡張する作用のある「エピペン®」は保育所では使用してはならない。

B 保育所等において医療的ケア児の受け入れが推進されているが、医療的ケア児には歩ける子どもも重症心身障害児も含まれており、個別的配慮が必要である。

C 車いすで過ごす子どもが入所した時に段差解消スロープを設置することは、合理的配慮の一つである。

D 慢性疾患の子どもの薬を預かる時は、保護者に医師名、薬の種類、服用方法等を具体的に記載した与薬依頼票を持参させる。

E 認定特定行為業務従事者である保育士等が医療的ケアを行う場合には、事前に保護者に具体的な内容や留意点、準備すべきこと等について確認し、主治医には事後に報告する。

(組み合わせ)

1	A	B	C
2	A	C	E
3	A	D	E
4	B	C	D
5	B	C	E

次のうち、「保育所におけるアレルギー対応ガイドライン(2019年改訂版)」(厚生労働省)の第Ⅰ部「基本編」1「保育所におけるアレルギー対応の基本」(3)「緊急時の対応(アナフィラキシーが起こったとき(「エピペン®」の使用))」に関する記述として、不適切なものを一つ選びなさい。

令和5年(後期) 問15

1 消化器症状として、繰り返し下痢をするようであれば、「エピペン®」の使用や119番通報による救急車の要請など、速やかな対応をすることが求められる。

2 呼吸器症状として、のどや胸が締め付けられる、声がかすれる、犬が吠えるような咳、持続する強い咳込み、ゼーゼーする呼吸、息がしにくいといった状態であれば、「エピペン®」の使用や119番通報による救急車の要請など、速やかな対応をすることが求められる。

3 全身の症状として、唇や爪が青白い、脈が触れにくい・不規則、意識がもうろうとしている、ぐったりしている、尿や便を漏らすといった状態であれば、「エピペン®」の使用や119番通報による救急車の要請など、速やかな対応をすることが求められる。

4 「エピペン®」を使用した後は、速やかに救急搬送し、医療機関を受診する必要がある。

5 「エピペン®」を保管する際は、日光のあたる場所や冷蔵庫等を避けて15～30℃で保管する。

A 20

正解 4

A × 「エピペン」は、**アナフィラキシー**を起こしたことがある子どもがいる場合は、あらかじめ用意しておき、保育所でも使用しなければならない時がある。

B ○ 医療ケア児といっても、心身の状態や必要なケアは様々であり、**個別的配慮**が必要になる。

C ○ 段差解消スロープの設置は、車いすで過ごす子どもの障壁を取り除くことにつながると考えられ、**合理的配慮**といえる。

D ○ 慢性疾患の子どもを預かる際には、**与薬依頼票**を入手し服薬の情報を把握しておくことが大切である。

E × 医療的ケアを行う場合、主治医には事前に連絡する。

A 21

正解 1

1 × 繰り返し嘔吐するときは、**エピペン**の適応となる。下痢の場合は、アナフィラキシーですぐに出る症状ではなく、感染性の急性胃腸炎の可能性もある。

2 ○ 呼吸器症状があるときは、危険度が高く、**喘息発作**との鑑別を迷う場合でもエピペン投与が必要となる。

3 ○ 全身症状がある場合は、血圧が低下する**アナフィラキシーショック**となっている可能性があるため、エピペンの投与とともに、**仰向けに寝かせて足を高くする**。

4 ○ エピペン使用後に再び体調が悪化する可能性もあるため、医療機関を受診する。

5 ○ 冷蔵保存せず、**室温保存**とし、保存場所は職員に周知する。

よく出るポイント ◆アレルギーとは

アレルギーとは**免疫反応**の一種で、免疫反応が人体に不利に働いた場合に症状が出現する。人体に不利な作用を起こす原因となるものを**アレルゲン**といい、遺伝的体質や環境により影響を受ける。年齢、季節により症状が変化し、いろいろなアレルギー疾患を繰り返す。アレルギーの種類には、ある特定の食品を食べると、食べた後に嘔吐、下痢などの腹部症状やじんましん等の皮膚症状が出る**食物アレルギー**、乳幼児期に湿疹から始まり、皮膚がかさかさになり、かゆみを伴うようになる**アトピー性皮膚炎**、気管支の平滑筋が収縮し、気道が狭窄することにより、呼気性の呼吸困難となる**気管支喘息**、鼻水などの症状の**アレルギー性鼻炎**や目がかゆくなる等のアレルギー性結膜炎を起こす**花粉症**等がある。アレルギー反応のうち、最も重症で、急速に広がるじんましん、口腔、咽頭のアレルギー性腫脹、喘鳴、呼吸障害、血圧低下等の一連の症状を認める**アナフィラキシー**が疑われる時には、急いで救急病院に連れて行くことが必要で、過去にアナフィラキシーを起こしたことがある場合には、緊急時に筋注できるアドレナリン自己注射製剤（**エピペン**）を使用しなければならないこともある。

次の文は、小児期の歯科保健に関する記述である。不適切な記述の組み合わせを一つ選びなさい。

令和５年（前期）問４

A 乳歯の生える順序は、下あごの前歯が最初に生えることが多いが、上あごからの場合もあり、生える順序で心配する必要はない。

B むし歯予防や永久歯の萌出のために、乳歯の場合は歯と歯の間に多少のすき間が開いている方が望ましい。

C 食物を食べていない時の口中の酸度はpH6.5～7.0くらいであるが、pHが上昇することにより、歯が侵されやすい状態になる。

D むし歯の発生には、歯垢中の細菌の存在が要因としてあげられるが、咀しゃくや唾液流出の状態も関係している。

E 乳歯の多くは妊娠後期に形成を開始し、続いて石灰化が行われる。

（組み合わせ）

1	**A**	**B**
2	**A**	**E**
3	**B**	**D**
4	**C**	**D**
5	**C**	**E**

次の文は、乳児に起こりやすい事故に関する記述である。（　A　）～（　F　）にあてはまる語句の正しい組み合わせを一つ選びなさい。

令和５年（前期）問５

６か月ごろの子どもは、（　A　）をするため、ベッドに一人にしておくと（　B　）が起きる。８か月ごろになると（　C　）ができるが、まだ安定していないため（　D　）し、ものに当たって（　E　）へと発展する。（　F　）の事故としては、窒息のリスクに注意をする。

（組み合わせ）

	A	B	C	D	E	F
1	寝返り	打撲事故	ハイハイ	後ろに転倒	転落事故	移動中
2	ハイハイ	打撲事故	お座り	後ろに転倒	打撲事故	睡眠中
3	寝返り	転落事故	ハイハイ	前に転倒	打撲事故	睡眠中
4	寝返り	転落事故	お座り	後ろに転倒	打撲事故	睡眠中
5	ハイハイ	打撲事故	お座り	前に転倒	転落事故	移動中

A 22

正解 5

A ○ 乳歯の生え方には**個人差**がある。

B ○ 乳歯にすき間がないと、永久歯の萌出するスペースが不足し**歯並び**に影響するほか、歯間部の清掃が困難なため虫歯になりやすい。

C × pHが下がって**酸性**に傾くと虫歯になりやすくなる。

D ○ 虫歯の発生には、**咀しゃく力**の低下や唾液の減少も関係する。

E × 乳歯の**石灰化**は妊娠4～6ヶ月で始まる。

A 23

正解 4

A **寝返り** 6ヶ月では、まだハイハイしていないことも多い。

B **転落事故** **寝返り**で気をつけなければならない事故はベッドからの転落事故である。

C **お座り** 転倒事故はお座りをするようになるとよく起こり、後ろに倒れた時頭などを打って事故になる。

D **後ろに転倒** お座りのときの事故は後ろに倒れる転倒事故である。

E **打撲事故** 月齢の発達段階による事故の違いを理解しておくことは大切である。

F **睡眠中** 窒息のリスクは、**睡眠中**が高い。

次の文は、睡眠に関する記述である。適切な記述を○、不適切な記述を×とした場合の正しい組み合わせを一つ選びなさい。 令和4年(後期)問9

A 新生児は授乳リズムに応じて睡眠覚醒を繰り返しているが、月齢とともに次第に昼夜の区別が可能になる。

B 乳児は浅い眠りの時に夜泣きしやすい。

C 成長ホルモンは、入眠時、ノンレム睡眠の最も深い時に比較的多く分泌される。

D 睡眠リズムの調節と免疫機能の向上作用をもつメラトニンは、日中に比較的多く分泌される。

E 自閉症や情緒障害などで生体リズムが乱れることがあるが、特に睡眠リズムを改善させる必要はない。

(組み合わせ)

	A	B	C	D	E
1	○	○	○	×	×
2	○	○	×	○	○
3	○	×	○	×	×
4	×	×	○	○	○
5	×	×	×	○	×

乳幼児突然死症候群(SIDS)については、毎年11月にこども家庭庁による対策強化月間としてキャンペーンが行われている。次の文は令和5年10月20日発出の「11月は「乳幼児突然死症候群(SIDS)」の対策強化月間です」の記載に関するものである。(A)~(E)にあてはまる語句の正しい組み合わせを一つ選びなさい。

令和3年(後期)問6改

SIDSは、何の予兆や既往歴もないまま乳幼児が死にいたる、原因のわからない病気で、窒息などの事故とは異なります。令4年には47名の乳幼児がSIDSで亡くなっており、乳児期の死亡原因としては(A)となっています。
SIDSは、(B)、(C)のどちらでも発症しますが、寝かせるときに(B)に寝かせたときの方がSIDSの発症率が高いということが研究者の調査からわかっています。
そのほか(D)で育てられている赤ちゃんの方がSIDSの発症率が低く、(E)はSIDS発症の大きな危険因子です。

(組み合わせ)

	A	B	C	D	E
1	第1位	うつぶせ	あおむけ	母乳	たばこ
2	第4位	よこむき	うつぶせ	人工乳	アルコール
3	第4位	うつぶせ	あおむけ	母乳	たばこ
4	第1位	よこむき	あおむけ	人工乳	たばこ
5	第1位	よこむき	うつぶせ	母乳	アルコール

A 24

正解 1

A ○ 新生児は睡眠覚醒を繰り返しているが、次第に周囲の環境に合わせて**昼夜**の区別がつくようになる。

B ○ 乳児は、浅い眠りの**レム睡眠**の時によく夜泣きする。

C ○ **成長ホルモン**は、深い眠りのノンレム睡眠の時に、よく分泌される。

D × メラトニンは、**夜間**分泌される。

E × 自閉症などで生体リズムが乱れないように睡眠リズムを改善させることは重要である。

A 25

正解 3

SIDSは、何の予兆や既往歴もないまま乳幼児が死にいたる、原因のわからない病気で、窒息などの事故とは異なります。令和元年には78名の乳幼児がSIDSで亡くなっており、乳児期の死亡原因としては（ A.**第4位** ）となっています。
SIDSは、（ B.**うつぶせ** ）、（ C.**あおむけ** ）のどちらでも発症しますが、寝かせるときに（ B.**うつぶせ** ）に寝かせたときの方がSIDSの発症率が高いということが研究者の調査からわかっています。
そのほか（ D.**母乳** ）で育てられている赤ちゃんの方がSIDSの発症率が低く、（ E.**たばこ** ）はSIDS発症の大きな危険因子です。

乳児の死因は先天奇形、呼吸障害、悪性新生物が上位３つで、SIDSが第４位である。

加点のポイント

◆発達障害の種類のまとめ

発達障害者支援法では、発達障害は、「自閉症、アスペルガー症候群その他の広汎性発達障害、学習障害、注意欠陥多動性障害その他これに類する脳機能の障害であってその症状が通常低年齢において発現するものとして政令で定めるもの」としている。2014（平成26）年6月に改訂された日本精神神経学会の『DSM-5病名・用語翻訳ガイドライン』では、自閉症、アスペルガー症候群、広汎性発達障害は自閉スペクトラム症で統一し、注意欠陥／多動性障害は、注意欠如・多動症に、学習障害は、限局性学習症と呼ぶことを推奨している。
※以下、「ガイドラインで提案されている病名／旧病名」で示す。

- **自閉スペクトラム症（自閉症スペクトラム障害）／広汎性発達障害**
  従来、広汎性発達障害と呼ばれたものを含み、自閉症とアスペルガー症候群、その他の脳の機能性障害を含む。自閉症は、対人的関係障害、言語･コミュニケーション障害、常同的な反復がある。アスペルガー症候群では、言語の遅れ、知的発達の遅れはないが、社会的関係形成の困難さが認められる。高機能自閉症も知的障害はない
- **注意欠如・多動症／注意欠陥・多動性障害（AD/HD）**
  年齢あるいは発達に不釣り合いな、多動性、不注意、衝動性で特徴づけられる発達障害
- **限局性学習症（SLD）／学習障害（LD）**
  知的発達の遅れはないが、読む、書く、計算する、推論する能力のいずれかに困難がある状態

次のうち、「教育・保育施設等における事故防止及び事故発生時の対応のためのガイドライン【事故防止のための取組み】～施設・事業者向け～」（平成28年３月厚生労働省）に関する記述として、適切なものを○、不適切なものを×とした場合の正しい組み合わせを一つ選びなさい。 令和４年（後期）問18

A 窒息を防ぐため、やわらかい布団に寝かせる。

B 事故の記録は、鉛筆を用い紙に手書きで記録する。

C プール活動において、監視者は監視に専念する。

D 食事介助の際には、食べ物を飲み込んだことを確認しながら与える。

（組み合わせ）

	A	B	C	D
1	○	○	×	×
2	○	×	×	○
3	×	○	○	×
4	×	○	×	○
5	×	×	○	○

④子どもの疾病の予防と適切な対応

次の１～５は、子どもに何らかの症状があるときのケアについて述べたものである。適切なものを一つ選びなさい。 令和元年（後期）問８

1 せきがあるときは、安静になるように、仰向けで寝かせる。

2 下痢のときは、便の量や回数が多く、おしりがただれやすいので、排便のたびに石けんで充分に洗うのがよい。

3 けいれんを起こす子どもでは、よく眠れるように、部屋を暗くし部屋に誰も入らないようにする。

4 熱があるときは、寝ていて汗をかいても、静かに寝かせておくのがよい。

5 乳児では、表情がわかるくらいの明るさにして寝かせる。

A 26

正解 5

A × 乳幼児を柔らかい布団に寝かせると**窒息**や**SIDS**のリスクが高くなるので、寝かせてはならない。

B × 事故の記録は、**書き換えることができないインク**で書く。

C ○ プール活動では、子どもを保育する者とは別に、**監視者**をおく必要がある。

D ○ 食事の介助をする際に注意すべきポイントとして、「ゆっくり落ち着いて食べることができるよう**子どもの意志に合った**タイミングで与える」「子どもの**口に合った量**で与える（一回で多くの量を詰めすぎない）」「食べ物を**飲み込んだことを確認する**（口の中に残っていないか注意する）」などが示されている。

A 27

正解 5

1 × 咳がひどい時は、**体を起こす**か、**上半身を高く**して寝かせると呼吸がしやすくなる。

2 × おむつかぶれにならないために、排便のたびに洗うことはよいが、毎回石鹸で洗うと、肌荒れを引き起こす可能性がある。

3 × 痙攣（けいれん）を起こす子どもは、寝ている時にも起こすことがあるので、**同じ部屋に大人がいる**ようにし、**観察しやすいくらいの明るさ**にする。

4 × 寝ていて汗をかいたら、服を着替えさせるか、タオルで拭いてあげるとよい。

5 ○ 寝ている時に呼吸をしているか定期的に観察する必要がある場合は、表情がわかるくらいの明るさにするとよい。

よく出るポイント ◆子どもの体調不良時の症状とその対応

咳	咳がひどい時は室内をなるべく加湿し、水分を飲ませて、寝ている時は体を起こして背中を軽く叩いて痰を出しやすくしてあげる。喘鳴がひどくなって水分がとれなくなったり、眠れなくなったりしたら医療機関を受診する
鼻水、鼻づまり	感染症による鼻炎やアレルギー性鼻炎で認められる。室内を十分加湿し、水分を多めにとらせて鼻水を出しやすくする。鼻水が多い時には、鼻水吸い器などを用いて鼻水を取る
発疹	麻疹、風しん、突発性発疹では特有の発疹が出る。水痘、手足口病では特有の水疱が出る。とびひなどの皮膚の感染症ではかくことで悪化する。アトピー性皮膚炎などで、かゆみがひどい時には、かきこわして皮膚を傷つけないように、かゆみ止めを塗ったり、冷やしたりする
ひきつけ（けいれん）	6歳までの幼児では、発熱時にひきつける熱性けいれんを起こすことがある。意識がなくなり、眼球が上転して手足が固くなりガタガタふるえる。大概は5分以内におさまる後遺症の心配がないものがほとんどである。口の中に何かを突っ込んだりすると、嘔吐を誘発して、気道をつまらせる危険がある。洋服をゆるめて、体と頭を横にして楽な姿勢にし、けいれんが何分続くかを測る。5分以上けいれんが続く時、何回もひきつけを繰り返す時、ひきつけ後に意識が戻らない時、ひきつけ後に手足の麻痺があるような時には病院に連れて行く

次の文は、子どもの体調不良の症状とその対応に関する記述である。適切な記述を○、不適切な記述を×とした場合の正しい組み合わせを一つ選びなさい。

平成30年(後期) 問10

A ウイルスが原因で下痢をしている場合、下痢がおさまれば便の中にウイルスは排出されなくなる。

B 発熱の場合、すぐに解熱薬を用いるのではなく、ひたい、首すじなどを冷やす。

C 頭を打った後に嘔吐をした場合、脳神経外科のある病院を受診する。

D 発しんでかゆみが強い時は、冷たいタオルで冷やすとよい。

E 嘔吐した場合、寝かせる時はあおむけにする。

(組み合わせ)

	A	B	C	D	E
1	○	○	×	×	○
2	○	×	○	○	×
3	×	○	○	○	×
4	×	○	×	○	○
5	×	×	○	○	○

Q29

次の文は、慢性疾患や障害を持つ子どもの保育に関する記述である。(A)～(E)にあてはまる語句の正しい組み合わせを一つ選びなさい。

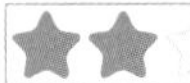

平成25年 問7

慢性疾患を持つ子どもは、長期の入院生活や通院をしなければならないことがしばしばあるが、(A)途上の子どもにとっては、(B)を受けるだけでなく、(A)を促す(C)や学習が欠かせない。その援助を行う場所として、病児保育、病棟保育、院内学級などが増えてきている。さらには、慢性疾患や障害を持つ子どもの家族の協力に対する配慮も大切で、(D)への支援や、(E)への配慮も必要になる。

(組み合わせ)

	A	B	C	D	E
1	発達	治療	遊び	保護者	きょうだい
2	成長	教育	体育	家族	保育士・教師
3	教育	保育	勉強	友人	家族
4	成長	治療	遊び	保護者	友人
5	発達	教育	勉強	きょうだい	母親

A 28

正解 3

A × 感染性の胃腸炎の場合、下痢がおさまってもしばらく**原因ウイルスが排出**されるので、便の始末では感染を広げないように配慮する。

B ○ 発熱時は、ぐったりして水分がとれない、基礎疾患があるという以外は、解熱剤を使わず、**首の周り**、**脇の下**、**股の付け根**などを冷やすとよい。

C ○ 頭部打撲で、顔色が悪かったり、嘔吐が続いたりする場合は、脳神経外科を受診するとよい。

D ○ かゆみがある発しんは、入浴後などの皮膚を温めた後に悪化する。まず、冷やして様子を見て、かゆみが改善しない時には、薬の塗布を考慮する。

E × 嘔吐した場合は、顔を横に向けて寝かせる。あおむけにしたまま嘔吐すると**窒息の危険**がある。

A 29

正解 1

慢性疾患を持つ子どもは、長期の入院生活や通院をしなければならないことがしばしばあるが、（ A.**発達** ）途上の子どもにとっては、（ B.**治療** ）を受けるだけでなく、（ A.**発達** ）を促す（ C.**遊び** ）や学習が欠かせない。その援助を行う場所として、病児保育、病棟保育、院内学級などが増えてきている。さらには、慢性疾患や障害を持つ子どもの家族の協力に対する配慮も大切で、（ D.**保護者** ）への支援や、（ E.**きょうだい** ）への配慮も必要になる。

慢性疾患の子どもは、大人と違って病気の治療に専念するだけでなく、**発達**への配慮や**家族環境**への配慮も必要である。

加点のポイント

◆吐物や下痢便の処理

次の【事例】を読んで、【設問】に答えなさい。 令和5年(前期) 問12

【事例】

11月のある朝、保育所に登園してきたW君が何となく元気がないように担当のM保育士は思い、W君の母に様子を聞いた。W君の母は「朝、食欲がなかったので、牛乳だけ飲んできた。でも平熱で、その他はいつも通りなので連れてきた。大丈夫だと思う」と答えたので預かることにした。W君のことに注意を払いながら一人で保育をしていたところ、午前中の室内遊びの途中で突然W君が嘔吐をした。

【設問】

次のうち、担当のM保育士のとる行動として、最も適切な記述を一つ選びなさい。

1 他の児はそのままにしてW君のそばにすぐに行き、W君の介助及び嘔吐処理を行う。

2 応援を頼み、他の児をすぐにその部屋から出し、W君の介助を行い他の部屋(保健室など)に連れていく。

3 他児への対応とW君の介助及び嘔吐処理を同時に行う。

4 すぐに隣の部屋に行き、保育士を呼び、W君の介助と他の児童の対応を分担して行う。

5 すぐに嘔吐処理用の一式を用意し、嘔吐処理を行ってからW君の介助を行う。

次のうち、食物アレルギーに関する記述として、適切な記述を○、不適切な記述を×とした場合の正しい組み合わせを一つ選びなさい。 令和5年(前期) 問19

A 免疫が外から体内に入る物質を異物として認識し排除する仕組みの中で、自分自身を攻撃する状態を作り出すことをアレルギー反応と呼ぶ。

B アナフィラキシーショックは、食物アレルギーのある人に起こり、呼吸器や消化器など複数のアレルギー反応が起こるが、血圧低下など循環器の症状は起こらない。

C 食物アレルギーのある子どもには、必ずエピペン®が処方されている。

D 食物アレルギーの場合、血液検査で特異的及び非特異的IgEを測定するが、アレルゲンとなる食物摂取制限の決め手にはならない。

(組み合わせ)

	A	B	C	D
1	○	○	×	×
2	○	×	○	×
3	○	×	×	○
4	×	○	○	×
5	×	×	○	○

A 30

正解 2

1 × **感染性**の場合があるので、他の児をその場から離れさせる。

2 ○ 発見者は嘔吐している子どものそばを離れず、応援を頼んで他の子どもをその場から離れさせ、嘔吐処理に必要な物品を持ってきてもらう。

3 × 嘔吐している子どもの介助と嘔吐処理を同時に行うことはできない。

4 × 保育士が隣の部屋に移動すると、子どもたちが動いて嘔吐物、ひいては感染症が広がってしまう可能性がある。

5 × 嘔吐処理は、嘔吐した子どもの対応をしてから、丁寧に行う。

A 31

正解 3

A ○ アレルギー反応は、人体に不利に働く**免疫反応**の一つである。

B × アナフィラキシーショックでは、**血圧低下**など循環器症状が起こり、命の危険があることを認識することが重要である。

C × 食物アレルギーがあっても、アナフィラキシーを起こしたことがない子どもには**エピペン**は処方されない。

D ○ 血液検査で**IgE**が高値となっても症状がない場合には、食物摂取制限は行わない。

よく出るポイント ◆主なワクチンのまとめ

BCG	結核の生ワクチンで、日本では管針法で行われており、接種後1か月後に赤くはれてしばらくするとかさぶた状になる。1歳までに接種する
DPT-IPV	ジフテリア、百日咳、破傷風、ポリオの4種混合ワクチンで、不活化ワクチンである。3～8週間隔で3回接種して基礎免疫をつけ、1年後に追加接種してⅠ期となり、Ⅱ期では、ジフテリア、破傷風のDT2種混合を1回接種する
ヒブワクチン	ヘモフィルス・インフルエンザ菌b型による髄膜炎や喉頭蓋炎を予防する不活化ワクチンである。生後2か月から4～8週間隔で3回、3回目から7か月以上あけて4回目を接種する
DPT-IPV-Hib	5種混合ワクチンで4種混合ワクチンにヒブワクチンが加わったもので、2024年4月より接種可能となった
肺炎球菌ワクチン	肺炎球菌による髄膜炎、肺炎を予防するワクチンである。4週間間隔で3回、生後12～15か月目に4回目を接種する
MRワクチン	麻疹と風しんの混合生ワクチンで、1歳以上2歳未満と小学校に上がる前の1年の間の2回接種を行う
水痘（水ぼうそう）ワクチン	2014（平成26）年9月以前は任意接種だったが、その後定期接種となり、1歳以上3歳未満の間に3か月以上の間隔をおいて2回接種する
B型肝炎ワクチン	2016（平成28）年10月より定期接種となる。4週間間隔で2回接種し20～24週後に3回目を接種する
ムンプスワクチン（おたふくかぜワクチン）	任意の生ワクチンであり、1歳以上に接種する
ロタウイルスワクチン	生後6か月までに経口で投与する生ワクチンである。2020（令和2）年10月より定期接種となった。1価ワクチンは2回、5価ワクチンは3回接種する。接種後はワクチンが便に排泄されるので、免疫がない子どもが感染しないように、便の取り扱いに注意する
インフルエンザワクチン	毎年流行するインフルエンザの株を予測したインフルエンザワクチンを接種する。13歳未満では2回接種する。2015（平成27）年度からA型2種、B型2種の計4種混合のワクチンになっている

次のうち、「保育所における感染症対策ガイドライン（2018年改訂版［2023（令和5）年5月一部改訂］）」（厚生労働省）の2「感染症の予防」⑤「血液媒介感染」に関する記述として、不適切なものを一つ選びなさい。 令和5年（後期）問16改

1 血液媒介感染する主な病原体は、B型肝炎ウイルス（HBV）、C型肝炎ウイルス（HCV）、ヒト免疫不全ウイルス（HIV）等である。

2 ひっかき傷やすり傷、鼻血など、血液や傷口からの滲出液に周りの人がさらされる機会も多く、皮膚の傷を通して、病原体が侵入する可能性もある。

3 ひっかき傷等は流水できれいに洗い、絆創膏を貼らずによく乾かすようにする。

4 子どもの使用するコップ、タオル等には、唾液等の体液が付着する可能性があるため、共有しない。

5 全ての血液や体液には病原体が含まれていると考え、防護なく触れることがないように注意する。

加点のポイント

◆感染症と出席停止期間

病名	基準
インフルエンザ	発症した後、**5日を経過し**、かつ**解熱後2日（幼児は3日）を経過するまで**
百日咳	特有の**咳が消失するまで**、または、**5日間の適正な抗菌性物質製剤による治療が終了するまで**
麻疹	**解熱後3日を経過するまで**
風しん	**発疹が消失するまで**
水痘	すべての**発疹が痂皮化するまで**
流行性耳下腺炎	耳下腺、顎下腺、舌下腺の腫脹が発現した後、**5日を経過し、かつ全身状態が良好になるまで**
咽頭結膜熱	**主要症状消退後、2日経過するまで**
結核・髄膜炎菌性髄膜炎	病状により学校医、その他の医師において**感染のおそれがないと認められるまで**
新型コロナウイルス感染症	発症した後、5日を経過し、かつ解熱後1日を経過するまで

A 32

正解 3

1 ○ そのほかに**梅毒**もある。

2 ○ ひっかき傷などがあるときは、傷から病原体が侵入して感染する可能性があるため**絆創膏**などで保護する。

3 × ひっかき傷などがあるときは、傷の治癒のためには乾燥する必要があるが、集団生活をしているときには傷から病原体が侵入するリスクがあるので絆創膏などで保護する。

4 ○ コップ、タオルを共有すると体液に病原体が含まれていたときに**感染のリスク**があるため、個別に使用する。

5 ○ 感染者であるなしにかかわらず、感染防護する**標準予防策（スタンダードプレコーション）**が必要である。

よく出るポイント ◆ **予防接種とワクチンについて**

予防接種には、弱毒化したウイルスや細菌を接種する**生ワクチン**やウイルスや細菌を殺したものを接種する**不活化ワクチン**や、ウイルスのタンパク質の情報が記録されているmRNAを利用したmRNAワクチンがある。予防接種の意義を理解して積極的に受けるよう努力を義務づけ、自治体から費用の援助がある**定期接種**と、接種する時は有料となり、個人の意思で受ける**任意接種**に分けられる。

定期接種としては、BCG、ポリオ、百日咳、ジフテリア、破傷風、麻疹（はしか）、風しん、日本脳炎、肺炎球菌、インフルエンザ菌b型（ヒブ）、ヒトパピローマウイルス（HPV）の他、2014（平成26）年10月より**水痘（水ぼうそう）**、2016（平成28）年秋よりB型肝炎が追加され、2020（令和2）年10月にロタウイルスが追加された。

任意接種にはインフルエンザ、流行性耳下腺炎（おたふくかぜ：ムンプス）、A型肝炎等がある。

予防接種を行える間隔は、生ワクチン接種後は27日以上で、不活化ワクチン接種後は6日以上とされていたが、2020（令和2）年に制限が撤廃され注射生ワクチン同士の接種の時のみ27日以上となった。現在の日本では、生ワクチンは、BCG、麻疹・風しん(MRワクチン)、水痘、ムンプス、ロタウイルスで、コロナワクチンはmRNA、それ以外は、不活化ワクチンである。2012（平成24）年9月より、ポリオは**不活化ワクチン**に切り替わった。

接種しなければならないワクチンが増えたので、最近は異なるワクチンを1回の通院で接種する**同時接種**がしばしば行われる。

Q 33

次の文のうち、「学校保健安全法施行規則」第19条における「出席停止の期間の基準」として不適切な記述を一つ選びなさい。

平成29年（後期）問18

1 麻しん ――― 解熱した後３日を経過するまで

2 流行性耳下腺炎 ――― 耳下腺、顎下腺又は舌下腺の腫脹が発現した後５日を経過し、かつ、全身状態が良好になるまで

3 インフルエンザ（特定鳥インフルエンザ及び新型インフルエンザ等感染症を除く。）
――― 発熱した後７日を経過し、かつ、解熱した後２日（幼児も同様に２日）を経過するまで

4 百日咳 ――― 特有の咳が消失するまで又は５日間の適正な抗菌性物質製剤による治療が終了するまで

5 咽頭結膜熱 ――― 主要症状が消退した後２日を経過するまで

⑤子どもの健康と安全

次の【事例】を読んで、【設問】に答えなさい。

令和４年（前期）問15

【事例】

２歳児のＳ君は、保育所に入所してから40日目だが、児童相談所からネグレクトを受けている可能性があり、観察を求められている。保育所でのＳ君は、笑顔が全くなく、時として機嫌が悪そうに泣くが、保育士がなだめようとしても、無視をするか、押し返すなどの拒否的行動をした。

【設問】

担当保育士による、Ｓ君に対する配慮として、適切な記述を○、不適切な記述を×とした場合の正しい組み合わせを一つ選びなさい。

A 母親が迎えに来た時のＳ君と母親の行動、様子をよく観察する。

B まだ入所40日であり、場所見知り・人見知りが強い可能性が高いため、Ｓ君の行動は特に注意してモニターする必要はない。

C Ｓ君に関する保育所での行動の特徴を、児童相談所にできるだけ早く報告する。

D できるだけ１人の保育士がＳ君の保育を行うように配慮する。

（組み合わせ）

	A	B	C	D
1	○	○	○	○
2	○	○	×	×
3	○	×	○	○
4	×	○	○	×
5	×	×	×	×

A 33

正解 3

1 ○ 麻しんのように感染性の高い感染症では、症状が消失した後も出席停止期間が定められている。なお、「解熱した後３日」には**解熱した日を含めない**。

2 ○ 耳下腺、顎下腺、舌下腺の腫脹が残っていても発現から５日経過して、全身状態が良好であれば出席してよい。ただし、片側の腫脹から時間が経過して反対側が腫脹した場合は、後に腫脹した日から**５日経過する必要**がある。

3 × インフルエンザの出席停止期間の基準は、**発症後５日かつ解熱後２日**（幼児は**３日**）である。発症日は日数に入れない。

4 ○ 咳が長期にわたって残ることがあるが、百日咳に対して適切な抗菌薬による治療が5日間行われていればよい。

5 ○ 咽頭結膜熱に特有な発熱、眼瞼充血、特有の咽頭発赤などの症状が消えてから２日経過する必要がある。

A 34

正解 3

A ○ ネグレクトを受けている可能性があるという情報があるので、母親とＳ君の行動は**よく観察する**必要がある。

B × 児童相談所から観察を求められており、気になる行動があるので、特に注意してモニターする必要がある。

C ○ 気になる行動は、**児童相談所**に報告して連携する必要がある。

D ○ できるだけ**同じ保育士**が保育を行って、本人の安心が得られるようにするとともに丁寧な行動観察が必要である。

Q 35 ★★★

保育所の重大事故における対応として、子どもが意識を失って倒れていた場合、次のうちから適切なものを一つ選びなさい。 令和2年（後期）問5

1 心臓マッサージを大人の場合の倍の速さで行った。
2 胸部に吐物が付着していたが、蘇生を急ぐべきと考え、AEDの電極をそのまま貼った。
3 意識を失って倒れている子どもに駆け寄りながら、大声で人を呼んだ。
4 近くに人がいなかったので、AEDをとりに、その場を離れた。
5 保護者への連絡は状況が落ち着くまで控えた。

Q 36 ★★☆

次のうち、保育所等での衛生管理に関する記述として、適切なものを○、不適切なものを×とした場合の正しい組み合わせを一つ選びなさい。

令和4年（前期）問16

A 学校環境衛生基準によると教室の音は、窓を閉めている状態で等価騒音レベルがLAeq50dB以下であることが望ましいとされている。目安としては「普通に会話できる」状態である。
B 糞便や嘔吐で汚れたぬいぐるみ、布類は、汚れを落とし、0.02％（200ppm）の次亜塩素酸ナトリウム液に十分に浸し、水洗いする。
C 蚊の発生予防対策として、水が溜まるような空き容器や植木鉢の皿、廃棄物等を撤去するなど、蚊の幼虫（ボウフラ）が生息する水場をなくすようにする。
D 保育室内のドアノブや手すりの消毒は、0.02％（200ppm）の次亜塩素酸ナトリウムか、濃度70％～80％の消毒用エタノールを状況に応じて使用する。

（組み合わせ）

	A	B	C	D
1	○	○	○	○
2	○	○	○	×
3	○	×	○	×
4	×	○	×	○
5	×	×	×	×

Q 37 ★★☆

次のうち、保育所における消毒薬の使用に関する記述として、適切なものを○、不適切なものを×とした場合の正しい組み合わせを一つ選びなさい。

令和5年（後期）問11

A プールの水の消毒には、原則、塩素系の消毒剤を用いることと定められている。
B 嘔吐物の消毒に用いる次亜塩素酸ナトリウムと亜塩素酸水は、同じ調整濃度で使用する。
C アルコール消毒液は、引火性があるため空間噴霧は禁じられている。
D 床やドアノブを清掃する際、次亜塩素酸ナトリウムの希釈率は0.02％である。
E 新型コロナウイルス感染症予防対策として、すぐに手洗いできない状況では、濃度70％以上95％以下のエタノールを用いて手によくすりこむ。

（組み合わせ）

	A	B	C	D	E
1	○	○	×	×	○
2	○	×	○	○	○
3	○	×	×	○	×
4	×	○	○	×	×
5	×	○	×	○	×

A 35

正解 3

1 × 心臓マッサージである胸骨圧迫の速度は、**大人と子どもは原則として同じ**である。

2 × AEDを行う際、皮膚が濡れていると感電する危険があるので、**体を拭いて**から電極を貼る。

3 ○ 重大事故などで意識を失っていたらできるだけ**大勢の人を集める。**

4 × 近くに人がいなかったとしても、**最低一人**は子どものそばを離れてはいけない。

5 × 保護者への連絡は、**できるだけ早く**行う。

A 36

正解 1

A ○ 教室の音は、「普通に会話できる」状態が許容騒音範囲である。

B ○ 汚物で汚れた布類は、汚れを除いたのち、**薄めた次亜塩素酸ナトリウム**に浸す。

C ○ 蚊の発生予防は、**水場**をなくすことが大切である。

D ○ 保育室内のドアノブなどは、**次亜塩素酸ナトリウムかエタノール**で拭き掃除をする。

A 37

正解 2

A ○ 厚生労働省の遊泳用プールの衛生基準によると、プール水の消毒は**塩素系**の消毒剤を用いるとなっている。

B × 次亜塩素酸ナトリウムと亜塩素酸水では、**希釈濃度**が異なる。

C ○ **アルコール消毒液**は、空間噴霧をすると、引火性がある。

D ○ 嘔吐物が付着したときには**0.1%**だが、通常の消毒では**0.02%**である。

E ○ 接触感染予防のために、流水による手洗いは必要だが、すぐに手洗いできないときには、**エタノール**を用いる。

次のうち、保育所や地域における子どもへの虐待防止や虐待対応について、適切でないものを一つ選びなさい。 令和２年（後期）問６

1 虐待を通告した人の個人情報は法律によって守られる。
2 保護者との関係を壊さないことを優先し、通告は控える。
3 子どもへの虐待による死亡は、１歳未満が約半数を占める。
4 社会的に孤立し援助者が少ない場合、虐待は起こりやすい。
5 妊婦健診や乳幼児健診を受診していない場合、子どもを虐待していることが多い。

次の文は、乳幼児の事故への対応に関する記述である。最も不適切な記述を一つ選びなさい。 平成23年 問11

1 子どもが重症の場合では、他の職員に助けをもとめる前に、まず一人で処置をする。
2 ５か月位から２歳位までの子どもでは手に触れたものは何でも口に入れようとするので、子どもの手の届く範囲から危険なものは取り除いておく。
3 風呂にふたをすることや子どもが屋外に勝手に出られないようにすることも事故の防止に効果がある。
4 安全な保育環境の整備をはかると同時に安全教育も大切である。
5 事故や災害で怖い体験をした後に、長期にわたって日常生活に障害を及ぼすことがあり、これをPTSD（心的外傷後ストレス障害）という。

A 38

正解 2

1 ○ 虐待を通告した人の個人情報は**児童福祉法**で守られている。

2 × 児童虐待防止法では、**児童虐待を受けたと思われる児童**を発見した**すべての国民**に対して、児童相談所等への通告を義務付けている。そのため、保護者との関係は大切だが、子どもの虐待が疑われる時には、通報する必要がある。

3 ○ **1歳未満**の乳児は、自分で訴えたり逃げ出したりできないため虐待による死亡につながることも多い。

4 ○ 虐待予防は、**地域の支え**によって**孤立しないようにすること**が大切である。

5 ○ 妊婦検診、乳幼児健診は受診率が高いため、受診していない場合は、虐待など、家庭状況に問題がないか注意して、家庭に連絡するなどの対応をとる。

A 39

正解 1

1 × 子どもが重症な時には、**できるだけ多くの人を呼んで**助けてもらう。

2 ○ **子どもの目線**で、口に入れたら危ないものを取り除くことが大切である。

3 ○ 風呂の使用後は**水を捨てる**、風呂場の入り口に**鍵をかける**、ドアには子どもの手の届かないところに鍵をかける等の注意をする。

4 ○ 定期的に**交通安全教育**や、**避難訓練**を行うことが大切である。

5 ○ 子どもの場合、特にPTSD（心的外傷後ストレス障害）になりやすいので、**症状が出る前**から対応する。

よく出るポイント ◆子どもの死亡原因

日本の人口動態統計によると、0歳児では先天異常や周生期の障害による死因が多く、0～14歳では**不慮の事故**による死亡が死因の第3位以内となっている。したがって、不慮の事故を予防することは子どもの死亡率を減らすためにも重要な課題である。事故の種類の内訳は、2016～2020年の統計では0歳児と1～4歳児では窒息、5～14歳児では交通事故が最も多い。

Q 40 ★★☆

次の文は、室内およびその周辺での乳幼児の事故とその予防に関する記述である。適切な記述を○、不適切な記述を×とした場合の正しい組み合わせを一つ選びなさい。 平成26年 問19

A 生後3か月までの乳児では、からだの保護のためやわらかい布団に寝かせるようにする。

B 1歳以降の幼児は、周囲を見ずに屋外に飛び出し、車や自転車との事故をおこすことがあるので、事故に遭わないように大人が気をつけることが唯一の予防方法である。

C まだ寝返りのできない乳児では、世話しやすいようにベッド柵は上げないでおく。

D 乳幼児の誤飲事故の原因は、おもちゃ類が最も多い。

E 家庭での事故を防ぐために、保育所での乳幼児の日常の様子を保護者に伝えることは役に立つ。

（組み合わせ）

	A	B	C	D	E
1	○	×	×	○	○
2	○	×	×	×	○
3	×	○	×	×	×
4	×	×	○	×	○
5	×	×	×	×	○

次の文は、大災害による被災後の子どもの気になる言動や行動とその対応に関する記述である。不適切な記述を一つ選びなさい。 平成26年 問8

1 被災後の乳児には、夜泣き、寝つきがわるい、少しの音にも反応する、表情が乏しくなるなどの行動が見られることがある。

2 被災後の乳児に気になる行動が見られる場合、大人が落ち着いた時間をもち、話しかけたり、スキンシップをとることが大切である。

3 被災後の幼児には、赤ちゃん返り、食欲低下、落ち着きがない、無気力、無感動、無表情、集中力低下、泣きやすい、怒りやすい、突然暴れるなどいつもの子どもと異なった行動が見られることがある。

4 被災後の幼児に気になる行動が見られる場合、子どもの行動の意味を親や家族へも説明し、保育の現場では一緒に遊んだり、抱きしめて「だいじょうぶ」と伝えるとよい。

5 年齢の高い子ども（幼児～学童）では、周りの事情や状況が理解できるため、暴力的な遊び、フラッシュバックなどが見られることはない。

A 40

正解 5

A × 首のすわっていない子どもをやわらかい布団で寝かせると、うつぶせの時に**窒息する**ことがあり、危険なので**固いマット**にする。

B × **出入り口の鍵を子どもの手が届かない所につける**等の配慮を行う必要がある。

C × 寝返りをしなくても、**手足を動かして転落する**ことがあるので、子どものそばから離れる時には、必ず**柵を上げる**。

D × 乳幼児の誤飲事故では、**たばこ**や**大人用の薬**が多い。

E ○ 乳幼児の行動の特徴を保護者に伝え、**起こしやすい事故について注意をうながすこと**は大切である。

A 41

正解 5

1 ○ 被災後や事故後は乳児にも**PTSD（心的外傷後ストレス障害）**の影響がみられることがある。

2 ○ 大きい災害後や大事故にあった時には、早期から**PTSDの予防となるような対応を行うこと**が大切である。

3 ○ 幼児は、被災後はよりPTSDを発症しやすくなる。

4 ○ 幼児のPTSDの症状が出た時には、**家族と一緒に対応すること**が大切である。

5 × 年齢の高い子どもでも、災害後には**精神的に不安定**になり、フラッシュバック等がみられるので、配慮が必要である。

加点のポイント

◆PTSD（心的外傷後ストレス障害）とは

心的外傷後ストレス障害（PTSD：Post-Traumatic Stress Disorder）は、災害や事故や大きな怪我、虐待後などに認められる**心理的ストレス状態**のことで、回復するのに時間がかかったり、生活環境の変化への適応に問題があったりする。子どもの場合は特に臆病になって、活発な活動ができなくなったり、夜中にうなされたり、食欲不振や頻尿になったり、幼児がえりすることがしばしばある。症状が出る前から対策をとり、家族などの親しい人とできる限り分離しないこと、子どもの遊びの空間を確保しておくこと等が大切である。

Q42

次の文は、乳幼児の虐待についての記述である。適切な記述を○、不適切な記述を×とした場合の正しい組み合わせを一つ選びなさい。 平成27年 問14改

A「子ども虐待による死亡事例等の検証結果等について（第18次報告）」（厚生労働省）によると、令和２年度に把握した心中以外の虐待死事例では、３歳未満が７割を超える。
B「代理人によるミュンヒハウゼン症候群」は、虐待の一つである。
C いわゆる揺さぶられ症候群は、虐待により生じない。
D 愛着に関わる問題は、被虐待乳幼児に起こり得る精神的問題の一つである。
E 被虐待体験は、乳幼児にとって心的外傷になり得る。

（組み合わせ）

	A	B	C	D	E
1	○	○	○	○	×
2	○	○	×	○	○
3	○	×	×	×	○
4	×	○	×	○	×
5	×	×	○	○	○

⑥保育における保健活動の計画および評価

Q43

次のうち、保健計画に関する記述として、適切なものを○、不適切なものを×とした場合の正しい組み合わせを一つ選びなさい。 令和４年（後期）問15

A「保育所保育指針」では、保健計画の策定が義務付けられている。
B 保健計画の様式は決められており、目標、保健活動内容、留意点、評価等が含まれる。
C 保育所全体の保健計画を作成し、全職員がそのねらいや内容を理解する。
D 保健計画には、安全管理や安全教育は含まれない。
E 保健計画の評価には、客観的に確認できるよう健康診断に関する法令などを活用する。

（組み合わせ）

	A	B	C	D	E
1	○	○	×	○	×
2	○	○	×	×	○
3	○	×	○	×	○
4	×	○	○	○	○
5	×	×	○	○	○

A 42

正解 2

A ○ 子どもの虐待死だけでなく、**入院が必要な状態**になる虐待も3歳未満の子どもに多い。

B ○ 「代理人によるミュンヒハウゼン症候群」は、傷害行為で**周囲の関心を引こうとする**ことで、子どもを陰で虐待して、**同情を引こうとする行為**を行うことである。

C × 首がすわってからも、**虐待**により揺さぶられ症候群が発生する。

D ○ 虐待を受けた乳幼児は、対人関係で、異常に馴れ馴れしくなったり、反対によそよそしくなる**愛着障害**を認めることがある。

E ○ 虐待を受けた体験は乳幼児にとってPTSDの発症要因となる。

A 43

正解 3

A ○ 「保育所保育指針」には、保健計画を保育計画と関連して策定することの重要性が記載されている。

B × 保健計画の様式は決められていないが、目標、具体的保健活動、留意点、保護者との連携、職員研修なども含まれるとよい。

C ○ 保育所の全職員が内容を理解することが大切である。

D × 安全管理や安全教育も含まれる。

E ○ 健康診断に関する法令も活用するとよい。

加点のポイント

◆児童虐待について

虐待の種類は、数年前まで骨折やあざなどの**身体的虐待**が最も多かったが、最近は**心理的虐待**が最も多く、次いで**身体的虐待**、**ネグレクト**（育児放棄）、**性的虐待**の順である。児童虐待のリスク要因として、保護者の被虐待経験、望まない妊娠、配偶者からの暴力等があり、虐待児のリスク要因として、早産児、障害児であることなどがある。児童にかかわる者は、児童虐待の**早期発見**に努め、発見した時には児童相談所に通告しなければならない。虐待を受けた子どもは、不安や怯え、うつ状態など心理的問題や**反応性愛着障害**を示すことが多く、虐待を行っていた保護者も心理的、経済的問題を抱えていることが多いので、長期にわたったサポートが大切である。

次の文は、「保育所保育指針」第３章「健康及び安全」の（2）「健康増進」の一部である。（ Ａ ）～（ Ｄ ）にあてはまる語句の正しい組み合わせを一つ選びなさい。

令和５年（前期）問１

子どもの心身の健康状態や（ Ａ ）等の把握のために、（ Ｂ ）等により定期的に（ Ｃ ）を行い、その結果を記録し、保育に活用するとともに、（ Ｄ ）が子どもの状態を理解し、日常生活に活用できるようにすること。

（組み合わせ）

	A	B	C	D
1	疲労	嘱託医	家庭調査	保育者
2	疲労	主治医	家庭調査	保護者
3	疲労	嘱託医	健康診断	保育者
4	疾病	主治医	家庭調査	保護者
5	疾病	嘱託医	健康診断	保護者

次のうち、医療的ケア児に関する記述として、適切なものを○、不適切なものを×とした場合の正しい組み合わせを一つ選びなさい。

令和４年（後期）問20

A 医療的ケア児とは、日常生活や社会生活を営むために、恒常的に喀痰吸引や経管栄養などの医療的ケアが必要な児童のことをいう。

B 医療的ケア児には、歩ける児から寝たきりの重症心身障害児まで含まれる。

C 保育所等では、登録認定を受けた保育士等が、医師の指示のもとに特定の医療的ケアを実施することができる。

D 医療的ケア児を保育所で預かる場合は、看護師または研修を受けた保育士を配置しなければならない。

E 医療的ケア児を保育所で預かる場合は、安全を考慮しできるだけ別室保育をすることが望ましいとされている。

（組み合わせ）

	A	B	C	D	E
1	○	○	○	○	×
2	○	○	×	×	○
3	○	×	×	○	○
4	×	○	○	○	×
5	×	×	○	○	×

A 44

正解 5

A 疾病　子どもの健康状態の把握とともに、疾病の**早期発見**が大切である。

B 嘱託医　主治医は診断がついているときの医師なので、保育所の子どもの健康状態の把握は**嘱託医**が行う。

C 健康診断　保育所では定期的に健康診断を行うことになっているので、これを利用する。

D 保護者　子どもの健康状態の把握には、保護者の**情報と協力**が欠かせない。

嘱託医の役割を知るとともに、健康診断の活用について知っていることが大切である。

A 45

正解 1

A ○　医療的ケア児は近年**増加**しており、在宅では、家族が医療的ケアを日常的に行っている。

B ○　歩くことが可能で、知的障害もない医療的ケア児がいる。

C ○　**研修を受けて登録された**保育士は医療的ケアを行うことができる。

D ○　医療的ケア児を保育所で預かる時には、新たに**看護師**か医療的ケアの研修を受けた職員の配置が必要で、環境整備や体制づくりも必要である。

E ×　集団生活では、医療的ケアを行う以外はできるだけ通常児と一緒に生活する**インクルーシブ保育**が望ましい。

◆主な感染症とその特徴

麻疹（はしか）	空気感染、鼻汁や咳による飛沫感染や接触感染で感染する。潜伏期間は**10日から２週間**で、発熱、咳、目やに等の症状、再発熱してから全身に発疹が広がる。３～４日後、発疹は色素沈着を残して回復する。肺炎になると重症化することがある
風しん（三日ばしか）	潜伏期間は**２～３週間**で、発熱と発疹が同時に出現し、頸部リンパ節腫脹を伴う。麻疹より症状は軽く、２～３日で改善し、発疹は色素沈着を残さない。妊娠初期に罹患すると、胎児が心疾患や白内障、聴力障害を合併する先天性風疹症候群になる可能性がある
突発性発疹	**生まれて初めて発熱した時**に、この疾患であることがしばしばある。ヒトヘルペス６型、７型ウイルスが原因である。突然、38度以上の高熱が３日ほど続いて解熱と同時に体幹を中心に発疹が出る。発熱時は意外と食欲が減らないのに、発疹が出てから下痢になったり、食欲が減ることがある
水痘（水ぼうそう）	空気感染、飛沫感染、接触感染で感染する。潜伏期間は**２～３週間**で、発熱と同時に発疹が出現し、**水疱**となる。水疱は次第に乾燥して痂皮化するが、同時期にいろいろな段階の発疹が認められるのが特徴である
単純ヘルペス感染症	口腔に感染すると**口唇ヘルペス**、歯肉口内炎になり、食べる時に痛みを伴う。子どもでは発熱して全身感染になることもある
手足口病	Ａ群コクサッキーウイルス、エンテロウイルスによる手、足、口腔に水疱性発疹を認める。発熱は軽度だが、口腔内の発疹が痛みを伴う時には、食事の内容や摂食方法に配慮する
伝染性紅斑（りんご病）	**ヒトパルボウイルス**が原因で、頬部、四肢伸側部にレース状紅斑が出現する。発熱は微熱程度のことが多い
流行性耳下腺炎（おたふくかぜ、ムンプス）	潜伏期間は**２～３週間**で、有痛性の耳下腺、顎下腺の腫脹を認める。片側のみ腫れることもある。子どもでは微熱のことが多いが、頭痛が強く、嘔吐がある時は、髄膜炎の可能性がある。成人では睾丸炎の合併が問題となる
インフルエンザ	**冬季**に流行し、突然の高熱、関節痛、頭痛で発症する。子どもでは急性脳症の合併が問題となる
咽頭結膜熱（プール熱）	**アデノウイルス**が原因で、主に**夏季**に流行する。発熱、咽頭痛、眼瞼結膜の充血を認める。プールが始まる頃に流行するので、**プール熱**ともいう
ヘルパンギーナ	Ａ群コクサッキーウイルスが原因のことが多く、**夏季**に流行する。高熱と咽頭痛があり、口蓋垂に**水疱**ができる
乳幼児嘔吐下痢症（感染性胃腸炎）	主に**冬季**に流行し、嘔吐や発熱を伴うことが多く、腹痛を訴えることもあり、**食欲不振**となる。便の色が白色となる時はロタウイルスが原因で、白色便にならない嘔吐下痢症では、アデノウイルスやノロウイルスが原因のことが多い。乳児では発熱、嘔吐、下痢が激しく脱水症になりやすい
ブドウ球菌感染症	子どもでは、皮膚に感染して広がる伝染性膿痂疹（とびひ）がしばしばみられる。アトピー性皮膚炎や湿疹がある時に皮膚をかいて広がる。皮膚の炎症をおさえるために抗生剤を服用する。院内感染で注目されているMRSAは、通常の抗生剤に耐性となったブドウ球菌で、免疫の落ちた患者を治療する上で問題となっている
溶連菌感染症	Ａ群溶連菌は、幼児から学童によくみられ、発熱、発疹、咽頭扁桃炎の他に苺舌が特徴的である。全身感染となったものは、猩紅熱（しょうこうねつ）というが、子どもでは咽頭痛以外の症状がはっきりしないことがある。感染後、腎炎やリウマチ熱になることがあるので、感染がわかった時には通常より長く**抗生剤**を飲む
百日咳	連続した咳（スタッカート）と笛吹様吸気を繰り返す**レプリーゼ**という症状がある。予防接種をしていない乳児では肺炎になることもある
マイコプラズマ感染症	発熱、咳が続き、しばしば**肺炎**や**中耳炎**になる。胸膜炎になって胸部の痛みを感じる時もある
新型コロナウイルス感染症（COVID-19）	2019（令和元）年より集団発生し、パンデミック（全世界的流行）となった感染症。潜伏期間は１～14日間で、無症状感染が８割と多く、発熱、呼吸器症状、頭痛、倦怠感で消化器症状や**味覚・嗅覚障害**があることもある

8

子どもの食と栄養

アクセスキー　S
（大文字のエス）

8章 子どもの食と栄養

①子どもの健康と食生活の意義

Q 01

次の表は、３色食品群の食品の分類に関するものである。表中の（ Ａ ）～（ Ｄ ）にあてはまる語句の正しい組み合わせを一つ選びなさい。 令和５年（前期）問５

表

（ Ａ ）のグループ （主に体を作るもとになる）	魚・肉・卵 （ Ｃ ）
（ Ｂ ）のグループ （主に体を動かすエネルギーのもとになる）	いも類 米・パン・めん類 （ Ｄ ）
緑のグループ （主に体の調子を整えるもとになる）	野菜・果物

（組み合わせ）

	A	B	C	D
1	赤	黄	大豆	油脂
2	赤	黄	きのこ	大豆
3	黄	赤	きのこ	大豆
4	黄	赤	大豆	油脂
5	黄	赤	油脂	きのこ

Q 02

次の文は、「妊娠前からはじめる妊産婦のための食生活指針～妊娠前から、健康なからだづくりを～解説要領」（令和３年：厚生労働省）の一部である。（ Ａ ）～（ Ｃ ）にあてはまる語句の正しい組み合わせを一つ選びなさい。 令和４年（前期）問11

・不足しがちな（ Ａ ）を、「副菜」でたっぷりと
・鉄や（ Ｂ ）を多く含む食品を組み合わせて摂取に努める必要があります。
・（ Ｂ ）は、胎児の先天異常である（ Ｃ ）の予防のため、妊娠前から充分に摂取していることが大切です。

（組み合わせ）

	A	B	C
1	ビタミン・ミネラル	葉酸	神経管閉鎖障害
2	ビタミン・ミネラル	カルシウム	神経管閉鎖障害
3	ビタミン	葉酸	貧血
4	ミネラル	カルシウム	骨粗しょう症
5	ビタミン	カルシウム	貧血

A 01

正解 1

A 赤のグループ：**3色食品群**で**赤のグループ**は、**たんぱく質・カルシウム**を多く含む食品のグループである。**6つの基礎食品群**では、**1群と2群**に相当する。

B 黄のグループ：**3色食品群**で**黄のグループ**は、**糖質や脂質**を多く含む食品のグループである。**6つの基礎食品群**では、**5群と6群**に相当する。

C 大豆：**3色食品群**で**赤のグループ**には、**魚、肉、卵、大豆（豆類）、乳製品、海藻**などがある。毎食それぞれのグループから2種類以上の食品を食べると一日の栄養バランスがよい。

D 油脂：**3色食品群**で**黄のグループ**には、**いも類、米、パン、めん類、油脂**などがある。学校給食は子ども達が元気で健康に過ごせるように考えられており、献立表はわかりやすく3色食品群を用いて記載される。

A 02

正解 1

A **ビタミン・ミネラル**：**生体機能を調節・維持**する働きのある**ビタミン**や**ミネラル**は不足しがちである。すべての栄養素をバランスよく摂取するためには、**副菜**で補う必要がある。

B **葉酸**：妊娠時には胎児の成長に伴い**鉄分が不足**する傾向にあり、貧血症状に注意が必要である。同様に**葉酸**も胎児の身体づくりに欠かせない栄養素であるので非妊娠時よりも**付加量**を加えて摂取する必要がある。

C **神経管閉鎖障害**：妊娠初期に脳や脊髄などのもととなる神経管がうまく形成されず、きちんと管にならないことが原因で起こる障害のことである。妊娠前から**葉酸**をしっかり摂取することで**リスクが低減**できる。

よく出るポイント ◆ **5大栄養素と6つの基礎食品**

5大栄養素の摂取に大切なのが6つの基礎食品で、栄養素の特徴から、食品を6つの群に分けて考えている。

5大栄養素	炭水化物（糖質）、脂質、たんぱく質、無機質（ミネラル）、ビタミン
6つの基礎食品	1群：魚・肉・卵・大豆・大豆製品　2群：牛乳・乳製品・海藻・小魚 3群：緑黄色野菜　4群：淡色野菜・果物 5群：穀類・いも類・砂糖　6群：油脂類

次の文は、献立作成・調理の基本に関する記述である。適切な記述を○、不適切な記述を×とした場合の正しい組み合わせを一つ選びなさい。

平成30年(後期) 問6

A 主食は、肉、魚、卵、大豆および大豆製品などを主材料とするたんぱく質を多く含む料理が含まれる。

B 主菜には、ごはん、パン、麺、パスタなどを主材料とする料理が含まれる。

C 副菜は、野菜、いも、豆類(大豆を除く)、きのこ、海藻などを主材料とする料理が含まれる。

D 食品の消費期限とは、期限を過ぎたら食べないほうがよい期限である。

E 食品の賞味期限とは、おいしく食べることができる期限であり、この時期を過ぎるとすぐに食べられないということではない。

(組み合わせ)

	A	B	C	D	E
1	○	○	○	×	×
2	○	○	×	○	○
3	○	×	×	×	×
4	×	×	○	○	○
5	×	×	×	○	×

次の文は、食生活の現状に関する記述である。適切な記述を○、不適切な記述を×とした場合の正しい組み合わせを一つ選びなさい。

令和2年(後期) 問2改

A「令和4年度食料需給表」(農林水産省)によると、令和3年度の日本の食料自給率は供給熱量ベースで50%を上回っている。

B「令和元年国民健康・栄養調査報告」(厚生労働省)によると、全ての年代で昼食・夕食に比べ、朝食を欠食する割合が高い。

C「令和元年国民健康・栄養調査報告」(厚生労働省)によると、女性のやせ(BMI＜18.5kg/m^2)の割合は、20代が最も高い。

D「平成29年度食育白書」(農林水産省)によると、週の半分以上、一日の全ての食事を一人で食べている「孤食」の人は約15%である。

(組み合わせ)

	A	B	C	D
1	○	○	○	×
2	○	○	×	×
3	×	○	×	○
4	×	×	○	○
5	×	×	×	○

A 03

正解 4

A × 主食とは、ごはん・パン・麺類などを主材料とする**炭水化物（糖質）**を多く含む料理が含まれる。

B × 主菜には、**肉・魚・卵・大豆**などを主材料とする料理が含まれる。献立作成において、メインディッシュになるのでまず主菜を決めてから副菜を考えることが多い。

C ○ 副菜は、野菜・いも・豆類（大豆を除く）・きのこ・海藻などを主材料にする料理。食事バランスガイドでは**主菜以上に多くの量**を摂取することが望まれる。

D ○ 消費期限とは、日持ちが製造後おおむね**5日以内**の食品に対して食べられる期限を示したもの。弁当・惣菜・調理パンなどが該当する。期限を過ぎたら食べないほうがよい。

E ○ 賞味期限とは、日持ちが比較的長い食品に、**すべての品質が十分に保持**されている期限を示したもの。ハム・調味料などが該当する。期限を過ぎるとすぐに食べられなくなるということではない。

A 04

正解 3

A × 2021（令和3）年度の日本の食料自給率は供給熱量ベースで**38%**であるので誤り。食料自給率の熱量（カロリー）ベースとは、国民に供給されるカロリーに対する国内生産の割合を示す。

B ○ 「令和元年国民健康・栄養調査報告」によると、全ての年代で朝食を欠食する総数の割合は**12.1%**であり、昼食は4%、夕食は1%であった。したがって朝食を欠食する割合が高い。

C × 女性のやせ（BMI<18.5kg/m^2）の割合は15～19歳が**21%**、20代は**20.7%**であった。若年の女性のやせは**骨量の減少**や**低出生体重児出産**のリスクとの関連が示されている。

D ○ 「平成29年度食育白書」によると、週の半分以上、一日の全ての食事を一人で食べる「孤食」の人は約**15%**であった。理由は、「一人で食べたくないが食事の時間が合わないので仕方ない」「一緒に食べる人がいない」が35.5%と31.1%となっている。

よく出るポイント ◆楽しく食べる子どもに～食からはじまる健やかガイド～

それぞれの発達過程における食生活の目標について、厚生労働省が示している内容である。下記の発育・発達過程に応じて食べる力を育んでいくことを大切にしている。

授乳期・離乳期	安心と安らぎの中で食べる意欲の基礎を作る
幼児期	食べる意欲を大切に、食の体験を広げる
学童期	食の体験を深め、食の世界を広げる
思春期	自分らしい食生活を実現し、健やかな食文化の担い手になる

次の文は、「食事バランスガイド」（平成17年：厚生労働省・農林水産省）に関する記述である。適切な記述を○、不適切な記述を×とした場合の正しい組み合わせを一つ選びなさい。 平成29年（後期）問5

A コマのイラストは、食事のバランスが悪くなると倒れてしまうことを表している。

B コマの中では、一日分の料理・食品の例を示している。

C 食事の提供量の単位は、SV（サービング）である。

D 主菜のグループには、ごはん、食パン、うどんなどが含まれる。

E 果物のグループには、お茶や水も含まれる。

（組み合わせ）

	A	B	C	D	E
1	○	○	○	○	○
2	○	○	○	×	×
3	×	○	×	○	○
4	×	×	○	×	○
5	×	×	×	○	×

次の文は、子どものむし歯（う歯）に関する記述である。適切な記述を○、不適切な記述を×とした場合の正しい組み合わせを一つ選びなさい。

平成29年（前期）問16

A むし歯の原因菌は、ミュータンス連鎖球菌である。

B せんべいやクラッカーは、市販菓子の中で、う蝕誘発性が特に高い。

C 乳歯は永久歯に生え変わるので、歯磨きの必要はない。

D むし歯予防に、よく噛むことは重要である。

（組み合わせ）

	A	B	C	D
1	○	○	○	×
2	○	○	×	×
3	○	×	×	○
4	×	○	×	×
5	×	×	×	○

A 05

正解 2

A ○ コマのイラストでは、一日に食べる主食、副菜、主菜、牛乳・乳製品、果物、水分、菓子・嗜好品などすべてのものを示している。どれが欠けてもバランスが悪くなり、コマは倒れて上手く回らなくなる。

B ○ コマに示される数字やイラストは、一日分の料理や食品を示している。一日のトータルで、品数や分量を理解できると栄養バランスがよい食生活を送る目安になる。

C ○ 食事の提供の単位は**一つ**、**二つ**と皿や食器を数えるように使うと理解しやすく、serve（給仕する）の意味から**Serving＝SV**を提供単位として用いる。

D × 主菜のグループは、中心になる**おかず**を示す。肉や魚、卵料理、大豆料理を含む場合が多くなる。ごはん、食パン、うどんなどは**主食**のグループに含まれる。

E × お茶や水は、果物のグループではなく**コマの軸**として表現されている。軸は身体に欠かせない水分を示している。果物は一日二つくらいを目安にする。

A 06

正解 3

A ○ **むし歯の原因菌**はミュータンス連鎖球菌である。この菌は**酸を産生**する力が強く、歯の表面に付着する力も強いので、病原性の高い細菌である。口の中の菌が糖分から酸を作り出し、その酸が歯を溶かす。

B × う蝕誘発性とは、むし歯を作り出す力があることで、ミュータンス連鎖球菌を歯の表面に定着させるために歯垢を作る、酸を作るなどの動きが活発になる状態である。せんべいやクラッカーはキャラメルなどに比べると、う蝕誘発性が特に強いとはいえない。

C × 乳歯の歯磨きの目的は、むし歯予防にあるが、乳歯がむし歯になると噛むことができなくなり、食べ物の消化にも影響する。また、**歯並び**も悪くなるので、**乳歯の歯磨き**は必要である。

D ○ むし歯予防に、**よく噛むこと**は重要で、噛むことによって**唾液**が出るが、唾液には消化を助けるだけでなく、口の中におけるむし歯菌や歯周病菌を殺す役割もある。また歯垢を歯に付きにくくする働きもある。

加点のポイント

◆食生活指針（文部科学省、厚生労働省、農林水産省、平成28年一部改正）

どのような食生活を送ることが望ましいかを示した食生活指針を理解しよう。

- 食事を楽しみましょう
- 1日の食事のリズムから、健やかな生活リズムを
- 適度な運動とバランスのよい食事で、適正体重の維持を
- 主食、主菜、副菜を基本に、食事のバランスを
- ごはんなどの穀類をしっかりと
- 野菜・果物、牛乳・乳製品、豆類、魚なども組み合わせて
- 食塩は控えめに、脂肪は質と量を考えて
- 日本の食文化や地域の産物を活かし、郷土の味の継承を
- 食料資源を大切に、無駄や廃棄の少ない食生活を
- 「食」に関する理解を深め、食生活を見直してみましょう

次の文は、学童期・思春期の身体の発達と食生活に関する記述である。不適切な記述の組み合わせを一つ選びなさい。

令和5年（前期）問11

A「令和元年度全国体力・運動能力、運動習慣等調査」（スポーツ庁）によると、朝食を「毎日食べる」と回答した小・中学生が、それ以外の回答をした小・中学生よりも、体力合計点が低い傾向がみられた。

B「令和元年度学校保健統計調査」（文部科学省）によると、むし歯（う歯）と判定された者は、ピーク時（昭和40〜50年代）より減少傾向が続いている。

C「日本人の食事摂取基準（2020年版）」では、12〜14歳におけるカルシウムの推奨量は、男女ともに他の年代に比べて最も低い。

D「健やか親子21（第２次）」における各課題の取組の指標のうち、「10代の喫煙率」と「10代の飲酒率」は、ともに「０％とする」ことを目標としている。

（組み合わせ）

1	A	B
2	A	C
3	B	C
4	B	D
5	C	D

次の文のうち、健康と食生活に関する記述として、適切な記述を○、不適切な記述を×とした場合の正しい組み合わせを一つ選びなさい。

令和3年（前期）問11

A「平成30年国民健康・栄養調査報告」（厚生労働省）によると、20歳代女性のやせの割合は約５％である。

B 国民健康づくり運動である「健康日本21（第二次）」では、健康寿命の延伸・健康格差の縮小の実現に関する目標が示されている。

C「和食」は、ユネスコ無形文化遺産に登録されている。

D 生活習慣病予防対策の一つとして、「食生活指針」（平成28年：文部科学省、厚生労働省、農林水産省）が策定されている。

（組み合わせ）

	A	B	C	D
1	○	○	○	○
2	○	×	×	×
3	×	○	○	○
4	×	○	×	○
5	×	×	○	×

A 07

正解 2

A × 「**令和5年度全国体力・運動能力、運動習慣等調査**」においても、小学校・中学校ともに朝食を「毎日食べる」と回答したグループが、男女ともに最も**体力合計点**が高い結果であった。

B ○ 「**令和4年度学校保健統計調査**」においても、小学校・中学校・高等学校いずれも、**むし歯(う歯)**と判定された児童・生徒数のピークは**昭和50年代半ば**で、幼稚園が昭和45年であった。その後減少が続いている。

C × 日本人の食事摂取基準(2020年版)によると、**12～14歳**の**カルシウムの推定平均必要量**は、男性約850mg女性約700mg。**推奨量**は、男性約1,000mg 女性約800mgで**他の年代に比べて最も高い**。

D ○ 「健やか親子21(第2次)」平成27(2015)年では、各課題の取組の指標の中で、「10代の喫煙率」と「10代の飲酒率」を5年後の中間評価で**0%**、10年後の最終評価で**0%**とするように目標に掲げている。

8

子どもの食と栄養

A 08

正解 3

A × 「平成30年国民健康・栄養調査報告」によると20～29歳の女性のやせ(BMI18.5未満)の割合は**19.8%**であった。なお、令和元年の調査では**20.7%**となっている。妊娠期に備えて胎児に影響が出ないように、母体の健康な体作りが必要である。

B ○ 「健康日本21(第二次)」における目標である、**健康寿命**の延伸とは日常生活に制限のない期間の延伸であり、健康寿命は平均寿命を**10歳以上**も下回っている。また**健康格差**の縮小とは、都道府県別の健康寿命の差を小さくすることである。

C ○ ユネスコ(国連教育科学文化機関)は2013年に、**和食**は自然を尊重する日本人の心を表現した食文化であり、伝統的な社会慣習として世代を超えて受け継がれていると評価し、**無形文化遺産**に登録した。

D ○ 「**食生活指針**」は、2000(平成12)年に文部省(現：文部科学省)、厚生省(現・厚生労働省)、農林水産省が共同で作成し、2016(平成28)年に一部改訂された。どのように食生活を組み立てればよいかを示した指針である。生活習慣病やがん、心臓病などの**病気の予防**対策も目的である。

よく出るポイント ◆ **試験によく出る指針や調査について**

子どもの健康と食生活の意義では、「楽しく食べる子どもに～食からはじまる健やかガイド」「食生活指針」「食事バランスガイド」「国民健康・栄養調査」等から頻出している。『保育士完全合格テキスト 2023年版』の下巻で詳細についてしっかりと確認しよう。

②栄養に関する基本的知識

次の表は、6つの基礎食品群に関するものである。表中の（ A ）～（ D ）にあてはまる語句の正しい組み合わせを一つ選びなさい。 令和元年（後期）問5

表

	主な働き	主な栄養素	食品の例
1群	主に体を作るもとになる	たんぱく質	魚、肉、卵、大豆・大豆製品
2群		カルシウム	（ A ）
3群	主に体の調子を整えるもとになる	（ B ）	緑黄色野菜
4群		（ C ）	その他の野菜、果物
5群	主に体を動かすエネルギーのもとになる	糖質性エネルギー	米・パン・めん類
6群		（ D ）	油脂

（組み合わせ）

	A	B	C	D
1	牛乳・乳製品、海藻、小魚	ビタミンE	カロテン	脂肪性エネルギー
2	牛乳・乳製品、海藻、小魚	ビタミンC	カロテン	ビタミンB_1
3	牛乳・乳製品、海藻、小魚	カロテン	ビタミンC	脂肪性エネルギー
4	いも類	カロテン	ビタミンC	脂肪性エネルギー
5	いも類	ビタミンC	ビタミンE	ビタミンB_1

次の文は、たんぱく質に関する記述である。適切な記述を○、不適切な記述を×とした場合の正しい組み合わせを一つ選びなさい。 平成29年（後期）問1

A 糖質や脂質の摂取量が不足すると、エネルギー源として利用される。

B 構成元素として炭素（C）、水素（H）、酸素（O）のほかに、窒素（N）を約50％含むことを特徴としている。

C 分子内にプラスとマイナスのイオンをもち、体液の酸塩基平衡を調節する。

D アミノ酸が鎖状に多数結合した高分子化合物である。

（組み合わせ）

	A	B	C	D
1	○	○	○	×
2	○	○	×	×
3	○	×	○	○
4	×	×	○	×
5	×	×	×	○

A 09

正解 3

A **牛乳・乳製品、海藻、小魚**：6つの基礎食品群で第2群は、主に体を作るもとになる働きがあり、主な栄養素は**カルシウム**であるから、食品の例は牛乳・乳製品、海藻、小魚である。

B **カロテン**：6つの基礎食品群で第3群は、主に体の調子を整えるもとになる働きがあり、食品の例が緑黄色野菜であるから、主な栄養素は**カロテン**である。

C **ビタミンC**：6つの基礎食品群で第4群は、主に体の調子を整えるもとになる働きがあり、食品の例がその他の野菜や果物であるから、主な栄養素は**ビタミンC**である。

D **脂肪性エネルギー**：6つの基礎食品群で第6群は、主に体を動かすエネルギーのもとになる働きがあり、食品の例が油脂であるから、主な栄養素は**脂肪性エネルギー**である。

A 10

正解 3

A ○ エネルギー源になる栄養素は、**糖質・脂質・たんぱく質**の3つである。たんぱく質は、細胞の基本成分で、筋肉や臓器の構築材料の他にも体を構成する重要な働きをするが、糖質や脂質の摂取量が不足すると、**たんぱく質**がエネルギー源として利用される。

B × たんぱく質の構成元素は、**炭素（C）**50～55％、**水素（H）**6.9～7.3％、**酸素（O）**19～24％、**窒素（N）**15～16％である。炭水化物と脂質は炭素・水素・酸素で構成されており、たんぱく質のみが**窒素**を含む。

C ○ たんぱく質には、体液の**酸塩基平衡**を調節する働きがある。**水素イオン濃度（pH）**を一定に保つことで、体調の維持に役立つ。

D ○ 一般に**分子量**が1万以上の化合物のことを**高分子化合物**といい、たんぱく質はそのうちの1つ。天然ゴム・セルロース・合成繊維・プラスチックなども高分子化合物である。

よく出るポイント ◆**糖質の種類**

炭水化物の中の糖質は、体内で消化酵素の働きにより1gで4kcalのエネルギーを作り出している。

糖質の種類	特徴
単糖類	糖質の最小単位で、糖質が消化酵素によって分解が進むと、単糖類となって体内に吸収される。**ブドウ糖**、**果糖**、**ガラクトース**がある
二糖類	ブドウ糖が2分子結合した**麦芽糖**、ブドウ糖と果糖が結合した**ショ糖**、ブドウ糖とガラクトースが結びついた**乳糖**がある
多糖類	単糖が多数結合した高分子化合物で、水に溶けにくく、甘みのない**でんぷん**や**グリコーゲン**がある

Q11 ★★★

次の文は、炭水化物に関する記述である。適切な記述の組み合わせを一つ選びなさい。

令和５年（前期）問３

A 炭水化物の１gあたりのエネルギー量は９kcalである。

B 麦芽糖は、母乳や牛乳に多く含まれる。

C 果糖（フルクトース）は、単糖類である。

D 炭素（C）、水素（H）、酸素（O）で構成されている。

（組み合わせ）

1 A　B
2 A　C
3 B　C
4 B　D
5 C　D

★★★

次の文は、栄養素の消化に関する記述である。適切な記述の組み合わせを一つ選びなさい。

令和元年（後期）問３

A 二糖類の麦芽糖は、マルターゼによって消化される。

B 食物繊維は、ヒトの消化酵素で消化されない食品中の難消化性成分の総体と定義される。

C 中性脂肪の消化は、主に小腸において膵液中のペプシンによって行われる。

D 糖類は、口腔内において唾液中のリパーゼによって部分的に消化される。

（組み合わせ）

1 A　B
2 A　C
3 B　C
4 B　D
5 C　D

A 11

正解 5

A × 炭水化物の中の**糖質**はエネルギー源として重要な役割を持つ。**1gあたり4kcal**のエネルギーを作り出し、全エネルギーの60%を占める。

B × 麦芽糖は少糖類の中の2糖類に分類され、ブドウ糖が2分子結合したものである。唾液や膵液の**アミラーゼ**が**でんぷん**に作用して作られる。水あめやサツマイモなどに多く含まれる。

C ○ 糖質は**単糖類・少糖類・多糖類**に分類される。**単糖類**には**ブドウ糖、果糖、ガラクトース**の3種類がある。果糖は糖質の中で最も甘味があり、ショ糖としてブドウ糖と結合して用いられることが多い。

D ○ 炭水化物は、体内で消化酵素の働きによってエネルギー源になる糖質と、**消化されにくくエネルギー源にならない食物繊維**からなり、炭素・水素・酸素で構成されている。

A 12

正解 1

A ○ **糖質**は口腔内で咀嚼(そしゃく)されて唾液と混ざることで分解が始まる。糖が2分子結合した麦芽糖(マルトース)は、小腸において腸液の消化酵素**マルターゼ**によって**単糖類のブドウ糖に分解**される。

B ○ 食物繊維は、炭水化物の多糖類に分類されるが、消化酵素で**消化されず、エネルギー源にならない**。水に溶ける水溶性のものと水に溶けない不溶性のものがあり、体内での働きが異なる。

C × 中性脂肪は膵液(すいえき)の**脂肪分解酵素リパーゼ**の働きで消化され、体内で貯蔵されてエネルギー源になる。ペプシンは**胃液中**に存在する**たんぱく質分解酵素**である。

D × 糖質(糖類含む)は、口腔内において**唾液中の消化酵素アミラーゼ**の働きを受け分解が始まる。**膵臓**で作られるリパーゼは**脂肪分解酵素**である。

◆日本人の食事摂取基準

厚生労働省から発表されており、国民の健康の維持・増進・生活習慣病の予防と重症化予防を目的として、健康な個人または集団が摂取すべき、エネルギー及び各栄養素の基準が、日本人の食事摂取基準である。5年ごとに改定されていて、乳児では成長に合わせて詳細な区分設定を必要とするため、エネルギーとたんぱく質は3区分(0〜5か月・6〜8か月・9〜11か月)で、他の栄養素は2区分(0〜5か月・6〜11か月)で示されている。また、各栄養素の設定指標は、推定平均必要量、推奨量、目安量、耐容上限量、目標量等で示されている。

Q 13 ★★★

次の文は、日本人の食事摂取基準に関する記述である。適切な記述を○、不適切な記述を×とした場合の正しい組み合わせを一つ選びなさい。　令和5年（前期）問6

A 日本人の食事摂取基準は、「健康増進法」に基づき、10年ごとに改定されている。

B 「日本人の食事摂取基準（2020年版）」では、生活習慣病の発症予防・重症化予防に加え、高齢者の低栄養予防やフレイル予防も視野に入れて策定された。

C 「日本人の食事摂取基準（2020年版）」の栄養素の5つの指標は、推定平均必要量、推奨量、目安量、耐容上限量、目標量である。

D 「日本人の食事摂取基準（2020 年版）」の年齢区分は、1～19歳を小児、20歳以上を成人とする。

（組み合わせ）

	A	B	C	D
1	○	○	○	×
2	○	×	×	×
3	×	○	○	○
4	×	○	○	×
5	×	×	×	○

Q 14

次の文は、ミネラルに関する記述である。適切な記述を○、不適切な記述を×とした場合の正しい組み合わせを一つ選びなさい。　令和5年（前期）問4

A 亜鉛が不足すると、味覚障害の一因となる。

B 鉄は、ヘモグロビンの成分であり、レバーに多く含まれる。

C マグネシウムは、骨や歯の構成成分であり、乳製品に多く含まれる。

D ヨウ素は、甲状腺ホルモンの構成成分であり、昆布に多く含まれる。

（組み合わせ）

	A	B	C	D
1	○	○	○	○
2	○	○	×	○
3	○	×	×	×
4	×	○	×	○
5	×	×	○	○

A 13

正解 4

A × **日本人の食事摂取基準**は、健康な個人及び集団を対象としてエネルギー及び栄養素の摂取量の基準を示す。健康増進法に基づき厚生労働大臣が定め、**5年**ごとに改定する。

B ○ 栄養に関連した身体・代謝機能の低下を回避する観点から、健康の保持・増進・生活習慣病の発症予防及び重症化の予防に加え、**高齢者の低栄養予防**や**フレイル予防**も視野に入れて策定された。

C ○ 推定平均必要量は半数の人が必要量を満たす量である。推奨量はほとんどの人が充足している量。目安量は推定平均必要量や推奨量を推定できない場合の代替え指標。**耐容上限量**は**過剰摂取による健康被害の回避**のための指標。**目標量**は**生活習慣病の発症予防**に用いる指標である。

D × 年齢区分は、1～17歳を小児、18歳以上を成人とする。高齢者は、65～74歳、75歳以上の2区分。乳児は、0～5か月・6～11か月の2区分であるが、より詳細な年齢区分設定が必要な場合は0～5か月・6～8か月・9～11か月の3区分とする。

A 14

正解 2

A ○ **亜鉛**はたんぱく質の合成に働く。欠乏症には**味覚障害**の他に、皮膚炎、成長障害等がある。亜鉛は、**魚介類・肉類・藻類**などに多く含まれる。

B ○ **鉄**は、**ヘモグロビン**の成分であり**酸素の運搬**に働く。レバーに多く含まれ、魚・貝・大豆・緑黄色野菜・海藻等にも含まれる。

C × マグネシウムは骨や歯の構成成分であり、筋肉の収縮にも働く。多く含まれる食品は、種実類・魚介類・藻類・野菜・豆類などである。

D ○ **ヨウ素**は、**甲状腺ホルモン**の構成成分であり発育の促進に働く。甲状腺ホルモンは分泌が多すぎたり少なすぎたりバランスを崩したりすると病気を発症する。多く含む食品には、昆布・ひじき・青のり等がある。

加点のポイント

◆ 日本人の食事摂取基準の読み方

推定平均必要量：摂取不足を回避する目的で推定平均必要量が設定された。半数の人が必要量を満たす量とされる。

推奨量：摂取不足を回避する目的で推奨量が設定された。推定平均必要量を補助する目的で、ほとんどの人が充足している量とされる。

目安量：十分な科学的根拠が得られず、推定平均必要量や推定量が設定できない場合の代替指標として目安量があり、摂取不足を回避する目的で設定された。

耐容上限量：過剰摂取による健康被害の回避を目的に耐容上限量が設定された。ビタミンやミネラルなど特定の栄養素に設定されている場合や、一部の年齢階級だけ設定されている場合もある。

目標量：生活習慣病の予防のために、現在の日本人が当面の目標とすべき摂取量として目標量が設定された。飽和脂肪酸・食物繊維・ナトリウム・カリウムに目標量が示され、たんぱく質・脂質・炭水化物では、「エネルギー産生栄養素バランス」として目標量が割合のかたちで示されている。

Q15 ★★★

次の文は、「日本人の食事摂取基準（2020年版）」に関する記述である。適切な記述を○、不適切な記述を×とした場合の正しい組み合わせを一つ選びなさい。

平成29年（後期）問4改

A 栄養素の推定平均必要量とは、当該集団に属するほとんどの人（97～98%）が充足している量をいう。

B 栄養素の耐容上限量は、生活習慣病の二次予防を目的として設定された。

C 栄養素の目安量は、生活習慣病の一次予防を目的として、日本人が当面の目標とする指標である。

D エネルギーの摂取量及び消費量のバランスの維持を示す指標として、体格（BMI）を採用している。

（組み合わせ）

	A	B	C	D
1	○	○	○	○
2	○	○	○	×
3	○	×	×	×
4	×	×	○	○
5	×	×	×	○

Q16 ★★☆

次のうち、緑黄色野菜に関する記述として、適切な記述を一つ選びなさい。

令和4年（前期）問14改

1 プロビタミンDともいわれるカロテンは、緑黄色野菜に多く含まれる。

2 「日本食品標準成分表（八訂）増補2023年」（文部科学省）において、トマト、ほうれん草、きゅうり、かぼちゃは緑黄色野菜である。

3 「日本食品標準成分表（八訂）増補2023年」（文部科学省）において、大根は白い根の部分が緑黄色野菜、葉がその他の野菜類に分類される。

4 「令和元年国民健康・栄養調査結果の概要」（厚生労働省）によると、20歳以上の全ての年代において男女ともに、1日の野菜摂取量の平均値は緑黄色野菜がその他の野菜類より多い。

5 「6つの基礎食品群」において、緑黄色野菜は第3群に分類されている。

A 15

正解 5

A × 推定平均必要量とは、**半数の人が必要量を満たす量**を指す。推定平均必要量を補助する目的で推奨量を設定している。推奨量は**ほとんどの人が充足している量**をいう。

B × 栄養素の耐容上限量とは、過剰摂取による健康障害の回避の目的で定められている。耐容上限量が示されている栄養素は、ビタミンA・ビタミンD・ビタミンE・ナイアシン・ビタミンB_6・葉酸・カルシウム・リン・鉄・亜鉛・銅・マンガン・ヨウ素・セレン・モリブデン・クロムである。

C × 栄養素の目安量は、推定平均必要量と推奨量が設定できない栄養素に示されている。生活習慣病の発症予防のために現在の日本人が当面の目標とすべき摂取量として目標量が示されている。

D ○ 日本人の食事摂取基準では、目標とする体格（BMI）の範囲を、成人期を４つの年齢区分に分けて示している。肥満だけでなく、特に高齢者では、フレイルの予防及び生活習慣病の発症予防を重要としている。

A 16

正解 5

1 × **プロビタミン**とは生体内でビタミンに変わる物質のことをいう。問題文では、プロビタミンDではなく**プロビタミンA**が正しい。プロビタミンAである**βカロテン**はほうれん草や人参に多く含まれ、効率よくビタミンAに変わる。

2 × 日本食品標準成分表（八訂）増補2023年版において、トマト・ほうれん草・かぼちゃは**緑黄色野菜**であるが、きゅうりはその他の野菜類に含まれている。

3 × 日本食品標準成分表（八訂）増補2023年版において、大根は、白い根の部分は**その他の野菜類**に含まれ、葉の部分は**緑黄色野菜**に含まれている。

4 × 令和元年国民健康・栄養調査の概要（厚生労働省）によると、20歳以上のすべての年代において男女ともに、一日の野菜摂取量の平均値は**その他の野菜**の方が**緑黄色野菜**よりも多い。

5 ○ カロテンを含む**緑黄色野菜**は、**６つの基礎食品群**においては**第３群**に分類される。第１群はたんぱく質、第２群はカルシウム、第４群はビタミンC、第５群は糖質性エネルギー、第６群は脂肪性エネルギーを多く含む。

加点のポイント

◆摂取基準が示されている栄養素

基準が示されているのは下記の栄養素である（推定エネルギー必要量は参考表で示されている）。日本人の食事摂取基準に年齢区分別に示されている。全国の対象者における計測値から区分別の参照体位を出して、さらに身体活動レベル別に食事摂取基準値を示している。

炭水化物、食物繊維、たんぱく質、脂質、n-6・n-3系脂肪酸、飽和脂肪酸、エネルギー産生栄養素バランス、各脂溶性ビタミン、各水溶性ビタミン、各多量ミネラル（ナトリウム・カリウム・カルシウム・マグネシウム・リン）、各微量ミネラル

Q 17

次の文は、「日本人の食事摂取基準（2020 年版）」（厚生労働省）の小児（1～ 17 歳）に関する記述である。適切な記述を○、不適切な記述を×とした場合の正しい組み合わせを一つ選びなさい。 令和２年（後期）問５

A 身体活動レベル（PAL）は２区分である。

B ３～５歳におけるカルシウムの推奨量は、骨塩量増加に伴うカルシウム蓄積量が生涯で最も増加する時期であるため、他の年代に比べて高い。

C 脂質の目標量は、男女で異なる。

D １～２歳の基礎代謝基準値は、３～５歳より高い。

（組み合わせ）

	A	B	C	D
1	○	○	○	×
2	○	○	×	○
3	○	×	○	○
4	×	○	○	×
5	×	×	×	○

Q 18

次のうち、ミネラルに関する記述として、適切な記述を○、不適切な記述を×とした場合の正しい組み合わせを一つ選びなさい。 令和４年（前期）問２

A マグネシウムの過剰症として、下痢があげられる。

B カリウムは、浸透圧の調節に関わり、野菜類に多く含まれる。

C ナトリウムの欠乏症として、胃がんがあげられる。

D カルシウムは、骨ごと食べられる小魚に多く含まれる。

E 鉄の過剰症として、貧血があげられる。

（組み合わせ）

	A	B	C	D	E
1	○	○	○	○	○
2	○	○	×	○	×
3	×	○	○	×	×
4	×	×	○	○	○
5	×	×	×	×	○

A 17

正解 5

A × 日本人の食事摂取基準において小児（1～17歳）の**身体活動区分は1～2歳、3～5歳は1区分**、6歳以上は男女ともに低い・普通・高いの**3区分**に分けて推定エネルギー必要量を示している。

B × **カルシウムの推奨量**について、骨塩量増加に伴うカルシウム蓄積量が生涯で最も増加する時期であるために他の年代よりも高いのは（男女ともに）**12～14歳**である。

C × 脂質の摂取基準は、総エネルギーに占める脂肪エネルギーの割合で示し、1歳以上は目標量として**20～30%**としている。これは男女ともに同一値である。

D ○ **1～2歳の基礎代謝基準値は、3～5歳より高い。**基礎代謝基準値は、体重1kgあたりの基礎代謝量を示す数値である。年齢が上がると数値は小さくなる。

A 18

正解 2

A ○ 通常は**マグネシウム**を摂り過ぎた場合は、過剰分は尿中に排出されるが、食事以外のサプリメント等で**過剰**に**摂取**すると**下痢**を引き起こす。マグネシウムには骨の形成・筋肉収縮・神経系の機能維持等の働きもある。

B ○ **カリウム**は浸透圧の維持、筋肉の機能維持、神経の興奮・伝達に関与する働きがある他に、腎臓でナトリウムの再吸収を抑制して、尿中への**排泄を促進**する働きがある。

C × **ナトリウム**の欠乏症としては、食欲減退や脱力感があげられる。ナトリウムは摂りすぎに注意するように気を付けるが、**運動の後**などで汗が多量に出たときには、**塩分補給**が必要な場合もある。

D ○ **カルシウム**は骨や歯の形成や神経の興奮伝導に関わる重要な栄養素であり、不足するとくる病や骨粗しょう症等の原因になる。日本人に**不足しがちな栄養素**である。牛乳や骨ごと食べられる小魚に多く含まれる。

E × 通常の食生活において**鉄**の過剰摂取はほとんどないが、サプリメントや鉄分を強化した食品の**摂り過ぎ**により、**便秘・胃腸障害**が起こることがある。幼児では鉄剤やサプリメントの誤飲で急性鉄中毒を起こすことがある。

次のうち、「妊娠前からはじめる妊産婦のための食生活指針」（令和３年　厚生労働省）の一部として、正しいものを○、誤ったものを×とした場合の正しい組み合わせを一つ選びなさい。

令和５年（前期）問12

A 無理なくからだを動かしましょう

B 乳製品、緑黄色野菜、豆類、小魚などで鉄を十分に

C お母さんと赤ちゃんのからだと心のゆとりは、周囲のあたたかいサポートから

D 妊娠前から、バランスのよい食事をしっかりとりましょう

E 「主菜」を組み合わせてたんぱく質を十分に

（組み合わせ）

	A	B	C	D	E
1	○	○	○	○	○
2	○	×	○	○	○
3	×	○	×	○	×
4	×	○	×	×	○
5	×	×	○	×	○

次の文のうち、妊娠中の食事に関する記述として、適切な記述を○、不適切な記述を×とした場合の正しい組み合わせを一つ選びなさい。

令和３年（前期）問10

A サバは、食物連鎖によって水銀を多く含むため、妊娠中に食べる場合は注意が必要である。

B 魚は一般に、良質なたんぱく質や不飽和脂肪酸を多く含むため、妊娠期の栄養バランスに欠かせないものである。

C 妊娠中は、リステリア菌に感染しやすくなるため、ナチュラルチーズや生ハムは避ける。

D ビタミンＡは妊娠中に必要量が増すため、妊娠前からレバーやサプリメントの継続的な摂取が望ましい。

（組み合わせ）

	A	B	C	D
1	○	○	○	○
2	○	○	×	○
3	○	×	○	×
4	×	○	○	×
5	×	×	×	○

A 19

正解 2

A ○ 身体活動、運動は多くの生活習慣病の予防、改善や健康の維持に効果がある。**妊娠中**の身体活動、運動も**無理のない程度**であれば継続することで健康な身体づくりにつながる。不安があるときは医師に相談する。

B × 「**妊娠前から始める妊産婦のための食生活指針**」では、「乳製品、緑黄色野菜、豆類、小魚などで**カルシウム**を十分に」とされている。妊娠中や出産後は、胎児の身体を作ったり授乳をしたりすることにより母体からカルシウムが失われるので、摂取を心掛けたい。

C ○ お母さんや赤ちゃんの心とからだのゆとりは、家族や地域の方など周囲の人の助けや支えから生まれる。出産後のお母さんの不安をやわらげ、母子ともに健やかに生活できるように周囲で協力し合う。

D ○ 1日分の**バランスのよい食事**には、**主食・主菜・副菜**の揃う献立がよい。妊娠後も妊娠前の食生活が継続される可能性があり、妊娠前から栄養バランスに配慮したい。

E ○ **たんぱく質**はからだを構成するために必要不可欠な栄養素である。**主菜**は**肉、魚、卵、大豆製品**を使ったメインのおかず料理であるので、たんぱく質や脂質を多く含む。

A 20

正解 4

A × 魚の一部には、**食物連鎖**によって水銀を取り込んでいる場合がある。妊娠中は胎児の発育に影響を与える可能性があるので食べる魚の種類と量に気をつける。サバは特に注意が必要ではない。注意が必要な魚としては、**マグロ類**や**キンメダイ**などがある。

B ○ 魚は**良質なたんぱく質**や、血管障害の予防やアレルギー反応を抑制する作用があるDHA、EPAを多く含みカルシウム等の栄養素の摂取源である。妊娠期の栄養バランスを整えてくれる食材である。

C ○ **リステリア菌**は乳製品、食肉加工品、魚介類加工品から検出される例が多く、加熱により死滅するが、ナチュラルチーズや生ハムなど加熱しないでそのまま食べる食品が原因となり**食中毒**が発生することがある。妊婦は免疫力が低下しやすいので症状が重くなる可能性がある。

D × **ビタミンA**は、上皮細胞·器官の成長や分化に関与するため妊婦にとっても重要だが、**過剰摂取**により先天奇形が増加する報告がある。妊娠前よりレバーやサプリメントの継続摂取は避ける。

よく出るポイント ◆**食事バランスガイドにおける妊婦・授乳婦の付加量**

[単位:つ(SV)]	主食	副菜	主菜	牛乳・乳製品	果物
妊娠中期(16〜28週)		+1つ	+1つ		+1つ
妊娠後期(28週以上)授乳期	+1つ	+1つ	+1つ	+1つ	+1つ

(出典:厚生労働省　妊産婦のための食事バランスガイドより)

③子どもの発育・発達と食生活

Q 21

次の文は、「授乳・離乳の支援ガイド」(2019年改定版：厚生労働省)に示されている「授乳等の支援のポイント」の一部である。(A)～(C)にあてはまる語句を【語群】から選択した場合の正しい組み合わせを一つ選びなさい。

令和元年(後期) 問7

・特に(A)から退院までの間は母親と子どもが終日、一緒にいられるように支援する。
・授乳を通して、母子・親子のスキンシップが図られるよう、しっかり(B)、優しく声かけを行う等暖かいふれあいを重視した支援を行う。
・(C)等による授乳への支援が、母親に過度の負担を与えることのないよう、(C)等への情報提供を行う。

【語群】

ア	妊娠前	**イ**	妊娠中	**ウ**	出産後	**エ**	寝かせて
オ	抱いて	**カ**	母親と父親	**キ**	父親や家族	**ク**	祖父母

(組み合わせ)

	A	B	C
1	ア	オ	キ
2	イ	エ	ク
3	イ	オ	キ
4	ウ	エ	カ
5	ウ	オ	キ

Q 22

次の文は、幼児期の咀しゃく機能に関する記述である。適切な記述を○、不適切な記述を×とした場合の正しい組み合わせを一つ選びなさい。

平成28年(後期) 問11

A 1歳半頃に奥歯に相当する第一乳臼歯が生え始める。
B 咀しゃく機能は、乳歯の生え揃う頃までに獲得される。
C 上下の奥歯(第二乳臼歯)が生え揃う前から、大人と同じような固さの食べ物を与える。
D 乳歯は生え揃うと、上下10本ずつとなる。

(組み合わせ)

	A	B	C	D
1	○	○	○	○
2	○	○	×	○
3	○	×	○	○
4	×	×	○	×
5	×	×	×	×

A 21

正解 5

・特に（ A.**ウ 出産後** ）から退院までの間は母親と子どもが終日、一緒にいられるように支援する。

・授乳を通して、母子・親子のスキンシップが図られるよう、しっかり（ B.**オ 抱いて** ）、優しく声かけを行う等暖かいふれあいを重視した支援を行う。

・（ C.**キ 父親や家族** ）等による授乳への支援が、母親に過度の負担を与えることのないよう、（ C.**キ 父親や家族** ）等への情報提供を行う。

A ウ 出産後から退院までの間は母親と子どもが終日、一緒にいられるように支援する。子どもが欲しがるとき、母親が飲ませたいときにはいつでも授乳できるように支援する。

B オ 授乳を通して、母子・親子のスキンシップが図られるよう、しっかり抱いて、優しく声かけを行うなどの暖かいふれあいを重視した支援を行う。育児用ミルクを用いる場合に重視したい支援である。

C キ 父親や家族等による授乳の支援が、母親に過度の負担を与えることのないよう、父親や家族等への情報提供を行う。母乳の場合も育児用ミルクを用いる場合も重要である。

A 22

正解 2

A ○ **第１乳臼歯**は**12～18か月頃**に生え始めるとされているので正しい。前中央から４本目で奥歯になる。乳歯の生え始める時期には個体差があるが、第１乳臼歯が前後左右生え揃う頃には、離乳食も進み、完成期になる。

B ○ 個体差はあるが、**乳歯20本**が生え揃うのは**２歳半**位が目安になり、その頃には咀しゃく機能も獲得されてさまざまな食べ物が食べられるようになる。

C × 上下の一番奥の**第２乳臼歯**が生え揃うと、大人と同じような固さの食べ物も咀しゃくできるようになるので、生え揃う前から与えるのは間違いである。

D ○ 乳歯は上下左右に５本ずつで、全部で20本である。前後片側に前中央から乳中切歯、乳側切歯、乳犬歯、第１乳臼歯、第２乳臼歯の順に並ぶ。

◆年齢別の食生活

乳児の授乳期・離乳食期は、厚生労働省の「**授乳・離乳の支援ガイド**」を参考にする。母親の妊娠期や授乳期は、食事バランスガイドにおける「**妊婦・授乳婦の付加量**」や「**日本人の食事摂取基準**」における各栄養素の付加量を参考にする。幼児期・学童期・思春期等の成長期には、それぞれの時期に適した食生活を考える。生活習慣病の予防を考慮した食生活を幼少期から始めて、成人の食生活の基盤を築く。

Q 23 ★★★

次のうち、「授乳・離乳の支援ガイド」(2019年　厚生労働省)の「2 離乳の支援の方法(2)離乳の進行」の≪離乳後期(生後9か月〜11か月頃)≫に関する記述として、不適切な記述を一つ選びなさい。 令和5年(前期)問8

1 歯ぐきでつぶせる固さのものを与える。
2 離乳食は1日3回にし、食欲に応じて、離乳食の量を増やす。
3 手づかみ食べは、積極的にさせたい行動である。
4 食べさせ方は、丸み(くぼみ)のある離乳食用のスプーンを下唇にのせ、上唇が閉じるのを待つ。
5 食べる時の口唇は、左右対称の動きとなり、噛んでいる方向によっていく動きがみられる。

Q 24 ★★★

次のうち、学童期・思春期の心身の発達と食生活に関する記述として、適切な記述を○、不適切な記述を×とした場合の正しい組み合わせを一つ選びなさい。 令和4年(前期)問20

A ローレル指数は、学童期の体格を評価するのに用いられることがある。
B 思春期の過度な食事制限により、カルシウムの摂取不足が起こると、将来の骨粗しょう症の原因となる場合がある。
C 「日本人の食事摂取基準(2020年版)」(厚生労働省)では、推定エネルギー必要量は、成長期では男女ともに15〜17歳が最大である。
D 「日本人の食事摂取基準(2020年版)」(厚生労働省)では、学童期の年齢区分は、6〜7歳、8〜9歳、10〜11歳の3区分である。

(組み合わせ)

	A	B	C	D
1	○	○	○	×
2	○	○	×	○
3	×	○	○	×
4	×	×	○	○
5	×	×	○	×

加点のポイント

◆乳幼児期の食事の目安

		生後5、6か月頃	7、8か月頃	9か月〜11か月頃	12か月〜18か月頃
調理形態		**なめらかにすりつぶした状態**	**舌でつぶせる固さ**	**歯ぐきでつぶせる固さ**	**歯ぐきで噛める固さ**
一回あたりの目安量	穀類	**つぶしがゆ**から始める。すりつぶした野菜なども試してみる。慣れてきたら、つぶした豆腐・白身魚・卵黄等を試してみる	全粥50〜80g	全粥90〜 軟飯80g	軟飯80〜 ご飯80g
	野菜・果物		20〜30g	30〜40g	40〜50g
	魚		10〜15g	15g	15〜20g
	または肉		10〜15g	15g	15〜20g
	または豆腐		30〜40g	45g	50〜55g
	または卵		**卵黄**1個〜 全卵1/3個	全卵1/2個	全卵1/2〜2/3個
	または乳製品		50〜70g	80g	100g

(出典：厚生労働省「授乳・離乳の支援ガイド」)

A 23

正解 5

1 ○ **離乳後期(9～11か月)**は、**歯ぐきでつぶせる固さ**のものを与える。全粥から軟飯くらいの柔らかさであれば歯ぐきでつぶして食事ができる。

2 ○ **離乳後期(9～11か月)**は食事のリズムを大切に、1日3回食に進めていく。共食を通じて食の楽しい体験を積み重ねて自ら食べる力を養う。離乳食の量は食欲に応じて増やす。

3 ○ **離乳後期(9～11か月)**は、**手づかみ食べ**が始まる。触ったり、握ったりすることで食品の固さや触感を体験して食べ物への関心を持ち、自らの意思で食べる力につなげていく。

4 ○ **離乳後期(9～11か月)**は、丸み(くぼみ)のあるスプーンで下唇にのせて食べさせる。上唇を閉じ、舌で食べ物を歯ぐきの上にのせて**歯や歯ぐきでつぶして食べられる**ようになっていく。

5 × 離乳後期(9～11か月)は、食べるときに口唇が**左右非対称**の動きになり、噛んでいる方向によっていく動きがみられる。

A 24

正解 2

A ○ **ローレル指数**は**学童期の体格**を評価するのに用いられ、体重(kg)÷身長(m)^3×10で求める。主に小学生の児童や中学生の生徒の体格指数に用いられ、生後3か月～5歳位まではカウプ指数で表す。

B ○ 骨量は成長期に増加し、20歳頃に最大骨量に達する。したがって**思春期**に**カルシウムの摂取量が不足**するような食生活を送ると、将来の**骨粗しょう症の原因**になる場合がある。

C × **推定エネルギー必要量**は、**男性では15～17歳**が最大であるが、**女性では12～14歳**が最大となる。半分の人が必要量を満たす量として示されている。

D ○ 日本人の**食事摂取基準**では、**学童期**の年齢区分を6～7歳、8～9歳、10～11歳の**3区分**に定めている。栄養素ごとに男女の成長の違いによって必要量や推奨量、目標量、目安量等が異なる。

次の文は、母乳に関する記述である。適切な記述を一つ選びなさい。

令和2年（後期）問7

1 母乳中の糖質は、しょ糖（スクロース）を多く含む。
2 母乳のたんぱく質含量は、普通牛乳より少ない。
3 母乳には、消化吸収のよい飽和脂肪酸が多く含まれている。
4 母乳中のカルシウム量は、普通牛乳より多い。
5 冷凍母乳は免疫物質を保持するため、電子レンジで解凍するとよい。

次のうち、「平成27年度乳幼児栄養調査結果の概要」（厚生労働省）に関する記述として、「授乳について困ったこと」（回答者：0～2歳児の保護者）の回答の割合が、最も高かったものを一つ選びなさい。

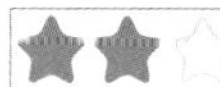

令和5年（前期）問9

1 特にない
2 相談する人がいない、もしくは、わからない
3 子どもの体重の増えがよくない
4 外出の際に授乳できる場所がない
5 母乳が足りているかどうかわからない

A 25

正解 2

1 × 母乳中の糖質は乳糖が**7割**で、乳糖はエネルギー源になる他に、**糖たんぱく質**や無機質の構成成分、脳神経系の構成成分になる。その他はオリゴ糖で腸内の悪玉菌から乳児を守る働きがある。

2 ○ **母乳のたんぱく質含量は普通牛乳より少なく**、牛乳の3分の1である。しかし、母乳のたんぱく質は**乳児の発育に合わせた組成**になっているので、不足の心配はない。

3 × 母乳に含まれる脂肪酸は、DHAやアラキドン酸が多く不飽和脂肪酸である。必須脂肪酸である多価不飽和脂肪酸であり、消化吸収もよく栄養価も高い。

4 × **母乳中のカルシウム量は、普通牛乳よりも少ない**。しかし、**0～5か月の乳児**では母乳から必要なカルシウム量は摂取できる。5か月以降は離乳食で補うが、**9か月以降**はたんぱく質が多い**フォローアップミルク**も使える。

5 × 冷凍母乳の解凍は**自然解凍または流水解凍**が適する。その後、**40度前後のぬるま湯**で湯せんして温める。電子レンジのように急激に熱エネルギーを加えると成分が変化する心配がある。

A 26

正解 5

1 × 「授乳について困ったこと」(回答者：0～2歳児の保護者)(複数回答)によると、「特にない」との回答は**22.2%**であった。

2 × 「授乳について困ったこと」が、「相談する人がいない、もしくは、わからない」との回答は**1.7%**であった。地域の自治体や民間団体などでも出産した母親が相談する場所を設けて孤立しないような取り組みや支援が進んでいる。

3 × 「授乳について困ったこと」に対する「子どもの体重の増えがよくない」との回答は**13.8%**であった。病院の検診時に体重のチェックを受けるだけでなく、子育て支援の取り組みを実施している場に出向いた際に、乳児の体重測定をして確認する方法もある。

4 × 「授乳について困ったこと」に対する「外出の際に授乳できる場所がない」との回答は**14.3%**であった。外出した際に、おむつを替えたり授乳したりできる部屋が完備している施設は増えてきているが十分ではない。

5 ○ **「授乳について困ったこと」**に対する**「母乳が足りているかどうかわからない」**という回答は一番多く、40.7%の保護者から回答があった。生後1か月時に**混合栄養**を与えている場合は、53.8%と更に高い割合であった。

次の文は、人工乳および調乳法に関する記述である。適切な記述を○、不適切な記述を×とした場合の正しい組み合わせを一つ選びなさい。

平成28年(後期) 問7

A 乳児用調製粉乳を飲んでいる乳児は、生後9か月頃になったらフォローアップミルクに切り替える必要がある。

B 無乳糖乳は、乳糖を除去し、ブドウ糖におきかえた育児用粉乳である。

C アレルギーの治療用に乳児に用いられるアミノ酸混合乳は、アミノ酸が多く配合され、牛乳たんぱく質を含む。

D 調乳の際には、一度沸騰させた後 70℃以上に保った湯を使用し、調乳後2時間以内に使用しなかった乳は廃棄する。

(組み合わせ)

	A	B	C	D
1	○	○	×	○
2	○	×	○	×
3	×	○	○	×
4	×	○	×	○
5	×	×	○	×

次の文は、「授乳・離乳の支援ガイド」(2019年：厚生労働省)の離乳の支援に関する記述である。(A)～(D)にあてはまる語句の正しい組み合わせを一つ選びなさい。

令和4年(前期) 問7

・離乳後期は、(A)固さのものを与える。離乳食は1日(B)回にし、食欲に応じて、離乳食の量を増やす。食べているときの口唇は、(C)の動きとなる。

・蜂蜜は、乳児ボツリヌス症を引き起こすリスクがあるため、(D)を過ぎるまでは与えない。

(組み合わせ)

	A	B	C	D
1	舌でつぶせる	2	左右対称	1歳
2	舌でつぶせる	3	左右非対称	2歳
3	歯ぐきでつぶせる	2	左右対称	2歳
4	歯ぐきでつぶせる	3	左右非対称	1歳
5	歯ぐきで噛める	3	左右対称	1歳

A 27

正解 4

A × 離乳食が進み、**母乳**や**育児用ミルク**から牛乳に切り替える時期に、消化機能の発達が未熟な場合は、牛乳が摂取できるようになるまでの栄養補給のため**フォローアップミルク**を用いることがあるが、育児用ミルクでも構わない。

B ○ 乳糖を含むミルクによって、下痢や腹痛を起こす乳児のために**無乳糖乳**がある。**乳糖不耐症用のミルク**であり、乳糖の代わりにブドウ糖を加えた育児用粉乳である。

C × **アレルギー症状**がある乳児には、たんぱく質を最小限まで分解したアミノ酸を主成分とする**アミノ酸混合乳**を**医師の指示**にしたがい与える。アミノ酸混合乳は牛乳たんぱく質を全く含まない。

D ○ 調乳では、**70℃以上**に保った湯で十分に粉ミルクを溶かし、人肌に冷ましてから与える。飲み残した場合は、**2時間以上**経過したミルクは**食中毒の危険**があるので処分する。

A 28

正解 4

- 離乳後期は、（ A.**歯ぐきでつぶせる** ）固さのものを与える。離乳食は1日（ B.**3** ）回にし、食欲に応じて、離乳食の量を増やす。食べているときの口唇は、（ C.**左右非対称** ）の動きとなる。
- 蜂蜜は、乳児ボツリヌス症を引き起こすリスクがあるため、（ D.**1歳** ）を過ぎるまでは与えない。

A **歯ぐきでつぶせる**：**離乳後期とは9～11か月頃**になる。全粥から軟飯、柔らかく煮た野菜や煮魚、柔らかく細かくした肉、豆腐、全卵2分の1くらいが食べられるようになる。

B ３：**離乳食後期になると１日３回食**に進めて生活のリズムを作れるように工夫するとよい。家族と一緒にテーブルを囲むなど共食を通じて食の楽しい体験を積み重ねる。

C **左右非対称**：**離乳食後期**はカミカミ期という表現もされるようにカミカミしているように見えるが、実際には歯ぐきでつぶしているので、口唇の端が横に動くなど**左右非対称の動き**となる。

D **１歳**：はちみつの中には**ボツリヌス菌**が混入している場合がある。乳児は消化管の発達がまだ未熟なため、１歳未満でははちみつの摂取を控える。

次の文は、幼児期の食生活に関する記述である。適切な記述を○、不適切な記述を×とした場合の正しい組み合わせを一つ選びなさい。　平成28年（前期）問8改

A 穀類の一種である米は、主としてエネルギー源であり、たんぱく質もある程度含んでいるので、幼児の食事では、適量を与えるようにする。

B 授乳・離乳の支援ガイド（2019年改訂版：厚生労働省）では、ベビーフードを利用する時の留意点として、瓶詰やレトルト製品は開封後はすぐに与え、食べ残しは与えないとしている。

C「平成27年度乳幼児栄養調査」（厚生労働省）によると、２～６歳児で、野菜を毎日食べない子どもは約６割である。

D「平成27年度乳幼児栄養調査」（厚生労働省）によると、２～６歳児で、果汁などの甘味飲料をほぼ毎日飲んでいるのは、２人に１人となっている。

（組み合わせ）

	A	B	C	D
1	○	○	○	○
2	○	○	×	×
3	○	×	○	○
4	○	×	×	○
5	×	○	○	×

次の文のうち、「授乳・離乳の支援ガイド」（2019 年：厚生労働省）に示されているベビーフードを利用する際の留意点に関する記述として適切な記述を○、不適切な記述を×とした場合の正しい組み合わせを一つ選びなさい。

令和３年（前期）問6

A ベビーフードの食材の大きさ、固さ、とろみ、味付け等を、離乳食を手づくりする際の参考にする。

B 不足しがちな鉄分の補給源として、レバーは適さない。

C 主食を主とした製品を使う場合には、野菜やたんぱく質性食品の入ったおかずや、果物を添えるなどの工夫をする。

（組み合わせ）

	A	B	C
1	○	○	○
2	○	×	○
3	○	×	×
4	×	○	○
5	×	×	×

A 29

正解 2

A ○ 米（精白米）100gの中には、**6.2**gほどのたんぱく質が含まれている。炊飯したご飯100gの中には**2.5**gほどのたんぱく質が含まれている。米は**炭水化物**を多く含み、主食として主たるエネルギー源となる。離乳食もつぶしがゆから始めるようにご飯は消化にも問題がなく、幼児期の食生活に米を適量与えるのは適切である。

B ○ 与える前に別の器に移して、小分けをして、冷凍または冷蔵することもできる。食品表示をよく読んで適切な使用に注意する。衛生面の観点から食べ残しや作り置きは与えない。用途に合わせて上手に選択して用いる。

C × 平成27年度乳幼児栄養調査２～６歳では、野菜を毎日２回以上食べるが52%、１回食べるが25%である。

D × 平成27年度乳幼児栄養調査２～６歳では、果汁などの甘味飲料を毎日２回以上飲むが10.9%、１回飲むが20.8%である。

A 30

正解 2

A ○ **ベビーフード**は、子どもの月齢や固さのあったものを選び、与える前には一口食べて確認をする。温めた場合には熱すぎないか温度にも注意する。また食材の大きさ、固さ、とろみ、味付け等を離乳食を手作りする際の参考にする。

B × ベビーフードを利用する際は、不足しがちな**鉄分の補給源**としてレバーなどを取り入れた製品の利用も可能なので、用途に合わせて上手に選択する。ベビーフードの種類は豊富で調理しにくい素材を下ごしらえしたものもある。

C ○ ２回食になったら、ごはんや麺類などの主食、野菜を使った副菜と果物、たんぱく質性食品の入った主菜が揃う食事内容になるように工夫する。また**開封後の保存**には注意し、食べ残しや作りおきは与えない。

加点のポイント

◆母乳（育児）の利点

母乳による育児には、次のような利点がある。

1	乳児に最適な成分組成で少ない代謝負担
2	感染症の発症及び重症度の低下
3	小児期の肥満やのちの２型糖尿病の発症リスクの低下
4	産後の母体の回復の促進
5	母子関係の良好な形成

（出典：厚生労働省「授乳・離乳の支援ガイド」2019.3改訂版をもとに作成）

次の文は、母乳栄養に関する記述である。適切なものの組み合わせを一つ選びなさい。

令和4年（後期）問8

A 出産後、エストロゲンが急激に分泌されるため、乳汁の生成と分泌が始まる。

B WHO（世界保健機関）とUNICEF（国連児童基金）は、共同で「母乳育児を成功させるための10か条」を発表している。

C 「平成27年度乳幼児栄養調査結果」（厚生労働省）（回答者：０～２歳児の保護者）によると、生後３か月の栄養方法は、母乳栄養と混合栄養を合わせると、約６割であった。

D 冷凍母乳等を取り扱う場合には、母乳を介して感染する感染症もあるため、保管容器には名前を明記して、他の子どもに誤って飲ませることがないように十分注意する。

（組み合わせ）

1 A B
2 A D
3 B C
4 B D
5 C D

④食育の基本と内容

次の文は、「第４次食育推進基本計画」（令和３年　農林水産省）における「食育の推進に関する施策についての基本的な方針」の重点事項の一部である。次の（ A ）～（ C ）にあてはまる語句を【語群】から選択した場合の正しい組み合わせを一つ選びなさい。

令和５年（前期）問13

・（ A ）心身の健康を支える食育の推進
・（ B ）を支える食育の推進
・「新たな日常」や（ C ）に対応した食育の推進

【語群】

ア	若い世代を中心とした	**イ**	生涯を通じた	**ウ**	食の循環や環境		
エ	持続可能な食	**オ**	多様な暮らし	**カ**	デジタル化	**キ**	国際化

（組み合わせ）

	A	B	C
1	ア	ウ	カ
2	ア	エ	キ
3	イ	ウ	オ
4	イ	エ	カ
5	イ	オ	キ

A 31

正解 4

A × **エストロゲン**は**卵胞ホルモン**といい、月経から排卵の間（卵胞期）に必要量が増加し、厚くなった子宮内膜を柔らかくして**着床**を助ける。乳汁の生成はプロラクチンという乳汁分泌ホルモンが関係する。

B ○ 「**母乳育児を成功させるための10か条**」は、1989年に世界中の全ての産科施設に対して出した**WHO**（世界保健機関）と**UNICEF**（国連児童基金）の**共同声明**である。

C × **乳幼児栄養調査**は10年ごとに実施されるが、平成27年度調査結果では**母乳栄養**の割合が10年前よりも**増加**している。生後３か月では母乳栄養54.7%、混合栄養35.1%で合わせて約９割であった。

D ○ **冷凍母乳**の取り扱いは、飲む子どもの母親の物であることを確認して、**感染防止**に努める必要がある。保管容器にある名前や搾乳した日時･冷凍状態などを十分確認して、他の子どもに飲ませることがないように扱う。

A 32

正解 4

A イ **生涯を通じた**：生涯にわたって健全な心身を培い豊かな人間性を育むために、妊産婦や乳幼児から高齢者まで切れ目なく生涯を通じた心身の健康を支える食育を推進する。

B エ **持続可能な食**：健全な食生活の基礎として、持続可能な環境が不可欠である。食育においても食を支える環境の持続に資する取組を推進することが重要である。

C カ **デジタル化**：**「新たな日常」**においても、食育を着実に実施するとともにより多くの国民が主体的に実践できるようにデジタル技術を有効活用するなどして食育を推進する。

次の文は、保育所における食育に関する記述である。適切な記述を○、不適切な記述を×とした場合の正しい組み合わせを一つ選びなさい。 平成27年 問14

A 体調不良、食物アレルギー、障害のある子どもなど、一人一人の子どもの心身の状態等に応じ、嘱託医、かかりつけ医等の指示や協力の下に適切に対応する。

B 栄養士が配置されている場合は、専門性を生かした対応を図る。

C 自然の恵みとしての食材や調理する人への感謝の気持ちが育つように、子どもと調理員との関わりや、調理室など食に関わる保育環境に配慮する。

D 食育の基本となる目標と内容を保育の場で具体化するには、養護と教育を一体として展開する必要がある。

（組み合わせ）

	A	B	C	D
1	○	○	○	○
2	○	○	×	×
3	○	×	○	○
4	×	○	×	×
5	×	×	×	○

次の文は、「保育所保育指針」第３章「健康及び安全」の２「食育の推進」の一部である。（ A ）～（ D ）にあてはまる語句の正しい組み合わせを一つ選びなさい。

令和元年（後期）問16

・保育所における食育は、健康な生活の基本としての「（ A ）」の育成に向け、その基礎を培うことを目標とすること。

・子どもが自らの感覚や体験を通して、（ B ）としての食材や食の循環・環境への意識、調理する人への感謝の気持ちが育つように、子どもと調理員等との関わりや、調理室など食に関わる保育環境に配慮すること。

・保護者や地域の多様な関係者との（ C ）の下で、食に関する取組が進められること。

・体調不良、食物アレルギー、障害のある子どもなど、一人一人の子どもの心身の状態等に応じ、嘱託医、かかりつけ医等の（ D ）の下に適切に対応すること。

（組み合わせ）

	A	B	C	D
1	連携及び協働	食を営む力	指示や協力	自然の恵み
2	連携及び協働	食を営む力	協議	指示や協力
3	連携及び協働	自然の恵み	協議	指示や協力
4	食を営む力	自然の恵み	指示や協力	連携及び協働
5	食を営む力	自然の恵み	連携及び協働	指示や協力

A 33

正解 1

A ○ 保育所では保護者との連携を十分にして、**毎日の乳幼児の体調を確認すること**が大切であるが、特に食物アレルギーや障害のある乳幼児では、嘱託医やかかりつけ医の指示を仰いで、十分な注意を払う。

B ○ 栄養士の専門性を活用して、乳幼児に対する食育のみならず、保護者に対しても**食育の幅が広がるような取り組み**を考えたい。

C ○ 調理室から聞こえてくる調理の音や匂いに接し、乳幼児が食に興味を持ち、食品の入手方法や調理法に関心を持ち、**感謝の念を持って食事をする環境作り**は食育に大切である。

D ○ 保育所における食育では、養護的側面と教育的側面が切り離せるものではなく、**実際の保育**の中で、毎日の生活や遊びを通して、食育の実践が行われている。こうした中で乳幼児期の子どもの**心とからだの成長**が進み、将来への土台が構築されていく。

A 34

正解 5

・保育所における食育は、健康な生活の基本としての「（ A.**食を営む力** ）」の育成に向け、その基礎を培うことを目標とすること。

・子どもが自らの感覚や体験を通して、（ B.**自然の恵み** ）としての食材や食の循環・環境への意識、調理する人への感謝の気持ちが育つように、子どもと調理員等との関わりや、調理室など食に関わる保育環境に配慮すること。

・保護者や地域の多様な関係者との（ C.**連携及び協働** ）の下で、食に関する取組が進められること。

・体調不良、食物アレルギー、障害のある子どもなど、一人一人の子どもの心身の状態等に応じ、嘱託医、かかりつけ医等の（ D.**指示や協力** ）の下に適切に対応すること。

A 食を営む力：保育所における食育は健康な生活の基本として、食を営む力の育成に向けて、その基礎を培うことを目標にしている。生活と遊びの中で**食事を楽しみ合う子ども**に成長していくことを期待している。

B 自然の恵み：子どもが自らの感覚や体験を通して、自然の恵みとしての食材や調理する人への**感謝の気持ち**が育つように食に関わる保育環境を整備する食育を目指す。

C 連携及び協働：保護者や地域の多様な関係者との連携及び協働のもとで、食に関する取り組みが進められることが大切である。地域の関係機関等との日常的な連携を図り、必要な協力が得られるように努めることを目指す。

D 指示や協力：一人ひとりの子どもの心身の状態などに応じ、嘱託医、かかりつけ医などの指示や協力のもとに適切に対応する。**栄養士**が配置されている場合は、**専門性を生かした対応**を図ること。

次のうち、「第４次食育推進基本計画」（令和３年　農林水産省）に関する記述として、適切なものの組み合わせを一つ選びなさい。 令和４年（後期）問14

A 食育推進基本計画は、「食育基本法」に基づき、食育の推進に関する基本的な方針や目標について定めている。

B 第４次食育推進基本計画は、４つの重点事項を柱に、SDGsの考え方を踏まえ、食育を総合的かつ計画的に推進する。

C 第４次食育推進基本計画は、令和３～５年度までの計画である。

D 第４次食育推進基本計画の重点事項の中には、「新たな日常」やデジタル化に対応した食育の推進がある。

（組み合わせ）

1　A　B
2　A　C
3　A　D
4　B　C
5　B　D

⑤家庭や児童福祉施設における食事と栄養

Q36 ★★☆

次のうち、「食品による子どもの窒息・誤嚥（ごえん）事故に注意！」（令和３年１月：消費者庁）の窒息・誤嚥（ごえん）事故防止に関する記述として、適切な記述を○、不適切な記述を×とした場合の正しい組み合わせを一つ選びなさい。 令和４年（前期）問15

A 豆やナッツ類など、硬くてかみ砕く必要のある食品は５歳以下の子どもには食べさせない。

B 乳幼児に豆やナッツ類を与える場合は、小さく砕いて与える。

C ミニトマトやブドウ等の球状の食品を乳幼児に与える場合は、４等分する、調理して軟らかくするなどして、よく噛んで食べさせる。

D 食べているときは、姿勢をよくし、食べることに集中させる。

E 節分の豆まきは個包装されたものを使用するなど工夫して行い、子どもが拾って口に入れないように、後片付けを徹底する。

（組み合わせ）

	A	B	C	D	E
1	○	○	○	○	○
2	○	×	○	○	○
3	×	○	○	○	○
4	×	○	○	○	×
5	×	×	×	×	○

A 35

正解 3

A ○ 食育推進基本計画は、**「食育基本法」**に基づき、食育の推進に関する基本的な方針や目標について定めている。国民の健康や食を取り巻く環境の変化、社会のデジタル化など食をめぐる状況を踏まえて第４次食育推進基本計画は策定された。

B × 第４次食育推進基本計画は、次の**３つの重点事項**を柱にしている。「１.生涯を通じた心身の健康を支える食育の推進」「２.持続可能な食を支える食育の推進」「３.新たな日常やデジタル化に対応した食育の推進」。更に**SDGsの考え方**を踏まえて推進する。

C × 第４次食育推進基本計画は、**令和３～７年度**までのおおむね**５年間**を期間とした計画である。国民の健全な食生活の実現と環境や食文化を意識した持続可能な社会の実現を目指し、国民運動として食育を推進する。

D ○ 第４次食育推進基本計画の重点項目の一つとして、**「新たな日常」**においても、食育を着実に実施するとともに、より多くの国民が主体的に実践できるように**デジタル技術**を有効活用するなどして食育を推進することが示されている。

A 36

正解 2

A ○ **豆やナッツ類**などの食品は、奥歯が生え揃わない幼児はかみ砕く力が十分でないために、のどや気管に詰まらせるなど、**窒息や誤嚥のリスク**がある。統計的に５歳以下の幼児に事故が多い。

B × 子どもに**豆やナッツ類**を与える場合、**小さく砕いた場合**でも気管に入り込んでしまうと、**肺炎や気管支炎**になるリスクがある。

C ○ 子どもに**ミニトマト**や**ブドウ**等の球状の食品を丸ごと食べさせた場合にのどに詰まって**窒息するリスク**があるので、４等分する、調理して軟らかくするなどしてよく噛んで食べさせる。

D ○ **食べているとき**は、姿勢をよくする。物を口に入れたまま走ったり、笑ったり、泣いたり、声を出したりすると食べ物が詰まって窒息や誤嚥のリスクがあるので、**食べることに集中**させる。

E ○ **節分の豆まき**は、日本の季節行事として慣習化しているが、自宅でも保育所でも幼児が誤って豆を口に入れて**窒息や誤嚥**をすることがないように、**個包装**の物を用いるなど工夫する。

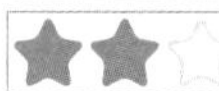

次のうち、献立作成および調理の基本に関する記述として、適切な記述を○、不適切な記述を×とした場合の正しい組み合わせを一つ選びなさい。

令和３年（後期）問４

A 献立は、一般にご飯と汁物（スープ類）に主菜と副菜１～２品をそろえると、充実した内容で、栄養的にも優れた献立となる。

B 主菜には、肉、魚、卵、大豆および大豆製品などを主材料とするたんぱく質を多く含む料理が含まれる。

C 副菜には、野菜、いも、きのこ、海藻などを主材料とする料理などが含まれる。

D 汁物の食塩の基準濃度は、一般に４～５％である。

（組み合わせ）

	A	B	C	D
1	○	○	○	×
2	○	○	×	×
3	○	×	○	×
4	×	○	×	○
5	×	×	○	×

次の文は、「家庭でできる食中毒予防の６つのポイント」（厚生労働省）に関する記述である。不適切な記述を一つ選びなさい。

令和元年（後期）問17

1 表示のある食品は、消費期限などを確認し、購入する。

2 冷蔵庫内は、15℃以下に維持することが目安である。

3 購入した肉・魚は、水分のもれがないように、ビニール袋などにそれぞれ分けて包み、持ち帰る。

4 残った食品は早く冷えるように浅い容器に小分けして保存する。

5 食中毒予防の三原則は、食中毒菌を「付けない、増やさない、やっつける（殺す）」である。

◆**食育のポイント**

食育基本法が 2005（平成 17）年に制定され、保育所は食育推進の拠点の一つとなることが求められている。また、以下の指針や「保育所保育指針」の中に示されている、食育の推進における基本、計画、環境に関する内容も理解しておこう。

■楽しく食べる子どもに～保育所における食育に関する指針～（厚生労働省発表 食育の５項目）

１**食と健康**（自らが健康で安全な生活を作り出す力を養う）
２**食と人間関係**（自立心を育て、人と関わる力を養う）
３**食と文化**（食を通じてさまざまな文化を理解し、作り出す力を養う）
４**いのちの育ちと食**（食を通じて、命を大切にする力を養う）
５**料理と食**（調理に目を向けて、素材や調理に関心を持つ力を養う）

A 37

正解 1

A ○ 一日に必要な栄養素をまんべんなく摂取するには、**偏りのない献立**を考える必要がある。基本となる**一汁三菜**の考え方に沿って献立を構成すると栄養的にも充実する。

B ○ **主菜**はメインのおかずとなるが、肉・魚・卵・大豆および大豆製品などを主材料とする**たんぱく質**を多く含む食品で構成する。主菜の献立を決めて、不足する栄養素を副菜で補う。

C ○ **副菜**は、**野菜・いも・きのこ・海藻**などを主材料として、主菜との組み合わせがマッチする献立を構成する。主菜・副菜で栄養の偏りがないようにバランスをとる。

D × **汁物の食塩**の基準濃度は、一般に**0.8%**である。塩分制限を必要とする人は特に薄い味付けを工夫する必要がある。出汁を濃い目にとるなどして工夫する。

A 38

正解 2

1 ○ **消費期限**は、製造後、日持ちが**おおむね5日以内**の食品に、食べられる期限を示す。弁当・総菜・調理パンなどがある。消費期限内に食べる予定の食品を購入する。

2 × 食中毒予防では、冷蔵庫内の温度は10℃以下、冷凍庫はマイナス15℃以下に維持することが目安。細菌の多くは10℃以下では**増殖がゆっくり**となり、マイナス15℃以下では**増殖が停止**する。

3 ○ 購入した肉・魚は水分のもれがないように、ビニール袋に入れて持ち帰り、すぐに冷蔵庫に入れる。冷蔵庫内の他の食品に肉汁などがかからないように清潔な容器を用いる工夫をするとよい。

4 ○ 残った食品は**浅い容器に小分けして保存**した方が早く冷える。時間が経ち過ぎた食品は廃棄する。残った食品を温めなおすときは**75℃以上**で十分に加熱する。

5 ○ 食品は鮮度のよいものを選び、消費期限に注意し保存方法に気を配る。台所の衛生管理を徹底し、手洗いを励行する。食中毒予防の三原則は食中毒菌を**「付けない」「増やさない」「やっつける（殺す）」**である。

よく出るポイント ◆**ビタミンのまとめ**

ビタミンは代謝の調節や体の発育・活動を正常に保つ、エネルギー代謝を助けるなど、欠かせない栄養素で、体内で作り出すことはできないので食品から摂取する。脂溶性ビタミンと水溶性ビタミンに大別され、ビタミンそれぞれに働きが異なる。

脂溶性ビタミン：ビタミンA、ビタミンD、ビタミンE、ビタミンK

水溶性ビタミン：ビタミンB_1、ビタミンB_2、ビタミンB_6、ビタミンB_{12}、ビタミンC、ナイアシン、葉酸、パントテン酸、ビオチン

どのビタミンも摂取不足では欠乏症が発生する。また、βカロテン（緑黄色野菜に多い）のように体内でビタミンAに変換されるビタミンも存在している。

Q 39 ★★★

次の文のうち、「保育所におけるアレルギー対応ガイドライン」(2019年：厚生労働省）に関する記述として、適切な記述を○、不適切な記述を×とした場合の正しい組み合わせを一つ選びなさい。 令和３年（前期）問17

A 魚卵、果物、ナッツ類、ピーナッツ、甲殻類は、幼児期以降に新規発症する傾向がある。

B アレルギー食は、別献立で作った方が、作業効率が良い。

C 加工食品は、納入のたびに使用材料を確認する。

D 小麦アレルギーの場合、基本的に醤油も除去する。

E 新規の食物は、家庭において可能であれば２回以上、何ら症状が誘発されないことを確認した上で、給食として提供することが理想的である。

（組み合わせ）

	A	B	C	D	E
1	○	○	○	○	×
2	○	○	○	×	×
3	○	×	○	×	○
4	×	○	○	×	○
5	×	×	×	×	○

⑥特別な配慮を要する子どもの食と栄養

Q 40 ★★★

次のうち、食物アレルギーに関する記述として、適切な記述の組み合わせを一つ選びなさい。 令和５年（前期）問19

A 鶏卵アレルギーは卵黄のアレルゲンが主原因である。

B 小麦アレルギーの場合、米や他の雑穀類は摂取することができる。

C 鶏卵を材料とする天ぷらの衣やハンバーグのつなぎなどは、いも類やでんぷんで代替可能である。

D 牛乳アレルギーの場合、基本的に牛肉も除去する。

（組み合わせ）

1 A B
2 A C
3 B C
4 B D
5 C D

A 39

正解 3

A ○ **食物アレルギー**の有症率は、乳幼児期が最も高いが成長とともに治癒することが多い。乳幼児期は鶏卵・牛乳・小麦が主なアレルゲンであるが、食生活の幅が広がる幼児期以降に新たな食品に対して発症することもある。

B × 保育所におけるアレルギー食は、原因物質を**完全除去**するという考え方で統一する。アレルギー症状を誘発するリスクが少ない食物であっても、少しでもリスクがあるのなら使わない「原因物質の**完全除去**」という基本理念で、アレルギーのない子どもと共通メニューを目指す。食器の色を変えるなど配膳ミスを避ける工夫をすることも大切である。

C ○ 加工食品は、**原材料の確認の取れない**ものは使用しない。原材料が変わることもあるので納入のたびに確認をする。製造業者・納品業者に対して食物アレルギーについての問題意識の共有を行う。

D × 醤油は原材料に小麦が使われているが、醤油が生成される発酵過程で小麦たんぱく質は**完全に分解される**ので、小麦アレルギーであっても醤油の摂取はできる。

E ○ **新規の食べ物**は、家庭において可能であれば2回以上、保育所で提供する以上の量を食べて食物アレルギー症状が出ないことを確認してもらう。保育所で「初めて食べる」ことを避ける。

A 40

正解 3

A × 鶏卵アレルギーは**卵白のアレルゲン**が主原因である。卵黄から除去解除されることが多い。食物アレルギーの原因となる食物の第1位である。鶏卵は**加熱**によりアレルゲンが低下する。

B ○ **小麦アレルギー**の場合、**米粉**やでんぷんを**代替品**として使って、うどん・パスタ・餃子・焼売・ルウ・揚げ物（衣）などの調理が可能である。米や雑穀類の摂取も問題ない。

C ○ 鶏卵アレルギーの場合、鶏卵を材料とする天ぷらの衣には、**でんぷん**（片栗粉・タピオカ粉・コーンスターチ）が代替食品になる。ハンバーグのつなぎには、すりおろしたジャガイモやレンコン、水切りしてつぶした豆腐などを使う。

D × 牛乳アレルギーの場合は、乳糖や牛肉は除去しない。乳を含む加工食品には、チーズ・ヨーグルト・バター・ケーキ・チョコレート・シチューのルウ等がある。**牛乳アレルギー用ミルク**が代替品として使用できる。

Q 41

次の文は、疾病および体調不良の子どもへの食事の留意点に関する記述である。不適切な記述を一つ選びなさい。 平成31年(前期)問18

1 消化のよいものを与えるとよい。
2 野菜スープの上ずみ、みそ汁の上ずみ、重湯などは消化管に対する負担が少ない。
3 肉類は、脂肪の多い牛肉が適している。
4 脱水症を予防するために、水分を補給する。
5 嘔吐がある場合には、様子を見ながら母乳は与えてよい。

Q 42

次の食品のうち、摂食機能の発達に遅れがある子どもが飲み込みやすい食品として、適切なものを○、不適切なものを×とした場合の正しい組み合わせを一つ選びなさい。 令和3年(前期)問19

A プリン
B かゆ
C 食パン
D ヨーグルト
E たけのこ

(組み合わせ)

	A	B	C	D	E
1	○	○	○	○	×
2	○	○	×	○	×
3	○	×	×	×	○
4	×	○	○	○	×
5	×	×	×	×	○

A 41

正解 3

1 ○ 体調不良の子どもへの食事では、**消化のよい物**を与えるとよい。消化の悪い食品には、たけのこ、きのこ、海藻類などがある。

2 ○ **消化管に負担が少ない食事**がよい。ゆっくりよく噛んで食べるように教える。冷たいものは一気に飲まないように気を付ける。

3 × 脂肪の多い肉類は、消化の悪い食品の一つである。**油分の少ない食材**を選び、小さく切り柔らかく調理する。

4 ○ 脱水症は、強いのどの渇きや食欲減退、さらには意識障害が現れるなど危険であるため、水分補給に効果的な**電解質飲料**を与える。

5 ○ 嘔吐がある場合も脱水症にならないように、**水分補給**が大切である。母乳を飲むことができる場合には与えて水分を補う。

A 42

正解 2

A ○ 摂食機能の発達に遅れがある子どもには、**プリン**はのど越しがよく飲み込みやすい。卵と牛乳を使用するのでたんぱく質も摂取でき栄養価も高い。

B ○ **粥**(かゆ)は、水分が多く飲み込みやすい食品である。糖質の摂取によりエネルギー源になる。離乳食の初期から使われるように消化もよい。摂食機能の状態に応じて粥の固さを変えて対応するとよい。

C × 摂食機能に遅れのある子どもは、食パンは飲み込みにくい。牛乳やスープなどに食パンを浸して、十分に水分を吸収した状態のパンを食べさせる等の工夫が必要。パサパサする食品はのどに詰まる危険がある。

D ○ **ヨーグルト**は柔らかく、なめらかで水分もあるので舌でまとめてのどに運ぶことができる。摂食機能の発達に遅れがあっても飲み込みやすい食品である。

E × たけのこは、飲み込みにくい食品である。細かく刻んでも固形物の形状が変わらないのでのどを通りにくい。フードプロセッサーなどを使ってすりつぶして**ペースト**状にすると飲み込みやすくなる。

次の文のうち、不適切な記述を一つ選びなさい。 令和2年(後期) 問19

1 下痢の時には、食物繊維を多く含む料理を与える。
2 乳児は、胃の形状から嘔吐しやすい。
3 嘔吐後に、吐き気がなければ、様子を見ながら経口補水液などの水分を少量ずつ摂らせる。
4 脱水症の症状として、排尿間隔が長くなり、尿量が減る等がある。
5 嘔吐物の処理に使用した物(手袋、マスク、エプロン、雑巾等)は、ビニール袋に密閉して、廃棄する。

次のうち、体調不良の子どもの食事に関する記述として、適切な記述を○、不適切な記述を×とした場合の正しい組み合わせを一つ選びなさい。

令和4年(前期) 問18

A 消化のよい豆腐や白身魚などを与える。
B 水分補給には、白湯(さゆ)、ほうじ茶や、小児用電解質液等を用いる。
C 油を使った料理は控えるようにする。
D 味つけは薄味とする。

(組み合わせ)

	A	B	C	D
1	○	○	○	○
2	○	○	×	○
3	○	×	○	○
4	×	○	×	○
5	×	×	○	×

A 43

正解 1

1 × 食物繊維には、腸壁を刺激して排便を促す働きもあり、下痢のときには適さない。経口補水液などで水分補給ができたら、重湯や煮込みうどん等を少しずつ与えて様子をみる。

2 ○ 乳児の胃は**とっくりのような形**をしているうえに入口のしまりが弱く、げっぷと一緒に乳汁を嘔吐しやすい。これを**溢乳**（いつにゅう）という。大人の胃は水平であるのに対し乳児は垂直であるのも原因である。

3 ○ 嘔吐が続くときは、水分も吐いてしまうことがあるので吐き気が収まったら**経口補水液**などの水分を摂る。電解質の補給や維持に必要な成分を含むので体の回復に適する。

4 ○ 脱水症状が現れると、**尿量が減り、排尿間隔が長くなる**。体重の２％相当の水分が失われるとのどの渇きや食欲減退、さらには**意識障害**が起こることもある。

5 ○ 嘔吐した場合には、食中毒が原因の可能性もあり、嘔吐物の中に**ウイルスや菌**が含まれている場合もある。**二次感染**を防ぐためにも処理に使用した物は、ビニール袋に**密閉し廃棄**する。

A 44

正解 1

A ○ **体調不良**のときには、**消化の良いもの**を与える。豆腐や白身魚は適する。他にも食物繊維の少ない食品や脂肪の少ない食品を選び、小さく切って柔らかく煮て与えると良い。

B ○ **体調不良**のときでも、**水分補給**を心がけなければならない。発熱・嘔吐・下痢などの症状がある場合や、食欲がない場合などには、水分が不足して**脱水症状**を起こす場合がある。脱水で失われやすいミネラル分を含み身体に吸収されやすい電解質液が良いが、白湯やほうじ茶などでも良い。

C ○ **体調不良**のときには、消化器官に負担をかけないように油を使った料理は控えるようにする。**脂肪分が少ない食品**を選び、消化の良い料理を心がける。

D ○ 香辛料を用いていたり、甘味、塩味、酸味などが強かったりすると、胃酸の分泌が高まるので**体調不良**の子どもの食事には適さない。**味付けは、薄味**とする。

次のうち、障害のある子どもの食事に関する記述として、適切な記述を○、不適切な記述を×とした場合の正しい組み合わせを一つ選びなさい。

令和３年（後期）問17

A スプーンのボール部の幅は、口の幅より大きいものを選ぶとよい。

B カットコップは、傾けても鼻にあたりにくく、飲みやすく工夫されている。

C 食器は、縁の立ち上がっているものの方がすくいやすい。

D 食事の援助をする場合は、子どもと同じ目の高さで行うことが基本である。

（組み合わせ）

	A	B	C	D
1	○	○	○	○
2	○	○	×	×
3	○	×	×	×
4	×	○	○	○
5	×	×	○	○

次のうち、食品の表示に関する記述として、適切なものを○、不適切なものを×とした場合の正しい組み合わせを一つ選びなさい。

令和４年（後期）問６

A 特定保健用食品（トクホ）は、表示されている効果や安全性については都道府県が審査を行い、食品ごとに消費者庁長官が許可している。

B 「食品表示法」において、表示が義務付けられている栄養成分は、熱量、たんぱく質、脂質、炭水化物、食物繊維、ナトリウム（食塩相当量で表示）である。

C 栄養機能食品は、既に科学的根拠が確認された栄養成分を一定の基準量を含む食品であれば、特に届出などをしなくても、国が定めた表現によって当該栄養成分の機能を表示することができる。

D 機能性表示食品は、事業者の責任において、科学的根拠に基づいた機能性を表示した食品であり、消費者庁長官による個別審査を受けたものではない。

（組み合わせ）

	A	B	C	D
1	○	○	×	×
2	○	×	○	×
3	○	×	×	○
4	×	○	×	×
5	×	×	○	○

A 45

正解 4

A × 障害のある子どもの食事介助では、子どもが食べやすい食器を用意することも重要である。スプーンを使って舌の上に食品を運ぶ動作から考えて、**口の幅より小さいスプーンの幅**を選ぶ。

B ○ **カットコップ**とは、コップの飲み口が一部へこんでいる形状であるので、傾けても鼻にあたりにくい。一般のコップでは、傾けると鼻にあたるだけでなく、中身も見えにくいため飲む量がわからない。

C ○ 平らな皿は、食品をすくいにくい。**縁が立ち上がっている食器**におかずを入れると、縁を利用してスプーンの背でまとめてすくいやすくなる。

D ○ 座位で食事が難しい場合でも、頭を高くして口に入れた食品がのどを通りやすい体勢を維持できるように、環境を整える必要がある。同時に**子どもと同じ目の高さ**で食事援助を行う。

A 46

正解 5

A × **特定保健用食品（トクホ）**に表示されている効果や安全性については、国の厳正な審査の基に、**消費者庁長官が許可**を出している。

B × 「**食品表示法**」において、表示が義務付けられている**栄養成分**は、**熱量**、**たんぱく質**、**脂質**、**炭水化物**、**ナトリウム**（食塩相当量で表示）の５つである。食物繊維と飽和脂肪酸は表示を推奨されている。

C ○ **栄養機能食品**は、生活習慣の乱れや高齢化により通常の食生活で一日に必要な栄養成分（ビタミンやミネラル）が不足しがちな場合に、補給・補完の目的で利用される。**国が定めた表現で栄養成分の機能を表示**することができる。

D ○ 機能性表示食品は、国が定めたルールにより化学的根拠に基づいた安全性や機能性などの必要な情報を販売前に事業者が**消費者庁**に届け出れば、**事業者の責任で機能性をパッケージに表示**することができる。

◆3大栄養素の消化の流れのイメージ（産生されるエネルギー量）

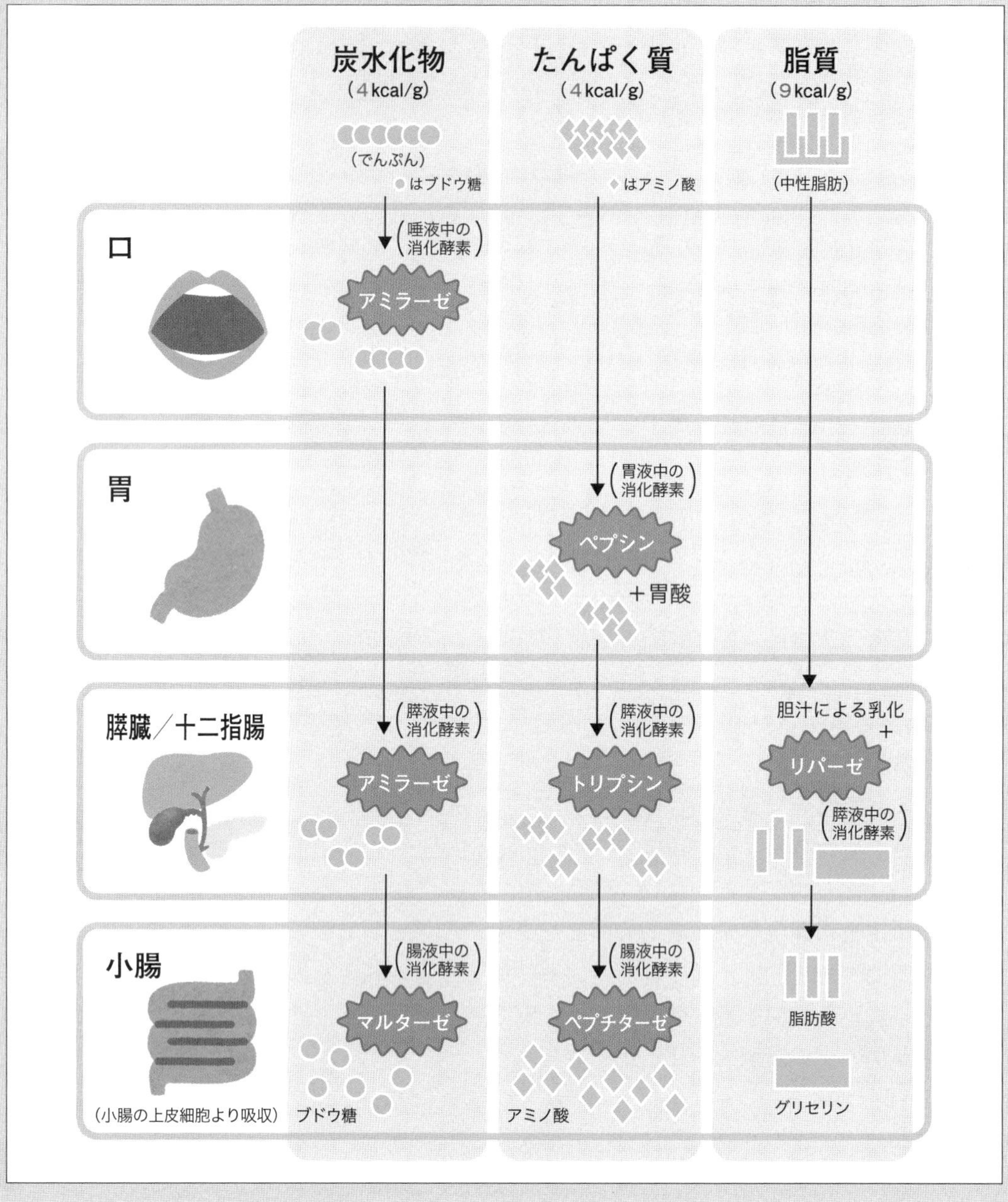

	炭水化物（4kcal/g）	たんぱく質（4kcal/g）	脂質（9kcal/g）
	（でんぷん） ●はブドウ糖	◆はアミノ酸	（中性脂肪）
口	（唾液中の消化酵素） アミラーゼ		
胃		（胃液中の消化酵素） ペプシン ＋胃酸	
膵臓／十二指腸	（膵液中の消化酵素） アミラーゼ	（膵液中の消化酵素） トリプシン	胆汁による乳化 ＋ リパーゼ （膵液中の消化酵素）
小腸 （小腸の上皮細胞より吸収）	（腸液中の消化酵素） マルターゼ ブドウ糖	（腸液中の消化酵素） ペプチターゼ アミノ酸	脂肪酸 グリセリン

9

保育実習理論

アクセスキー　G

（大文字のジー）

9章 保育実習理論

①保育所における保育と実習／保育者論

Q 01 ★★★

次の文は、「保育所保育指針」の第1章及び第2章の一部である。文中の（　　）の中に「遊び」という言葉を入れたとき、正しい記述となるものを○、誤った記述となるものを×とした場合の正しい組み合わせを一つ選びなさい。

令和元年（後期）問14

A 保育所は、その目的を達成するために、保育に関する専門性を有する職員が、家庭との緊密な連携の下に、子どもの状況や発達過程を踏まえ、保育所における（　　）を通して、養護及び教育を一体的に行うことを特性としている。

B 子どもが自発的・意欲的に関われるような環境を構成し、子どもの主体的な活動や子ども相互の関わりを大切にすること。特に、乳幼児期にふさわしい体験が得られるように、生活や（　　）を通して総合的に保育すること。

C 障害のある子どもの保育については、一人一人の子どもの発達過程や障害の状態を把握し、適切な環境の下で、障害のある子どもが他の子どもとの（　　）を通して共に成長できるよう、指導計画の中に位置付けること。

D 幼児期において自然のもつ意味は大きく、自然の大きさ、美しさ、不思議さなどに直接触れる（　　）を通して、子どもの心が安らぎ、豊かな感情、好奇心、思考力、表現力の基礎が培われることを踏まえ、子どもが自然との関わりを深めることができるよう工夫すること。

（組み合わせ）

	A	B	C	D
1	○	×	○	×
2	○	×	×	○
3	×	○	○	×
4	×	○	×	×
5	×	×	○	○

Q 02 ★★☆

次の文のうち、「保育所保育指針」の第4章「子育て支援」2「保育所を利用している保護者に対する子育て支援」の一部として、（ a ）～（ d ）の下線部分が、正しいものを○、誤ったものを×とした場合の正しい組み合わせを一つ選びなさい。

令和元年（後期）問16

保護者の就労と子育ての（ a 両立等 ）を支援するため、保護者の（ b 多様化 ）した保育の需要に応じ、病児保育事業など多様な事業を実施する場合には、保護者の状況に配慮するとともに、子どもの（ c 主体性 ）が尊重されるよう努め、子どもの生活の（ d 特殊性 ）を考慮すること。

（組み合わせ）

	a	b	c	d
1	○	○	○	×
2	○	○	×	○
3	○	○	×	×
4	×	×	○	○
5	×	×	○	×

A 01

正解 4

A × 第1章「総則」1「保育所保育に関する基本原則」(1)「保育所の役割」イでは、保育所は、その目的を達成するために、保育に関する専門性を有する職員が、家庭との緊密な連携の下に、**子どもの状況や発達過程**を踏まえ、**保育所における(環境)を通して、養護及び教育を一体的に行う**ことを特性としている。
保育の基本は、環境を通して行うことであり、環境は、人的環境、物的環境、自然や社会の事象を指す。「遊び」では、「養護と教育を一体的に行う」という箇所が適切ではないということからも、回答することができる。

B ○ 乳幼児期にふさわしい体験が得られるように、**生活や(遊び)を通して総合的に保育する**ことが求められている。第1章「総則」1「保育所保育に関する基本原則」(3)「保育の方法」オの内容であり正しい。

C × 第1章「総則」3「保育の計画及び評価」(2)「指導計画の作成」キに、「障害のある子どもの保育については、**一人一人の子どもの発達過程や障害の状態を把握し**、適切な環境の下で、障害のある子どもが他の子どもとの(**生活**)を通して共に成長できるよう、指導計画の中に位置付けること」と記載されている。障害のある子どもと他の子どもがともに過ごし、成長していける場面は「遊び」だけではない。

D × 第2章「保育の内容」3「3歳以上児の保育に関するねらい及び内容」(2)ねらい及び内容ウ「環境」(ウ)「内容の取扱い」②に「幼児期において自然のもつ意味は大きく、自然の大きさ、美しさ、不思議さなどに直接触れる(**体験**)を通して、子どもの心が安らぎ、**豊かな感情、好奇心、思考力、表現力**の基礎が培われることを踏まえ、子どもが自然との関わりを深めることができるよう工夫すること」と記載されている。

A 02

正解 3

保護者の就労と子育ての(a.**両立等**)を支援するため、保護者の(b.**多様化**)した保育の需要に応じ、病児保育事業など多様な事業を実施する場合には、保護者の状況に配慮するとともに、子どもの(c.**福祉**)が尊重されるよう努め、子どもの生活の(d.**連続性**)を考慮すること。

第4章「子育て支援」2「保育所を利用している保護者に対する子育て支援」(2)「保護者の状況に配慮した個別の支援」アの文章である。なお、生活の連続性という言葉は、保育所保育指針のなかで複数回登場しており、**「指導計画の作成」「家庭及び地域社会との連携」**においても子どもの生活の連続性に配慮するよう記載されている。

次の【事例】を読んで、【設問】に答えなさい。 令和５年（前期）問18

【事例】

大学生のＰさんは、保育実習指導Ⅰの授業で、保育所実習における観察の方法や記録の取り方、実習の振り返りをどのように行うかについて学び、その要点をノートに整理した。

【設問】

次の文のうち、保育所実習の観察、記録、振り返りの要点として、適切な記述を○、不適切な記述を×とした場合の正しい組み合わせを一つ選びなさい。

A 子どもや保育士の言動だけでなく、遊具や設備も含めて観察する。

B 保育士の子どもへの関わり方や援助の方法、言葉づかいだけでなく、保育士同士の連携も含めて観察する。

C 観察したことを客観的に記録するために、自分の思いや考えたことは書かない。

D 担当保育士からの助言・感想を聞いて、自分のできなかったことや反省すべきことに限定して振り返る。

（組み合わせ）

	A	B	C	D
1	○	○	○	×
2	○	○	×	×
3	○	×	○	×
4	×	○	×	○
5	×	×	×	○

次のうち、「保育所保育指針」第２章「保育の内容」２「１歳以上３歳未満児の保育に関わるねらい及び内容」の一部として、正しいものを○、誤ったものを×とした場合の正しい組み合わせを一つ選びなさい。 令和３年（後期）問18

A 健康な心と体を育て、自ら健康で安全な生活をつくり出す力を養う。

B 他の人々と親しみ、支え合って生活するために、自立心を育て、人と関わる力を養う。

C 周囲の様々な環境に責任感をもって関わり、それらを生活に取り入れていこうとする力を養う。

D 経験したことや考えたことなどを自分なりの言葉で表現し、相手の話す言葉を聞こうとする意欲や態度を育て、言葉に対する感覚や言葉で表現する力を養う。

E 感じたことや考えたことを自分なりに表現することを通して、豊かな感性や表現する力を養い、創造性を豊かにする。

（組み合わせ）

	A	B	C	D	E
1	○	○	○	×	×
2	○	○	×	○	○
3	○	×	○	×	○
4	×	×	○	×	×
5	×	×	×	○	○

A 03

正解 2

A ○ 振り返る際には、**環境の構成**や**子どもに対する援助**について改善すべき点を見いだし、その**具体的な手立ての考察**につなげることが大切である。Aは正しい。

B ○ 保育を展開する上で、他の**保育士等**や**保護者等**との**連携**が十分に図られていたかについても検証することが大切である。Bは正しい。

C × 自分と異なる子どもの理解や保育の視座に出会うことは、保育士にとっても自らの子ども観や保育観を見つめ直す機会となる。Cは間違いである。

D × 自らの保育の振り返りを通して、自らの保育のよさや課題に気が付くことにもつながっていく。そのため**全般的**に振り返ることが必要である。Dは間違いである。

近年、保育実習での実習生のマナーや注意事項が頻出されているため、押さえておきたい。

A 04

正解 2

A ○ 「保育所保育指針」第２章「保育の内容」２「１歳以上３歳未満児の保育に関わるねらい及び内容」の「**ア 健康**」である。

B ○ 「保育所保育指針」第２章「保育の内容」２「１歳以上３歳未満児の保育に関わるねらい及び内容」の「**イ 人間関係**」である。

C × 「保育所保育指針」第２章「保育の内容」２「１歳以上３歳未満児の保育に関わるねらい及び内容」の「ウ 環境」は「周囲の様々な環境に**好奇心や探求心**をもって関わり、それらを生活に取り入れていこうとする力を養う」であるため誤り。

D ○ 「保育所保育指針」第２章「保育の内容」２「１歳以上３歳未満児の保育に関わるねらい及び内容」の「**エ 言葉**」である。

E ○ 「保育所保育指針」第２章「保育の内容」２「１歳以上３歳未満児の保育に関わるねらい及び内容」の「**オ 表現**」である。

◆指導計画とは

全体的な計画にもとづいて保育目標や保育方針を具体化する実践計画である。

「指導計画」は具体的なねらいと内容、環境構成、予想される活動、保育士等の援助、家庭との連携等で構成される。作成にあたっては、子ども一人ひとりの発達過程や状況を十分に踏まえ、子どもの**発達過程**を見通し、生活の**連続性**、**季節**の変化等を考慮し、子どもの実態に即した具体的なねらい及び内容を設定することが大切である。また、「指導計画」は、1年間の子どもの生活や発達を見通した**長期的**な指導計画と、より具体的な子どもの日々の生活に即した**短期的**な指導計画とに分かれる。長期的な計画は、1年間をさらにいくつかの期（年・期・月）に分け、子どもの発達やそれぞれの時期にふさわしい保育内容を計画する。短期計画（週・日）では、長期的な計画との関連性や連続性が尊重されることも理解しておく必要がある。

次の文は、「保育所保育指針」第１章「総則」３「保育の計画及び評価」（２）「指導計画の作成」の一部である。（　Ａ　）～（　Ｃ　）にあてはまる語句の正しい組み合わせを一つ選びなさい。

令和２年（後期）問18

・３歳未満児については、一人一人の子どもの生育歴、心身の発達、活動の実態等に即して、（　Ａ　）な計画を作成すること。

・３歳以上児については、個の成長と、子ども相互の関係や（　Ｂ　）な活動が促されるよう配慮すること。

・異年齢で構成される組やグループでの保育においては、一人一人の子どもの生活や経験、発達過程などを把握し、適切な援助や（　Ｃ　）ができるよう配慮すること。

（組み合わせ）

	A	B	C
1	個別的	並行的	環境構成
2	総合的	並行的	指導計画
3	個別的	協同的	環境構成
4	総合的	協同的	指導計画
5	個別的	並行的	指導計画

次の文のうち、「保育所児童保育要録」に関する記述として、適切な記述を○、不適切な記述を×とした場合の正しい組み合わせを一つ選びなさい。

令和３年（前期）問18

A 保育所児童保育要録の送付については、入所時や懇談会などを通して、保護者に周知しておくことが望ましい。

B 子どもの就学に際して、作成した保育所児童保育要録の抄本又は写しを地方自治体の長に送付する。

C 保育所児童保育要録の作成にあたっては、保護者との信頼関係を基盤として、保護者の思いを踏まえつつ記載する。

D 保育所児童保育要録は、最終年度の子どもについて作成する。

（組み合わせ）

	A	B	C	D
1	○	○	○	×
2	○	○	×	×
3	○	×	○	○
4	×	×	○	○
5	×	×	×	×

A 05

正解 3

・3歳未満児については、一人一人の子どもの生育歴、心身の発達、活動の実態等に即して、（ A.**個別的** ）な計画を作成すること。

・3歳以上児については、個の成長と、子ども相互の関係や（ B.**協同的** ）な活動が促されるよう配慮すること。

・異年齢で構成される組やグループでの保育においては、一人一人の子どもの生活や経験、発達過程などを把握し、適切な援助や（ C.**環境構成** ）ができるよう配慮すること。

A 3歳未満児は、特に心身の発育・発達が顕著な時期であると同時に、その**個人差**も大きいため、一人ひとりの子どもの状態に即した保育が展開できるよう**個別的**な指導計画を作成することが必要である。

B 3歳以上児は、個を大切にする保育を基盤として、**集団**において安心して自己を発揮できるようにする。また協同して遊びを展開していく経験を通して、**仲間意識**を高めていくことから、**協同的**な活動が促されるよう配慮することが必要である。

C 異年齢の編成の場合は、子どもの**発達差**が大きいため、個々の子どもの状態を把握したうえで、保育のねらいや内容をもった適切な援助や**環境構成**が必要である。

A 06

正解 3

A ○ 保育所児童保育要録の送付については、入所時や懇談会などを通して、**保護者に周知しておく**ことが望ましいが、必須ではない。また、個人情報保護や情報開示のあり方にも注意が必要である。

B × 市町村の支援の下に、保育所児童保育要録の抄本または写しを就学先の**小学校の校長に送付する**ことになっている。

C ○ 保育所児童保育要録は、保護者との信頼関係を基盤として、**保護者の思いを踏まえつつ記載する**。また、保育所では作成した保育所児童保育要録の原本等について、その子どもが**小学校を卒業するまでの間保存する**ことが望ましい。

D ○ 保育所児童保育要録は、**最終年度の子どもについて作成する**こと、また作成にあたっては、施設長の責任の下、**担当の保育士が記載する**こととなっている。また、保育所児童保育要録は国の定型があるのではなく、**各市区町村**が、地域の実情等を踏まえ、様式を作成することになっている。

よく出るポイント ◆**保育所保育指針第２章「保育の内容」について**

保育所保育指針第２章は頻出項目のため、しっかり覚えておこう。

実際の保育は、「養護」と「教育」が**一体**となって展開される。「養護」とは、子どもの「**生命の保持**」と「**情緒の安定**」のために保育士等が行う援助や関わりのことである。また、「教育」とは「子どもが健やかに成長し、その活動がより豊かに展開されるための**発達の援助**」のことである。「養護」と「教育」はそれぞれ「ねらい」と「内容」によって構成される。特に、「乳児保育に関わるねらい及び内容」においては、その発達時期の特徴から「身体的発達に関する視点」「社会的発達に関する視点」「精神的発達に関する視点」がある。それぞれの「ねらい」と「内容」は、保育所保育指針第２章「保育の内容」をよく読んでしっかり確認しよう。

②児童福祉施設における保育と実習

Q 07

次の文は、児童養護施設での実習における事前指導で、実習指導担当者が実習生に説明した内容である。適切な記述を○、不適切な記述を×とした場合の正しい組み合わせを一つ選びなさい。 平成29年(後期)問19

A 実習で知り得た入所児の個人情報は、福祉現場の理解を深めてもらうため、家族や友人に話しても構わない。

B 実習記録には、大学等での事後指導で振り返りができるように、利用者名を実名で記述しなければならない。

C 福祉現場の具体的な状況を広く一般に知ってもらうために、実名を伏せればSNS(ソーシャル・ネットワーキング・サービス)に利用者の写真を掲載してもよい。

D 入所児から携帯番号などの個人連絡先について教えてほしいと求められた場合は、可能な限り応じるようにする。

(組み合わせ)

	A	B	C	D
1	○	○	○	×
2	○	○	×	○
3	○	×	○	×
4	×	○	×	○
5	×	×	×	×

Q 08

次の【事例】を読んで、【設問】に答えなさい。 令和元年(後期)問19

【事例】

母子生活支援施設で実習をしているPさん(21歳、女性)は、実習指導を担当する職員からQさん(20歳、女性)とWちゃん(1歳6か月、男児)の母子の自立支援計画の作成をするよう指示された。

Qさんは外国で生まれ育ち、3年前に就労目的で日本にやってきた。職場で日本人の男性と知り合い、結婚し、Wちゃんを出産したが、その直後から夫はQさんに対して暴力を振るうようになった。そのため、QさんはWちゃんを連れて逃げだし、DV被害者を対象としたシェルターに保護された。その後、現在の母子生活支援施設に入所して1か月が経った。Qさんは日本語での日常会話や簡単な読み書きしかできない。Wちゃんは元気に施設の近くにある保育所に通っており、新しい生活に慣れてきた。しかしQさんは、身近に相談できる友人がいないため、将来の生活に対して漠然と不安を感じている。Wちゃんのためには夫のもとに戻った方がよいのではないかと考えたり、怖いので戻りたくないと考えたり、混乱している状況である。また、現在のところ、夫との離婚は考えていない。

【設問】

次のうち、Pさんが作成する自立支援計画の1か月以内の取り組みの内容として、最も適切な記述を一つ選びなさい。

1 本人の意向を尊重し、夫との関係修復を目標とする。
2 養育の負担を減らすため、Wちゃんを児童養護施設に措置し、Qさんは日本語の修得を目指す。
3 DVによるQさんの心理的被害への治療に取り組む。
4 Wちゃんに適切な養育環境を提供するため、里親委託を目指す。
5 夫との関係を断ち切るために、Qさんと夫との離婚調停を進める。

A 07

正解 5

A × 「児童福祉施設の設備及び運営に関する基準」第14条の2には、児童福祉施設職員が**業務上知り得た利用者またはその家族の秘密を正当な理由がなく漏らしてはならない**と定められており、実習生の家族であっても秘密は守らなければならない。

B × 実習記録は、個人が特定される表現を取らず、**イニシャル等で、実習施設内において指導担当者と実習生が共通理解できる表現で行うこと**が原則である。大学での事後指導では、性別、年齢等の**振り返りの場で共有する必要のある範囲**でわかればよく、特定に結びつく個人情報は記録しないことになっている。

C × 実習で知り得た個人情報は「**守秘義務**」がある。福祉現場の現状を広く**一般に知ってもらう役割**は実習生にはない。また、施設には、被虐待児など親から逃れて生活している子どももおり、**映像の流出は子どもの安全を脅かす**ことになりかねず、一切認められない。

D × 入所児童から連絡先を求められることはよくあることだが、実習生は、その子どもについて責任を持つ立場にない。その子のためにと思って教えたとしても、施設を飛び出して連絡してきた子どもに責任を持つことはできず、**結果として無責任な行為**となる。絶対に教えてはならないことを自覚する必要がある。

A 08

正解 3

1 × Qさんの意向は定まっておらず、Wちゃんのために夫のもとに戻った方がよいと考えたり、怖いので戻りたくないと考えたりと混乱している状態である。そのような状況で、職員の側から夫との関係修復を目的とした支援をするのは適切ではない。

2 × 母子関係に問題は見られず、Wちゃんも保育所に通って慣れてきているため適切ではない。

3 ○ 心理的な問題を抱える入所者に対して、その問題の治療に取り組むことは適切な対応といえる。

4 × 母子関係に問題は生じていないため、母子を引き離す必要性がない。

5 × Qさんは、夫との離婚は考えていないため適切ではない。

次の【事例】を読んで、【設問】に答えなさい。 令和元年（後期）問20

【事例】

Ｔ保育士は、児童養護施設で勤めはじめて２か月の新任である。Ｔ保育士が担当するＭ君（９歳）は、Ｎ君（７歳）に対して怒鳴って言うことをきかせようとしたり、Ｎ君の持ち物を壊したりすることが多くある。Ｔ保育士はその都度、注意するが、Ｍ君は全く素直に応じることがなく、反発する。ある時、こうした反抗的な態度に対してＴ保育士はとても腹を立て、声を荒げた。その様子を見ていた主任保育士はＴ保育士に対するスーパービジョンの際、「専門職としてあなた自身が自らの感情を自覚し理解する必要があるのではないか」と述べた。

【設問】

次のうち、主任保育士の発言が示唆している内容を、バイスティックの７原則にあてはめた場合の最も適切なものを一つ選びなさい。

1 個別化
2 受容
3 意図的な感情の表出
4 統制された情緒的関与
5 自己決定

次の【事例】を読んで、【設問】に答えなさい。 令和５年（前期）問19

★★★

【事例】

Ｈさん（女性）は、児童養護施設で実習をしている。実習後半となり、子どもたちとも打ち解けてきたという印象をもっていたある日のことであった。中学２年生の女子児童から、「職員はみんな仕事で世話してるだけだし。私のことなんて真剣に考えてくれてないんだよ」と言われた。Ｈさんは突然の出来事のなかでどうしてよいかわからず何も答えることができなかった。

【設問】

次のうち、Ｈさんの対応として、適切なものを○、不適切なものを×とした場合の正しい組み合わせを一つ選びなさい。

A その日の実習記録にその出来事を記載し、実習指導者から助言を受ける。
B 「そんなこと言うものではない」と女子児童を批難する。
C なぜそのような言葉を発したのかについて考察する。

（組み合わせ）

	A	B	C
1	○	○	○
2	○	×	○
3	×	○	×
4	×	×	○
5	×	×	×

A 09

正解 4

1 × **個別化**とは、クライエントの問題は一人ひとり違っており、同じ問題は存在しないとする考え方のことである。たくさんの相談支援を経験すると、クライエントの抱える問題をパターンに当てはめて一律に対応しがちであるが、個別化の観点にたち、「問題」をみるのではなく「クライエント本人」をみる視点が大切である。

2 × **受容**とは、クライエントを否定せず、理解しようとすることである。

3 × **意図的な感情の表出**とは、クライエントが抑え込んでいる不安や怒りなどの感情表現を自由に表出できるようにすることである。負の感情であっても自分の感情を表現できる環境をつくることで、クライエントの心の壁を取り除きやすくなる。

4 ○ **統制された情緒的関与**とは、クライエントの感情に呑まれないようにすることである。T保育士には、受容の態度を示すだけでなく、クライエントの感情に過度に影響を受けないように、自らの感情を自覚しコントロールすることが求められている。よって、最も適切な選択肢といえる。

5 × **自己決定**とは、問題解決に向けて行動を決定するのはクライエントであるということである。

A 10

正解 2

A ○ 子どもとのやり取りの中で、対応に困ったり迷ったりする場合は、当日中に**実習指導者**に共有し、どのような対応が望ましかったのか助言を受けるとよい。その時々に生じた感情は、子どもの生い立ちや、置かれている環境への理解を深める第一歩である。

B × 女子児童が言葉にした内容に対して、疑問を抱くことはあったかもしれないが、**なぜそのような発言をしたのか**に思いを馳せることなく、一方的に非難をするのは不適切である。

C ○ 子どもが施設で暮らしているということだけでも、計り知れない事情があることを決して忘れてはならない。実習中に見聞きした子どもの表情や言葉、態度などから、**子どもの状態や状況**に思いを馳せ、考えを巡らすことは、実習でしか得られない貴重な学びである。

次の【事例】を読んで、【設問】に答えなさい。　令和5年(後期) 問19

【事例】

母親の不適切な養育によりS乳児院に入所したKちゃん(1歳)。S乳児院で実習しているY実習生がKちゃんと遊んでいたところ、面会で訪れていたKちゃんの母親とW実習指導者がKちゃんのところに来た。その時、W実習指導者が電話対応のために、席を外した。母親がKちゃんを抱っこしようとすると、Kちゃんは泣きだした。それを見た母親は、「私だと泣いちゃいますね。一緒に暮らしていないから、私が母親だっていうのもわからないのかもしれない」と言い、寂しそうな表情を浮かべた。Y実習生は、その日に振り返りの機会を設けてもらい、このエピソードについてW実習指導者に報告した。

【設問】

次のうち、W実習指導者がY実習生にとるべき対応として、適切なものを○、不適切なものを×とした場合の正しい組み合わせを一つ選びなさい。

A「Kちゃんが泣きだした段階で、母親から引き離してあなたが抱っこすべきでしたね」と伝える。

B「母親がKちゃんに対して不適切な養育をしていたことで入所させたのだから、母親はもっとKちゃんの気持ちを考えて行動すべきですね」と話す。

C「母親のその時の気持ちについてはどのように感じましたか」と尋ねる。

D「少しずつ母子の関係形成ができるよう、支援することが大事ですね」と伝える。

(組み合わせ)

	A	B	C	D
1	○	○	○	×
2	○	○	×	○
3	×	○	×	○
4	×	×	○	○
5	×	×	○	×

次の文は、ある児童福祉施設に関する記述である。(A)～(D)にあてはまる語句を【語群】から選択した場合の正しい組み合わせを一つ選びなさい。

平成28年(前期) 問18改

(A)は、保護者の養育を受けられない乳幼児を養育する施設である。乳幼児の基本的な養育機能に加え、(B)・病児・障害児などに対応できる専門的養育機能を持つ。短期の利用は(C)支援が中心的な役割であり、長期の在所は乳幼児の養育のみならず、保護者支援、退所後のアフターケアを含む(D)支援の役割が重要となる。

【語群】

ア	子育て	**イ**	親子再統合	**ウ**	児童養護施設
エ	被虐待児	**オ**	更生	**カ**	自立
キ	乳児院	**ク**	非行少年	**ケ**	児童心理治療施設

(組み合わせ)

	A	B	C	D
1	ウ	ク	ア	カ
2	キ	エ	ア	イ
3	キ	エ	オ	カ
4	ケ	エ	カ	イ
5	ケ	ク	カ	オ

A 11

正解 4

A × Kちゃんに泣かれてしまい、寂しそうな表情をしている母親に対して、Kちゃんを引き離すような対応をするのは、母親の子どもへの思いを否定することにつながりかねないため、不適切である。

B × 入所理由が不適切な養育であったが、母親は子どもとの面会を望み、実際に施設に足を運ぶまでになっている。母親の心情や状況の変化を受け止めていきたいタイミングでの発言であり、不適切である。

C ○ Kちゃんに泣かれてしまったときの母親の行動や表情の変化、ぽろっとこぼれ出た一言から、母親の気持ちを窺い知ることができる。子どもやその保護者の小さな変化に気付くことは必要な技術である。よってW実習指導者の問いかけは適切である。

D ○ まだ母子関係に緊張感がある状態。W実習指導者は、少しずつでも母子関係が良好に進むことを目指しており、また、母子に対して**あたたかなまなざし**を寄せている対応であると捉えられるため、適切である。

A 12

正解 2

（ A.**キ 乳児院** ）は、保護者の養育を受けられない乳幼児を養育する施設である。乳幼児の基本的な養育機能に加え、（ B.**エ 被虐待児** ）・病児・障害児などに対応できる専門的養育機能を持つ。短期の利用は（ C.**ア 子育て** ）支援が中心的な役割であり、長期の在所は乳幼児の養育のみならず、保護者支援、退所後のアフターケアを含む（ D.**イ 親子再統合** ）支援の役割が重要となる。

乳児院は、乳幼児の**短期入所**も多い。一時保護所は乳児を預かれないため、一時的な入所も含めて子育て支援としての役割は大きくなっている。また、乳児院は実親のもとに親子再統合が難しい場合に、**里親委託**も進めていく役割を持っている。親子再統合では、計画的に親の支援を行い、親を支えながら親の子育ての力を大きくしていくことに取り組み、退所後も計画的に**アフターケア**を行っていく役割を持つ。設問文は、「乳児院運営指針」の総論の４「対象児童（1）子どもと保護者の特徴と背景」の文章を要約して作成されたと考えられる。

次の【事例】を読んで、【設問】に答えなさい。 令和４年（前期）問19

【事例】

児童養護施設での実習初日を終えたＳさん（大学生、女性）は、その日の振り返りで施設の実習担当保育士に次の内容を話した。Ｔさん（16歳、女児）が帰宅した際に、Ｓさんと目が合ったものの、無視する様子がみられたので、Ｓさんは挨拶をせず、その後も自分から話しかけることはなかった。保育士がその理由を聞くと、Ｓさんは、「Ｔさんがあからさまに私と距離をとろうとしていたので、話しかけられたくないのだと判断しました」と答えた。

【設問】

次のうち、実習担当保育士の実習生への対応として、適切な記述を○、不適切な記述を×とした場合の正しい組み合わせを一つ選びなさい。

A「Ｔさんは本当に無視したのかな？」と、Ｓさん自身の解釈を振り返るように促す。

B「あなたはＴさんの気持ちを尊重したのね」と、ＳさんがＴさんに話しかけなかったことを評価する。

C「あなたがその時に『はじめまして、実習生のＳです』と自己紹介したら、Ｔさんはどう感じたかな？」と、Ｔさんへの理解を深めるための質問をする。

（組み合わせ）

	A	B	C
1	○	○	×
2	○	×	○
3	×	○	○
4	×	○	×
5	×	×	○

次の【事例】を読んで、【設問】に答えなさい。 令和５年（前期）問20

【事例】

Ｘ児童養護施設に入所しているＺ君（高校３年生、男児）は、高校卒業後は就職を希望している。しかし、Ｗ保育士が就職に関する話をしようとすると「今度にして」「今日はそういう気分じゃない」と言われ、Ｗ保育士と話す時間をとろうとしなかった。ある日、「テレビ見たいから後で」というＺ君と個室で向き合い「少し就職について話をしたいのだけど」と伝えたところ、Ｚ君は、「自分は働いたことがないし、人と付き合うのも苦手だから就職が不安」と言った。

【設問】

次のうち、Ｗ保育士の対応として、適切なものを○、不適切なものを×とした場合の正しい組み合わせを一つ選びなさい。

A Ｚ君に、職場体験プログラムに参加してみながら今後の就職に向けて一緒に考えていくことを提案する。

B Ｚ君に「自分の問題なのだから、自分で考えて決めて、決まったら教えてね」と伝える。

C 就職についての話には触れないようにする。

D Ｚ君が進学を選択できるような支援に切り替える。

（組み合わせ）

	A	B	C	D
1	○	○	○	×
2	○	○	×	×
3	○	×	×	×
4	×	○	○	○
5	×	×	○	○

A 13

正解 2

A ○ 実習担当保育士は、Sさんのことを責めたり否定するのではなく、Sさん自身がとった行動を客観的に振り返ることができるよう促すことが必要であるため正しい。

B × SさんがTさんに話しかけなかったことは評価すべきことではないため誤り。

C ○ Tさんの立場に立って考えられるように促すことが必要であるため正しい。

A 14

正解 3

A ○ 適切である。Z君の不安な気持ちに**寄り添い**、一緒に考えていくことが必要である。

B × 悩んでいることをすべてZ君任せにすることは不適切である。

C × Z君は就職が不安と口にしていることから、就職の話に触れないことは不適切である。

D × Z君は就職を希望していることから、進学を選択できるような支援に切り替えることは不適切である。

加点のポイント

◆子どもを理解するためのポイント

① 子どもの言動には必ず子どもなりの理由がある。子どもの声に耳を傾け、寄り添い、ともに考えること。
② 子どもの施設入所に至った経緯を正確に把握すること。
③ 子どもにとって最も大きな関心ごとである親・家族の状況を把握すること。
④ 子どもの得意を見つけること、子どものよい面を見つけて評価すること。
⑤ 職員及び関係機関、関係者で情報を共有し、子どもへの理解を深めること。

次の【事例】を読んで、【設問】に答えなさい。 令和４年（前期）問20

【事例】

Qさん（14歳、女児）は10歳の時に両親からのネグレクトを理由に児童相談所に保護され、里親委託となった。４年間、Pさん（50代、女性）が養育里親として養育している。Pさんは、Qさんとの信頼関係が十分に形成されていると考えていたが、最近、Pさんに対して「どうせ親じゃないんだから、ほっといて」といった発言など、反抗的な態度を示すことが多い。また、無断外泊などを行うようになっている。Pさんは、Qさんの養育に自信をなくしている。Pさんの夫はPさんに対して「そんなに大変ならやめればいい」と伝えた。Pさんは困り果てて、担当の里親支援専門相談員に相談した。

【設問】

次のうち、里親支援専門相談員の対応として、最も適切な記述の組み合わせを一つ選びなさい。

A Qさんの素行の悪さを理由に、委託解除を検討する。

B Qさんが何らかの葛藤や困難を抱えていると考え、Qさん本人から話を聞く。

C Pさん夫妻がQさんの状況をどのようにとらえているのか考えを夫婦で共有してもらうとともに、協力して養育に取り組むよう促す。

D Pさんには里親としての能力がないと判断し、研修の受講を提案する。

（組み合わせ）

1	A	B
2	A	C
3	B	C
4	B	D
5	C	D

次の【事例】を読んで、【設問】に答えなさい。 平成30年（前期）問19

【事例】

児童養護施設で保育士をしているＩさんは、担当しているＦ君（７歳、男児）が、職員が不在の時に限って年下の子どもに威圧的な態度をとることについて主任保育士に助言を求めた。主任保育士からは、Ｆ君の威圧的な態度の背景について情報を収集し、分析するよう指示を受けた。

【設問】

次のうち、主任保育士のＩさんに対する指示内容を示す相談援助の専門用語として最も適切なものを一つ選びなさい。

1 インテーク

2 アセスメント

3 プランニング

4 インターベンション

5 モニタリング

A 15

正解 3

A × 素行の悪さは何かしら心理的要因が原因で出現している行動であるため、支援内容の検討が必要であるが、すぐに委託解除を検討すべきとはならない。委託解除は双方の心に傷を残す可能性が高く、手を尽くしてどうしても関係性の改善が難しい場合などに用いられるものである。

B ○ Qさん本人から話を聞くことが望ましい。

C ○ 夫妻それぞれに寄り添いながら話を聞き、状況を把握することが必要である。そこから明らかになった課題に対して、調整等を行うことが求められる。

D × この時点でPさんが里親としての能力がないと判断するには時期尚早である。

A 16

正解 2

1 × インテークとは、児童相談所において、施設入所等の必要が確認された後に行われる利用者と援助者の**初めての面談**である。その子の状況に応じて施設入所が適切に行われ、入所後の生活が安全・安心に進められるように、入所に向けて適切な説明と準備を行い、子どもと職員との関わり等を行っていく一連の取り組みを行う。

2 ○ アセスメントは、児童に関するさまざまな情報を**収集し、分析**することである。**児童のニーズ**を見つけ出して、適切な支援計画を立てるために行う。児童相談所の児童票は、児童福祉司が収集した情報であり、社会的診断、医学的診断、心理学的診断、行動診断などがある。よって、アセスメントがあてはまり正解である。

3 × プランニングは、計画を立てることである。さまざまな計画があるが、代表的なものは「**児童自立支援計画書**」があり、子どもの最善の利益のために必要な支援計画を立案することや施設の生活や行事などの計画を立てることである。

4 × インターベンションは、「**危機介入**」と訳される。例えば、子どもの虐待の場合に**親子関係に介入**して児童を救い出すための方法をいう。インターベンションでは、適切な介入のあり方を常に検討、実践して高めていくことが求められている。

5 × モニタリングは、計画書にもとづいて、**実施した支援の状況を点検**することである。社会的養護ではアセスメントを取って児童自立支援計画書のプランニングとモニタリングをすることが重要ということになる。そして、再アセスメントを行って計画の見直しをし、実施して、把握、評価というサイクルを運用していくことが重要である。

次の【事例】を読んで、【設問】に答えなさい。　平成30年（後期）問20

【事例】

児童養護施設で実習をしているＴさんは、配属先のホームのＫ君（７歳男児）の「どうせ僕なんていてもいなくても同じだし」といった自身を否定的に捉える発言が気になり、実習担当のＬ保育士に対応について助言を求めた。Ｌ保育士は児童の理解を深め、支援の方法について学ぶ良い機会と考え、Ｋ君の生い立ちについて説明した。

Ｋ君は両親と３人で暮らしていたが、Ｋ君が４歳の時に母が家を出た。会社員の父は一人でＫ君をどう育てて良いか分からず、仕事の間は家に鍵を閉めて「静かに待っていろ」と言い、日中部屋に閉じ込めておくようになった。近隣の人からの通報でＫ君は保護され、児童養護施設への措置が決定された。父は施設入所時に面会に訪れたが、その後はＫ君の面会に来ていない。Ｋ君自身はお父さんと暮らしたいと考えている。

Ｌ保育士は以上のようなＫ君の生い立ちについて説明した後、「Ｔさんだったら、この情報からどのような自立支援計画を立案するかな？」と問いかけた。

【設問】

次のうち、Ｋ君の自立支援計画に掲げる支援方針の記述として最も不適切な記述を一つ選びなさい。

1 Ｋ君が自身を否定的に捉える発言をしたのは、生い立ちの中で両親から大切にされたと認識できなかったことが一因であると考え、自己肯定感をはぐくめるような支援計画を立てる。

2 Ｋ君が父と再び暮らすことを支援方針の一つに挙げる。

3 Ｋ君を里親委託することを支援方針の一つに挙げる。

4 施設での集団生活を通して、一人で自活するための力を養うことを短期目標に挙げる。

5 短期目標の具体的な取り組みとして、父の生活状況を把握し、Ｋ君の日頃の様子を父に連絡すると共に、Ｋ君に会いに来てくれるように働きかけることにする。

A 17

正解 4

1 ○ 最も大切にしてくれるはずの両親からネグレクト状態に置かれたK君は、自己肯定感が乏しく、さまざまなことに積極的に取り組めなくなっていると考えられ、自己肯定感を高める取り組みとして、小さな成功体験を重ねられるような計画を立てることが大切であり適切である。

2 ○ K君がお父さんと暮らしたいと考えているので、その希望が実現できるように援助すべきである。**家庭支援専門相談員**や**児童相談所**と連携して、父親への働きかけと援助を行うことは最も適切な計画といえる。

3 ○ 里親委託は、父との生活が困難である場合には、次に有効な方針と考えることができる。父親が養育の意思も能力もない場合は、長く施設で生活するよりも里親委託が望ましく適切である。

4 × 「年齢に応じた生活の自立」は必要だが、7歳のK君に「1人で自活するための力」は現段階では不要であり、その前に、大切なことは、施設で安心して生活できることである。親子関係や家庭生活を無視した計画は不適切である。

5 ○ 短期目標としては、まず、父親との関係を進めていくことであり、父親への働きかけを行い、親子関係を調整していくことが最も重要であり適切である。

◆**新しい社会的養育ビジョン**

安全・安心の養育
・明るく衛生的な住環境と心身の発達に適切な食事、季節に応じた適切な衣類を**保障**する。 ・子どもの**心情**を理解し、寄り添い、困った時には安心して相談できるよう関わる。 ・他児による危害や虐待を行う親等による危害から子どもを守る。
個の尊重と個別化・一貫性のある養育
・集団の**一律対応**を行わず、**一人ひとりを尊重**して、子どもそれぞれに応じた援助を個別に行う(**個別化**)。 ・可能な限り同一の保育者による援助を継続し、また、職員の関わりを統一して**一貫性のある養育**を行う。
親子関係の尊重と家庭関係調整の推進
・親子の状況に応じて、適切な関係を援助し、**親子再統合**を推進する。
地域の児童及び子育て家庭の支援の推進
・2003(平成15)年の**児童福祉法改正**で、児童福祉施設の地域における役割が明記された。子ども虐待等の増加で、地域における**要保護児童**及び援助を必要とする家庭への支援が重要となったからである。施設に入所する子どもの保育・保護・生活に支障のない範囲で行うことになっている。
家庭と同様の養育環境、できる限り良好な家庭的環境での養育
・大規模な施設養護ではなく、家庭と同様の養育環境(**里親養育**)で継続的に、できる限り良好な家庭的環境(**小規模グループケア・グループホームでの家庭的養護**)での養育を保障していくことが重要な課題とされている。

③音楽に関する技術

Q 18 ★★★

次の曲の伴奏部分として、A～Cにあてはまるものの正しい組み合わせを一つ選びなさい。

平成30年(後期) 問1

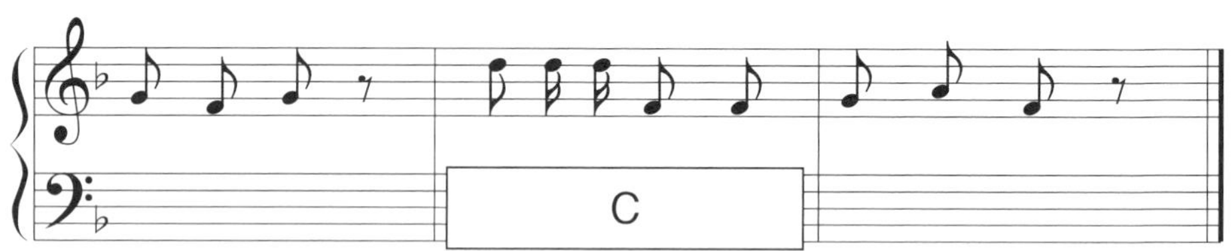

ア 

イ 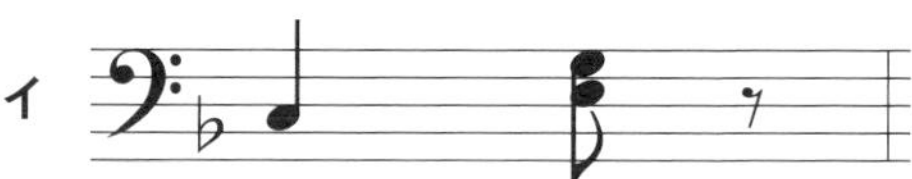

ウ 

エ 

(組み合わせ)

	A	B	C
1	ア	エ	イ
2	イ	ア	ウ
3	イ	ウ	ア
4	ウ	エ	ア
5	エ	イ	エ

A 18

正解 2

このような問題の解き方のコツは、以下の❶〜❸の順に考えていくことである。

❶まず何調か調べ、❷スリーコード（主要３和音）を書き出す。❸A〜Cのメロディーからどの伴奏部分があてはまるか考えていく。

この設問では

❶♭がひとつなので、ヘ長調。

❷ヘ長調で使われるコードは、主に、次の表のⅠ、Ⅳ、Ⅴであり、Ⅰの和音はF（ファ・ラ・ド）、Ⅳの和音は♭B（♭シ・レ・ファ）、Ⅴの和音はC（ド・ミ・ソ）となる。伴奏部分をみてみると、アはファ・ラとドなのでⅠ、イはド・ミとソなのでⅤ、ウはⅣとⅠ、エはⅠとⅣの和音が使われていることがわかる。

ヘ長調（コードで考えると下から始まる）	Ⅰ	Ⅱ	Ⅲ	Ⅳ	Ⅴ	Ⅵ	Ⅶ
	F	Gm	Am	♭B	C	Dm	Edim

※一般にⅢやⅦは使わない。
Ⅰ、Ⅳ、Ⅴ（V_7）には機能があり、Ⅰ-Ⅳ-Ⅰ、Ⅰ-Ⅴ-Ⅰ、Ⅰ-Ⅳ-Ⅴ-Ⅰと、進行にルールがある。
※T（トニック）Ⅰ、D（ドミナント）Ⅴ、S（サブドミナント）Ⅳ。

❸Aのメロディーはソとラ、Bのメロディーはド・ラ、Cのメロディーは１拍めにレ、２拍目にファが使われている。

Aはソを含む和音（ド・ミ・ソ）があてはまり「イ」、

Bはラ・ドを含む和音（ファ・ラ・ド）があてはまり「ア」、

Cはレを含む和音（ファ・♭シ・レ）とファを含む和音（ファ・ラ・ド）があてはまり「ウ」と考えられ、正答は**2**となる。

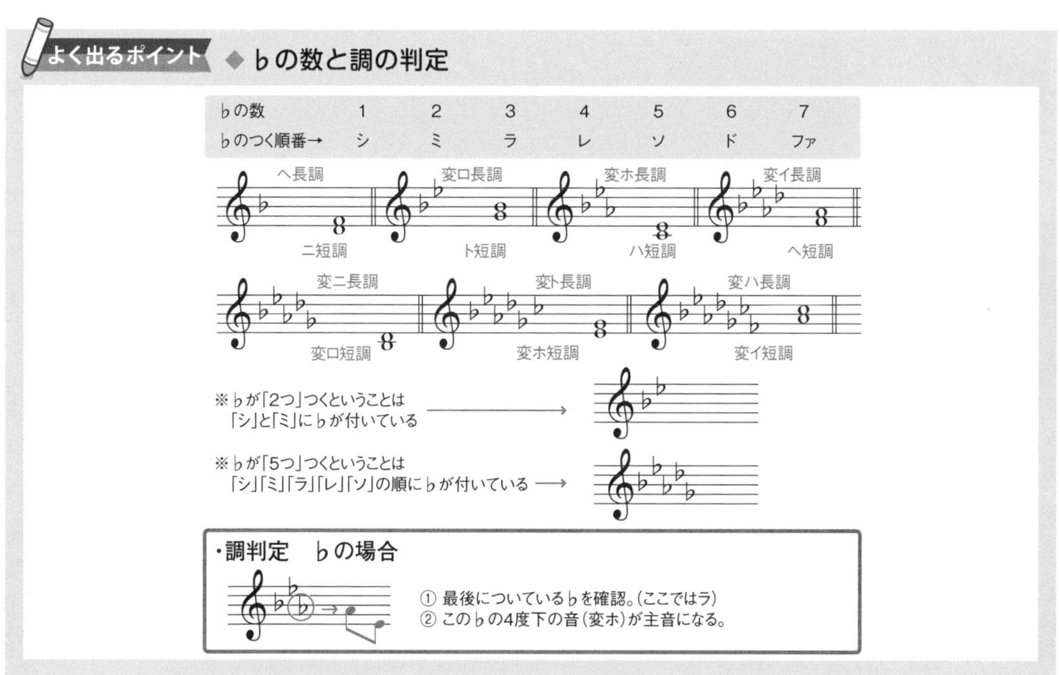

次の曲の伴奏部分として、A～Dにあてはまるものの正しい組み合わせを一つ選びなさい。 令和４年（後期）問１

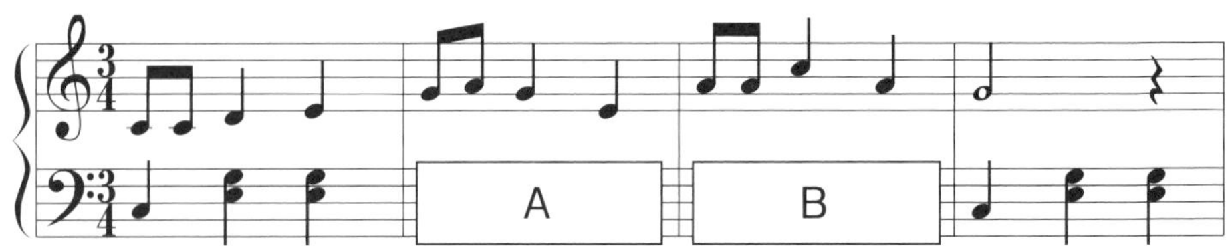

ア 

イ 

ウ 

エ 

（組み合わせ）

	A	B	C	D
1	ア	イ	ウ	エ
2	イ	ア	イ	ウ
3	イ	エ	エ	ア
4	ウ	ア	エ	イ
5	ウ	エ	ア	ア

A 19

正解 3

アの和音【ソ・シ・(レは省略)・ファ】、イの和音【ド・ミ・ソ】、ウの和音【ラ・ド・ミ】、エの和音【ファ・ラ・ド】で構成されており、アは**V**、イは**I**、ウは**VI**、エは**IV**の和音となる。メロディーの音からAを考えると、ソ・ラ・ミが入っている伴奏が考えられるため**イ**となる。Bはウ・エがあてはまるが、和音の機能(T⇒S⇒T)を考えると**エ**となる。同様にCもメロディーにウ・エがあてはまるが、和音の機能(T⇒S⇒T)を考えると**エ**となる。Dはミ・ファ・レでメロディーが構成されているため【ファ・レ】を含む**ア**の和音があてはまる。Dの伴奏を前後の和音の機能から見ていくと、6小節目にイの伴奏形(IのT)⇒Dの伴奏をアにするとV⇒8小節目イの伴奏形(IのT)となり、T⇒D⇒Tと進行がみえる。よって、A(イ)、B(エ)、C(エ)、D(ア)の組み合わせが正しい。

◆**曲想を表す用語**

a capella	アカペッラ	教会風に、無伴奏で
agitato	アジタート	せきこんで、激しく
alla marcia	アッラ　マルチャ	行進曲風に
amabile	アマービレ	愛らしく
animato	アニマート	元気に
appassionato	アパッショナート	情熱的に
brillante	ブリランテ	華やかに
cantabile	カンタービレ	歌うように
comodo	コモド	気楽に
con brio	コンブリオ	生き生きと
con moto	コンモート	動きをつけて
dolce	ドルチェ	甘く柔らかに
fine	フィーネ	終わり
espressivo	エスプレッシーヴォ	表情豊かに
grazioso	グラツィオーソ	優雅に
legato	レガート	なめらかに
leggiero	レッジェーロ	軽く
maestoso	マエストーソ	荘厳に
marcato	マルカート	はっきりと
risoluto	リゾルート	決然と
scherzando	スケルツァンド	おどけて
simile	シーミレ	前と同様に、続けて
tranquillo	トランクイッロ	静かに

Q 20

次のA～Dの音楽用語の意味を【語群】から選んだ場合の正しい組み合わせを一つ選びなさい。 令和4年（後期）問2

A decresc.

B *sf*

C 8va alta

D accelerando

【語群】

ア	だんだん弱く	**イ**	だんだんゆっくり	**ウ**	静かに	**エ**	自由に
オ	８度低く	**カ**	今までより速く	**キ**	特に強く	**ク**	８度高く
ケ	だんだん速く	**コ**	とても強く				

（組み合わせ）

	A	B	C	D
1	ア	ウ	ク	オ
2	ア	キ	ク	ケ
3	イ	キ	エ	カ
4	イ	コ	カ	エ
5	ウ	コ	オ	ケ

Q 21

次のA～Dを意味する音楽用語を【語群】から選んだ場合の正しい組み合わせを一つ選びなさい。 令和3年（後期）問2

A moderato

B tempo primo

C allegretto

D a tempo

【語群】

ア	ゆったりと	**イ**	最初の速さで
ウ	もとの速さで	**エ**	やや速く
オ	楽しく	**カ**	中ぐらいの速さで
キ	好きな速さで	**ク**	とても速く

（組み合わせ）

	A	B	C	D
1	ア	ウ	ク	オ
2	カ	イ	エ	ウ
3	カ	ウ	ク	イ
4	キ	イ	エ	ウ
5	キ	ク	カ	イ

A 20

正解 2

A ア decresc.（デクレッシェンド）は**だんだん弱く**という意味である。

B キ *sf*（スフォルツァンド）は**特に強く**という意味である。

C ク 8va alta（オッターヴァ　アルタ）は**1 オクターブ高く**という意味である。

D ケ accelerando（アッチェレランド）は**だんだん速く**という意味である。

A 21

正解 2

A カ moderato（モデラート）は、**中ぐらいの速さ**でという意味である。

B イ tempo primo（テンポプリモ）は、**最初の速さ**でという意味である。

C エ allegretto（アレグレット）は、**やや速く**という意味である。

D ウ a tempo（ア テンポ）は、**もとの速さ**でという意味である。

よく出るポイント ◆速度をあらわす記号

最も遅いもの	grave	グラーヴェ	重々しくゆっくりと
	largo	ラルゴ	幅広くゆるやかに
	lento	レント	ゆるやかに
	adagio	アダージョ	ゆるやかに
	andante	アンダンテ	ゆっくり歩くような速さで
	andantino	アンダンティーノ	アンダンテよりやや速く
	moderato	モデラート	中くらいの速さ
	allegro moderato	アレグロモデラート	やや快速に
	allegretto	アレグレット	やや快速に
	allegro	アレグロ	快速に
	vivace	ヴィヴァーチェ	活発に速く
最も速いもの	presto	プレスト	急速に

次のコードネームにあてはまる鍵盤の位置として正しい組み合わせを一つ選びなさい。

平成31年（前期）問3

		ア	イ	ウ
E7	：	②⑧⑩	⑩⑬⑳	⑤⑩⑭
B♭	：	④⑦⑪	⑪⑯⑳	⑪⑰⑳
Gm	：	④⑦⑬	⑪⑬⑰	⑬⑯⑳
C♯dim	：	⑦⑩⑬	②⑦⑩	⑩⑭⑲

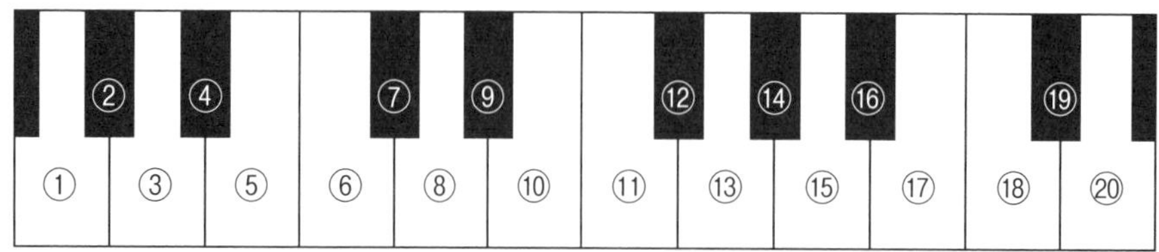

（組み合わせ）

	E7	B♭	Gm	C♯dim
1	ア	イ	ウ	ア
2	ア	ウ	イ	イ
3	イ	イ	ウ	イ
4	ウ	ア	ア	ウ
5	ウ	ウ	イ	ウ

よく出るポイント ◆**部分的な速度の変化があるもの**

accelerando（略して accel.）	アッチェレランド	だんだん速くする
ritardando（略して rit.）	リタルダンド	だんだんゆっくりにする
rallentando（略して rall.）	ラレンタンド	だんだんゆっくりにする
piumosso	ピウ・モッソ	今までより速く
menomosso	メノ・モッソ	今までより遅く

A 22

正解 1

E7（イーセブン）の構成音はミ・♯ソ・（シ）・レであり、選択肢**ア**が正しい。

B♭（ビーフラット）の構成音は♭シ・レ・ファであり、**イ**が正しい。

Gm（ジーマイナー）の構成音はソ・♭シ・レであり、**ウ**が正しい。

C♯ dim（シーシャープディミニッシュ）の構成音は♯ド・ミ・ソであり、**ア**が正しい。

ア、イ、ウ、アとなり、正答は**1**である。

①メジャーコードは基準の音から**長**３度＋**短**３度

②マイナーコードは基準の音から**短**３度＋**長**３度

③ディミニッシュコードは基準の音から**短**３度＋**短**３度（マイナーコードより狭い）

④オーギュメントコードは基準の音から**長**３度＋**長**３度（メジャーコードより広い）

コードC（ド・ミ・ソ）をもとに表にすると

コード	読み方	根音（基準の音）からの音程（距離）	構成された音	和音の種類
C	シーメジャー	長３度＋短３度	ド・ミ・ソ	長３和音
Cm	シーマイナー	短３度＋長３度	ド・♭ミ・ソ	短３和音
Cdim	シーディミニッシュ	短３度＋短３度	ド・♭ミ・♭ソ	減３和音
Caug	シーオーギュメント	長３度＋長３度	ド・ミ・♯ソ	増３和音

セブンスコードはメジャーやマイナーコードに短７度が加わる。

コード	読み方	根音（基準の音）からの音程（距離）	構成された音
C7	シーセブン	メジャーコードに短７度	ド・ミ・ソ・♭シ
Cm7	シーマイナーセブン	マイナーコードに短７度	ド・♭ミ・ソ・♭シ

あわせてメジャーセブンスコード（メジャーやマイナーコードに長７度が加わる）も覚えよう。

コード	読み方	根音（基準の音）からの音程（距離）	構成された音
C maj7／CM7	シーメジャーセブン	メジャーコードに長７度	ド・ミ・ソ・シ
C m（maj7）／CmM7	シーマイナーメジャーセブン	マイナーコードに長７度	ド・♭ミ・ソ・シ

加点のポイント

◆長調についてのまとめ

♯の数	1	2	3	4	5	6	7
付く順番	ファ	ド	ソ	レ	ラ	ミ	シ
調の名前	ト長調	ニ長調	イ長調	ホ長調	ロ長調	嬰ヘ長調	嬰ハ長調

※嬰は♯のこと。♯が６つ付く調はファにも♯が付くので「ヘ長調」ではなく「嬰ヘ長調」

♭の数	1	2	3	4	5	6	7
付く順番	シ	ミ	ラ	レ	ソ	ド	ファ
調の名前	ヘ長調	変ロ長調	変ホ長調	変イ長調	変ニ長調	変ト長調	変ハ長調

※変は♭のこと。♭が２つ付く調はシ（ロ）にも♭が付くので「ロ長調」ではなく「変ロ長調」

次の楽譜からマイナーコードを抽出した正しい組み合わせを一つ選びなさい。

令和３年（後期）問３

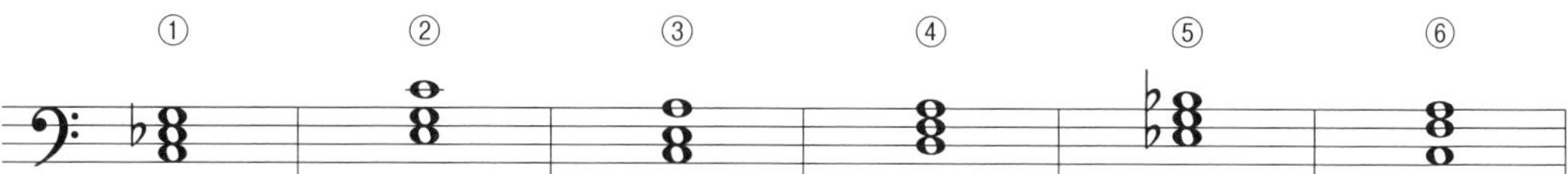

（組み合わせ）

1　①　②　④
2　①　③　④
3　③　④　⑤
4　③　⑤　⑥
5　④　⑤　⑥

Q 24

★★★

次の楽譜から属七の和音（ドミナントセブンス）を抽出した正しい組み合わせを一つ選びなさい。

令和４年（後期）問３

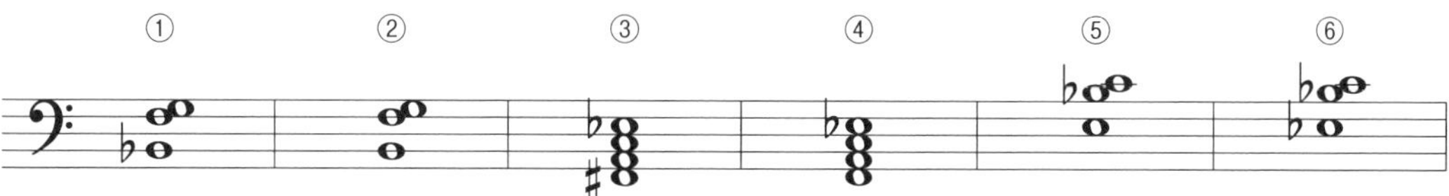

（組み合わせ）

1　①　②　④
2　①　③　⑤
3　②　④　⑤
4　②　⑤　⑥
5　③　⑤　⑥

加点のポイント

◆和音の転回

和音は構成する音の順番が入れ替わる場合がある。そのような和音は、基本形に対して「転回形」とよぶ。
転回形の和音の機能は基本的には変わらないので、出題された和音が転回形の時は**基本形に戻す**と考えやすい。

ハ長調のⅠの和音で考えると、

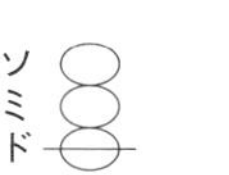

【基本形】

【第１転回形】

【第２転回形】

【第１転回形】では、根音の「ド」が転回（移動）して一番上の音になる。【第２転回形】では、「ミ」が転回して一番上の音になる。いずれの場合も、【基本形】の「ドミソ」に戻すと考えやすくなる。

A 23

正解 2

マイナーコードは、短三和音（根音＋**短三度**＋**長三度**の重なりで構成）である。

①から⑥を見ていくと、

①ド（根音）＋♭ミ（根音から数えて短三度）＋ソ（♭ミから数えて長三度）のCm

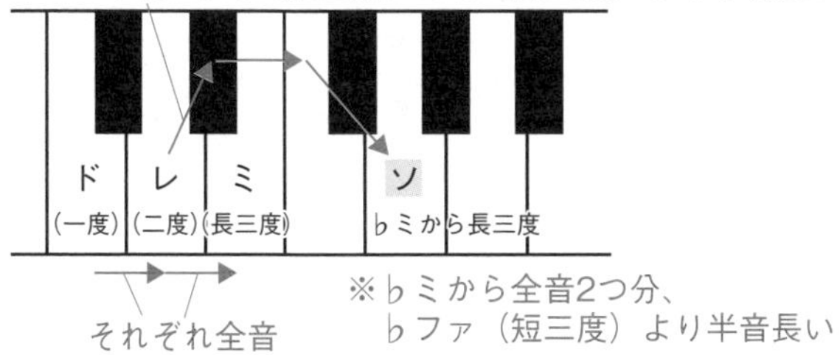

②は転回して根音が一番上にあるので、戻して考える。ド（根音）＋ミ（根音から数えて長三度）＋ソ（ミから数えて短三度）のC

③も転回して根音が一番上にあるので、戻して考える。ラ（根音）＋ド（根音から数えて短三度）＋ミ（ドから数えて長三度）のAm

④レ（根音）＋ファ（根音から数えて短三度）＋ラ（ファから数えて長三度）のDm

⑤♭ミ（根音）＋ソ（根音から数えて長三度）＋♭シ（ソから数えて短三度）のE♭

⑥も転回して第３音が一番上にあるので、戻して考える。ファ、ラ、ドとなる。ファ（根音）＋ラ（根音から数えて長三度）＋ド（ラから数えて短三度）のF

①③④がマイナーコードとなり、正答は**2**である

A 24

正解 3

属七の和音は属音（第Ｖ音）の上につくられた七の和音で構成音は４つ。V_7と表記する。長３和音の短３度上に音を重ねてつくられ、セブンス・コードとよばれる。

① ×（ソ・♭シ・レ・ファ）は短七の和音

② ○（ソ・シ・レ・ファ）はG_7

③ ×（♯ファ・ラ・ド・♭ミ）は該当せず

④ ○（ファ・ラ・ド・♭ミ）はF_7

⑤ ○（ド・ミ・ソ・♭シ）はC_7

⑥ ×（ド・♭ミ・ソ・♭シ）は短七の和音

よって正解は**3**。短七の和音は短3和音の短3度上に音を重ねたもので、マイナー・セブンス・コードとよばれる。セブンスコードは長3和音＋短３度であることを確認しよう。

※セブンスコードを実際に弾くときに、４つの音を弾くのは大変なので、通常下から３番目の音（第５音）を省いて弾く。

次の曲を４歳児クラスで歌ってみたところ、一番低い音が不安定で歌いにくそうであった。そこで完全５度上の調に移調することにした。その場合、A、B、Cの音は、鍵盤の①から⑳のどこを弾くか、正しい組み合わせを一つ選びなさい。

平成28年（前期）問4

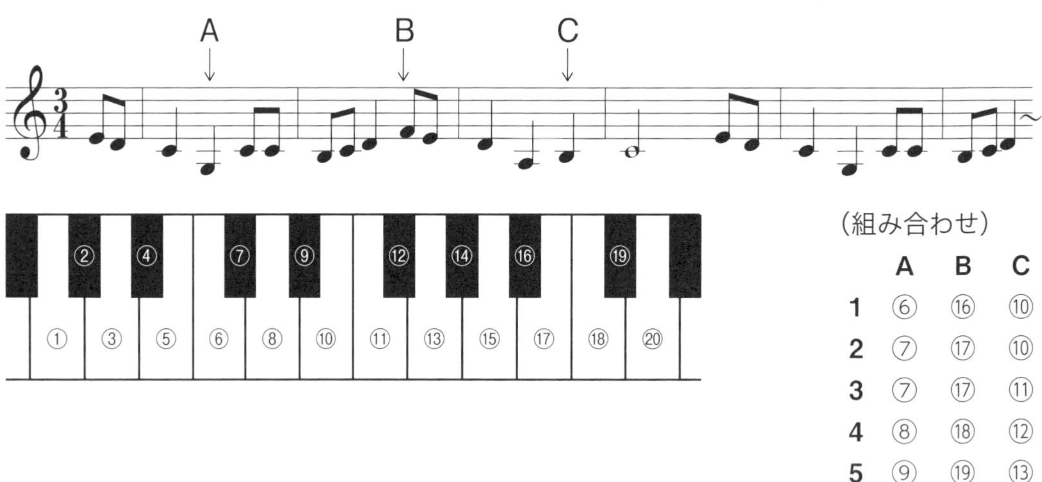

（組み合わせ）

	A	B	C
1	⑥	⑯	⑩
2	⑦	⑰	⑩
3	⑦	⑰	⑪
4	⑧	⑱	⑫
5	⑨	⑲	⑬

Q26

次の曲を４歳児クラスで歌ってみたところ、最高音が歌いにくそうであった。そこで長２度下げて歌うことにした。その場合、下記のコードはどのように変えたらよいか。正しい組み合わせを一つ選びなさい。

令和３年（後期）問4

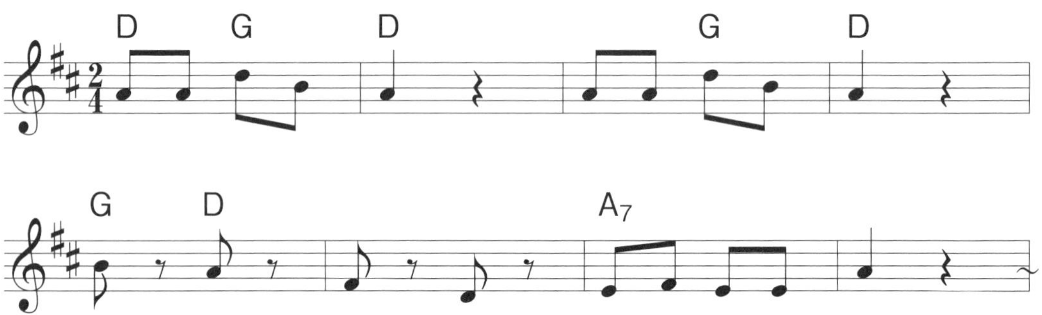

（組み合わせ）

	D	G	A7
1	B	E	F#7
2	B	E♭	F7
3	C	F#	G7
4	C	F	G7
5	C#	F	G7

A 25

正解 4

移調とは１つの曲全体をそっくり別の調に移すことである。まず、書かれている音符をすべて完全５度上げて書き移す。次にこの曲が何調かを考える必要がある。原曲が**ハ長調**であるので、完全５度上は**ト長調**となる。

Aはソのため①、Bはファのため⑪、Cはシのため⑤となるが、これを完全５度上に移調すると、Aは**レ**となるため⑧、Bは**ド**となるため⑱、Cは**♯ファ**となるため⑫である。よって正解は**4**となる。

A 26

正解 4

この曲は「豆まき」である。シャープが２つあるので**ニ長調**（レから始まる調）であることがわかる。ニ長調から長２度下の調はレの長２度下、ドから始まる「**ハ長調**」となる。つまり**ハ長調**に移調したこととなる。コードネームも、それぞれ長２度下を考えればよい。D（レ）の長２度下はC（ド）、G（ソ）の長２度下はF（ファ）、A_7（ラ）の長２度下はG_7（ソ）となり、正答は**4**である。

よく出るポイント ◆**西洋の音楽家まとめ**

音楽家達は曲の形式で時代をバロックや古典、ロマン派などに分けられる。

時代	人名	国	通称	背景・代表作
バロック	J.S.バッハ	ドイツ	音楽の父	教会音楽
	ヘンデル	ドイツ	音楽の母	「水上の音楽」
古典	ハイドン	オーストリア	交響曲の父	ソナタ形式の確立。交響曲第94番「驚愕」
	モーツァルト	オーストリア	神童	古典派音楽様式の確立。 オペラ「フィガロの結婚」「魔笛」
	ベートーヴェン	ドイツ	楽聖	古典派音楽の大成。交響曲第５番「運命」 ピアノソナタ「月光」等
ロマン派	シューベルト	オーストリア	歌曲王	600以上の歌曲を残す。 「野ばら」「魔王」「ます」（ピアノ５重奏曲）
	ショパン	ポーランド	ピアノの詩人	「英雄ポロネーズ」「子犬のワルツ」
	リスト	ハンガリー	ピアノの魔術師	超絶技巧を持つピアノの名人。 「ハンガリー狂詩曲」
	J.シュトラウス２世	オーストリア	ワルツ王	ワルツ「美しく青きドナウ」、オペレッタ「こうもり」

次の曲は、本居長世作曲「七つの子」の冒頭の４小節である。これに関するＡ～Ｄのうち、適切な記述を○、不適切な記述を×とした場合の正しい組み合わせを一つ選びなさい。

令和４年（前期）問６

A この曲は３拍子である。

B この曲の作詞者は、野口雨情である。

C 上記のアとイの音程は、長３度である。

D この曲の調性は、イ長調である。

（組み合わせ）

	A	B	C	D
1	○	○	×	×
2	○	×	○	○
3	×	○	×	○
4	×	○	×	×
5	×	×	○	×

次のリズムは、ある曲の歌いはじめの部分である。それは次のうちのどれか、一つ選びなさい。

平成31年（前期）問５

1 ぞうさん（作詞：まど・みちお　作曲：團伊玖磨）

2 ありさんのおはなし（作詞：都築益世　作曲：渡辺茂）

3 海（作詞：林柳波　作曲：井上武士）

4 おかあさん（作詞：田中ナナ　作曲：中田喜直）

5 こいのぼり（作詞：近藤宮子　作曲者不明）

よく出るポイント ◆リズム譜の問題で選択肢にあげられた曲

実際に出題されたことのある曲を以下にまとめた。歌詞とリズムを確認しておこう。

令和３年前期	こいのぼり
令和３年後期	おもちゃのチャチャチャ
令和４年前期	ぞうさん
令和４年後期	スキーの歌、浜千鳥、ほたるの光、朧月夜、たきび（童謡より抒情歌が多く出題されました）
令和５年前期	冬景色、うみ、茶つみ、とんび、まきばの朝（童謡に加え日本らしさを感じる抒情歌も出題されました）

※ここ数年は、保育の現場であまり歌われない曲も出題されるようになりました。

A 27

正解 4

この曲は「七つの子」(作詞:野口雨情、作曲:本居長世)。♯が１つなので**ト長調**。

A × 各小節をみると、４分音符が４つ分入っているので、**４拍子**であることがわかる。

B ○ 野口雨情作詞、本居長世作曲の童謡は他に「**赤い靴**」「**十五夜お月さん**」「**青い眼の人形**」などがある。

C × 長３度は鍵盤**５つ分**の距離がある。シとレの音程はシ・ド・♯ド・レと、鍵盤４つとなり、短３度。音程は距離としてとらえ、黒鍵も数えることに注意したい。

D × ♯が１つなので**ト長調**。♯の調の場合、最後についている♯をチェック(ここではファ)して２度上の音が調の主音(ここではファの２度上なのでソ)となる。主音を日本音名に直し、調号(♯や♭)がついているか確認。ソの日本音名はトなので、この曲は**ト長調**。ちなみにイ長調は♯が**３つ(ファ・ド・ソ)**ついた調である。

A 28

正解 5

この曲は**5**「**こいのぼり**」である。

1の「ぞうさん」の歌い出しは以下の通りである。

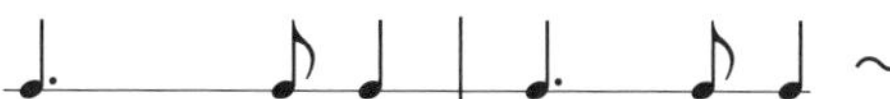

2の「ありさんのおはなし」の歌い出しは以下の通りである。

3の「海」の歌い出しは以下の通りである。

4の「おかあさん」の歌い出しは以下の通りである。

加点のポイント

◆楽曲とリズム

２拍子の曲	マーチ(行進曲)	行進の伴奏 ※マーチは４拍子の場合もある
	ポルカ	ボヘミア発祥の軽快な舞曲
	フラメンコ	スペインのアンダルシア地方の音楽。歌と踊りとギターの三者が一体化しているのが特徴
	チャチャチャ	中南米の踊りのリズムを持った現代舞曲
３拍子の曲	ワルツ	ドイツ発祥の優美な舞曲。曲の速さもゆるやかなものと軽快なものがある
	ボレロ	スペイン発祥。生き生きとしたリズムを持つ舞曲
	メヌエット	フランス発祥の上品で優雅な舞曲
４拍子の曲	タンゴ	アルゼンチン発祥の舞踏音楽

Q29 ★★☆

次の文のうち、適切な記述を○、不適切な記述を×とした場合の正しい組み合わせを一つ選びなさい。 令和2年（後期）問6

A コダーイシステムは、アメリカで生まれた教育法である。

B 大中恩は、「犬のおまわりさん」を作曲した。

C マラカスは打楽器の仲間である。

D イ長調の調号は、シャープが2つである。

（組み合わせ）

	A	B	C	D
1	○	○	○	×
2	○	○	×	○
3	○	×	×	○
4	×	○	○	×
5	×	×	○	○

Q30 ★★☆

次の文のうち、適切な記述を○、不適切な記述を×とした場合の正しい組み合わせを一つ選びなさい。 令和元年（地域限定）問6

A 「きらきら星」はフランス民謡と言われている。

B ト長調の属調はイ長調である。

C 8分の9拍子は複合拍子である。

D イ長調の階名「ミ」は、音名「ハ」である。

（組み合わせ）

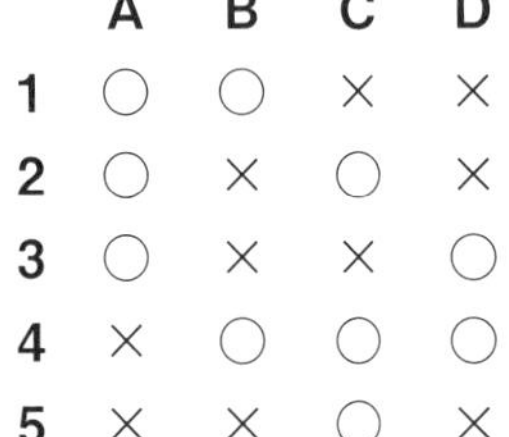

	A	B	C	D
1	○	○	×	×
2	○	×	○	×
3	○	×	×	○
4	×	○	○	○
5	×	×	○	×

A 29

正解 4

A × コダーイは**ハンガリー**の作曲家。コダーイシステム（コダーイメソッド）は自国のわらべ歌を使用するのが特徴。

B ○ 大中恩は「**犬のおまわりさん**」を作曲した。そのほかにも「さっちゃん」「トマト」「ドロップスの歌」「おなかのへるうた」などがある。

C ○ マラカスは**打楽器**。打楽器にはドラム・カホンのように打って音をだすもの、ギロのようにこするもの、マラカスやスレイベル（鈴）のように振って音を出すもの、と奏法が多岐にわたる。

D × イ長調の調号は♯３つ（ファ・ド・ソにシャープがつく）。♯２つ（ファ・ド）はニ長調。♯１つのト長調から、♯が増えるごとに５つずつ上へ数えると長調の判定ができる。ト長調は、♯がゼロのハ長調から５つ上の音、♯２つはトから５つ上の音でニ長調、♯３つはニから５つ上の音でイ長調というように数える。また、ト・ニ・イ・ホ・ロ・嬰ヘ・嬰ハと覚えてしまうと調判定が早くできる（なお、♭はハから逆に５つずつ下に数え、♭１：ヘ・変ロ・変ホ・変イ・変ニ・変ト・変ハとなる）。

A 30

正解 2

A ○ きらきら星は**フランス**の民謡である。子どもが歌う童謡の中には、外国の民謡などを日本語に訳したものも多い。よく知られている歌では「ちょうちょう」（**スペイン**）、「ぶんぶんぶん」（**ボヘミア**）、「やまのおんがくか」（**ドイツ**）、「もりのくまさん」（**アメリカ**）などがある。

B × 属調とは**５つ上の調**を指し、他に下属調（**５つ下の調**）もある。
ト長調の属調はニ長調。下属調はハ長調。

下属調（トから数えて５つ下）　　属調（トから数えて５つ上）

C ○ 拍子には単純拍子と複合拍子、混合拍子（５拍子など単純拍子を組み合わせたもの）がある。単純拍子は２・３・４拍子と拍を数えやすい拍子、複合拍子は６・９・１２拍子と単純拍子の１拍を３つに分けて感じるものとなる。たとえば８分の６拍子の場合、８分音符♪が１小節に６つ入り♪♪♪で１拍と感じる２拍子に、８分の９拍子は８分音符♪が１小節に９つ入り、♪♪♪で１拍と感じる３拍子になる。

D × イ長調の調号は♯が３つ（**ラ・シ・♯ド・レ・ミ・♯ファ・♯ソ**）。
階名ミにあたる３番目の音は♯ド。音名は嬰ハとなるため誤り。

次のA～Dを意味する音楽用語を【語群】から選択した場合の正しい組み合わせを一つ選びなさい。 令和２年(後期) 問２

A よりいっそう
B 中ぐらいの速さで
C だんだん弱く
D 前と同様に続けて

【語群】

ア	più	イ	moderato	ウ	rit.	エ	sempre
オ	dim.	カ	simile	キ	poco	ク	andante

(組み合わせ)

	A	B	C	D
1	ア	イ	オ	カ
2	ア	キ	エ	カ
3	ウ	カ	オ	ク
4	オ	ク	ウ	キ
5	キ	イ	カ	エ

よく出るポイント ◆主な童謡の作詞者・作曲者

童謡の曲名	作詞	作曲
かなりや	西條八十（さいじょうやそ）	成田為三（なりたためぞう）
赤い鳥小鳥	北原白秋（きたはらはくしゅう）	成田為三
里ごころ	北原白秋	中山晋平（なかやましんぺい）
青い眼の人形	野口雨情（のぐちうじょう）	本居長世（もとおりながよ）
十五夜お月さん	野口雨情	本居長世
七つの子	野口雨情	本居長世
赤い靴	野口雨情	本居長世
シャボン玉	野口雨情	中山晋平
てるてる坊主	浅原鏡村	中山晋平
肩たたき	西條八十	中山晋平
赤とんぼ	三木露風	山田耕筰
くつがなる	清水かつら	弘田龍太郎

A 31

正解 1

A ア più（ピウ）は「よりいっそう」という意味である。

B イ moderato（モデラート）は「中ぐらいの速さで」という意味である。

C オ dim.（ディミヌエンド　diminuendoの略）は「だんだん弱く」という意味である。

D カ simile（シーミレ）は「前と同様に続けて」という意味である。

そのほか、ウのrit.（リタルダンド　ritardandoの略）は「**だんだん遅く**」、エのsempre（センプレ）は「**常に、引き続き**」、キのpoco（ポコ）は「少し」、クのandante（アンダンテ）は「**ゆっくり歩くような速さで**」という意味である。

童謡の曲名	作詞	作曲
うれしいひなまつり	山野三郎（サトウハチロー）	河村光陽
ちいさい秋みつけた	サトウハチロー	中田喜直
夏の思い出	江間章子	中田喜直
かわいいかくれんぼ	サトウハチロー	中田喜直
どんぐりころころ	青木存義（あおき ながよし）	梁田　貞（やなだ ただし(てい)）
ゆりかごの歌	北原白秋	草川信
夕焼け小焼け	中村雨紅	草川信
さっちゃん	阪田寛夫	大中恩
いぬのおまわりさん	さとうよしみ	大中恩
おつかいありさん	関根榮一	團伊玖磨（だん い く ま）
ぞうさん	まどみちお	團伊玖磨
おはなしゆびさん	香山美子	湯山昭
あめふりくまのこ	鶴見正夫	湯山昭

Q32

★★★

次のコードネームにあてはまる鍵盤の位置として正しい組み合わせを一つ選びなさい。

平成29年（後期）問3

	ア	イ	ウ
A_7	⑥⑬⑮	⑦⑨⑬	⑦⑬⑮
$B^\flat$	⑦⑪⑯	⑧⑪⑰	⑪⑯⑳
G maj_7	①⑤⑪	⑪⑬⑯	⑫⑬⑰
D aug	⑧⑪⑯	⑧⑫⑯	⑫⑮⑳

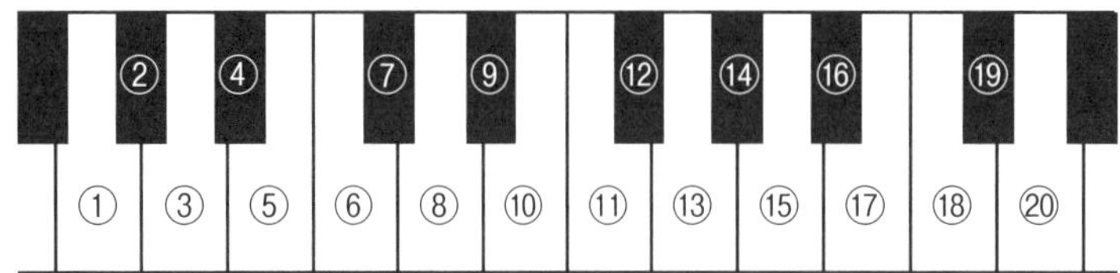

（組み合わせ）

	A_7	$B^\flat$	G maj_7	D aug
1	ア	イ	ウ	ア
2	イ	ア	ア	ウ
3	イ	ア	イ	ア
4	ウ	イ	ア	ウ
5	ウ	ウ	ウ	イ

Q33

次の楽譜は、ある曲の歌い始めの４小節である。これに関するＡ～Ｄのうち、適切な記述を○、不適切な記述を×とした場合の正しい組み合わせを一つ選びなさい。

令和５年（後期）問6

A この曲は、豆まきの様子を歌ったものである。

B この曲の作曲者は、滝廉太郎である。

C この曲は、明治時代に作曲された。

D この曲は、４分の４拍子、８小節からなる。

（組み合わせ）

	A	B	C	D
1	○	○	×	×
2	○	×	○	○
3	×	○	○	×
4	×	○	×	○
5	×	×	○	×

A 32

正解 5

A $_7$（エーセブン）の構成音は　ラ・♯ド・（ミ）・ソであり、選択肢**ウ**が正しい。
B$^♭$（ビーフラット）の構成音は　♭シ・レ・ファであり、選択肢**ウ**が正しい。
G maj $_7$（ジーメジャーセブン）の構成音は　ソ・シ・（レ）・♯ファであり、選択肢**ウ**が正しい。
D aug（ディーオーギュメント）の構成音は　レ・♯ファ・♯ラであり、選択肢**イ**が正しい。

メジャーセブンスコードとセブンスコードは構成音が異なるので注意。

※メジャーセブンスコードは4つの音からなり、根音（一番下にある音）から数えて長7度の音程の音がメジャーセブンスの音になる。

Gmaj$_7$（ジーメジャーセブンス）	G7（ジーセブン）
♯ファ／レ／シ／（根音）ソ　根音から長7度	ファ／レ／シ／（根音）ソ　根音から短7度
表記：GM$_7$　G△$_7$　Gmaj$_7$　など	表記　G$_7$

Gmaj$_7$は長3和音＋長3度　　G$_7$は長3和音＋短3度

オーギュメントとは増3和音のこと。増3和音は根音から長3度ずつ音を重ねて構成されるので、ここではレ（根音）→♯ファ→♯ラ。

Daug（ディーオーギュメント）増3和音	D（ディー、ディーメジャー）長3和音
（第5音）♯ラ／（第3音）♯ファ／（根音）レ　長3度・長3度	（第5音）ラ／（第3音）♯ファ／（根音）レ　短3度・長3度

A 33

正解 3

A ×　この曲は「**お正月**」である。
B ○　作詞：**東くめ**　作曲：**滝廉太郎**　である。
C ○　明治34年刊行の「**幼稚園唱歌**」に「お正月」が含まれている。
D ×　この曲は**12小節**からなる。

④造形に関する技術

次の【Ⅰ群】の図は、子どもの描画表現の発達段階の特徴を示したものである。次の【Ⅰ群】の図と【Ⅱ群】の語句を結び付けた場合の正しい組み合わせを一つ選びなさい。 平成26年 問8

【Ⅰ群】

A

B

C
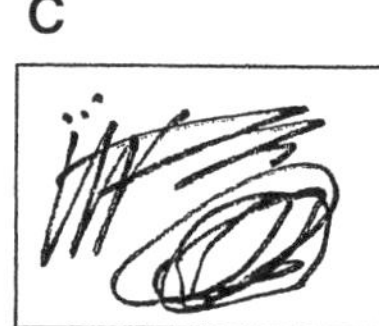
D

E

【Ⅱ群】

ア 頭足人
イ アニミズム的表現
ウ 基底線
エ スクリブル
オ レントゲン画

（組み合わせ）

	A	B	C	D	E
1	ア	ウ	オ	イ	エ
2	ア	オ	エ	イ	ウ
3	ア	オ	エ	ウ	イ
4	イ	ウ	エ	オ	ア
5	オ	ウ	イ	ア	エ

よく出るポイント ◆**幼児期の描画表現の発達過程**

発達段階	別名	時期	描き方の特徴
なぐりがき期	錯画期・乱画期	1～2歳半	無意識の表現。むやみにこすりつけるようにして描く。手の運動の発達により、点、縦線、横線、波線、渦巻き円形など次第に描線が変わる。この描線のことを、**なぐりがき（スクリブル）**という
象徴期	命名期・記号期・意味づけ期	2～3歳半	渦巻きのように描いていた円から、**1つの円を描ける**ようになる。**描いたものに意味（名前）をつける**
前図式期	カタログ期	3～5歳	そのものらしい形が現れる。人物でも木でも**一定の図式で表現**され、頭に浮かぶままに**羅列的断片的な空間概念**で描く。からだを描かず頭から直接手足が出る**頭足人**がみられる
図式期	知的リアリズム期	4～9歳	見えるものを描くのではなく、**知っていること**を描く（知的リアリズム）。次第にある目的を持って、あるいは実在のものとの関係において記憶を再生させ、**覚え書きのような図式**で表現する

A 34

正解 3

A ア **頭足人**は**3～5歳**の前図式期の発達段階でみられる絵で、**顔から手足が出ているのが特徴**である。

B オ **レントゲン画**は**4～9歳**の図式期の発達段階でみられる絵で、**見えないものが透けたように描かれている**のが特徴である。

C エ **スクリブル**は**1～2歳半**のなぐりがき期（錯画期）の発達段階でみられる絵で、無意識に**点や渦巻き、円形等を描いている**のが特徴である。

D ウ **基底線**は**4～9歳**の図式期の発達段階でみられる絵で、**画面の位置関係を表す線**が特徴である。設問の図の場合は地面の線が基底線となる。

E イ **アニミズム的表現**は、前図式期や図式期の発達段階でみられる絵で、動植物や太陽を**擬人化**し目や口を描くことが特徴である。

よく出るポイント ◆図式期の描画の特徴

表現名	別名	描き方の特徴
並列表現		花や人物を**基底線の上に並べたように**描く
アニミズム表現	擬人化表現	動物や太陽、花などを**擬人化**し目や口を描く
レントゲン表現	透視表現	車の中や家の中など見えないものを**透けたように**描く
拡大表現		自分の興味・関心のあるものを**拡大**して描く
展開表現	転倒式描法	道をはさんだ両側の家が倒れたように描くなど、ものを**展開図のように**描く
積み上げ式表現		遠近の表現がうまくできないので、ものを上に**積み上げたように**描いて**遠く**を表す
視点移動表現	多視点表現	横から見たところと上から見たところなど、**多視点から見たものを一緒に**描く
異時同存表現		**時間の経過**に合わせて異なる時間の場面を一緒に描く

次のA～Dは、「積み木遊び」の発達に関わる特徴的な行動を示している。これらについて早く現れる順に並べた場合の最も適切な組み合わせを一つ選びなさい。

令和5年（前期）問8

A 一つの積み木を見立てて車として遊んだり、象徴的に意味付けしたりする。

B 積み木をもてあそんだり、積み木同士をぶつけたりして音などを楽しんでいる。

C 積み木を組み合わせて、家などを作るようになる。

D 見通しや構想を持って友達と協同しながら、町などを作るようになる。

（組み合わせ）

1 A→B→C→D

2 B→A→C→D

3 C→B→D→A

4 C→D→A→B

5 D→C→A→B

次の【事例】を読んで、【設問】に答えなさい。

令和5年（後期）問8

【事例】

学生のＬさんは、保育所で実習を行うことになった。Ｌさんは、事前に幼児の造形に関する発達理論を学習することで、実習を通して幼児の発達をより深く理解することができるのではないかと考えた。

【設問】

次のうち、造形に関する発達理論として、適切なものを○、不適切なものを×とした場合の正しい組み合わせを一つ選びなさい。

A ローエンフェルド（Lowenfeld, V.）は、子どもの描画の発達として自己表現の最初の段階（なぐりがきの段階）、再現の最初の試み（様式化前の段階）、形態概念の成立（様式化の段階）、写実的傾向の芽生え（ギャング・エイジ）等の段階があるとした。

B ピアジェ（Piaget, J.）は、命のないものに生命や意思があると考える心理作用について、未成熟な子どもは、心の中の出来事と外界の出来事とがきちんと区別できているからだと考えた。

C ケロッグ（Kellogg, R.）は、子どもの描く初期のスクリブルを分類した。

（組み合わせ）

	A	B	C
1	○	○	×
2	○	×	○
3	○	×	×
4	×	○	○
5	×	×	○

A 35

正解 2

A「見立てて車として遊ぶ」、「象徴的に意味付けしている」ことから、２歳～３歳半にみられるつくる表現の発達段階「**意味付け期**」の特徴である。

B「もてあそんだり、ぶつけて音を楽しむ」ことから、１歳～２歳半にみられるつくる表現の発達段階「**もてあそび期**」の特徴である。

C「組み合わせて家などを作るようになる」ことから、３歳～９歳にみられるつくる表現の発達段階「**つくりあそび期**」の最初の頃の段階である。

D「見通しや構想を持って友達と協同しながら作る」ことから、３歳～９歳にみられるつくる表現の発達段階「**つくりあそび期**」の後半頃の段階である。

A 36

正解 2

A ○ アメリカの教育心理学者である**ローエンフェルド（Lowenfeld, V.）**は、子どもの描画の発達として、「**自己表現の最初の段階（なぐりがきの段階）**」「**再現の最初の試み（様式化前の段階）**」「**形態概念の成立（様式化の段階）**」「**写実的傾向の芽生え（ギャング・エイジ）**」などの段階があるとし、その後「**疑似写実的段階**」「**決定の時期**」に続くとした。

B × スイスの心理学者**ピアジェ（Piaget, J.）**は、命のない車やおもちゃなどに生命や意思があると考える「**アニミズム**」について、未成熟な子どもは、心の中の出来事と外界の出来事とが**区別できていない**ことに要因があると考えた。

C ○ アメリカの心理学者**ケロッグ（Kellogg, R.）**は、幼児の描画活動の始まり「**スクリブル（なぐりがき）**」の研究で、スクリブルを２０種類のパターンに分類した。

Q37 次の【事例】を読んで、【設問】に答えなさい。 平成31年(前期) 問9

【事例】

新任のＦ保育士（以下Ｆ）と主任のＶ保育士（以下Ｖ）が、劇の発表会のための背景画を描きながら会話しています。使用する大きな紙と、描くための「赤」と「青」と「黄」の３色の絵の具が用意されています。

Ｆ：木に実っているミカンを描くために、「黄」に（ Ａ ）を加えて「橙」を作りました。

Ｖ：そうですね。いい感じになりましたね。

Ｆ：次に、紫色のパンジーを描きたいのですが、「赤」に何色を加えると「紫」になりますか？

Ｖ：「赤」に（ Ｂ ）を加えていくと「紫」に近い色ができますよ。

Ｆ：背景の木々の「緑」は、「青」と（ Ｃ ）を混ぜるとできますね。

Ｖ：そうですね。厳密な「緑」にはなりませんが、近い色はできます。
　色彩理論では、「緑みの青」、「赤紫」、「黄」の３色を「（ Ｄ ）の三原色」と言います。この三原色を用いると、様々な色を作ることができますよ。

【設問】

（ Ａ ）～（ Ｄ ）にあてはまる語句の正しい組み合わせを一つ選びなさい。

（組み合わせ）

	A	B	C	D
1	青	黄	赤	光
2	青	青	黄	色料
3	青	黄	赤	色料
4	赤	青	黄	色料
5	赤	黄	赤	光

Q38 次の文は、色彩に関する記述である。（ Ａ ）～（ Ｄ ）にあてはまる語句の正しい組み合わせを一つ選びなさい。 令和４年(後期) 問10

赤み、青み、緑みなどの色みのことを（ Ａ ）といい、これは（ Ｂ ）が持っている性質の一つである。

（ Ａ ）環とは、図のように色を環状に配置したもので、色みが自然な階調で循環するように表されている。

（ Ｃ ）とは、（ Ａ ）環で180°離れた位置にある色同士のことである。絵の具の（ Ｃ ）同士を混ぜると、黒、灰色などに近い色になる。

図において、赤の（ Ｃ ）は、（ Ｄ ）である。

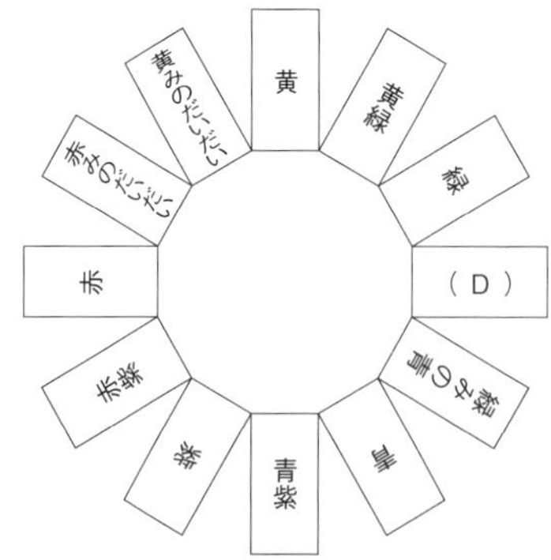

（組み合わせ）

	A	B	C	D
1	彩度	有彩色	補色	空色
2	純色	無彩色	純色	空色
3	色相	純色	混色	空色
4	彩度	無彩色	純色	青緑
5	色相	有彩色	補色	青緑

A 37

正解 4

F：木に実っているミカンを描くために、「黄」に（ A.**赤** ）を加えて「橙」を作りました。
V：そうですね。いい感じになりましたね。
F：次に、紫色のパンジーを描きたいのですが、「赤」に何色を加えると「紫」になりますか？
V：「赤」に（ B.**青** ）を加えていくと「紫」に近い色ができますよ。
F：背景の木々の「緑」は、「青」と（ C.**黄** ）を混ぜるとできますね。
V：そうですね。厳密な「緑」にはなりませんが、近い色はできます。
色彩理論では、「緑みの青」、「赤紫」、「黄」の３色を「（ D.**色料** ）の三原色」と言います。
この三原色を用いると、様々な色を作ることができますよ。

A 赤　絵の具の混色では、黄に赤を加えると橙になる。

B 青　赤に青を加えると紫になる。

C 黄　青に黄を加えると緑になる。

D 色料　**色料の三原色**は、「赤、青、黄」という場合もあるが、厳密にいえば「C」シアン、「M」マゼンタ、「Y」イエローのことで、シアンは**「緑みの青」**、マゼンタは**「赤紫」**、イエローは**「黄」**のことである。

A 38

正解 5

A 色相　いろいろな色の色みのことを**色相**という。**色の３要素（明度、彩度、色相）**のうちの１つ。

B 有彩色　色相は**有彩色**にはあるが、**無彩色**にはない。

C 補色　色相環の向かい合う色のことを**補色**という。補色関係にある2色は、お互いの色を**目立たせる**ことができる。補色関係にある2色を混ぜると**黒色**や**灰色**など無彩色に近い色になる。

D 青緑　12色相環上で赤の向かい合う色は**青緑**。この２色は**補色**関係にある。

次の【Ⅰ群】の色の対比に関する事例と、【Ⅱ群】の語句を結びつけた場合の最も適切な組み合わせを一つ選びなさい。 平成26年 問9

【Ⅰ群】

A 青緑色の背景の舞台に飾った、赤いチューリップがとても目立った。

B 展覧会のポスターで、黒い画用紙と白い画用紙に同じ色のグレーの絵の具で文字を書いたときに、黒の画用紙のグレーの方が明るく見えた。

C 黄色いレモンを緑の青菜の上に置いたら、レモンが少し赤みがかって見えた。

D ピンク色のイチゴムースの上にある赤いイチゴがとても鮮やかに感じた。

【Ⅱ群】

ア 明度対比

イ 彩度対比

ウ 色相対比

エ 補色対比

（組み合わせ）

	A	B	C	D
1	ア	イ	ウ	エ
2	イ	ア	エ	ウ
3	イ	ウ	エ	ア
4	エ	ア	ウ	イ
5	エ	ウ	イ	ア

Q 40

★★☆

平面構成をする際の構成美の要素の一つである「グラデーション」について、適切な記述を一つ選びなさい。 平成23年 問10

1 2つ以上の要素がつりあった状態

2 比例、比率、割合

3 上下、左右、放射などの対称

4 同じもののくり返し

5 段階的に変化すること

A 39

正解 4

A エ 補色対比は、補色同士が並ぶとお互いを引き立て、本来の色より**鮮やかに見える**現象である。青緑と赤は補色の関係であるから補色対比となる。

B ア 明度対比は、同じ明度の色でも**明るい色**の中では暗く、**暗い色**の中では明るく見える現象である。設問文では同じグレーの絵の具でも、明るい白の画用紙の中では暗く、暗い黒の画用紙の中では明るく見えたとあるので、明度対比となる。

C ウ 色相対比は、同じ色相の色でも、周りの色の**色相**の違いにより、色みが違って見える現象である。黄色は緑の中に置くと黄色が**赤みがかって**見える。

D イ 彩度対比は、同じ彩度の色でも、彩度の**低い色**の中では鮮やかに見え、彩度の**高い色**の中ではくすんで見える現象である。同じ赤のイチゴでも無彩色の白が混ざっている彩度の低いピンクのムースの上では鮮やかに見える。

A 40

正解 5

1 × 設問文は、**バランス(均衡)**の説明である。

2 × 設問文は、**プロポーション(比率)**の説明である。

3 × 設問文は、**シンメトリー(相称)**の説明である。

4 × 設問文は、**リピテーション(繰り返し)**の説明である。

5 ○ グラデーション(階調)は形や色が**一定の割合でだんだん変化していく**構成美の要素である。

加点のポイント

◆**構成美の要素**

名称	別名	説明
ハーモニー	調和	よく似た性質を持った形や色を組み合わせて安定している構成
バランス	均衡	複数の類似形態によって釣り合いが取れている構成
シンメトリー	相称	1点や直線を境にして上下、左右が対称で統一感のある構成
コントラスト	対照	性質が違うものが組み合わされ、強い感じを出す構成
リズム	律動	同じ形や色の繰り返しと規則的な流れによって、動きの感じを表す構成
グラデーション	階調	形や色が一定の割合でだんだん変化していく構成
リピテーション	繰り返し	同じ形や色を規則的に連続して繰り返す構成
ムーブメント	動勢	流れや動きの方向性を持ち、躍動感が感じられる構成
アクセント	強調	一部に変化をつけ、全体をひきしめる構成
プロポーション	比率	大きさや形の割合(比率)のこと

次の【事例】を読んで、【設問】に答えなさい。 平成27年 問10

★★★

【事例】 新任保育士（以下S）と主任保育士（以下N）が版遊びについて話し合っています。

【設問】 （ A ）～（ D ）にあてはまる語句の適切な組み合わせを一つ選びなさい。

N：型押し遊びは、いろいろな物体に絵の具をつけて、紙に押し付けて形を写す最も原初的な版画です。

S：（ A ）や野菜スタンプも型押し遊びですね。

N：そうですね。版画の種類には凸版、凹版、孔版、平版があります。紙を貼り重ね、その上にインクをつけて刷る紙版画は（ B ）です。

S：先日テーブルの上にビニールを敷いてフィンガーペインティングをして遊びました。その作品の上に紙をのせ、写し取って楽しみました。

N：これも版画の仲間で、（ C ）といえますね。初めての版画体験として楽しめますね。

S：身近なところに版遊びはあるのですね。

N：（ D ）は凹凸のある面に紙を当てて、鉛筆やクレヨンなどの描画材を使って凹凸の模様を写しだします。これも版画の仲間と言えます。

（組み合わせ）

	A	B	C	D
1	手形	凸版	孔版	フロッタージュ
2	スクラッチ	平版	孔版	ドリッピング
3	手形	凸版	平版	フロッタージュ
4	スクラッチ	凹版	平版	ドリッピング
5	手形	平版	凹版	ドリッピング

加点のポイント

◆版画（転写）の技法

形の形式	特徴	版種
凸版	版の凸部分にインクをつけ、紙の上からばれんなどでこすって刷る	**木版画**
		紙版画
		スチレン版画
		スタンピング
凹版	版の凹部分にインクをつめ、凹部分以外の不要なインクをふき取って、プレス機などで凹部分のインクを刷る	エッチング
		ドライポイント
孔版	版にインクの通る穴をあけ、下の紙にインクを刷り込む	**ステンシル**
		シルクスクリーン
平版	平らな面にインクがつく面とつかない面をつくり、刷る	**マーブリング**
		デカルコマニー
		リトグラフ
		オフセット

A 41

正解 3

A 手形　「**手形**」が正しい。手形や野菜スタンプ等の型押し遊びのことを**スタンピング**という。

B 凸版　「**凸版**」が正しい。紙版画の他に、**木版画**や**スチレン版画**でも凸版が用いられる。

C 平版　「**平版**」が正しい。フィンガーペインティングや**デカルコマニー**等の、平らなものに色が付いているところと付いていないところを作って紙に写すのは平版である。

D フロッタージュ　「**フロッタージュ**」が正しい。凹凸のあるところに紙をおいて、鉛筆等で模様をこすって映し出す方法をフロッタージュという。別名「**こすりだし**」ともいう。

加点のポイント

◆絵画遊びの技法

名称	別名	説明
デカルコマニー	合わせ絵	二つ折りした紙の片方の面においた色を折り合わせて写しとる技法
ドリッピング	たらし絵・吹き流し	紙の上に多めの水で溶いた水彩絵の具をたっぷり落とし、紙面を傾けてたらしたり、直接口やストローで吹いて流したりする技法
スパッタリング	飛び散らし	絵の具の付いたブラシで網をこすり、霧吹きのような効果を出す技法（ブラッシングともいう）や、絵の具の付いた筆自体を振って散らす技法
バチック	はじき絵	クレヨンで線や絵を描き、その上から多めの水で溶いた水彩絵の具で彩色して下のクレヨンの絵を浮き上がらせる技法
フロッタージュ	こすりだし	ものの表面の凹凸の上に紙を置いて鉛筆、コンテ、クレヨンなどでこすり、写しとる技法
スクラッチ	ひっかき絵	下地にクレヨンの明るい色を塗って、その上に暗い色（クレヨンの黒）を重ねて塗り、画面を釘などの先の尖ったものでひっかいて描いて下地の色を出す技法
コラージュ	貼り絵	紙や布などを使ってつくる貼り絵
フィンガーペインティング	指絵の具（ゆびえのぐ）	できた絵を重要視するのではなく自由に感触を楽しんだり、指で絵の具をなすりつける行為そのものを楽しむ造形遊びの一つ。子どもの心が開放される
マーブリング	墨流し	水の表面に作った色模様を紙に写しとる技法
ステンシル		下絵を切りぬいた版を作り、その版の孔（穴）の形に絵の具やインクをタンポなどを使って刷りこみ、紙に写しとる技法
スタンピング	型押し	ものに直接絵の具やインクをつけて、紙に押し当てて型を写しとる技法
折り染め		障子紙などコーティングされていない、色水を吸いやすい紙を折って色水につける技法。角を揃えて規則正しく山折り谷折りするときれいな模様になる。乾いた紙に色水をつけるとはっきりした模様になり、あらかじめ紙を湿らせておくとぼかしの効果が出る

次のA～Dは、それぞれ技法（モダンテクニック）を用いて作成された図版である。その表現技法の名称として正しい組み合わせを一つ選びなさい。　平成24年 問9

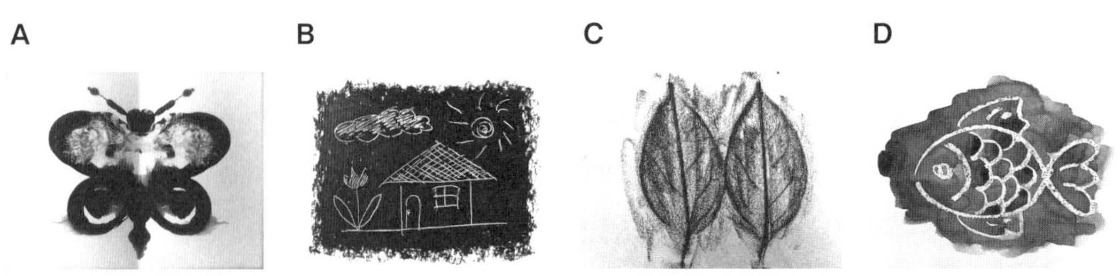

（組み合わせ）

	A	B	C	D
1	デカルコマニー	スクラッチ	フロッタージュ	バチック
2	デカルコマニー	バチック	フロッタージュ	スクラッチ
3	フロッタージュ	スクラッチ	デカルコマニー	バチック
4	フロッタージュ	バチック	デカルコマニー	スクラッチ
5	フロッタージュ	スクラッチ	バチック	デカルコマニー

次の【事例】を読んで、【設問】に答えなさい。　令和４年（後期）問12

【事例】

保育士が５歳児達と手作りのすごろくで遊ぼうとしています。保育士は、いくつかの展開図を描いてサイコロを作ろうとしましたが、一つだけサイコロにならないものがありました。

【設問】

次の図１～５の中からサイコロを作ることができない展開図を一つ選びなさい。
※のりしろは、この場合考慮しない。

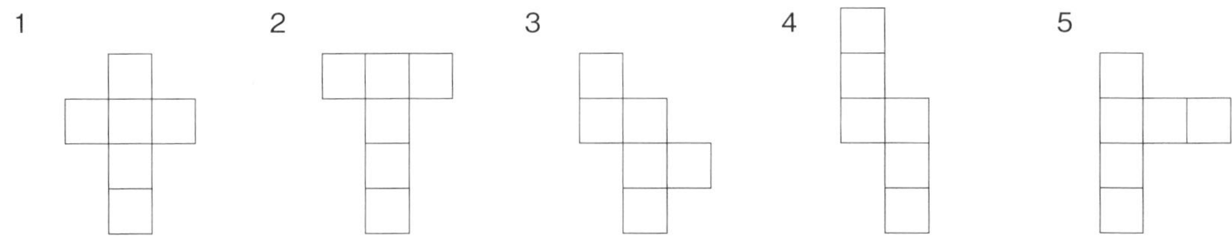

A 42

正解 1

Aデカルコマニー　二つ折りにした紙の**片方の面においた色を折り合わせて**写しとる技法である。

Bスクラッチ　下地にクレヨンの明るい色を塗って、その上に暗い色（クレヨンの黒）を重ねて塗り、画面を釘などの先の尖ったものでひっかいて描いて**下地の色を出す**技法である。

Cフロッタージュ　ものの**表面の凹凸の上に紙**を置いて鉛筆、コンテ、クレヨンなどでこすり、写しとる技法である。

Dバチック　クレヨンで線や絵を描き、その上から多めの水で溶いた**水彩絵の具**で彩色して下のクレヨンの絵を浮き上がらせる技法である。

A 43

正解 5

サイコロは6面の立方体であり、向かい合って対になっている面が3つあると考えるとわかりやすい。対になっている面は展開図では隣の隣にある。サイコロの展開図は縦に切ってみると、「1面4面1面」「2面3面1面」「2面2面2面」「3面3面」の4パターンが考えられる。

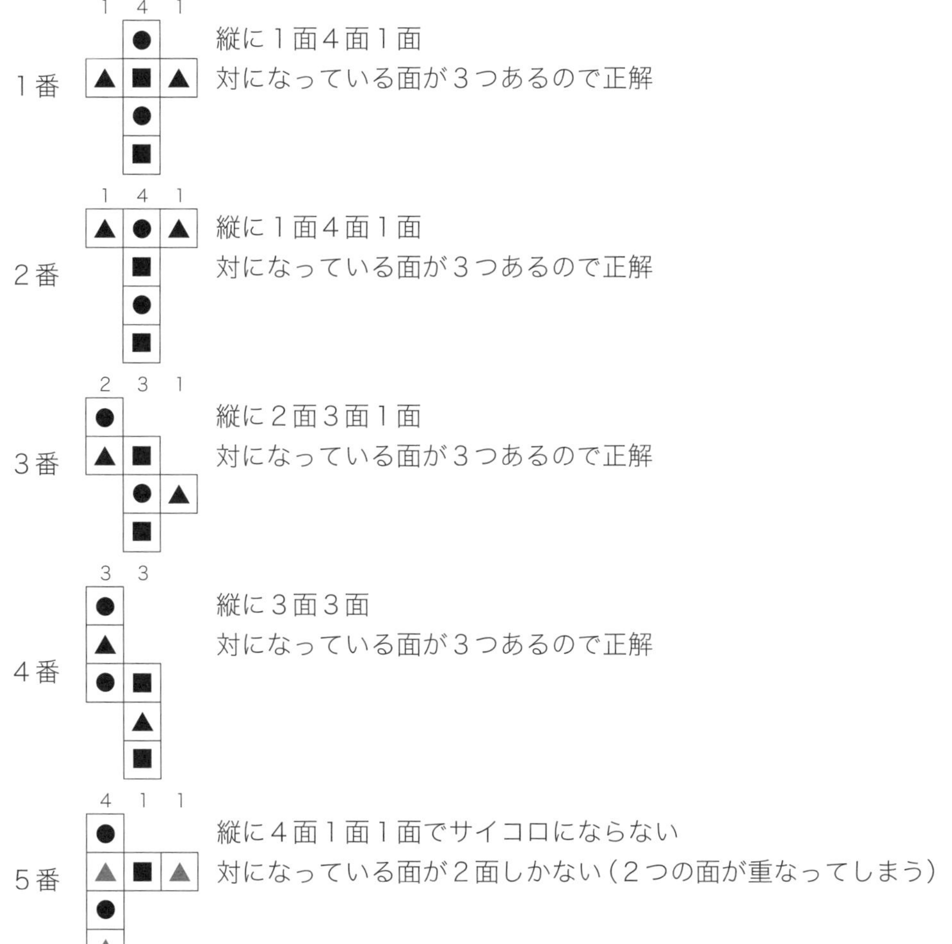

次の文のうち、一般的な紙の性質や使用上の留意点に関する記述として、適切な記述を○、不適切な記述を×とした場合の正しい組み合わせを一つ選びなさい。

令和3年(前期) 問11

A 新聞紙は紙目がないので、どこから引っ張ってもジグザグに破れる性質がある。

B ドーサが引いてある和紙はにじみにくいので、絵の具を使ったにじみ遊びには適さない。

C トレーシングペーパーとは、不透明な色紙のことである。

D 段ボール紙は水に強く、濡れても丈夫なので屋外の制作活動に適している。

（組み合わせ）

	A	B	C	D
1	○	○	×	×
2	×	○	○	×
3	×	○	×	×
4	×	×	○	×
5	×	×	×	○

次の文は、描画材の使い方に関する記述である。適切な記述を○、不適切な記述を×とした場合の正しい組み合わせを一つ選びなさい。

平成29年(後期) 問10

A クレヨンを使用したはじき絵を描く際に、水彩絵の具の色がよくはじくように、絵の具に水を混ぜないで描いた。

B 油性フェルトペンで描く際に、テーブルが汚れないように古い新聞紙を厚めに敷いた。

C ペットボトルに色を塗る際に、指でこすっても落ちないように水性フェルトペンを用いた。

D 雨にぬれても色が落ちないように、木の手作りおもちゃにアクリル絵の具で色を塗った。

E コンテで絵を描いた後、消えないように定着スプレーをかけた。

（組み合わせ）

	A	B	C	D	E
1	○	○	○	○	×
2	○	○	○	×	×
3	×	○	○	×	×
4	×	○	×	○	○
5	×	×	×	×	○

よく出るポイント ◆**画材の種類と特性**

名称	主成分	形状	特徴
クレヨン	ロウと顔料	先が尖っていて細い	主成分にロウが含まれているので硬く、線描きに適している。また、混色ができないのでスクラッチ等の技法に適している
パス（オイルパステル）	油脂と顔料	先が平らで太い	主成分に油脂が含まれているので柔らかく、ぬり絵など広い面を塗ることに適している。混色が可能
コンテ	顔料と水性樹脂など	直方体	鉛筆とソフトパステルの中間ぐらいの硬さ。こすってぼかすことができる。形をいかして角や面を使って描くことができる。完成後は定着液をかける
パステル（ソフトパステル）	顔料と水性樹脂など	直方体や円柱	さらさらと粉っぽく固着力が低いため完成後は**定着液**などで色を定着させる必要がある。ぼかすことができる。混色に限りがあるので色数が多い
鉛筆	黒鉛（炭素）と粘土	細く長い先端を削りとがらせる	細く硬い。鉛筆の種類はいろいろあるが、Hが多くなるほど芯が硬くて薄くなり、Bが多くなるほど芯が柔らかく濃くなる

A 44

正解 3

A × 新聞紙は縦に目が入っていて、縦方向に裂くときれいに裂くことができる。

B ○ 礬水引き(どうさび)とは、和紙に膠(にかわ)とミョウバンを混合した水溶液(礬水)を引いて**にじみ止め**を行うことである。

C × トレーシングペーパーとは、**複写(トレース)するための薄い半透明の紙**のことである。

D × 段ボールは紙なので**水に弱い**という性質がある。

A 45

正解 4

A × 絵画遊びの技法「**バチック(はじき絵)**」の説明。バチックをする際は、クレヨンで描いた絵がはじくように、**絵の具を多めの水で溶く**のがよい。

B ○ 油性フェルトペンは、紙ににじみやすく裏写りしやすい。

C × 水性フェルトペンでは、ペットボトル等プラスチックに描いても落ちてしまう。油性フェルトペンで描くとよい。

D ○ アクリル絵の具は、水性絵の具なので水に溶かして使うが、乾くと耐水性になるため雨に濡れても落ちないので、木や石などに描くのに適している。

E ○ コンテは粉っぽいので、こすってぼかすことができるが、その分、紙から取れやすい。描いた後は定着液をかけて紙から取れないようにする。

9 保育実習理論

加点のポイント

◆ **主な紙の種類**

和紙	半紙		昔の手すき和紙の寸法を半分に切った大きさの和紙のこと。主に墨を使って描く際に使う
	障子紙		障子に使う紙であるが、安くて丈夫なので折染めや絵を描く際に使う
	花紙		半紙より薄手の色のついた紙で、飾りに使う花を作るなどに使う
洋紙	新聞紙		可塑性に優れているので幼児が造形しやすい。縦の方向に破りやすい
	画用紙		描画や工作など造形活動全般に使う
	ケント紙		表面がなめらか。ポスターカラーなど厚塗りの場合や工作などにも使う
	模造紙		大判の薄めの洋紙。大きいものを描く際に使う
板紙(いたがみ)	白板紙	白ボール紙	表面が白く加工され裏面は古紙(鼠色)のボール紙。工作に使いやすい。裏に方眼があるタイプを工作用紙と呼ぶ
		マニラボール紙	上質の白ボール紙
	黄色板紙(黄ボール紙)		昔のボール紙。わらなどが原料なので黄土色をしている。和紙や洋紙に比べて強度のある板紙ではあるが、段ボール等よりもろい
	色板紙(色ボール紙)		白ボール紙やマニラボール紙に色がついているもの。カラー工作用紙などともいう
	段ボール	片段ボール	片面が波状で片面が板状の段ボールのこと
		段ボール	両面が板状で中に波状の段ボールをはさんでいるタイプの段ボールのこと

次の【事例】を読んで、【設問】に答えなさい。　平成30年（後期）問11

【事例】

S保育所の5歳児クラスでは、粘土で動物を作りました。新任のI保育士（以下I）と主任のJ保育士（以下J）が、使用した粘土について話をしています。

I：この前は、焼成することができる（　ア　）を使って、色々な動物を作りましたね。

J：そうでしたね。（　ア　）は子どもでも扱いやすく、（　イ　）を加えて練ることによって柔らかくなり（　ウ　）を保つことができますからね。

I：柔らかくなりすぎた時はどうしたらよいですか。

J：粘土を（　エ　）置いておく、あるいは（　オ　）製の粘土板の上で練ってもよいでしょう。

【設問】

（　ア　）～（　オ　）にあてはまる語句の正しい組み合わせを一つ選びなさい。

（組み合わせ）

	ア	イ	ウ	エ	オ
1	油粘土	油	可塑性	かたまりにして	木
2	土粘土	水	可塑性	平らに広げて	木
3	小麦粉粘土	塩	柔軟性	かたまりにして	プラスチック
4	土粘土	水	流動性	かたまりにして	プラスチック
5	油粘土	油	流動性	平らに広げて	プラスチック

A 46

正解 2

ア 土粘土　土粘土は焼成することができる。

イ 水　土粘土は水を加えて練ることにより柔らかくなる。

ウ 可塑性　可塑性とは力を加えると簡単に変形して元に戻らないこと。土粘土は可塑性に優れている。

エ 平らに広げて　粘土が柔らかくなりすぎた場合は、空気に触れてほどよい堅さになるまで乾燥させるのがよい。早く乾燥させるために平らに広げる。

オ 木　土粘土で使う粘土板は吸水性のある木製のものがよい。

加点のポイント

◆粘土の種類

粘土の種類	主な成分	特性
土粘土	土の粉	粘土本来の感触が楽しめる。形成も自由で幼児が扱いやすい。粉からだんだん水を足していくといろいろな感触が楽しめる。また、乾燥させて陶芸や素焼き（テラコッタ）にすることもできる
油粘土	油脂	他の粘土のように乾燥しても硬くならない。保管しやすい
紙粘土	パルプ	軽くて扱いやすい。乾くと固形化する。乾燥すると絵の具で着色できる
小麦粉粘土	小麦粉	柔らかく伸びがよい。着色を食紅などですれば口に入れても安心なので低年齢の幼児にも使用できる

その他、樹脂粘土、軽量粘土（微小中空球樹脂粘土）、木粉粘土、石粉粘土、陶土粘土（オーブン粘土）などがある。

⑤言語に関する技術

次の【Ⅰ群】の絵本と【Ⅱ群】の作者を結びつけた場合の正しい組み合わせを一つ選びなさい。

平成28年(前期) 問13

【Ⅰ群】

A『おつきさまこんばんは』
B『からすのパンやさん』
C『キャベツくん』
D『おばけのてんぷら』
E『わたしのワンピース』

【Ⅱ群】

ア にしまき かやこ
イ 長 新太
ウ 林 明子
エ かこ さとし
オ せな けいこ

(組み合わせ)

	A	B	C	D	E
1	ア	イ	ウ	エ	オ
2	ア	エ	イ	ウ	オ
3	ウ	イ	エ	オ	ア
4	ウ	エ	イ	オ	ア
5	ウ	オ	エ	ア	イ

次の文は、「保育所保育指針」第1章「総則」4「幼児教育を行う施設として共有すべき事項」(2)「幼児期の終わりまでに育ってほしい姿」のケ「言葉による伝え合い」の一部である。(A)～(C)にあてはまる語句の正しい組み合わせを一つ選びなさい。

平成31年(前期) 問14

保育士等や友達と(A)を通わせる中で、絵本や物語などに親しみながら、(B)言葉や表現を身に付け、(C)や考えたことなどを言葉で伝えたり、相手の話を注意して聞いたりし、言葉による伝え合いを楽しむようになる。

(組み合わせ)

	A	B	C
1	気持ち	豊かな	遊んだこと
2	心	豊かな	遊んだこと
3	気持ち	正しい	経験したこと
4	心	豊かな	経験したこと
5	気持ち	正しい	遊んだこと

A 47

正解 4

A ウ 『おつきさまこんばんは』は、林明子の作品である。林明子の作品には他に、**『はじめてのおつかい』**『こんとあき』『おふろだいすき』等がある。

B エ 『からすのパンやさん』は、かこさとしの作品である。かこさとしの作品には他に、**『だるまちゃんとてんぐちゃん』**『はははのはなし』『どろぼうがっこう』等がある。

C イ 『キャベツくん』は、長新太の作品である。長新太の作品には他に、『ごろごろにゃーん』**『ゴムあたまポンたろう』**『ぼくのくれよん』等がある。

D オ 『おばけのてんぷら』は、せなけいこの作品である。せなけいこの作品には他に、**『いやだいやだ』**『ねないこだれだ』『あーんあん』等がある。

E ア 『わたしのワンピース』は、にしまきかやこの作品である。にしまきかやこの作品には他に、『まこちゃんのおたんじょうび』**『えのすきなねこさん』**『ちいさなきいろいかさ』等がある。

A 48

正解 4

保育士等や友達と（　A．**心**　）を通わせる中で、絵本や物語などに親しみながら、（　B．**豊かな**　）言葉や表現を身に付け、（　C．**経験したこと**　）や考えたことなどを言葉で伝えたり、相手の話を注意して聞いたりし、言葉による伝え合いを楽しむようになる。

2017（平成29）年の改訂で加わった**幼児期の終わりまでに育ってほしい10の姿**のうち「言葉による伝え合い」についての内容である。

次の文のうち、絵本の読み聞かせをする際の留意事項として、適切な記述を○、不適切な記述を×とした場合の正しい組み合わせを一つ選びなさい。

令和3年(前期) 問14

A 子どもが絵本の世界を楽しめるように、保育士は絵本のストーリーや展開をよく理解しておく。

B 絵本を読む時の読み手の背景は、子どもが絵本に集中できるようにシンプルな背景が良い。

C 絵本は、表紙や裏表紙にも物語が含まれることがあることを理解しておく。

D 絵本を読み終えたら、子どもが絵本の内容を正確に記憶できているかが重要であるため、直ちに質問して確認する。

(組み合わせ)

	A	B	C	D
1	○	○	○	×
2	○	○	×	○
3	○	×	○	×
4	×	×	○	×
5	×	×	×	○

加点のポイント

◆乳幼児期の言葉の発達過程

喃語期(なんご)	3か月～11か月	「クー」「クク」というような「クーイング」や「ア・エ・ウ」などの音や「ブー」などの喃語を自発的に発する。だんだん話しかけられている言葉がわかるようになる。9か月頃から簡単な言葉が理解でき、自分の意思や欲求を身振りなどで伝えようとする
片言期	1歳～1歳半	発音しやすい音に意味が結合して、「マンマ」、「ワンワン」などの一語文が増加する。情緒の表現がはっきりしてくる
命名期	1歳半～2歳	物の名前を言う。「イヤ」などの拒否を表す言葉を盛んに使う。二語文が出現し、「マンマ、ホチイ」などの欲求表現が可能になる
羅列期	2歳～2歳半	語彙(ごい)の増加に伴い、知っている単語を並べて羅列したような表現が増える。「これ何?」という質問が増加する
模倣期	2歳半～3歳	人の言葉を模倣する。自分のしたいこと、してほしいことを言葉で言う
成熟期	3歳～4歳	話言葉の基礎ができ、他者との伝え合いができるようになる。「なぜ?」「どうして?」の質問や「これがいい」と選択することなどが増加する
多弁期	4歳～5歳	生活空間や経験の広がりに伴い語彙も増え、文法力・理解力・表現力がつき、すらすら話せるようになる。たくさんおしゃべりする
適応期	5歳～	自己中心的なおしゃべりから、話している相手との対話が可能となる。経験したことを思い出して話せる

A 49

正解 1

A ○ 子どもに絵本を読み聞かせる前には**必ず先に読んでストーリーや展開を理解しておく**ことが大切である。

B ○ 絵本の絵やお話に集中できるよう、いろいろな物が目に留まらないようにしたり、落ち着いた色の壁面の前に座るなど、読み手の**周りの環境を整えておくこと**が大切である。

C ○ 絵本の表紙や裏表紙にもお話に関係のある絵が含まれていることがあるので、読み聞かせる前に**表紙**を、読み終わった後に**裏表紙**を見せるとよい。

D × お話が終わった後も絵本の世界に入った子ども一人ひとりが心の中にある**余韻に浸る時間**を壊さないようにすることが大切である。

よく出るポイント ◆いろいろな表現遊びの素材

素話(すばなし)	絵本や紙芝居などを使わず語ってお話をする
紙芝居	紙の絵を見せながら演じ手が語ってお話をする
ペープサート	紙人形劇のこと。人や動物の絵を描いた紙に棒をつけたものを動かして演じる。表と裏で別の絵(顔の表情が変わるなど)が描いてある物を動かしながらお話を展開する
パネルシアター	パネル布(ネル地)を貼った板が舞台。絵が描いてあるPペーパー(不織布)を付けたりはがしたりしてお話を展開する。Pペーパーにはポスターカラーなどの絵の具で色を付ける
エプロンシアター	エプロンが舞台。演じ手がエプロンをつけて人形を使ってお話を展開する。ポケットやマジックテープなどのしかけにより、人形がいくつも出てきたり、エプロンにくっついたりする
オペレッタ	小さいオペラという意味。「音楽劇」「歌芝居」といわれる、主に幼稚園や小学校の発表会などで上演される創作オペレッタのこと。簡単な歌や踊りを入れた劇のことで、幼児にも親しみやすく演じやすい
人形劇	マリオネットやパペットなどの人形を使ってお話を展開する
影絵	影をスクリーンに投影するもの。紙や木で人や動物の形を作ったり、手で影を作ったりする。紙などで作った場合は穴をあけて色セロファンなどを通せばいろいろな色を付けることができる。割りピンなどで手足などの関節が動くように作ることもある

次の【事例】を読んで、【設問】に答えなさい。 平成26年 問16

【事例】

２歳児クラスのＰちゃんは最近語彙が増えて、たくさんお話をするようになった。今日は担当保育士Ｑに対して、「バチュ　バチュ　のったよ　ママと」と話してくれた。保育士Ｑは、Ｐちゃんの成長をとてもうれしく思った。さらによりよいコミュニケーションを図り、また同時に、言葉の発達を促すために、保育士としての関わりを考えている。

【設問】

保育士の関わりとして適切なものを○、不適切なものを×とした場合の正しい組み合わせを一つ選びなさい。

A「バチュ　バチュ　のったのね　ママと　よかったね」とＰちゃんに言葉をかえす。

B 発音の間違いをＰちゃんに指摘し気付かせ、すぐに言いなおしをさせる。

C「バス　バス　のったのね　ママと　よかったね」とＰちゃんに言葉をかえす。

（組み合わせ）

	A	B	C
1	○	○	○
2	○	○	×
3	○	×	×
4	×	○	○
5	×	×	○

加点のポイント

◆絵本の種類と著者名①

日本の絵本

作品名	著者名
「いないいないばあ」「いいおかお」「もうねんね」	松谷みよ子 作／瀬川康男 絵
「ぐりとぐら」「ぐりとぐらのおきゃくさま」「ぐりとぐらのえんそく」「ぐりとぐらのかいすいよく」	中川李枝子 作／山脇百合子 絵
「ねないこだれだ」「にんじん」「いやだ いやだ」「もじゃ もじゃ」	せなけいこ
「きんぎょがにげた」「まどから おくりもの」「みんなうんち」	五味太郎
「しろくまちゃんのほっとけーき」	若山憲
「からすのパンやさん」「だるまちゃんとてんぐちゃん」「ははははのはなし」	加古里子（かこさとし）
「ぐるんぱのようちえん」	西内ミナミ 作／堀内誠一 絵
「はじめてのおつかい」	筒井頼子 作／林明子 絵
「こんとあき」「おつきさま こんばんは」	林明子
「おしいれのぼうけん」	古田足日 作／田畑精一 絵
「100万回生きたねこ」	佐野洋子
「しょうぼうじどうしゃじぷた」	渡辺茂男 作／山本忠敬 絵

A 50

正解 5

A × 話しかけてきたことにかえすことは大切だが、間違った言葉のまま使うのではなく、**正しい言葉でかえし、自然に言葉を正しく身に付けられるように配慮**する。

B × ２歳児は発音が間違っていて当たり前なので無理に指摘して**言いなおしをさせたりしない。話したいという意欲を育てる**ことが大切である。

C ○ **その子の気持ちに共感**し、言葉をかえすことで話すことを楽しみ**自分から話したくなるような心を育てる。**

作品名	著者名
「がたん ごとん がたん ごとん」	安西水丸
「くだもの」	平山和子
「わたしのワンピース」	西巻茅子
「11ぴきのねこ」	馬場のぼる
「ぞうくんのさんぽ」	中野弘隆
「14ひきのあさごはん」	いわむらかずお
「うずらちゃんのかくれんぼ」	きもとももこ
「モチモチの木」「花さき山」	斎藤隆介 作/滝平二郎 絵
「もこ もこ もこ」	谷川俊太郎 作/元永定正 絵
「ねずみくんのチョッキ」	なかえよしを 作／上野紀子 絵
「キャベツくん」「ごろごろにゃーん」「ゴムあたまポンたろう」「ぼくのくれよん」	長新太
「わたしのワンピース」「えのすきなねこさん」	にしまきかやこ
「たべたのだあれ」「きんぎょがにげた」「いっぽんばしわたる」	五味太郎

次の【Ⅰ群】の記述と【Ⅱ群】の発達過程を結びつけた場合の適切な組み合わせを一つ選びなさい。　平成25年 問14

【Ⅰ群】

A 簡単な言葉がわかるようになる時期であるので、保育士と一緒に身近なものの絵本を見る。

B 想像力が豊かになる時期であるので、絵本や童話などを読み聞かせてもらい、イメージを広げる。

C 語彙が著しく増加し、自分の意思や欲求を言葉で表出できるようになる時期であるので、絵本や紙芝居を楽しんで見たり聞いたりする。

（組み合わせ）

	A	B	C
1	ア	イ	ウ
2	ア	ウ	イ
3	イ	ア	ウ
4	イ	ウ	ア
5	ウ	イ	ア

【Ⅱ群】

ア おおむね6か月から1歳3か月未満

イ おおむね2歳

ウ おおむね4歳

次の【事例】を読んで、【設問】に答えなさい。　令和4年（前期）問18

【事例】

K保育士は、5歳児クラスを担当している。「保育所保育指針」を読み返していたところ、第2章「保育の内容」3「3歳以上児の保育に関するねらい及び内容」エ「言葉」には「子どもが生活の中で、言葉の響きやリズム、新しい言葉や表現などに触れ、これらを使う楽しさを味わえるようにすること。その際、絵本や物語に親しんだり、言葉遊びなどをしたりすることを通して、言葉が豊かになるようにすること。」という記載があった。そこで、クラスの子どもと一緒に「回文」を探して、言葉遊びを楽しむことにした。

【設問】

次の言葉遊びのうち、「回文」の例として、正しいものを一つ選びなさい。

1 イチゴ　ゴリラ　ラッパ　パイナップル　…

2 さよなら　さんかく　また　きて　しかく

3 なまむぎ　なまごめ　なまたまご

4 たけやぶやけた

5 ちゅう　ちゅう　たこかいな

A 51

正解 2

A ア 大人から自分に向けられた気持ちや簡単な言葉がわかるようになるのは、**おおむね6か月から1歳3か月未満**である。この時期になると保育士と一緒に身近な物の絵本を見ることができる。

B ウ 想像力が豊かになるのは、**おおむね4歳**の発達過程である。この時期には絵本や童話などを読み聞かせてもらい、イメージを広げることができる。

C イ 語彙が著しく増加し、自分の意志や欲求を言葉で表出できるようになる時期は、**おおむね2歳**の発達過程である。この時期には絵本や紙芝居を楽しんで見たり聞いたりすることができる。

A 52

正解 4

1 × 前の語の最後の音で始まる新しい語でつなげていく「**しりとり**」なので不正解である。

2 × 前の言葉から連想される言葉をつなげていく「**言葉遊び歌**」なので不正解である。

3 × 急いで言いにくい「**早口言葉**」の文句なので不正解である。

4 ○ 「回文」とは、**上**から読んでも**下**から読んでも**同じ**言葉になる文句のことである。この他に、「しんぶんし」「うたうたう」「たいやきやいた」などがある。

5 × 「2、4、6、8、10」と2単位ずつ数を数えるときに使う「**数え歌**」なので不正解である。

加点のポイント

◆絵本の種類と著者名②

海外の絵本

作品名	著者名
「はらぺこあおむし」	エリック・カール
「三びきのやぎのがらがらどん」	マーシャ・ブラウン
「しろいうさぎとくろいうさぎ」	ガース・ウィリアムズ
「うさこちゃんとどうぶつえん」「ゆきのひのうさこちゃん」	ディック・ブルーナ
「どろんこハリー」	ジーン・ジオン 作/マーガレット・ブロイ・グレアム 絵
「ちいさいおうち」「いたずらきかんしゃちゅうちゅう」	バージニア・リー・バートン
「ひとまねこざる」	ハンス・アウグスト・レイ 作/マーガレット・レイ 絵
「かいじゅうたちのいるところ」	モーリス・センダック
「ふたりはともだち」	アーノルド・ローベル
「もりのなか」	マリー・ホール・エッツ

民話をもとにした絵本

作品名	著者名
「てぶくろ」(ウクライナ民話)	エウゲーニー・M・ラチョフ 絵
「おおきなかぶ」(ロシア民話)	A・トルストイ 再話/佐藤忠良 絵
「スーホの白い馬」(モンゴル民話)	大塚勇三 再話/赤羽末吉 絵
「おおかみと七ひきのこやぎ」(グリム童話)	フェリクス・ホフマン 画

MEMO

本試験問題

保育士試験

2024（令和6）年 前期

保育士試験問題
2024（令和6）年 前期

保育の心理学

問題1　次の文は、アタッチメントに関する記述である。（　A　）～（　D　）にあてはまる語句の正しい組み合わせを一つ選びなさい。

（　A　）は、乳児が不安や不快を感じるとアタッチメント行動が（　B　）に生じ、特定の人物から慰めや世話を受けることで、安心感や安全感が取り戻されると、アタッチメント行動は（　C　）すると考えた。アタッチメントはこのような（　D　）を通して機能するものであり、（　A　）は、特定の人物にくっつくという形で示される、子どもから特定の人物への永続的で強固な絆のことを、アタッチメントと呼んだ。

（組み合わせ）

	A	B	C	D
1	エインズワース（Ainsworth, M.D.S.）	随意的	沈静化	刺激反応システム
2	エインズワース（Ainsworth, M.D.S.）	自動的	活性化	行動制御システム
3	ボウルビィ（Bowlby, J.）	随意的	活性化	刺激反応システム
4	ボウルビィ（Bowlby, J.）	自動的	沈静化	行動制御システム
5	ボウルビィ（Bowlby, J.）	自動的	活性化	刺激反応システム

問題2　次のうち、音声知覚の発達に関する記述として、適切なものを○、不適切なものを×とした場合の正しい組み合わせを一つ選びなさい。

A　生後間もない乳児でも、母語とそれ以外の言語を聞き分けられるのは、養育者の話し声から、その言語特有のリズムパターンを学習しているからである。

B　乳児の視覚機能の発達が早いのに比べ、聴覚機能の発達は、生活リズムに適応する過程を経て生後1年までに徐々に発達していく。

C　乳児の音の好み（聴覚的選好）を調べた結果、女性の高い音域の声よりも、男性の低い音域の声によく反応することが分かった。

D　乳児に、同じ刺激を反復提示すると、慣れてきて注意が低下し反応が減少する。

（組み合わせ）

	A	B	C	D
1	○	○	×	×
2	○	×	○	○
3	○	×	×	○
4	×	○	○	×
5	×	×	×	○

問題3 **次のうち、心の理論の発達に関する記述として、適切なものを○、不適切なものを×とした場合の正しい組み合わせを一つ選びなさい。**

A 誤信念課題は、6歳頃から徐々に正答できるようになる。

B 自閉スペクトラム症の場合、知的な遅れがないのに誤信念課題の成績が低いことがあり、心の理論の獲得に困難があることが注目された。

C 生後9か月頃に成立する共同注意は、心の理論の前駆体とみなされている。

D 心の理論を獲得した子どもは、相手の行動を理解したり予測したりすることが可能になる。

（組み合わせ）

	A	B	C	D
1	○	○	○	○
2	○	○	○	×
3	○	×	×	○
4	×	○	○	○
5	×	×	○	×

問題4 **次の文は、社会情動的発達に関する記述である。A～Dに関連する語句を【語群】から選択した場合の正しい組み合わせを一つ選びなさい。**

A 自分で自分の身体に触れているときは、触れている感覚と触れられている感覚がする。

B 生後間もない時期から、乳児が他者に示された表情と同じ表情をする。

C 1歳半頃から、子どもが大人と同じようなことをやりたがったり、大人に対してことごとく「イヤ」と言って頑として譲らなかったりする。

D 情動は、運動・認知・自己の発達と関連しながら分化していく、という考え方を提唱した。

【語群】

ア　ダブルバインド	イ　ダブルタッチ	ウ　共鳴動作	エ　トマセロ（Tomasello, M.）
オ　延滞模倣	カ　自己中心性	キ　自己主張	ク　ルイス（Lewis, M.）

（組み合わせ）

	A	B	C	D
1	ア	ウ	カ	エ
2	ア	オ	キ	ク
3	イ	ウ	カ	ク
4	イ	ウ	キ	ク
5	イ	オ	カ	エ

問題5 **次のうち、乳幼児の運動発達に関する記述として、適切なものを○、不適切なものを×とした場合の正しい組み合わせを一つ選びなさい。**

A 二足歩行ができるようになると、子どもの行動範囲は広がり、両手で物を持って運ぶ、足で蹴るなどの操作的技能を獲得するようになる。

B 乳児の運動機能の発達は、頭部から尾部へ、身体の末梢から中心へ、粗大運動から微細運動へという方向性と順序がある。

C 4～5歳頃になると、運動パターンの主要な構成要素が身につき、自分の運動をコントロールし、調和のとれたリズミカルな動きができるようになる。

D 一般に、運動遊びを好み、日常的にいろいろな種類の運動遊びをしている幼児の運動能力の水準は高い。しかし、幼児期の子どもについては、体力・運動能力テストによる測定は全く不可能である。

（組み合わせ）

	A	B	C	D
1	○	○	○	×
2	○	○	×	○
3	○	×	○	×
4	×	○	×	×
5	×	×	○	○

問題6　次の文は、乳幼児期の学びに関する理論の記述である。（　A　）～（　D　）にあてはまる語句を【語群】から選択した場合の正しい組み合わせを一つ選びなさい。

・ヴィゴツキー（Vygotsky, L.S.）は、子どもの認知発達には二つの水準が存在するとした。一つは、他者の援助がなくても独力で遂行できる現在の発達水準である。もう一つは大人や友だちの援助があればできる水準である。この二つの水準の間を（　A　）と呼んだ。

・パブロフ（Pavlov, I.P.）が提唱した、条件反射のメカニズムによって行動の変化を説明する理論を（　B　）と呼ぶ。日常的な例として、レモンを見ると唾液が出るといったことが挙げられる。

・バンデューラ（Bandura, A.）は、経験をしていなくても他者の行動を観察するだけで学習者の行動が変化するという（　C　）を提唱した。

・「学び」については、古くから多くの研究が行われており、「学び」の捉え方（学習観）自体も大きく転換してきた。現代にいたるまでの間に、学びの中心に教師を置く「教師中心」の行動主義から、学びを「知識の構築過程」と捉え、子どもを自らの知識を構築していく能動的な存在と考え、学びの中心に子どもを置く「子ども中心」の（　D　）に転換すると考えられている。

【語群】

ア　オペラント条件づけ	イ　内的作業領域	ウ　レスポンデント条件づけ
エ　発達の最近接領域	オ　モデリング	カ　機能主義
キ　認知的徒弟制	ク　構成主義	

（組み合わせ）

	A	B	C	D
1	イ	ア	オ	カ
2	イ	ウ	キ	ク
3	エ	ア	キ	カ
4	エ	ア	キ	ク
5	エ	ウ	オ	ク

問題7　次の【事例】を読んで、【設問】に答えなさい。

【事例】

５歳児のMちゃんとRちゃんが積み木で遊んでいる。Rちゃんは積み木を高く積み、「いち、に、さん、よん、ご……じゅう」と自分が積んだ積み木を数えていく。そして、Mちゃんに「見て、10個も積めた」と話しかける。

Mちゃんは三角の積み木を床に置き、その上に三角の積み木をもう一つ積もうとするが、滑り落ちる。Mちゃんは「Rちゃん、見て。グラグラしてのらない」と笑いながら言って、Rちゃんに見せる。Rちゃんは「四角い積み木を下に置いて、その上に三角の積み木を置くと、グラグラしないよ」と教える。

その言葉を聞いて、Mちゃんは、四角い積み木を持ってくる。そして、四角い積み木の上に三角の積み木を積む。Mちゃんは、再びRちゃんに「四角い積み木の上に三角の積み木を置いたらお家みたいだね」と言う。今度は、いくつかの四角い積み木の上にそれぞれ三角の積み木を積む。Rちゃんは「街にしよう」と誘い掛け、「Mちゃんのお家の右側に道を作って、左側に他のお家を作ろう」とMちゃんに伝える。Mちゃんは「いいね。道の横にも、お家を作ろうよ」と言って、二人は積み木遊びを続ける。

【設問】

次のうち、事例の遊びの中でMちゃんとRちゃんが学んでいることとして、最も関連性の低い内容を一つ選びなさい。

1 計数
2 形の認識
3 計算
4 上下という空間に関する感覚
5 左右という空間に関する感覚

問題8 **次のうち、幼児の問題解決に関する記述として、適切なものを○、不適切なものを×とした場合の正しい組み合わせを一つ選びなさい。**

A 幼児は、遊びや生活において様々な問題に直面する。例えば、光る泥団子を作る際に、どうやったら壊れない、表面がなめらかな泥団子になるか考え、自分の作りたい泥団子のイメージに近いものを作っている友だちの作り方を見て参考にしたり、自分で材料を工夫したりして、試行錯誤する。

B 問題解決とは、問題状況に直面したとき、「こうしたい」という目標をもち、手段や方法を考えて実行し、目標に達しようとすることである。

C 幼児が問題解決をしようとしているとき、保育士は幼児の気持ちを推測し、常に解決策を提示するとよい。

D 遊びにおける問題解決場面は、幼児の思考力が促される機会となり得る。幼児の思考の特徴として、物事や人に関して、言語的な情報によってのみ思考が進むことがあげられる。

（組み合わせ）

	A	B	C	D
1	○	○	○	×
2	○	○	×	×
3	○	×	×	○
4	×	○	×	×
5	×	×	○	○

問題9 **次のうち、学童期の発達に関する記述として、適切なものを○、不適切なものを×とした場合の正しい組み合わせを一つ選びなさい。**

A 善悪の判断が、行為の意図を重視する判断から、行為の結果を重視する判断へと移行する。

B ピアグループと呼ばれる小集団を形成する。この集団は、多くの場合、同性、同年齢のメンバーで構成され、強い閉鎖性や排他性をもち、大人からの干渉を極力避けようとする。

C 保存概念を獲得し、外見的特徴や見かけに左右されずに、物事を論理的に考えて理解することができるようになっていく。

D エリクソン（Erikson, E.H.）は、学童期の心理社会的危機を「勤勉性　対　劣等感」としている。

（組み合わせ）

	A	B	C	D
1	○	○	○	○
2	○	×	×	×
3	×	○	×	×
4	×	×	○	○
5	×	×	○	×

問題10　次の文は、青年期に関する記述である。（　A　）～（　D　）にあてはまる語句を【語群】から選択した場合の正しい組み合わせを一つ選びなさい。

青年は、自己探求の過程で「自分」という存在を問い続けることで、アイデンティティを確立していく。しかし、その過程では自分の存在意義や社会的役割を見失うことも多々ある。これは多くの青年が（　A　）に経験する自己喪失の状態であり、（　B　）と呼ばれる。

（　C　）は、アイデンティティを獲得する過程において、危機と積極的関与に着目し、アイデンティティ・ステイタスを４つに分類した。このうち、（　D　）は危機を経験することなく、何かに積極的関与をしている状態とされる。

【語群】

ア　アイデンティティ拡散	イ　早期完了	ウ　ホリングワース（Hollingworth, L.S.）
エ　マーシア（Marcia, J.E.）	オ　一時的	カ　アイデンティティ達成
キ　永続的	ク　モラトリアム	

（組み合わせ）

	A	B	C	D
1	オ	ア	エ	イ
2	オ	ア	エ	ク
3	オ	カ	ウ	イ
4	キ	ア	ウ	ク
5	キ	カ	エ	ク

問題11　次のうち、高齢期に関する記述として、適切なものを一つ選びなさい。

1　フレイルとは、老化の過程で生じる自立機能や健康を失いやすい状態であるが、要支援や要介護に移行する危険性は低いとされている。

2　機能を使わないことによる衰えは身体面だけでみられ、心理面ではみられない。そのため、高齢期においては、意識的に身体機能を活性化する必要がある。

3　バルテス（Baltes, P.B.）らが提唱した「補償を伴う選択的最適化」とは、身体機能、認知機能、対人関係が衰退したときに、労力や時間を使う領域や対象を選択し、望む方向へ機能を高める資源を獲得または調整し、新たな工夫をして補うというものである。

4　知能は流動性知能と結晶性知能という二つの主要な一般因子で構成されるというキャノン（Cannon, W.B.）が提唱した考え方に基づくと、流動性知能よりも結晶性知能のほうが、低下し始める時期が早い。

5　コンボイ・モデルでは、同心円の外側ほど身近で頼りにできる重要な他者を、内側ほど社会的な役割による人物を示す。加齢に伴って、配偶者や友人の死などにより、高齢者のコンボイの構成は大きく変化する。

問題12 **次のうち、トマス（Thomas, A.）らの気質に関する記述として、適切なものを○、不適切なものを×とした場合の正しい組み合わせを一つ選びなさい。**

A 乳幼児から青年まで、幅広い年代の気質について横断的に研究したものである。

B 気質の分類によると、「扱いやすい子（easy child）」は全体の約20%だった。

C 気質の分類によると、「扱いにくい子（difficult child）」の養育者の養育態度は、他のタイプとは大きな違いはみられなかった。

D 気質の種類として9つの特徴カテゴリを抽出し、そのうち5つのカテゴリを評定によって組み合わせて3つの気質タイプに分類した。

（組み合わせ）

	A	B	C	D
1	○	○	×	○
2	○	×	○	○
3	○	×	○	×
4	×	○	○	×
5	×	×	×	○

問題13 **次のうち、産後うつ病に関する記述として、適切なものを○、不適切なものを×とした場合の正しい組み合わせを一つ選びなさい。**

A 産後うつ病などのメンタルヘルス上の問題を抱えると、母子相互作用が適切に行われないことで、子どもの発達に影響が及ぶことがある。

B 産後うつ病は、出産後の女性の自殺の原因や乳児虐待にはつながらない。

C 産後うつ病は、出産後急激なホルモンの変化によって発症するものであり、1～2週間程度で自然に消失するものである。

D 産後うつ病のスクリーニングに用いられるEPDS（エジンバラ産後うつ病質問票）は、10項目で構成される自己記入式質問紙である。

（組み合わせ）

	A	B	C	D
1	○	○	○	×
2	○	×	○	○
3	○	×	×	○
4	×	○	×	×
5	×	×	○	○

問題14 **次の下線部（a）～（d）に関連の深い用語を【語群】から選択した場合の正しい組み合わせを一つ選びなさい。**

ソーシャルサポートとは、一般的には対人関係において他者から得られる種々の援助をさす。例えば（a）ストレスを引き起こす出来事や刺激に直面している者に対して、（b）励ましや愛情など感情への働きかけ、（c）問題解決のための助言などがあり、当事者の精神的・身体的健康に良い影響を与える効果と、（d）高いストレスに対して、健康度の低下を軽減する効果があるとされている。

【語群】

ア ストレッサー	イ 情緒的サポート	ウ 評価的サポート	エ 促進効果
オ コーピング	カ 情報的サポート	キ 道具的サポート	ク 緩衝効果

（組み合わせ）

	a	b	c	d
1	ア	イ	カ	ク
2	ア	イ	キ	エ
3	ア	ウ	カ	エ
4	オ	イ	カ	エ
5	オ	ウ	キ	ク

問題15　次のうち、家族や家庭に関する記述として、適切なものを○、不適切なものを×とした場合の正しい組み合わせを一つ選びなさい。

A　アロマザリングとは、家庭において、母親が一人で子育てを担うことである。

B　ファミリー・アイデンティティの考え方によれば、誰を「家族」と感じるかは個々人が決めることであり、同一家庭においても、ファミリー・アイデンティティはそれぞれ異なることがある。

C　家族の誕生から家族がなくなるまでのプロセスをたどる理論では、個人のライフサイクルに発達段階や発達課題があるように、家族のライフサイクルにも発達段階と発達課題があると考える。

D　ジェノグラムは、当事者と家族と社会資源の関係性を図示するものである。

（組み合わせ）

	A	B	C	D
1	○	○	×	×
2	○	×	○	○
3	○	×	×	○
4	×	○	○	×
5	×	×	○	×

問題16　次のうち、家族心理学と家族システム理論に関する記述として、適切なものを○、不適切なものを×とした場合の正しい組み合わせを一つ選びなさい。

A　家族心理学では、家族を一つのまとまりをもつシステムとして捉える。

B　家族システム理論では、家族をサポートする人的資源をサブシステムと捉える。

C　家族療法では、子どもの問題行動を単に個人の問題だけで捉えるのではなく、家族の関係性をアセスメントし、家族が抱えている問題の解決に介入する。

D　家族療法では、不適応行動や症状をみせている個人をIP（Identified Patient）と呼ぶ。

（組み合わせ）

	A	B	C	D
1	○	○	×	○
2	○	×	○	○
3	○	×	○	×
4	×	○	×	×
5	×	×	×	○

問題17 **次の文は、人と環境に関する記述である。これに該当する理論として、最も適切なものを一つ選びなさい。**

情報が環境の中に存在し、人がその情報を環境の中から得て行動していると考える。この理論を踏まえると、保育環境は、子どもが関わるものというだけにとどまらず、環境が子どもに働きかけているといえる。つまり、子どもが環境を捉える時には、行動を促進したり、制御したりするような環境の特徴を、子どもが読み取っているといえる。

1 生態学的システム論
2 発生的認識論
3 正統的周辺参加論
4 社会的学習理論
5 アフォーダンス理論

問題18 **次のうち、DSM-5において「神経発達症群／神経発達障害群」に含まれないものを一つ選びなさい。**

1 自閉スペクトラム症
2 選択性緘黙
3 知的能力障害
4 チック症群
5 限局性学習症

問題19 **次の文は、子育て家庭に関する記述である。下線部（a）～（d）に関連の深い用語を【語群】から選択した場合の最も適切な組み合わせを一つ選びなさい。**

人の発達は、ある社会・文化・時代においては、（a）おおよそ決まった規則的な一生の推移を示すものである。（b）就学や就労、結婚や出産という、個人にとって重要な事柄は、人の社会生活や発達過程に影響を与える。仕事と結婚・子育ての両立を目指す場合、（c）職業役割と家族役割（配偶者役割、親役割等）を担う。仕事と家庭との関係性において、（d）一方の役割が上手くいけば、他方の役割が上手くいく場合がある。

【語群】

ア　ライフストーリー	イ　ライフステージ	ウ　多重役割
エ　ワーク・ライフ・バランス	オ　ライフサイクル	カ　ライフイベント
キ　多重関係	ク　ポジティブ・スピルオーバー	

（組み合わせ）

	a	b	c	d
1	ア	イ	キ	エ
2	ア	カ	ウ	エ
3	オ	イ	ウ	ク
4	オ	イ	キ	エ
5	オ	カ	ウ	ク

問題20 **次のうち、巡回相談に関する記述として、適切なものを○、不適切なものを×とした場合の正しい組み合わせを一つ選びなさい。**

A 巡回相談は、アウトリーチ型支援として、保育や教育現場において重要で効果的なものである。

B コンサルテーションとは、異なる専門性をもつ複数の者が、支援対象である問題状況について検討し、よりよい支援のあり方について話し合う取り組みである。

C 支援対象に、直接支援するのはコンサルタントであり、間接支援するのがコンサルティである。

D 保育における巡回相談では、知識の提供、精神的支え、新しい視点の提示、ネットワーキングの促進などが行われる。

(組み合わせ)

	A	B	C	D
1	○	○	○	×
2	○	○	×	○
3	○	×	○	×
4	×	○	×	×
5	×	×	○	○

保育原理

問題1　次のうち、「保育所保育指針」に関する記述として、適切なものを○、不適切なものを×とした場合の正しい組み合わせを一つ選びなさい。

A　「総則」、「保育の内容」、「食育の推進」、「子育て支援」、「職員の資質向上」、の全５章から構成されている。

B　「総則」に記載される「職員の研修等」の内容は、「幼稚園教育要領」及び「幼保連携型認定こども園教育・保育要領」と共通になっている。

C　「保育の内容」には、「家庭及び地域社会との連携」に関することが記載されている。

D　「子育て支援」には、地域の保護者等に対して、保育所保育の専門性を生かした子育て支援を積極的に行うよう努めることが記載されている。

（組み合わせ）

	A	B	C	D
1	○	○	○	×
2	○	×	○	×
3	○	×	×	×
4	×	○	×	○
5	×	×	○	○

問題2　次の文は、「保育所保育指針」第１章「総則」（２）「保育の目標」の一部である。（　A　）～（　E　）にあてはまる語句を【語群】から選択した場合の正しい組み合わせを一つ選びなさい。

・十分に（　A　）の行き届いた環境の下に、くつろいだ雰囲気の中で子どもの様々な欲求を満たし、生命の保持及び情緒の安定を図ること。

・人との関わりの中で、人に対する愛情と信頼感、そして（　B　）を大切にする心を育てるとともに、自主、自立及び協調の態度を養い、道徳性の芽生えを培うこと。

・（　C　）についての興味や関心を育て、それらに対する豊かな心情や思考力の芽生えを培うこと。

・（　D　）の中で、言葉への興味や関心を育て、話したり、聞いたり、相手の話を理解しようとするなど、言葉の豊かさを養うこと。

・様々な体験を通して、豊かな（　E　）を育み、創造性の芽生えを培うこと。

【語群】

ア　養育	イ　人権	ウ　生命、自然及び社会の事象	エ　生活	オ　感性や表現力
カ　養護	キ　規範	ク　生命、自然など周囲の環境	ケ　対話	コ　思考や判断力

（組み合わせ）

	A	B	C	D	E
1	ア	イ	ウ	エ	オ
2	ア	キ	ウ	エ	コ
3	ア	キ	ク	ケ	コ
4	カ	イ	ウ	エ	オ
5	カ	キ	ク	ケ	コ

問題3　**次のうち、「保育所保育指針」に照らし、保育所における３歳以上児の戸外での活動として、適切な記述を○、不適切な記述を×とした場合の正しい組み合わせを一つ選びなさい。**

A　子どもの関心が戸外に向けられるようにし、戸外の空気に触れて活動する中で、その楽しさや気持ちよさを味わえるようにすることが必要である。

B　園庭ばかりではなく、近隣の公園や広場などの保育所の外に出かけることも考えながら、子どもが戸外で過ごすことの心地よさや楽しさを十分に味わうことができるようにすることが大切である。

C　室内での遊びと戸外での遊びは内容や方法も異なるため、室内と戸外の環境を常に分けて考える必要がある。

D　園庭は年齢の異なる多くの子どもが活動したり、交流したりする場であるので、園庭の使い方や遊具の配置の仕方を必要に応じて見直すことが求められる。

（組み合わせ）

	A	B	C	D
1	○	○	○	×
2	○	○	×	○
3	×	○	○	×
4	×	×	○	○
5	×	×	×	○

問題4　**次のうち、「保育所保育指針」第２章「保育の内容」４「保育の実施に関して留意すべき事項」の一部として、正しいものを○、誤ったものを×とした場合の正しい組み合わせを一つ選びなさい。**

A　子どもの心身の発達及び活動の実態などの個人差を踏まえるとともに、一人一人の子どもの気持ちを受け止め、援助すること。

B　子どもが自ら周囲に働きかけ、試行錯誤しつつ自分の力で行う活動を見守りながら、適切に援助すること。

C　子どもの国籍や文化の違いを認め、互いに尊重する心を育てるようにすること。

D　子どもの入所時の保育に当たっては、できるだけ個別的に対応し、子どもが安定感を得て、次第に保育所の生活になじんでいくようにするとともに、既に入所している子どもに不安や動揺を与えないようにすること。

E　保育所保育が、小学校以降の生活や学習の基盤の育成につながることに配慮し、保育所においては、小学校のカリキュラムに適応するため、創造的な思考や集団生活の基礎を培うようにすること。

（組み合わせ）

	A	B	C	D	E
1	○	○	○	○	×
2	○	○	○	×	×
3	○	×	×	○	○
4	×	×	○	○	○
5	×	×	×	×	○

問題5 **次の文は、「保育所保育指針」第２章「保育の内容」２「１歳以上３歳未満児の保育に関わるねらい及び内容」の一部である。（　A　）～（　C　）にあてはまる語句の正しい組み合わせを一つ選びなさい。**

（　A　）が形成され、子どもが自分の感情や気持ちに気付くようになる重要な時期であることに鑑み、（　B　）の安定を図りながら、子どもの（　C　）的な活動を尊重するとともに促していくこと。

（組み合わせ）

	A	B	C
1	自我	精神	自発
2	人格	精神	協働
3	人格	情緒	協働
4	自我	情緒	協働
5	自我	情緒	自発

問題6 **次のうち、子ども・子育て支援新制度（以下、新制度）に関する記述として、適切なものを一つ選びなさい。**

1 新制度とは、2015（平成27）年に施行した「児童福祉法」「こども基本法」「子ども・子育て支援法」の子ども・子育て関連３法に基づく制度のことをいう。

2 新制度の趣旨は、地域が子育てについての第一義的責任を有するという基本的認識の下に、幼児期の学校教育・保育、地域の子ども・子育て支援を個別に充実させることである。

3 新制度では、都道府県が、地方版子ども・子育て会議の意見を聴きながら、地域型保育基本計画を策定し、実施することとなった。

4 新制度では、教育・保育を利用する子どもについて３つの認定区分が設けられた。そのうち１号認定は、保育を必要とする事由に該当する０～２歳児が受けられる。

5 新制度では、地域の実情に応じた子ども・子育て支援として、利用者支援、地域子育て支援拠点、放課後児童クラブなどの「地域子ども・子育て支援事業」の充実がはかられた。

問題7 **次の保育所の【事例】を読んで、【設問】に答えなさい。**

【事例】

５歳児クラスの子どもたちが水着に着替え、保育士と一緒に園庭に大きなたらいを出して水遊びの用意を始める。保育士が大きなたらいやバケツにホースで水を入れる。ホースを持つ子どももいる。水がたまってくると、子どもたちは水鉄砲やマヨネーズなどの空き容器に水を入れる。水鉄砲を上に向けて水を出して、雨のように水を降らせて、水をかぶったり、友達に「かけて」と伝えて自分のお腹に水鉄砲の水をあててもらったりする。そのうちに、走って追いかけながら、互いに水鉄砲で水をかける。水が顔にかかるのは嫌だという子どももいて、保育士は友達の顔や頭にかけないようにしようと伝える。そこにいる子どもたち全員分の水鉄砲はない。空き容器でも水を飛ばしてみるが、水鉄砲のようにうまく飛ばすことができない。水鉄砲がない子どもは、たらいのそばで大きな声で「だれかー、かわってー」と声をかける。まわりの子どもに水鉄砲を渡してもらって、また別の子どもが「かわって」と声をかけて、水鉄砲を交替して使いながら水かけっこは続く。

【設問】

次のうち、「保育所保育指針」第１章「総則」及び第２章「保育の内容」に照らし、担当保育士の振り返りとして、適切な記述を○、不適切な記述を×とした場合の正しい組み合わせを一つ選びなさい。

A 水鉄砲の数が少ないために、同じ物を同じように使う経験が十分にできなかった。人数分の水鉄砲を用意できるまでは、水遊びは控えよう。

B 水鉄砲を代わってもらうことがスムーズにいくように、保育士が厳密にルールを設定するべきだった。

C 水鉄砲の数が人数分なかったことで、子ども達同士で互いに代わったり、共有して使いながら遊ぶことができていた。

D 自分の気持ちを言葉にして相手に伝えながら、遊ぶことができていた。

E 顔や頭に水がかかると嫌そうな子どももいたため、友達の顔や頭にはかけないようにしようと伝えたが、もっと子どもに任せて保育士は一切入るべきではなかった。

（組み合わせ）

	A	B	C	D	E
1	○	○	×	○	○
2	○	○	×	×	×
3	×	○	○	○	×
4	×	×	○	○	×
5	×	×	○	×	○

問題8 **次のうち、保育所、幼稚園及び認定こども園に関する記述として、適切なものを○、不適切なものを×とした場合の正しい組み合わせを一つ選びなさい。**

A 保育所は「児童福祉法」に基づく児童福祉施設、幼稚園は「学校教育法」に基づく学校、そして認定こども園は「児童福祉法」及び「学校教育法」に基づく教育施設であり、３歳以上児の教育に関わる側面のねらい及び内容はそれぞれ大きく異なる。

B 保育所は、「児童福祉法」第39条に「日々保護者の委託を受けて、保育に欠けるその乳児又は幼児を保育することを目的とする」と示されている。

C 保育士となる資格を有する者が保育士となるには、現住所のある市町村にあらかじめ保育士の登録をしておかなければならない。

D 「児童福祉施設の設備及び運営に関する基準」（昭和23年厚生省令第63号）では、保育所の保育士の数は乳児おおむね３人につき１人以上、満１歳以上満３歳未満の幼児おおむね６人につき１人以上、満３歳以上満４歳未満の幼児おおむね20人につき１人以上、満４歳以上の幼児おおむね30人につき１人以上とされている。

E 「児童福祉施設の設備及び運営に関する基準」（昭和23年厚生省令第63号）では、乳児又は満２歳未満の幼児を入所させる保育所には、乳児室又はほふく室、医務室、調理室及び便所を設けることとされている。

（組み合わせ）

	A	B	C	D	E
1	○	×	○	×	○
2	○	×	○	×	×
3	×	○	×	○	○
4	×	×	○	○	×
5	×	×	×	○	○

問題9 **次のうち、「保育所保育指針」第５章「職員の資質向上」の一部として、(a)～(d)の下線部分が正しいものを○、誤ったものを×とした場合の正しい組み合わせを一つ選びなさい。**

・保育所においては、当該保育所における保育の課題や各職員の（a）キャリアアップも見据えて、初任者から管理職員までの（b）職位や職務内容等を踏まえた体系的な研修計画を作成しなければならない。

・外部研修に参加する職員は、自らの（c）専門性の向上を図るとともに、保育所における保育の課題を理解し、その解決を実践できる力を身に付けることが重要である。また、研修で得た（d）知識及び判断力を他の職員と共有することにより、保育所全体としての保育実践の質及び専門性の向上につなげていくことが求められる。

（組み合わせ）

	a	b	c	d
1	○	○	○	×
2	○	×	×	○
3	×	○	○	×
4	×	○	×	○
5	×	×	○	×

問題10 **次の保育所の【事例】を読んで、【設問】に答えなさい。**

【事例】

Mちゃんは、この４月に１歳児クラスに進級したばかりで、朝の登園時に泣くことが続いている。今朝も母親に抱っこされて保育室に入ってくるが、Mちゃんの表情は硬く、母親にしがみついている。保育士がMちゃんを抱っこすると、母親を求めてのけぞって大声で泣く。母親が保育室から出ていき、泣いているMちゃんを保育士が抱っこしてあやすが、Mちゃんはなかなか泣き止まない。母親は保育室から出てもMちゃんの泣く声が聞こえてきて心配なようで、しばらく廊下で立ち止まっている。

【設問】

次のうち、「保育所保育指針」第１章「総則」及び第２章「保育の内容」、第４章「子育て支援」に照らし、Mちゃんの母親への保育士の対応として、適切な記述を○、不適切な記述を×とした場合の正しい組み合わせを一つ選びなさい。

A Mちゃんが泣かずに登園できるよう、家庭でよくいい聞かせるように伝える。

B Mちゃんを受け入れた後、Mちゃんがどう泣き止んだか、落ち着いてから保育士や友達と１日をどう過ごしているのか、具体的な姿を伝える。

C 今は母親との別れに大泣きしてしまう状況であるが、今後のMちゃんの育ちの見通しを伝える。

D 泣いている子どもと別れる母親の気持ちを受けとめ、共感する言葉をかける。

（組み合わせ）

	A	B	C	D
1	○	○	○	×
2	○	×	○	○
3	×	○	○	○
4	×	○	×	○
5	×	×	○	○

問題11 **次のうち、世界における保育の歴史に関する記述として、適切なものを○、不適切なものを×とした場合の正しい組み合わせを一つ選びなさい。**

A ルソー(Rousseau, J.-J.) は、フランスの啓蒙思想家であり、近代教育思想の古典とされる『エミール』を著した。

B ペスタロッチ (Pestalozzi, J.H.) はスイスの教育思想家であり、幼児教育における家庭の役割、特に母親の役割を重視した。その実践は教育界に多大な影響を与えた。

C フレーベル (Fröbel, F.W.) は、ドイツの作曲家であり、民俗音楽をもとにした音楽教育をすることで子どもの人間形成を図った。

(組み合わせ)

	A	B	C
1	○	○	×
2	○	×	○
3	×	○	○
4	×	○	×
5	×	×	○

問題12 **次のうち、日本における保育の歴史に関する記述として、適切なものを○、不適切なものを×とした場合の正しい組み合わせを一つ選びなさい。**

A 1876 (明治9) 年、幼稚園が創設されると同時に保姆資格が法律で規定された。

B 1890 (明治23) 年に赤沢鍾美が創設した新潟静修学校では、子守をしながら通う生徒のために次第に乳幼児を別室で預かるようになり、これがのちの保育事業へと発展した。

C 1900 (明治33) 年、経済的に恵まれない家庭の子どもたちのために野口幽香と森島峰の二人が二葉幼稚園を創設した。

D 1947 (昭和22) 年、幼児教育への期待が高まり、幼稚園に関する最初の独立した法律である「幼稚園令」が制定された。

(組み合わせ)

	A	B	C	D
1	○	○	×	×
2	○	×	×	○
3	×	○	○	×
4	×	×	○	×
5	×	×	×	○

問題13 **次のうち、「保育所保育指針」第1章「総則」(2)「幼児期の終わりまでに育ってほしい姿」に関する記述として、適切なものを一つ選びなさい。**

1 2008 (平成20) 年の「保育所保育指針」の改定において具体的な10項目が定められ、2017 (平成29) 年の改定によって総合的な内容に再定義された。

2 小学校入学前までに身につけるべき資質・能力について記されている。

3 この育ってほしい姿は、到達すべき目標として定められているわけではない。

4 年齢、発達段階ごとにおおむねの到達の目安が示されている。

5 育ってほしい姿の一つとして示されている「やり遂げる心」とは、困難な課題を主体的に解決しながら取り組む姿を想定したものである。

問題14 **次のうち、「保育所保育指針」に照らし、保育の計画に関する記述として、適切なものを○、不適切なものを×とした場合の正しい組み合わせを一つ選びなさい。**

A 保育所の全体的な計画は、長期・短期の指導計画や保健計画・食育計画といった計画に基づいて作成されるべきものである。

B 全体的な計画は、子どもや家庭の状況、地域の実態、保育時間などを考慮し、子どもの育ちに関する長期的見通しをもって作成される必要がある。

C 異年齢で構成される組やグループでの保育においては、一人一人の子どもの生活に配慮できない状況が多くみられるため、集団で一律に食事や午睡ができるよう指導計画を作成する必要がある。

D 3歳未満児については、一人一人の子どもの生育歴、心身の発達、活動の実態等に即して、個別的な計画を作成することが求められる。

（組み合わせ）

	A	B	C	D
1	○	○	○	×
2	○	○	×	×
3	×	○	×	○
4	×	×	○	○
5	×	×	×	○

問題15 **次の文は、「保育所保育指針」第2章「保育の内容」1「乳児保育に関わるねらい及び内容」の一部である。（　A　）～（　E　）にあてはまる語句の正しい組み合わせを一つ選びなさい。**

乳児期の発達については、視覚、（　A　）などの感覚や、座る、（　B　）、歩くなどの運動機能が著しく発達し、（　C　）との（　D　）な関わりを通じて、情緒的な（　E　）が形成されるといった特徴がある。これらの発達の特徴を踏まえて、乳児保育は、愛情豊かに、（　D　）に行われることが特に必要である。

（組み合わせ）

	A	B	C	D	E
1	聴覚	はう	担当保育士	応答的	信頼関係
2	聴覚	はう	特定の大人	応答的	絆
3	聴覚	立つ	担当保育士	積極的	絆
4	触覚	はう	担当保育士	積極的	信頼関係
5	触覚	立つ	特定の大人	応答的	絆

問題16 **次の文は、「保育所保育指針」第2章「保育の内容」4「保育の実施に関して留意すべき事項」（2）「小学校との連携」の一部である。（　A　）～（　D　）にあてはまる語句を【語群】から選択した場合の正しい組み合わせを一つ選びなさい。**

保育所保育において育まれた（　A　）を踏まえ、（　B　）が円滑に行われるよう、小学校教師との意見交換や合同の（　C　）の機会などを設け、（中略）「幼児期の終わりまでに育って欲しい姿」を共有するなど連携を図り、保育所保育と（　B　）との円滑な（　D　）を図るよう努めること。

【語群】

ア	生きる力	イ	研修	ウ	小学校教育	エ	繋がり
オ	研究	カ	資質・能力	キ	接続	ク	義務教育

（組み合わせ）

	A	B	C	D
1	ア	ウ	イ	エ
2	ア	ウ	オ	キ
3	ア	ク	イ	エ
4	カ	ウ	オ	キ
5	カ	ク	オ	キ

問題17　次のうち、発達障害に関する記述として、正しいものを一つ選びなさい。

1　「発達障害者支援法」において、発達障害とは、「知的障害、アスペルガー症候群、学習障害、注意欠陥多動性障害、過敏性障害その他これに類する脳機能の障害である」と定められている。

2　「発達障害者支援法」では、「市町村は、発達障害児が早期の発達支援を受けることができるよう、発達障害児の保護者に対し、（中略）適切な措置を講じるものとする」と定めている。

3　発達障害は一つの個性として捉えることができ、保育所等での配慮は特に必要としない。

4　発達障害の子どもがパニックを起こしたら、大勢で協力して止めにいくのがよい。

5　発達障害の子どもには、学習障害と注意欠陥多動性障害とが重複している例は存在しない。

問題18　次のうち、障害児保育に関する記述として、「保育所保育指針」第１章「総則」３「保育の計画及び評価」（２）「指導計画の作成」に照らし、適切なものを○、不適切なものを×とした場合の正しい組み合わせを一つ選びなさい。

A　保育所では、障害など特別な配慮を必要とする子どもの保育を指導計画に位置付けることが求められている。

B　障害のある子どもとの関わりにおいては、個に応じた関わりと集団の中の一員としての関わりの両面を大事にしながら、職員相互の連携の下、組織的かつ計画的に保育を展開する。

C　保育所では、障害のある子どもを含め、全ての子どもが自己を十分に発揮できるよう見通しをもって保育することが必要であるため、クラス等の指導計画と切り離して、個別の指導計画を作成する必要がある。

D　障害など特別な配慮を必要とする子どもは、他の子どもに比べて発達や成長に時間を要することが多いため、個別の指導計画を作成する際には、長期間の計画を作成することが重要であり、短期間の計画を作成する必要はない。

E　障害や発達上の課題のある子どもが、他の子どもと共に成功する体験を重ね、子ども同士が落ち着いた雰囲気の中で育ち合えるようにするための工夫が必要である。

（組み合わせ）

	A	B	C	D	E
1	○	○	○	×	×
2	○	○	×	×	○
3	○	×	○	○	×
4	×	○	○	×	○
5	×	×	×	○	○

問題19 **次のうち、「保育所保育指針」第４章「子育て支援」(３)「不適切な養育等が疑われる家庭への支援」に関する記述として、適切なものの組み合わせを一つ選びなさい。**

A 保護者に育児不安等が見られる場合には、保護者の希望に応じて個別の支援を行うよう努める。

B 保護者に不適切な養育等が疑われる場合には、市町村や関係機関と連携し、要保護児童対策地域協議会で検討するなど適切な対応を図る。

C 虐待が疑われる場合には、速やかに警察に相談し、適切な対応を図る。

D 虐待に対しては秘密保持の観点からできるだけ少人数の保育士が関わり、虐待に関する事実関係の記録も最小限にとどめる。

(組み合わせ)

1 A B
2 A C
3 A D
4 B C
5 C D

問題20 **次の表は、令和４年４月の年齢区分別の保育所等利用児童数および待機児童数を示したものである。この表を説明した記述として、誤ったものを一つ選びなさい。ただし、ここでいう「保育所等」は、従来の保育所に加え、平成27年４月に施行した子ども・子育て支援新制度において新たに位置づけられた幼保連携型認定こども園等の特定教育・保育施設と特定地域型保育事業（うち２号・３号認定）を含むものとする。**

表　年齢区分別の利用児童数・待機児童数

	利用児童数	待機児童数
３歳未満児（０～２歳）	1,100,925人（40.3%）	2,576人（87.5%）
うち０歳児	144,835人（5.3%）	304人（10.3%）
うち１・２歳児	956,090人（35.0%）	2,272人（77.2%）
３歳以上児	1,628,974人（59.7%）	368人（12.5%）
全年齢児計	2,729,899人（100.0%）	2,944人（100.0%）

出典：厚生労働省「保育所等関連状況取りまとめ（令和４年４月１日）」（令和４年８月30日発表）

1 利用児童数は、３歳未満児（０～２歳）よりも３歳以上児の方が多い。

2 待機児童数は、１・２歳児が最も多い。

3 待機児童数は、3,000人を下回っているが、そのうち３歳未満児（０～２歳）が９割以上を占めている。

4 利用児童数の割合は、３歳未満児（０～２歳）が４割を超えている。

5 待機児童数は、３歳以上児が３歳未満児（０～２歳）よりも少ない。

子ども家庭福祉

問題1　次のうち、「児童福祉法」に関する記述として、適切なものを○、不適切なものを×とした場合の正しい組み合わせを一つ選びなさい。

A　乳児とは、満１歳に満たない者をいう。

B　幼児とは、満１歳から、小学校就学の始期に達するまでの者をいう。

C　少年とは、小学校就学の始期から、満20歳に達するまでの者をいう。

D　妊産婦とは、妊娠中又は出産後２年以内の女子をいう。

（組み合わせ）

	A	B	C	D
1	○	○	×	○
2	○	○	×	×
3	○	×	○	○
4	×	○	○	×
5	×	×	○	○

問題2　次のA～Eは、児童の権利に関する歴史的事項である。これらを年代の古い順に並べた場合の正しい組み合わせを一つ選びなさい。

A　児童の権利に関するジュネーブ宣言の採択

B　国際児童年を宣言

C　世界人権宣言の採択

D　児童の権利に関する条約の採択

E　児童の権利に関する宣言の採択

（組み合わせ）

1　A→B→C→E→D
2　A→C→E→B→D
3　C→A→E→D→B
4　C→E→D→A→B
5　E→A→B→D→C

問題3　次のうち、放課後児童健全育成事業（放課後児童クラブ）に関する記述として、不適切なものを一つ選びなさい。

1　放課後児童健全育成事業者は、運営の内容について、自ら評価を行い、その結果を公表するよう努めなければならない。

2　放課後児童健全育成事業者の職員は、正当な理由がなく、その業務上知り得た利用者又はその家族の秘密を漏らしてはならない。

3　放課後児童健全育成事業に携わる放課後児童支援員は、保育士資格を有していなければならない。

4　厚生労働省が公表した「令和４年（2022年）放課後児童健全育成事業（放課後児童クラブ）の実施状況（令和４年（2022年）５月１日現在）」によると、登録児童数が1,392,158人となり、過去最高値となっている。

5　厚生労働省が公表した「令和４年（2022年）放課後児童健全育成事業（放課後児童クラブ）の実施状況（令和４年（2022年）５月１日現在）」によると、当該事業を利用できなかったいわゆる待機児童数は前年に比べ増加したことが報告されている。

問題4 **次のうち、人物と関連の深い事項の組み合わせとして、適切なものを一つ選びなさい。**

A バーナード（Barnardo, T.J.）——— ハル・ハウス

B 石井十次 ——— 岡山孤児院

C 留岡幸助 ——— 池上感化院

D エレン・ケイ（Key, E.）——— 『児童の世紀』

（組み合わせ）

1	A	B
2	A	C
3	B	C
4	B	D
5	C	D

問題5 **次の文は、「児童買春、児童ポルノに係る行為等の規制及び処罰並びに児童の保護等に関する法律」の第１条である。（　A　）～（　C　）にあてはまる語句の正しい組み合わせを一つ選びなさい。**

この法律は、児童に対する性的（　A　）及び性的虐待が児童の権利を著しく侵害することの重大性に鑑み、あわせて児童の権利の擁護に関する（　B　）動向を踏まえ、児童買春、児童ポルノに係る行為等を規制し、及びこれらの行為等を処罰するとともに、これらの行為等により（　C　）に有害な影響を受けた児童の保護のための措置等を定めることにより、児童の権利を擁護することを目的とする。

（組み合わせ）

	A	B	C
1	搾取	国際的	心身
2	強要	教育的	精神
3	暴力	教育的	発達
4	暴力	道徳的	心身
5	搾取	国際的	発達

問題6 **次のうち、子ども家庭福祉の専門職についての記述として、適切なものを○、不適切なものを×とした場合の正しい組み合わせを一つ選びなさい。**

A 家庭相談員は、福祉事務所の家庭児童相談室に配置されている。

B 母子・父子自立支援員は、配偶者のない者で現に児童を扶養しているもの及び寡婦に対して、相談に応じている。

C 児童委員は、児童相談所に配置され、子どもの保護や福祉に関する相談に応じている。

D 児童福祉司は、精神保健福祉士や公認心理師からも任用することができる。

（組み合わせ）

	A	B	C	D
1	○	○	×	○
2	○	×	○	○
3	○	×	×	○
4	×	○	○	×
5	×	×	○	○

問題7　**次の文は、「児童虐待の防止等に関する法律」第14条の一部である。（　A　）～（　C　）にあてはまる語句の正しい組み合わせを一つ選びなさい。**

児童の（　A　）を行う者は、児童のしつけに際して、児童の（　B　）を尊重するとともに、その年齢及び発達の程度に配慮しなければならず、かつ、（　C　）その他の児童の心身の健全な発達に有害な影響を及ぼす言動をしてはならない。

（組み合わせ）

	A	B	C
1	親権	権利	体罰
2	親権	人格	懲戒
3	親権	人格	体罰
4	養育	権利	体罰
5	養育	人格	懲戒

問題8　**次のうち、若者のための支援に関する記述として、適切なものを○、不適切なものを×とした場合の正しい組み合わせを一つ選びなさい。**

A　地域若者サポートステーションは、就労に向けた支援を行う機関であるため、18歳未満の児童は対象外である。

B　「ヤングケアラー」とは、本来大人が担うと想定されている家事や家族の世話などを日常的に行っている子どものことをいう。

C　ひきこもり地域支援センターは、ひきこもりに特化した専門的な相談窓口として、都道府県及び指定都市に設置されている。

D　社会的養護自立支援事業は、社会的養護の措置解除後、個々の状況に応じて引き続き必要な支援を提供するものである。

（組み合わせ）

	A	B	C	D
1	○	○	×	×
2	○	×	○	×
3	×	○	○	○
4	×	○	○	×
5	×	×	○	○

問題9　**次のうち、「児童養護施設入所児童等調査の概要（平成30年2月1日現在）」（厚生労働省）における児童福祉施設等に関する記述として、適切なものを○、不適切なものを×とした場合の正しい組み合わせを一つ選びなさい。**

A　児童養護施設に入所している児童の入所時の年齢で最も多いのは、6歳である。

B　入所（措置）児童数が最も多いのは児童養護施設であるが、次に多いのは乳児院である。

C　被虐待経験がある児童が入所している割合が最も高いのは児童心理治療施設である。

D　児童養護施設・児童心理治療施設・児童自立支援施設・自立援助ホーム入所児童の、入所時の保護者の状況が両親又は一人親ありの児童では「実父母有」が最も多いが、乳児院は「実母のみ」が最も多い。

（組み合わせ）

	A	B	C	D
1	○	○	○	×
2	○	○	×	×
3	○	×	×	×
4	×	×	○	○
5	×	×	○	×

問題10　次の文は、「児童館ガイドライン」（平成30年10月１日　厚生労働省）の一部である。（　Ａ　）～（　Ｃ　）にあてはまる語句の正しい組み合わせを一つ選びなさい。

児童館は、子どもの（　Ａ　）の拠点と居場所となることを通して、その活動の様子から、必要に応じて家庭や地域の子育て環境の（　Ｂ　）を図ることによって、子どもの安定した日常の生活を支援することが大切である。

児童館が子どもにとって日常の安定した生活の場になるためには、最初に児童館を訪れた子どもが「来てよかった」と思え、利用している子どもがそこに自分の求めている場や活動があって、必要な場合には援助があることを実感できるようになっていることが必要となる。そのため、児童館では、訪れる子どもの（　Ｃ　）に気付き、子どもと信頼関係を築く必要がある。

（組み合わせ）

	A	B	C
1	遊び	構築	衣服の汚れなど
2	遊び	調整	心理と状況
3	学び	構築	衣服の汚れなど
4	学び	調整	不審な言動
5	遊び	構築	心理と状況

問題11　次のうち、「令和３年度雇用均等基本調査」（2022（令和４）年厚生労働省）の育児休業に関する記述として、適切なものを○、不適切なものを×とした場合の正しい組み合わせを一つ選びなさい。

A　2021（令和３）年度の女性の育児休業取得率は、90％を超えている。

B　2021（令和３）年度の男性の育児休業の取得期間は、「12か月～18か月未満」が最も多くなっている。

C　2021（令和３）年度の女性の有期契約労働者の育児休業取得率は、50％以下である。

D　2020（令和２）年４月１日から2021（令和３）年３月31日までの１年間に育児休業を終了し、復職予定であった女性のうち、実際に復職した者の割合は90％を超えている。

（組み合わせ）

	A	B	C	D
1	○	○	×	×
2	○	×	○	×
3	○	×	×	○
4	×	○	×	○
5	×	×	×	○

問題12　次のうち、「産前・産後サポート事業ガイドライン　産後ケア事業ガイドライン」（令和２年８月厚生労働省）の産後ケア事業に関する記述として、適切なものを○、不適切なものを×とした場合の正しい組み合わせを一つ選びなさい。

A　実施主体は市町村で、産後ケア事業の趣旨を理解し、適切な実施が期待できる団体等に事業の全部又は一部を委託することができる。

B　対象者は、当該自治体に住民票のある産婦に限られる。

C　実施担当者は、原則医師を中心とした実施体制とする。

D　事業の種類は、短期入所（ショートステイ）型、通所（デイサービス）型、居宅訪問（アウトリーチ）型である。

（組み合わせ）

	A	B	C	D
1	○	○	○	×
2	○	×	○	×
3	○	×	×	○
4	×	○	×	○
5	×	×	×	○

問題13　次のうち、放課後等デイサービス事業に関する記述として、適切なものの組み合わせを一つ選びなさい。

A　放課後等デイサービス事業は、小学校に就学している児童であって、その保護者が労働等により昼間家庭にいないものに、授業の終了後に児童厚生施設等の施設を利用して適切な遊び及び生活の場を与えて、その健全な育成を図る事業である。

B　放課後等デイサービス事業所数は、2021（令和３）年は、2020（令和２）年から比べて減少している。

C　機能訓練を行う場合には機能訓練担当職員を置かなければならない。

D　子どもに必要な支援を行う上で、学校との役割分担を明確にし、連携を積極的に図る必要がある。

（組み合わせ）

1　A　B
2　A　C
3　B　C
4　B　D
5　C　D

問題14　次の【事例】を読んで、【設問】に答えなさい。

【事例】

Ｔ保育所のＳ保育士は、Ｎ君（５歳、男児）の担当をしている。Ｎ君は父親、兄（９歳、小学４年生、男児）、父方祖母と４人で暮らしている。父親は夜遅くまで仕事をしており、父方祖母がＮ君と兄の面倒を見ている。最近、父方祖母が入院してしまい、父と兄がＮ君のＴ保育所への送り迎えをしている。父が仕事の時は、22時頃まできょうだいだけで留守番をしており、夕飯を食べないで寝てしまうこともあるらしい。Ｓ保育士は、兄が迎えに来た時、Ｎ君が兄の言うことを聞かないため、兄がＮ君の腕をつねっている場面を目撃した。

【設問】

次のうち、Ｓ保育士の対応として、適切なものの組み合わせを一つ選びなさい。

A　兄にＮ君の腕をつねるのは虐待行為なのでやめるようにきつく注意をする。

B　兄がN君を虐待しているので児童相談所に通告するよう兄の学校に要請する。

C　送迎時、兄に声をかけ、N君や家のことで困ったことがないか尋ね、兄の気持ちに寄り添う。

D　N君と兄の養育状況が心配であると保育所長に相談し、要保護児童対策地域協議会担当者に連絡する。

E　父親に兄がN君を虐待しているので指導するよう伝える。

（組み合わせ）

1　A　B
2　B　D
3　B　E
4　C　D
5　C　E

問題15　**次の文は、「子ども虐待による死亡事例等の検証結果等について（第18次報告）」（2022（令和4）年9月　厚生労働省）の2020（令和2）年4月から2021（令和3）年3月までの1年間の死亡事例についての記述である。適切なものの組み合わせを一つ選びなさい。**

A　「心中以外の虐待死」と、「心中による虐待死」を比較すると「心中による虐待死」の方が多い。

B　「心中以外の虐待死」で、加害者で最も多いのは「実母」である。

C　「心中以外の虐待死」で、最も多い子どもの年齢は「3歳」である。

D　「心中による虐待死」における加害の動機（背景）は、「保護者自身の精神疾患、精神不安」が最も多い。

（組み合わせ）

1　A　B
2　A　C
3　B　C
4　B　D
5　C　D

問題16　**次の図は、令和4年の保育所等の施設・事業数である。（　A　）～（　C　）にあてはまる施設名・事業名の正しい組み合わせを一つ選びなさい。**

図　保育所等数

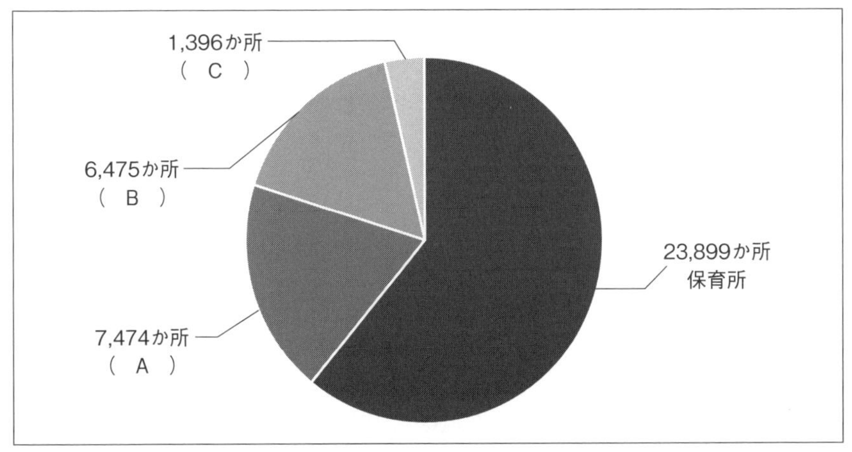

出典：「保育所等関連状況取りまとめ（令和4年4月1日）」（令和4年 厚生労働省）

（組み合わせ）

	A	B	C
1	特定地域型保育事業	幼保連携型認定こども園	幼稚園型認定こども園等
2	幼稚園型認定こども園等	幼保連携型認定こども園	特定地域型保育事業
3	特定地域型保育事業	幼稚園型認定こども園等	幼保連携型認定こども園
4	幼保連携型認定こども園	特定地域型保育事業	幼稚園型認定こども園等
5	幼保連携型認定こども園	幼稚園型認定こども園等	特定地域型保育事業

問題17　次のうち、子育て支援に関する記述として、「保育所保育指針」に照らし、適切なものを○、不適切なものを×とした場合の正しい組み合わせを一つ選びなさい。

A　保育所における保護者に対する子育て支援は、子どもの最善の利益を念頭に置きながら、保育と密接に関連して展開されるところに特徴があることを理解して行う必要がある。

B　保護者自身の主体性、自己決定を尊重することが子育て支援の基本となる。

C　子育て支援に当たり保育士等は、保護者に対する指導的態度が求められる。

D　保育者と保護者の援助関係は、安心して話をすることができる状態が保障されていること、プライバシーの保護や守秘義務が前提となる。

（組み合わせ）

	A	B	C	D
1	○	○	○	○
2	○	○	×	○
3	○	×	○	×
4	×	×	○	○
5	×	×	×	○

問題18　次の文は、「令和3年度　全国ひとり親世帯等調査結果報告」（2022（令和4）年厚生労働省）に示された2021（令和3）年11月1日現在のひとり親世帯の状況についての記述である。適切なものを○、不適切なものを×とした場合の正しい組み合わせを一つ選びなさい。

A　母子世帯になった理由別の構成割合をみると、離婚などの「生別」が全体の約9割を占めている。

B　調査時点の父子世帯の父の88.1％が就業しており、このうち「正規の職員・従業員」が48.8％と最も多く、次いで「パート・アルバイト等」が38.8％となっている。

C　ひとり親世帯になった時の末子の年齢をみると、母子世帯では平均年齢が4.6歳となっている。一方、父子世帯では平均年齢は7.2歳となっており、母子世帯の方が末子の年齢が低いうちにひとり親世帯になっている。

D　母子世帯の母自身の2020（令和2）年の平均年間収入は約520万円、母自身の平均年間就労収入は約500万円となっている。

E　養育費の取り決めについて、ひとり親世帯になってからの年数が短い方が、「取り決めをしている」と回答した世帯の割合が高い傾向となっている。

（組み合わせ）

	A	B	C	D	E
1	○	○	○	○	×
2	○	○	×	○	×
3	○	×	○	×	○
4	×	×	○	×	○
5	×	×	×	○	○

問題19　次のうち、養育支援訪問事業の事業内容として、誤ったものを一つ選びなさい。

1　若年の養育者に対する育児相談・支援

2　児童養護施設等の退所後、アフターケアを必要とする児童の家庭等に対する養育相談・支援

3　出産後間もない時期の養育者の育児不安の解消や養育技術に関する相談・支援

4　産褥期の母子に対する育児支援や簡単な家事等の援助

5　障害児に対する療育・栄養指導

問題20　次の【事例】を読んで、【設問】に答えなさい。

【事例】

H保育所では、週に1回園庭開放と子育て相談を実施している。そこに母親のMさんとK君（2歳、男児）が何度かやってきて園庭開放を利用している。園庭開放を担当するN保育士は、K君が他の子どもと関わらずに、園庭の隅で耳を塞いでじっと座っている姿が多いことが気になっていた。

ある日、N保育士がMさんに声をかけ、話を始めた。子育てのことに話が及ぶと、1歳6か月児健診の時に、Mさんが保健師にK君の発達の遅れについて相談すると、保健師に「様子を見ましょう」と言われたことを教えてくれた。

【設問】

次のうち、N保育士の対応として、適切なものを一つ選びなさい。

1　MさんにK君の発達障害の可能性を伝え、すぐに療育手帳の取得を勧める。

2　Mさんの話を傾聴し、母親のK君の発達の遅れに対する不安を受け止める。

3　他の子どもと遊ぶよう、K君の手を引っ張って集団の中に連れていく。

4　「発達に関することは分からない」と言ってMさんの相談をさえぎる。

5　「発達の遅れの心配はないですよ」とMさんを励ます。

社会福祉

問題1　次のうち、「社会福祉法」に関する記述として、適切なものを○、不適切なものを×とした場合の正しい組み合わせを一つ選びなさい。

A 「社会福祉法」は、社会福祉を目的とする事業の全分野における共通的基本事項、社会福祉事業の定義や社会福祉に関する具体的な事項等を定めた法律である。

B 「社会福祉法」第3条では、福祉サービスの基本的理念について定められている。

C 「社会福祉法」第4条では、福祉サービスを必要とする地域住民のあらゆる分野への社会参加を推進する旨が定められている。

D 「社会福祉法」では、福祉サービス提供に関して、情報の提供や福祉サービスの利用の援助、運営適正化委員会等について定められている。

(組み合わせ)

	A	B	C	D
1	○	○	○	○
2	○	×	×	○
3	○	×	×	×
4	×	○	○	×
5	×	○	×	○

問題2　次のうち、社会福祉の歴史に関する記述として、不適切なものを一つ選びなさい。

1 イギリスでは、1942年に「社会保険と関連サービス」(通称「ベヴァリッジ報告」)が示された。

2 生存権及び国民生活の社会的進歩向上に努める国の義務について定めた「日本国憲法」第25条は、日本の社会福祉に関する法制度の発展に寄与した。

3 社会福祉は、近代社会の発展の中で成立したが、それ以前の相互扶助や宗教的な慈善事業も重要な役割を担っていた。

4 イギリスのCOS(慈善組織協会)の創設は、都市に急増した貧困者、浮浪者等に対する慈善の濫救、漏救を防ぎ、効率的に慈善を行う意図があった。

5 ブース(Booth, C.J.)らによる19世紀末から20世紀初頭にかけてのイギリスで行われた貧困調査では、貧困の原因は個人の責任であり、社会の責任ではないことを明らかにした。

問題3　次のうち、「児童福祉法」に関する記述として、適切なものを○、不適切なものを×とした場合の正しい組み合わせを一つ選びなさい。

A 全て国民は、児童が良好な環境において生まれ、かつ、社会のあらゆる分野において、児童の年齢及び発達の程度に応じて、その意見が尊重され、その最善の利益が優先して考慮され、心身ともに健やかに育成されるよう努めなければならない。

B 国及び地方公共団体は、児童が家庭において心身ともに健やかに養育されるよう、児童の保護者を支援しなければならない。

C 児童を心身ともに健やかに育成することについての第一義的責任は保護者にあり、国や地方公共団体は責任を一切負わない。

D 保育士とは、登録を受け、保育士の名称を用いて、専門的知識及び技術をもって、児童の保育及び児童の保護者に対する保育に関する指導を行うことを業とする者をいう。

（組み合わせ）

	A	B	C	D
1	○	○	×	○
2	○	×	×	○
3	○	×	×	×
4	×	○	○	○
5	×	○	×	○

問題4　次のうち、地域福祉を推進しようとする専門職や団体などが、生活問題を抱えた住民に直面した場合の対応として、適切なものを○、不適切なものを×とした場合の正しい組み合わせを一つ選びなさい。

A　町内会や自治会は、地域の支え合いの仕組みをつくって対応した。

B　民生委員は、援助を必要とする住民に対して福祉サービス等の利用について情報提供や援助などの対応を行った。

C　ボランティア・コーディネーターは、生活問題の解決につながる活動を行っているボランティアを紹介するという対応を行った。

D　社会福祉専門職は、社会福祉に関する制度改善を求める住民の行動を支えた。

（組み合わせ）

	A	B	C	D
1	○	○	○	○
2	○	×	○	○
3	×	○	×	○
4	×	○	×	×
5	×	×	×	○

問題5　次のうち、「令和４年版　厚生労働白書」による社会福祉制度等に関する記述として、適切なものを○、不適切なものを×とした場合の正しい組み合わせを一つ選びなさい。

A　社会福祉法人は、社会福祉事業を行うことを目的とする法人として、長年、福祉サービスの供給確保の中心的な役割を果たしてきた。

B　生活困窮者自立支援制度は、福祉事務所を設置する地方自治体において、複雑かつ多様な課題を背景とする生活困窮者に対し、各種支援等を実施するほか、地域のネットワークを構築し、生活困窮者の早期発見や包括的な支援につなげている。

C　介護保険制度が定着し、サービス利用者の増加に伴い、介護費用が増大し、介護保険制度開始当時2000（平成12）年度の介護費用が、2020（令和２）年度には約６倍となった。

D　成年後見制度は、認知症、知的障害その他の精神上の障害があることにより、財産の管理または日常生活等に支障がある者を支える重要な手段である。

（組み合わせ）

	A	B	C	D
1	○	○	○	×
2	○	○	×	○
3	○	×	○	○
4	×	○	○	×
5	×	×	×	○

問題6　次のうち、機関とその業務内容として、適切なものを○、不適切なものを×とした場合の正しい組み合わせを一つ選びなさい。

	＜機関＞		＜業務内容＞
A	市町村の福祉事務所	――――	知的障害者援護
B	児童相談所	――――	児童福祉施設への入所措置
C	身体障害者更生相談所	――――	障害者支援施設への入所措置
D	精神保健福祉センター	――――	精神保健及び精神障害者の福祉に関する知識の普及

（組み合わせ）

	A	B	C	D
1	○	○	×	○
2	○	○	×	×
3	○	×	○	×
4	×	○	○	○
5	×	×	○	○

問題7　次のうち、社会保険制度に関する記述として、適切なものを○、不適切なものを×とした場合の正しい組み合わせを一つ選びなさい。

A　国民年金の保険給付には、老齢基礎年金、障害基礎年金、遺族基礎年金等がある。

B　健康保険の保険給付には、療養の給付、訪問看護療養費、出産育児一時金等がある。

C　労働者災害補償保険の業務災害に関する保険給付には、療養補償給付、休業補償給付、障害補償給付等がある。

D　介護保険の介護給付におけるサービスには、訪問介護、居宅療養管理指導、訪問入浴介護、訪問リハビリテーション等がある。

（組み合わせ）

	A	B	C	D
1	○	○	○	○
2	○	×	○	×
3	○	×	×	○
4	×	○	○	×
5	×	×	×	○

問題8　次の文は、日本の高齢化社会対策に関する記述である。A～Dの法律が制定された順に並べた場合の正しい組み合わせを一つ選びなさい。

A　「老人福祉法」の制定によって、高齢者福祉対策は積極的な進展を果たした。

B　介護に対する社会的支援、社会保険方式の導入、利用者本位とサービスの総合化等を目的として、「介護保険法」が制定された。

C　「高齢者虐待の防止、高齢者の養護者に対する支援等に関する法律」が制定され、高齢者虐待の防止等に関する施策が推進されるようになった。

D　「高齢社会対策基本法」の制定によって、高齢社会対策の基本的枠組みがつくられた。

（組み合わせ）

1 A→C→D→B
2 A→D→B→C
3 B→D→C→A
4 C→A→D→B
5 D→B→A→C

問題9 **次のうち、相談援助の展開過程の中の「アセスメント」に関する記述として、不適切なものを一つ選びなさい。**

1 アセスメントでは、利用者の状況を包括的に評価するために、利用者の心身の状況、心理・情緒的状況、利用者を取り巻く環境や社会資源に関する情報が必要である。

2 アセスメントでは、利用者の情報を整理する上で、ジェノグラムやエコマップなどが活用される。

3 アセスメントは、利用者の抱える問題や課題を分析するため、利用者の持っているストレングスに注目することは必要としない。

4 アセスメントで、利用者の抱える問題が複数ある場合、どれから取り組むのかといった優先順位をつけることが重要である。

5 アセスメントは、プランニングのための重要な過程であるため、ケースによってはモニタリング等を通して何度も繰り返し行われる。

問題10 **次のうち、相談援助の原理・原則に関する記述として、適切なものを○、不適切なものを×とした場合の正しい組み合わせを一つ選びなさい。**

A 人権を尊重し擁護することは、相談援助における重要な原理である。

B 相談援助は、差別、貧困、抑圧、排除、暴力などのない、自由、平等、共生に基づく社会正義の実現を目指す。

C 相談援助は、利用者の多様性を承認し、尊重しなければならない。

D 相談援助に際しての原則としては、バイステック（Biestek, F.P.）の7つの原則が重要である。

（組み合わせ）

	A	B	C	D
1	○	○	○	○
2	○	○	○	×
3	○	○	×	○
4	○	×	○	○
5	×	○	○	○

問題11 **次のうち、相談援助の展開過程の中の「エバリュエーション」についての説明として、適切なものを○、不適切なものを×とした場合の正しい組み合わせを一つ選びなさい。**

A エバリュエーションとは、事前評価のことをいう。

B エバリュエーションでまず行うことは、利用者との信頼関係の構築である。

C エバリュエーションでは、援助・支援のためのプログラムを作成する。

D エバリュエーションでは、実施した支援が適切であったか、あるいは支援の効果があったかどうかを評価する。

（組み合わせ）

	A	B	C	D
1	○	×	○	×
2	○	×	×	×
3	×	○	×	○
4	×	×	×	○
5	×	×	×	×

問題12　次のうち、福祉における相談援助の過程についての記述として、適切なものを○、不適切なものを×とした場合の正しい組み合わせを一つ選びなさい。

A　相談援助の開始期において、地域社会に潜在している多くのケースを発見するようにアウトリーチを行うことは重要である。

B　アセスメントにおいて、利用者のニーズを評価したり、利用者のストレングスなどを評価したりする。

C　プランニングは、アセスメントに基づき、問題解決に向けての目標を設定し、具体的な支援内容を計画する。

D　モニタリングは、支援計画実施後の事後評価において不可欠な経過観察である。

（組み合わせ）

	A	B	C	D
1	○	○	○	○
2	○	○	○	×
3	○	×	×	×
4	×	○	○	○
5	×	×	×	○

問題13　次のうち、福祉サービス第三者評価に関する記述として、適切なものを○、不適切なものを×とした場合の正しい組み合わせを一つ選びなさい。

A　保育所は、第三者評価の受審が義務づけられている。

B　児童養護施設は、第三者評価の受審が義務づけられている。

C　乳児院は、第三者評価の受審が義務づけられていない。

D　福祉サービス第三者評価の所轄庁は、法務省である。

（組み合わせ）

	A	B	C	D
1	○	○	○	○
2	○	○	×	×
3	○	×	○	×
4	×	○	○	×
5	×	○	×	×

問題14 **次のうち、成年後見制度に関する記述として、適切なものを○、不適切なものを×とした場合の正しい組み合わせを一つ選びなさい。**

A 成年後見制度は、それまでの「禁治産・準禁治産制度」にかわり、2000（平成12）年4月から新たに施行されたものである。

B 成年後見制度の所轄庁は、内閣府である。

C 成年後見制度を利用する際に申し立てができるのは、本人と配偶者、四親等以内の親族に限られる。

D 「成年後見人、保佐人、補助人」は、家庭裁判所が選任する。

（組み合わせ）

	A	B	C	D
1	○	○	×	×
2	○	×	×	○
3	×	○	○	○
4	×	○	×	×
5	×	×	○	○

問題15 **次のうち、福祉サービス利用援助事業（日常生活自立支援事業）に関する記述として、適切なものを○、不適切なものを×とした場合の正しい組み合わせを一つ選びなさい。**

A 実施主体は、市町村社会福祉協議会に限られる。

B 支援内容に、日常的な金銭管理は含まれない。

C 原則として、生活保護受給世帯は利用することができない。

D 利用料は、実施主体により異なる。

（組み合わせ）

	A	B	C	D
1	○	○	×	×
2	○	×	○	×
3	×	○	○	○
4	×	○	×	○
5	×	×	×	○

問題16 **次のうち、福祉サービスにおける苦情解決に関する記述として、適切なものを○、不適切なものを×とした場合の正しい組み合わせを一つ選びなさい。**

A 「社会福祉法」第82条では、社会福祉事業の経営者に対して、提供する福祉サービスについて、利用者等からの苦情の適切な解決に努めなければならないと規定されている。

B 苦情の申し出は、福祉サービス利用者が都道府県や運営適正化委員会に直接行うことはできない。

C 「保育所保育指針」では、保護者の苦情などに対し、その解決を図るよう努めなければならないとされている。

D 社会福祉事業者には、苦情解決のための第三者委員の設置が義務づけられている。

（組み合わせ）

	A	B	C	D
1	○	○	○	○
2	○	○	○	×
3	○	○	×	○
4	○	×	○	×
5	×	×	×	○

問題17　次のうち、「令和４年版男女共同参画白書」（2022（令和４）年　内閣府）における男女共同参画の実態に関する記述として、適切なものを○、不適切なものを×とした場合の正しい組み合わせを一つ選びなさい。

A　雇用者の共働き世帯数は増加傾向にある。一方で、2021（令和３）年における専業主婦世帯は、妻が64歳以下の世帯では、夫婦のいる世帯全体の23.1％となっている。

B　近年、男性の育児休業取得率は上昇しているが、2020（令和２）年度における民間企業の男性の育児休業取得率は５％未満である。

C　男女間賃金格差の国際比較によると、日本は2020（令和２）年においてフルタイム労働者の男性の賃金を100とすると女性の賃金は77.5であり、OECD諸国の平均を下回っている。

D　「男女共同参画社会基本法」第14条では、市町村男女共同参画計画策定の努力義務を定めているが、2021（令和３）年における市区町村全体の策定率は50.0％を下回っている。

（組み合わせ）

	A	B	C	D
1	○	○	○	×
2	○	○	×	×
3	○	×	○	×
4	×	○	×	○
5	×	×	○	○

問題18　次のうち、「社会福祉法」に基づく市町村社会福祉協議会の活動や事業に関する記述として、適切なものの組み合わせを一つ選びなさい。

A　社会福祉に関する活動への住民の参加を援助するために、ボランティアセンターの設置が義務づけられている。

B　社会福祉を目的とする事業に調査、普及、宣伝、連絡、調整及び助成を行うこととされている。

C　市町村社会福祉協議会は、生活困窮者に対する相談援助は行っていない。

D　社会福祉を目的とする事業の企画や実施を通して地域福祉の推進を図ることとされている。

（組み合わせ）

1　A　B
2　A　C
3　A　D
4　B　C
5　B　D

問題19 **次のうち、共同募金に関する記述として、適切なものを○、不適切なものを×とした場合の正しい組み合わせを一つ選びなさい。**

A 共同募金及び共同募金会に関する基本的な事項は、「共同募金法」に規定されている。

B 毎年12月に実施される「歳末たすけあい運動」は、共同募金の一環として行われている。

C 共同募金は、地域福祉の推進を図るために行われている。

D 共同募金による寄附金の公正な配分を行うために、共同募金会に配分委員会が置かれている。

（組み合わせ）

	A	B	C	D
1	○	○	○	×
2	○	○	×	×
3	○	×	×	○
4	×	○	○	○
5	×	×	○	○

問題20 **次の文は、「こども基本法」第３条の一部である。（　A　）〜（　C　）にあてはまる語句の正しい組み合わせを一つ選びなさい。**

- 全てのこどもについて、個人として尊重され、その基本的人権が保障されるとともに、（　A　）的取扱いを受けることがないようにすること。
- 全てのこどもについて、その年齢及び発達の程度に応じて、自己に直接関係する全ての事項に関して意見を表明する機会及び多様な社会的活動に（　B　）する機会が確保されること。
- 全てのこどもについて、その年齢及び発達の程度に応じて、その（　C　）が尊重され、その最善の利益が優先して考慮されること。

（組み合わせ）

	A	B	C
1	画一	参加	個性
2	画一	参加	意見
3	差別	参画	個性
4	差別	参加	個性
5	差別	参画	意見

教育原理

問題1　次のうち、「教育基本法」の一部として、正しいものを○、誤ったものを×とした場合の正しい組み合わせを一つ選びなさい。

A　学問の自由は、これを保障する。

B　教育は、人格の完成を目指し、平和で民主的な国家及び社会の形成者として必要な資質を備えた心身ともに健康な国民の育成を期して行われなければならない。

C　学校を設置しようとする者は、学校の種類に応じ、文部科学大臣の定める設備、編制その他に関する設置基準に従い、これを設置しなければならない。

（組み合わせ）

	A	B	C
1	○	○	×
2	○	×	×
3	×	○	○
4	×	○	×
5	×	×	○

問題2　次の文は、「児童憲章」の一部である。（　A　）・（　B　）にあてはまる語句の正しい組み合わせを一つ選びなさい。

すべての児童は、家庭で、正しい（　A　）と知識と技術をもつて育てられ、家庭に恵まれない児童には、これにかわる（　B　）が与えられる。

（組み合わせ）

	A	B
1	愛着形成	環境
2	愛着形成	支援の場
3	かかわり	環境
4	愛情	支援の場
5	愛情	環境

問題3 **次の図は、「諸外国の教育統計　令和３（2021）年版」（文部科学省）からある国の学校系統図を示したものである。正しい国名を一つ選びなさい。**

学校系統図

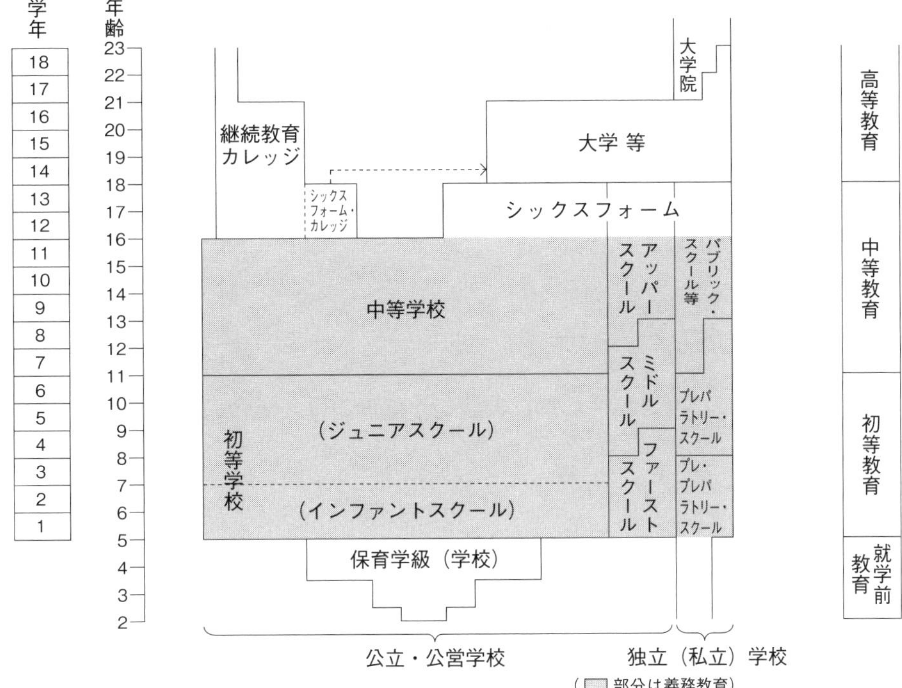

1　オーストラリア

2　フィンランド

3　フランス

4　イギリス

5　アメリカ

問題4 **次の文は、モンテッソーリ（Montessori, M.）が著した『幼児の秘密』の一部である。（　　）に入る人名を一つ選びなさい。**

おとなはそんな子らを、散漫な関連のない動作の仕方のためには罰しはしますが、しかしおとなが、創造に達するかも知れない、子どもの知恵の発芽とも見られる、子どもの空想活動を、感心し奨励します。誰しも知っているように、たとえば（　　）は彼の遊戯の多くを、まさにこの象徴的空想の発達にねらいを定めました。彼は区別して整頓した立方体や直方体の中に、馬や砦（とりで）や汽車を見るように子どもに手伝います。実際象徴的なものへのこんな傾向は、子どもに何をでも、自分の頭脳の空想的イメージを照らす電気のスイッチでもあるかのように、利用することを可能にします。（中略）おもちゃは活動をさせますが、ことに錯覚を起こさせて、ただ不完全な実を結ばない現実の模型にすぎません。

1　フレーベル

2　ルソー

3　ペスタロッチ

4　アリエス

5　デューイ

問題5　**次の記述に該当する人物として、正しいものを一つ選びなさい。**

日本において最も早く体系的ともいえる教育論をまとめた儒学者である。ロック（Locke, J.）とほぼ同時代の人であり、ともに医学を修め、しかも自分自身健康に恵まれなかったことに共通したものがあるため、「日本のロック」と称されることもある。

子育ての書として晩年にまとめた著作では、6歳から20歳に至るまでの成長過程に即して、教育方法と学習教材とが「随年教法」として提示されている。彼は、「小児の教は早くすべし」と、早い時期からの善行の習慣形成の必要性を主張した。

1　荻生　徂徠

2　貝原　益軒

3　佐藤　信淵

4　伊藤　仁斎

5　太田　道灌

問題6　**次の【Ⅰ群】の人名と、【Ⅱ群】の語句を結びつけた場合の正しい組み合わせを一つ選びなさい。**

【Ⅰ群】

A　世阿弥

B　北条　実時

C　広瀬　淡窓

【Ⅱ群】

ア　咸宜園

イ　翁問答

ウ　金沢文庫

エ　風姿花伝

（組み合わせ）

	A	B	C
1	ア	ウ	イ
2	イ	ア	エ
3	ウ	イ	エ
4	エ	ア	イ
5	エ	ウ	ア

問題7　**次の文の著者として、正しいものを一つ選びなさい。**

教育目的なくして教育はありません。しかも、その目的を必ずしもこちらから押しつけなくとも、幼児の生活それ自身が自己充実の大きな力を持っていることによって、すでにそこに教育の目的に結びつくつながりが見い出せるはずです。つまり、幼児の生活をさながらにしておくのは、ただうっちゃり放しにしておくということでなく、幼児自身の自己充実を信頼してのことです。

1　澤柳　政太郎

2　羽仁　もと子

3　城戸　幡太郎

4　倉橋　惣三

5　小原　國芳

問題8　**次の記述に該当する語句として、正しいものを一つ選びなさい。**

学ぶ内容をそれぞれの分野に分けて系統的に教えるような編成をしたカリキュラム。すべての分野において身に付けさせたいとおとなが考えていることがバランスよく配置でき、かつその習得状況の把握が容易である。また、系統的に教えることができるため、既習事項の把握を行いながら、学習者にとっても効率的に多くのことを学ぶことができる。一方で、子どもの興味関心とのずれが生じやすいこと、教えられる内容の間で関連性がみえにくいことがある。

1　経験カリキュラム

2　潜在的カリキュラム

3　教科カリキュラム

4　合科カリキュラム

5　統合カリキュラム

問題9　**次の文は、「保育所保育指針」第1章「総則」4「幼児教育を行う施設として共有すべき事項」(2)「幼児期の終わりまでに育ってほしい姿」の一部である。(　A　)～(　C　)にあてはまる語句を【語群】から選択した場合の正しい組み合わせを一つ選びなさい。**

家族を大切にしようとする気持ちをもつとともに、(　A　)の身近な人と触れ合う中で、人との様々な関わり方に気付き、相手の気持ちを考えて関わり、自分が役に立つ喜びを感じ、(　A　)に親しみをもつようになる。また、保育所内外の様々な(　B　)に関わる中で、遊びや生活に必要な(　C　)を取り入れ、(　C　)に基づき判断したり、(　C　)を伝え合ったり、活用したりするなど、(　C　)を役立てながら活動するようになるとともに、公共の施設を大切に利用するなどして、社会とのつながりなどを意識するようになる。

【語群】

ア　地域	イ　郷土	ウ　情報	エ　環境	オ　知識

(組み合わせ)

	A	B	C
1	ア	ウ	オ
2	ア	エ	ウ
3	ア	エ	オ
4	イ	ウ	オ
5	イ	エ	ウ

問題10　**次の文は、「学びや生活の基盤をつくる幼児教育と小学校教育の接続について～幼保小の協働による架け橋期の教育の充実～」(令和5年2月　中央教育審議会　初等中等教育分科会　幼児教育と小学校教育の架け橋特別委員会)の一部である。(　A　)・(　B　)にあてはまる語句の正しい組み合わせを一つ選びなさい。**

幼児教育と小学校教育の教育課程の構成原理等の違いは、子供の発達の段階に応じた教育を行うために必要な違いではあるが、子供一人一人の発達や学びは幼児期と児童期ではっきりと分かれるものではなく、(　A　)ため、必ずしも合致しない場合があるためである。また、合致しない場合に、小学校入学当初の子供が、小学校での学習や生活に関する自らの不安や不満を自覚し大人に伝えることは難しいと考えられ、一人で戸惑いや悩みを抱えこむことにより、その後の小学校での学習や生活に支障をきたすおそれがある。子供にとっては、初めての進学であり、この時期につまずいてしまうことは、その後の学校生活や成長に大きな負の影響を与えかねない。そして、ひいては(　B　)の要因にもなりかねず、低学年の(　B　)の子供への支援の観点からも、幼児教育と小学校教育の円滑な接続が重要であることが指摘されているところである。

（組み合わせ）

	A	B
1	重なりがある	不登校
2	重なりがある	学力不足
3	つながっている	学習意欲不足
4	つながっている	学力不足
5	つながっている	不登校

社会的養護

問題1　次の文は、「児童養護施設運営指針」（平成24年3月　厚生労働省）の一部である。（　A　）～（　C　）にあてはまる語句の正しい組み合わせを一つ選びなさい。

・社会的養護は、その始まりから（　A　）までの継続した支援と、できる限り（　B　）の養育者による一貫性のある養育が望まれる。

・児童相談所等の行政機関、各種の施設、里親等の様々な社会的養護の担い手が、それぞれの専門性を発揮しながら、巧みに（　C　）し合って、一人一人の子どもの社会的自立や親子の支援を目指していく社会的養護の（　C　）アプローチが求められる。

（組み合わせ）

	A	B	C
1	リービングケア	複数	連携
2	アフターケア	特定	連携
3	リービングケア	特定	媒介
4	アフターケア	複数	媒介
5	リービングケア	特定	連携

問題2　次の文は、「社会的養護関係施設における親子関係再構築支援ガイドライン」（平成26年　厚生労働省）に示された「親子関係再構築」についての考え方を説明したものである。（　A　）～（　C　）にあてはまる語句の正しい組み合わせを一つ選びなさい。

このガイドラインでは、（　A　）の回復を支えるという視点で親子関係再構築を捉えている。そのため、その内容は、内的イメージから外的現実まで幅広く、家族形態や問題の程度も様々なものを含む等、多面的で重層的に考える必要がある。ガイドラインでは、親子関係再構築を「子どもと親がその相互の（　B　）すること」と定義する。

親子関係再構築支援を家族の状況によって2つに分類すると、分離となった家族に対するものと、（　C　）親子に対するものとがある。

（組み合わせ）

	A	B	C
1	親自身	肯定的なつながりを主体的に回復	代替養育による新たな
2	親自身	親愛の情を自然発生的に醸成	代替養育による新たな
3	子ども	肯定的なつながりを主体的に回復	代替養育による新たな
4	子ども	肯定的なつながりを主体的に回復	ともに暮らす
5	子ども	親愛の情を自然発生的に醸成	ともに暮らす

問題3　次のうち、「新しい社会的養育ビジョン」（平成29年　厚生労働省）に示された内容として、適切なものを○、不適切なものを×とした場合の正しい組み合わせを一つ選びなさい。

A　社会的養育の対象は全ての子どもであり、家庭で暮らす子どもから代替養育を受けている子どもも、その胎児期から自立までが対象となる。

B　新たな社会的養育という考え方では、そのすべての局面において、子ども・家族の参加と支援者との協働を原則とする。

C　子どもに永続的な家族関係をベースにしたパーマネンシーを保障するために、特別養子縁組や普通養子縁組は実父母の死亡などの場合に限られる。

D　施設で培われた豊富な体験による子どもの養育の専門性をもとに、施設が地域支援事業やフォスタリング機関事業等を行う多様化を、乳児院から始め、児童養護施設、児童心理治療施設、児童自立支援施設でも行う。

（組み合わせ）

	A	B	C	D
1	○	○	×	○
2	○	×	○	○
3	○	×	○	×
4	×	○	○	×
5	×	×	×	○

問題4　次の文は、「児童養護施設運営ハンドブック」（平成26年3月　厚生労働省）の「地域支援」の一部である。（　A　）～（　C　）にあてはまる語句の正しい組み合わせを一つ選びなさい。

- 地域住民に対する相談事業を実施すること等を通じて、具体的な（　A　）の把握を行う。
- 施設が有する専門性を活用し、地域の子育ての相談・助言や（　B　）の子育て事業の協力をする。
- 地域の里親支援、子育て支援等に取組など、施設の（　C　）機能を活用し、地域の拠点となる取組を行う。

（組み合わせ）

	A	B	C
1	福祉ニーズ	市町村	ソーシャルワーク
2	福祉ニーズ	市町村	マネジメント
3	福祉ニーズ	都道府県	ソーシャルワーク
4	問題	市町村	マネジメント
5	問題	都道府県	マネジメント

問題5　次のうち、「児童養護施設運営指針」（平成24年3月　厚生労働省）における家族への支援に関する記述として、適切なものを○、不適切なものを×とした場合の正しい組み合わせを一つ選びなさい。

A　親子が必要な期間を一緒に過ごせるような宿泊設備を施設内に設ける。

B　子どもと家族の関係づくりの支援として、家族に学校行事等への参加を働きかける。

C　家族等との交流の乏しい子どもには、週末里親やボランティア家庭等での家庭生活を体験させるなど配慮する。

D　子どもの一時帰宅は、保護者の意向により決定する。

（組み合わせ）

	A	B	C	D
1	○	○	○	×
2	○	○	×	○
3	○	×	×	×
4	×	○	×	×
5	×	×	○	○

問題6　**次のうち、「里親及びファミリーホーム養育指針」（平成24年3月　厚生労働省）で示された養育・支援に関する記述として、適切なものを○、不適切なものを×とした場合の正しい組み合わせを一つ選びなさい。**

A　里親及びファミリーホームに委託される子どもは、原則として新生児から義務教育終了までの子どもが対象である。

B　児童相談所は、子どもが安定した生活を送ることができるよう自立支援計画を作成し、養育者はその自立支援計画に基づき養育を行う。

C　里親に委託された子どもは、里親の姓を通称として使用することとされている。

D　里親やファミリーホームは、特定の養育者が子どもと生活基盤を同じ場におき、子どもと生活を共にする。

（組み合わせ）

	A	B	C	D
1	○	○	○	×
2	○	×	○	○
3	×	○	○	×
4	×	○	×	○
5	×	×	×	○

問題7　**次のうち、「被措置児童等虐待対応ガイドライン」（令和4年　厚生労働省）に示された虐待防止のための施設運営に関する記述として、不適切なものを一つ選びなさい。**

1　組織全体が活性化され、風通しのよい組織づくりを進める。

2　第三者評価の積極的な受審や活用など、外部の目を取り入れる。

3　施設内で生じた被措置児童等虐待に関する情報提供は、当該施設等で生活を送っている他の被措置児童等に対しては行わない。

4　自立支援計画の策定や見直しの際には、子どもの意見や意向等を確認し、確実に反映する。

5　経験の浅い職員等に対し、施設内外からスーパービジョンを受けられるようにする。

問題8　**次のうち、明治時代以降に、育児救済等を目的として長崎に創設された施設とその創設者の組み合わせとして、正しいものを一つ選びなさい。**

（組み合わせ）

1　博愛社 ―――― 松方正義

2　浦上養育院 ――― 岩永マキ

3　家庭学校 ―――― 石井亮一

4　日田養育院 ――― 小橋勝之助

5　滝乃川学園 ――― 池上雪枝

問題9　**次の【事例】を読んで、【設問】に答えなさい。**

【事例】

児童養護施設のグループホームに勤務する新任のU保育士は、主任のH児童指導員から、「K君（13歳、男児）は職員の気を引いて自分を見てほしいときにわざと嘘をつくことがあるから、あまり取り合わないように」と助言を受けた。確かにK君の話には事実でないことが後からわかったこともあったが、U保育士はK君なりの事情があったのだろうと考えていた。H児童指導員は、K君の話に矛盾があると厳しく問いただしたり、無視することがあった。K君はH児童指導員に叱られるとU保育士に助けを求めてくるので、U保育士は対応に困ってしまった。

【設問】

次のうち、U保育士の対応として、適切な記述の組み合わせを一つ選びなさい。

A 職員によって対応が異なるのは周囲の子どもたちにとっても良くないので、U保育士もK君が嘘をついている時には厳しく問いただし、叱責した。

B グループホームのホーム会議に心理療法担当職員にも出席してもらい、K君の言動や成育歴について取り上げ、自立支援計画の見直しを提案した。

C K君に対して、「H児童指導員はK君のためを思って言ってくれているのだから、自分の行動を振り返りなさい」とH児童指導員の意図を説明し、反省を促した。

D K君と個別に関わる時間を増やし、「K君の話をちゃんと聞いているから、話したいことがあったらいつでも言ってきてね」と繰り返し伝えた。

（組み合わせ）

1 A B
2 A D
3 B C
4 B D
5 C D

問題10 **次の文は、「児童養護施設運営指針」（平成24年3月　厚生労働省）に示された「養育のあり方の基本」の一部である。（　A　）～（　C　）にあてはまる語句の正しい組み合わせを一つ選びなさい。**

子どもの養育を担う専門性は、養育の場で（　A　）過程を通して培われ続けなければならない。経験によって得られた知識と技能は、現実の養育の場面と過程のなかで絶えず見直しを迫られることになるからである。養育には、子どもの生活を（　B　）にとらえ、日常生活に根ざした（　C　）な養育のいとなみの質を追求する姿勢が求められる。

（組み合わせ）

	A	B	C
1	相互的な	部分的	平凡
2	相互的な	部分的	特別
3	相互的な	トータル	特別
4	生きた	トータル	特別
5	生きた	トータル	平凡

子どもの保健

問題1　次の文は、「保育所保育指針」第１章「総則」（2）「保育の目標」の一部である。（　A　）～（　D　）にあてはまる語句の正しい組み合わせを一つ選びなさい。

（　A　）、（　B　）など生活に必要な基本的な（　C　）や（　D　）を養い、心身の（　A　）の基礎を培うこと。

(組み合わせ)

	A	B	C	D
1	活気	安全	習慣	態度
2	活気	安心	行動様式	姿勢
3	健康	安心	行動様式	姿勢
4	健康	安全	習慣	態度
5	健康	安全	習慣	姿勢

問題2　次のうち、日本におけるこれまでと現在の母子保健に関する記述として、適切なものを一つ選びなさい。

1　母子保健は、妊娠・出産・育児という一連の時期にある母親のみを対象としている。

2　現在行われている母子保健に関する様々なサービスや活動にかかわる法的根拠は、1937（昭和12）年施行の「保健所法」である。

3　母子保健施策の成果の一つとして、乳児死亡率の著しい減少があげられる。

4　現在の「母子保健法」には児童虐待防止に関する条文はない。

5　妊産婦登録制度の発端となった法律は、「児童福祉法」である。

問題3　次のうち、児童虐待の発生予防・防止をねらいの一つとした制度等として、最もあてはまらないものを一つ選びなさい。

1　産後ケア事業

2　乳児家庭全戸訪問事業

3　要保護児童対策地域協議会

4　新生児スクリーニング検査

5　地域子育て支援拠点事業

問題4　次のうち、身体的発育に関する記述として、適切なものを○、不適切なものを×とした場合の正しい組み合わせを一つ選びなさい。

A　脳細胞の役割に情報伝達があるが、軸索の髄鞘化により脳細胞が成熟し、情報を正確に伝えるようになっても伝達の速さは変わらない。

B　運動機能の発達には個人差があるが、一定の方向性と順序性をもって進む。

C　発育をうながすホルモンには、成長ホルモンのほか、甲状腺ホルモン、副腎皮質ホルモンなどがある。

D　原始反射は、通常の子どもでは成長とともにほとんどみられなくなる。

E　出生時、頭蓋骨の縫合は完全ではなく、前方の骨の隙間を大泉門という。

(組み合わせ)

	A	B	C	D	E
1	○	×	○	×	×
2	○	×	×	○	×
3	×	○	×	○	○
4	×	○	×	×	○
5	×	×	○	×	○

問題5　次の【Ⅰ群】の脳の構造と【Ⅱ群】の機能を結びつけた場合の正しい組み合わせを一つ選びなさい。

【Ⅰ群】

A　前頭葉

B　側頭葉

C　延髄

D　小脳

【Ⅱ群】

ア　運動に関連する領域と精神に関連する領域に大別される。

イ　呼吸や循環などの生命維持に直接関与する部分である。

ウ　聴覚や嗅覚などの中枢、記憶の中枢、感覚性言語中枢を含んでいる。

エ　身体の姿勢や運動の制御、眼球運動に関係している。

(組み合わせ)

	A	B	C	D
1	ア	ウ	イ	エ
2	ア	ウ	エ	イ
3	イ	ア	ウ	エ
4	ウ	ア	イ	エ
5	ウ	ア	エ	イ

問題6　次のうち、乳幼児の排尿・排便の自立に関する記述として、適切なものを○、不適切なものを×とした場合の正しい組み合わせを一つ選びなさい。

A　新生児期の膀胱は未熟であり、１回の排尿量は少なく、排尿回数は１日５回程度である。

B　尿がたまった感覚がある程度わかるようになるのは３歳頃である。

C　生後６か月未満では、多くに１日２回以上の排便がある。

D　４歳以上では、ほとんどが便意を伴うようになり、排便が自立する。

(組み合わせ)

	A	B	C	D
1	○	○	×	×
2	○	×	○	×
3	○	×	×	○
4	×	○	×	×
5	×	×	○	○

問題7 **次のうち、乳幼児の健康診査に関する記述として、適切なものを一つ選びなさい。**

1 乳幼児健康診査は、全て法律に基づき市区町村において定期健康診査として実施されている。

2 「令和３年度地域保健・健康増進事業報告の概況」（令和５年３月　厚生労働省）によると、日本における乳幼児健康診査の受診率は、年月齢を問わず70％前後である。

3 乳幼児健康診査は疾病の異常や早期発見のために重要であり、必要に応じて、子育て支援対策が講じられる。

4 保育所では、入所時健康診断及び少なくとも１年に２回の定期健康診断を行うことと、「母子保健法」に定められている。

5 保育所における定期健康診断や入所時健康診断は、定型的な業務なので実施後の評価は行わない。

問題8 **次のうち、「保育所における感染症対策ガイドライン（2018年改訂版）（2022（令和４）年10月一部改訂）」（厚生労働省）の別添１「具体的な感染症と主な対策（特に注意すべき感染症）」にあげられている「RS ウイルス感染症」に関する記述として、適切なものの組み合わせを一つ選びなさい。**

A 生後６か月未満の乳児では重症な呼吸器症状を生じ、入院管理が必要となる場合も少なくない。

B 一度かかれば十分な免疫が得られるため、何度も罹患する可能性は低い。

C 大人がかかると重症化することが多い。

D 流行期には、０歳児と１歳児以上のクラスは互いに接触しないよう離しておき、互いの交流を制限する。

（組み合わせ）

1 A B
2 A C
3 A D
4 B C
5 B D

問題9 **次のうち、感染症に関する記述として、不適切なものを一つ選びなさい。**

1 水痘は、水痘・帯状疱疹ウイルスによっておこり、紅斑、水疱、膿疱、痂皮などいろいろな段階の発疹が混在していることが特徴である。

2 インフルエンザは主に冬に流行し、肺炎、気管支炎、脳症などを合併することがある。

3 咽頭結膜熱は、エコー・ウイルスによっておこり、プールの水を介して感染することが多い。

4 手足口病は、コクサッキー・ウイルスA16型、A10型、A6型やエンテロウイルス71型等によっておこる水疱を伴う発疹性感染症で、回復期に爪が脱落することがある。

5 伝染性紅斑（りんご病）は、ヒトパルボウイルスB19によっておこり、風邪症状に引き続いて両頬に紅斑が現れる。

問題10 **次のうち、学校において予防すべき感染症に関する記述として、適切なものを○、不適切なものを×とした場合の正しい組み合わせを一つ選びなさい。**

A 各感染症の出席停止の期間は、感染様式と疾患の特性を考慮して、人から人への感染力の程度を考えて算出している。

B 他人に容易に感染させる状態の期間は、集団の場を避け、感染症の拡大を防ぐ必要がある。

C 健康が回復するまで治療や休養の時間を確保することが必要である。

D 学校において予防すべき感染症は、「学校保健安全法施行規則」で定められている。

（組み合わせ）

	A	B	C	D
1	○	○	○	○
2	○	○	○	×
3	○	×	×	○
4	×	○	○	×
5	×	×	○	○

問題11　次のうち、保育所における防災に関する記述として、適切なものを○、不適切なものを×とした場合の正しい組み合わせを一つ選びなさい。

A　万が一に備え、保育所内では最低3日分の必需品を備蓄しておくとよい。

B　保育所では、避難及び消火に対する訓練は少なくとも毎月1回実施すること、消火器などの消防用設備の定期点検が義務づけられている。

C　火災防止のため、カーテンには防炎加工が必要である。

D　災害時は保護者に確実に情報が伝わるよう連絡手段は一つに決めて保護者に知らせておくとよい。

E　園児を移動させる手押し車は、緊急時には使用を控えたほうがよいとされている。

（組み合わせ）

	A	B	C	D	E
1	○	○	○	○	○
2	○	○	○	×	×
3	○	○	×	×	○
4	○	×	×	○	○
5	×	×	○	○	○

問題12　次のうち、保育所等における防災・防犯訓練に関する記述として、適切なものを一つ選びなさい。

1　事前に訓練について指導すると、防災訓練にならないため、事前指導は行わない。

2　防災訓練は、保護者のお迎えを考え、毎回同じ曜日や時間帯に設定する。

3　年間を通して指導計画の中に位置づけ、実践的な訓練を計画する。

4　防災訓練は保護者の負担にならないように保護者の参加を計画の中に入れず、保育者だけで行う。

5　不審者が侵入した場合の防犯訓練は、子ども達に恐怖を与えるため行わない。

問題13　次のうち、小児のけいれんに関する記述として、適切なものの組み合わせを一つ選びなさい。

A　けいれんは様々な原因で起こり、ときには脳炎などの重大な病気による場合がある。

B　けいれんが起こった時はいかなる場合でも適切に対処しなければならないので、けいれんがおさまった場合でも、医師の診察を受ける必要がある。

C　小児がけいれんを起こした時、緊急の処置として、スプーンなどを噛ませ、歯で舌などを傷つけないようにしなければならない。

D　発熱を伴うけいれんは熱性けいれんであり、解熱剤を飲ませて様子をみれば短時間で消失する。

E　けいれんを起こした時は、強い刺激を与えないように注意して、意識の状態を確かめる必要がある。

（組み合わせ）
1 A B C
2 A B E
3 B C D
4 B D E
5 C D E

問題14 **次のうち、体調不良や事故等に関する記述として、適切なものの組み合わせを一つ選びなさい。**

A 子どもの感電事故があった場合、電源の供給を止め、絶縁性の高いゴム手袋などを着用して感電箇所から子どもを遠ざける。

B 溺水した子どもを発見した場合、呼吸をしていなければ、一次救命処置を行う。

C 子どもに起こりがちな肘内障は、肘の関節の腱が抜けるために起こるもので、手を上にあげると痛がる。

D 日本スポーツ協会による「熱中症予防のための運動指針」によれば、暑さ指数が28～31℃で激しい運動をするときの必要最小限の休息は、１時間に１回程度である。

（組み合わせ）
1 A B
2 A C
3 A D
4 B C
5 B D

問題15 **次の【事例】を読んで、【設問】に答えなさい。**

【事例】

Ｔ保育所に通園しているＳ君（５歳、男児）は、保育室内で遊んでいるうちに「気持ちが悪い」と言い出し、その場で嘔吐してしまった。嘔吐物は保育室の床だけでなく、Ｓ君の衣服にも付着した。Ｋ保育士がそのことに気づき、他の保育士と協力・分担して、Ｓ君への対応と嘔吐物処理等を行った。

【設問】

次のうち、Ｓ君への対応および嘔吐物処理を含んだ事後の対応として、「保育所における感染症対策ガイドライン（2018年改訂版）（2022（令和４）年10月一部改訂）」に照らして、適切なものを○、不適切なものを×とした場合の正しい組み合わせを一つ選びなさい。

A Ｓ君にうがいができるか確認したところ、できると言ったので、うがいをさせた。

B 嘔吐した後、脱水症状になることが心配だったので、嘔吐した後なるべく早く経口補水液を200ml程度飲ませた。

C Ｓ君が横になりたいと言ったので、嘔吐物が気管に入らないように体を横向きにして寝かせた。

D 嘔吐物が付着した床は、嘔吐物を取り除いてから、製品濃度６％の次亜塩素酸ナトリウムを0.02％濃度に希釈して消毒した。

E 嘔吐物が付着したＳ君の衣服は、嘔吐物をよく落として保育所内で洗濯し、よく乾燥してからＳ君の保護者に返却した。

（組み合わせ）

	A	B	C	D	E
1	○	○	○	○	×
2	○	×	○	×	×
3	○	×	×	×	×
4	×	○	×	○	×
5	×	×	○	○	○

問題16　次の【事例】を読んで、【設問】に答えなさい。

【事例】

Wちゃん（生後6か月、女児）は、朝お母さんが保育所に連れて来たときに、珍しくぐずっていた。10時頃、Wちゃんがぐずっていて機嫌が悪いので、Y保育士が抱き上げるとかなり体が熱くなっており、熱を測ったところ38.5℃の高熱になっていた。Wちゃんは、その後も大量の水様便を何度もしていた。

【設問】

次のうち、Wちゃんのかかっている可能性のある感染症を考慮したうえでの保育所の対応として、適切な記述の組み合わせを一つ選びなさい。

A　できるだけ早く、保護者に迎えに来てもらうよう連絡をした。

B　Wちゃんを他児と同室でY保育士の目が届きやすい場所で保育した。

C　Wちゃんを他児とは別室で保育しながら、保護者が迎えに来るのを待った。

D　おむつ交換は、いつも通り保育している部屋で行った。

E　高熱でぐずっていて、水分を摂取させようとしたが飲まないので、そのまま様子を見た。

（組み合わせ）

1　A　C
2　A　D
3　B　D
4　B　E
5　C　E

問題17　次のうち、病児保育事業に関する記述として、適切なものを○、不適切なものを×とした場合の正しい組み合わせを一つ選びなさい。

A　病児保育事業には、法的根拠がある。

B　制度上、対象は未就学児に限られている。

C　医師及び看護師の配置が義務づけられている。

D　体調不良児対応型の病児保育は保育所等で行う。

（組み合わせ）

	A	B	C	D
1	○	○	×	×
2	○	×	○	×
3	○	×	×	○
4	×	○	×	○
5	×	×	○	○

問題18 **次のうち、「保育所におけるアレルギー対応ガイドライン（2019年改訂版）」（厚生労働省）における「エピペン®」の使用に関する記述として、適切なものを○、不適切なものを×とした場合の正しい組み合わせを一つ選びなさい。**

A 「エピペン®」は、原則、体重15kg未満の子どもには処方されない。

B 保管する場合は、冷蔵庫で保管する。

C 「エピペン®」を使用した後は、速やかに医療機関を受診する必要がある。

D 「エピペン®」を保育所で預かる場合は、緊急時の対応内容について保護者と協議のうえ、「生活管理指導表」を作成する。

（組み合わせ）

	A	B	C	D
1	○	○	×	×
2	○	×	○	×
3	×	○	○	×
4	×	○	×	○
5	×	×	○	○

問題19 **次のうち、「保育所におけるアレルギー対応ガイドライン（2019年改訂版）」（厚生労働省）における食物アレルギーに関する記述として、適切なものを○、不適切なものを×とした場合の正しい組み合わせを一つ選びなさい。**

A 食物アレルギーとは、特定の食物を摂取した後にアレルギー反応を介して皮膚・呼吸器・消化器あるいは全身に生じる症状のことをいう。

B 食物アレルギーのある幼児の割合は、年齢が上がるにつれて上昇する。

C 最も多い症状は皮膚・粘膜症状である。

D 治療の基本は薬物療法である。

（組み合わせ）

	A	B	C	D
1	○	○	×	×
2	○	×	○	×
3	×	○	○	×
4	×	○	×	○
5	×	×	○	○

問題20 **次のうち、３歳の中等症の血友病の子どもを保育所で受け入れるにあたり、適切なものを○、不適切なものを×とした場合の正しい組み合わせを一つ選びなさい。**

A 血友病は遺伝性疾患で父親が保因者であることが多く、保護者の気持ちに寄り添いながら話を聞く。

B 血友病は小児慢性特定疾病で、医療費助成の対象となっている。

C 歩いたり走ったりすることで目に見えない足の関節の出血が増えてくるため、運動を伴う活動や遊びをすべて制限することの理解を保護者に求める。

D 注射による予防接種は出血の原因になるため禁止されているので、感染症予防が必要となる。

E 目に見える出血があったときは、圧迫止血、冷却、安静を保って医療機関を受診することを決めておく。

（組み合わせ）

	A	B	C	D	E
1	○	○	×	○	○
2	○	×	○	×	○
3	×	○	×	○	×
4	×	○	×	×	○
5	×	×	○	○	×

子どもの食と栄養

問題1　次の文は、炭水化物に関する記述である。（　A　）～（　D　）にあてはまる語句の正しい組み合わせを一つ選びなさい。

炭水化物には、ヒトの消化酵素で消化されやすい（　A　）と消化されにくい（　B　）がある。（　A　）は、1gあたり（　C　）kcalのエネルギーを供給し、一部は、肝臓や筋肉でエネルギー貯蔵体である（　D　）となって体内に蓄えられる。

（組み合わせ）

	A	B	C	D
1	糖質	食物繊維	4	グリコーゲン
2	糖質	食物繊維	7	グリコーゲン
3	糖質	食物繊維	9	ガラクトース
4	食物繊維	糖質	4	グリコーゲン
5	食物繊維	糖質	7	ガラクトース

問題2　次のうち、ビタミンの主な働きに関する記述として、適切なものの組み合わせを一つ選びなさい。

A　ビタミンCは、糖質代謝に関与する。

B　ビタミンB_1は、鉄の吸収を促進する。

C　ビタミンKは、血液の凝固に関与する。

D　ビタミンDは、カルシウムの吸収を促進する。

（組み合わせ）

1　A　B
2　A　C
3　A　D
4　B　C
5　C　D

問題3　次の【Ⅰ群】の「日本人の食事摂取基準（2020年版）」における栄養素の指標と【Ⅱ群】のその目的を結びつけた場合の正しい組み合わせを一つ選びなさい。

【Ⅰ群】

A　推定平均必要量、推奨量

B　目標量

C　耐容上限量

【Ⅱ群】

ア　生活習慣病の発症予防

イ　過剰摂取による健康障害の回避

ウ　摂取不足の回避

（組み合わせ）

	A	B	C
1	ア	イ	ウ
2	ア	ウ	イ
3	イ	ア	ウ
4	ウ	ア	イ
5	ウ	イ	ア

問題4　次のうち、「食品表示法」において、容器包装に入れられた加工食品及び添加物に表示が義務づけられていないものを一つ選びなさい。

1　カルシウム

2　たんぱく質

3　熱量

4　ナトリウム（食塩相当量で表示）

5　脂質

問題5　次のうち、調乳方法に関する記述として、適切なものを○、不適切なものを×とした場合の正しい組み合わせを一つ選びなさい。

A　調乳の際に使用する湯は、沸騰させた後30分以上放置しない。

B　調製粉乳の調整用として推奨された水の場合でも、沸騰させて使用する。

C　調乳の際には、一度沸騰させた後50℃以上に保った湯を使用する。

D　常温で保存していた場合、調乳後２時間以内に使用しなかったミルクは廃棄する。

（組み合わせ）

	A	B	C	D
1	○	○	○	×
2	○	○	×	○
3	×	○	○	○
4	×	×	○	×
5	×	×	×	○

問題6　次のうち、母乳に関する記述として、適切なものを○、不適切なものを×とした場合の正しい組み合わせを一つ選びなさい。

A　分娩後、最初に分泌される母乳を初乳といい、その後、移行乳を経て成乳となる。

B　初乳は成乳に比べ、たんぱく質、ミネラルが少なく、乳糖は多い。

C　母乳分泌時にはプロラクチンが分泌され、排卵が促進される。

D　母乳栄養児は人工栄養児に比べ、乳幼児突然死症候群（SIDS）の発症率が低いとされている。

（組み合わせ）

	A	B	C	D
1	○	○	○	×
2	○	○	×	○
3	○	×	×	○
4	×	○	○	×
5	×	×	○	○

問題7　**次の文は、「授乳・離乳の支援ガイド」（2019年改定版　厚生労働省）の離乳の支援の一部である。（　A　）～（　D　）にあてはまる語句の正しい組み合わせを一つ選びなさい。**

離乳の開始とは、（　A　）の食物を初めて与えた時をいう。開始時期の子どもの発達状況の目安としては、（　B　）のすわりがしっかりして寝返りができ、5秒以上座れる、スプーンなどを口に入れても（　C　）ことが少なくなる（哺乳反射の減弱）、食べ物に興味を示すなどがあげられる。その時期は生後（　D　）頃が適当である。ただし、子どもの発育及び発達には個人差があるので、月齢はあくまでも目安であり、子どもの様子をよく観察しながら、親が子どもの「食べたがっているサイン」に気がつくように進められる支援が重要である。

（組み合わせ）

	A	B	C	D
1	舌でつぶせる状態	腰	舌で押し出す	3～4か月
2	舌でつぶせる状態	腰	舌で押し出す	5～6か月
3	歯ぐきでつぶせる状態	首	噛む	3～4か月
4	なめらかにすりつぶした状態	首	舌で押し出す	5～6か月
5	なめらかにすりつぶした状態	首	噛む	3～4か月

問題8　**次のうち、幼児の食生活に関する記述として、適切なものを○、不適切なものを×とした場合の正しい組み合わせを一つ選びなさい。**

A　ほとんどの子どもは3歳頃になるまでにすべての乳歯が生え揃う。

B　スプーンやフォークの握り方は、手のひら握り、鉛筆握り、指握りへと発達していく。

C　唾液中には、でんぷん分解酵素のプチアリンが含まれる。

D　「楽しく食べる子どもに～食からはじまる健やかガイド～」（平成16年　厚生労働省）における「発育・発達過程に応じて育てたい“食べる力”」の一つとして、幼児期では「家族や仲間と一緒に食べる楽しさを味わう」をあげている。

（組み合わせ）

	A	B	C	D
1	○	○	×	×
2	○	×	○	○
3	○	×	×	○
4	×	○	○	×
5	×	×	○	×

問題9　**次のうち、「学校給食法」に示された「学校給食の目標」として、正しいものを○、誤ったものを×とした場合の正しい組み合わせを一つ選びなさい。**

A　日本の食料自給率を向上させること。

B　適切な栄養の摂取による体力の向上を図ること。

C　食生活が自然の恩恵の上に成り立つものであることについての理解を深め、生命及び自然を尊重する精神並びに環境の保全に寄与する態度を養うこと。

D　食料の生産、流通及び消費について、正しい理解に導くこと。

（組み合わせ）

	A	B	C	D
1	○	○	×	○
2	○	×	×	×
3	×	○	○	×
4	×	○	×	○
5	×	×	○	○

問題10　次のうち、学童期・思春期の肥満とやせに関する記述として、適切なものの組み合わせを一つ選びなさい。

A　「令和３年度学校保健統計調査」（文部科学省）における小学校の肥満傾向児の割合は、男女ともに２％未満である。

B　神経性やせ症（神経性食欲不振症）の思春期女子の発症頻度は、思春期男子と差がない。

C　小児期のメタボリックシンドロームの診断基準における腹囲の基準は、男女とも同じである。

D　学童期・思春期の体格の判定は、性別・年齢別・身長別の標準体重に対しての肥満度を算出し、肥満度が20％以上の場合を肥満傾向児とする。

（組み合わせ）

1　A　B
2　A　C
3　A　D
4　B　C
5　C　D

問題11　次のうち、妊娠期の栄養と食生活に関する記述として、適切なものを○、不適切なものを×とした場合の正しい組み合わせを一つ選びなさい。

A　「日本人の食事摂取基準（2020年版）」（厚生労働省）において、妊婦にカルシウムの付加量は設定されていない。

B　「妊産婦のための食事バランスガイド」（令和３年　厚生労働省）において、妊娠中期の１日分付加量は、主食、副菜、主菜、牛乳・乳製品、果物の５つの区分すべてにおいて、＋1（SV：サービング）である。

C　妊娠期間中の推奨体重増加量は、妊娠前の体格別に設定されている。

D　妊娠中は胎児のために安静にし、ウォーキングなどの運動はしないようにする。

（組み合わせ）

	A	B	C	D
1	○	○	○	×
2	○	○	×	○
3	○	×	○	×
4	×	○	×	○
5	×	×	○	○

問題12　次の文は、「食育基本法」の前文の一部である。（　Ａ　）・（　Ｂ　）にあてはまる語句を【語群】から選択した場合の正しい組み合わせを一つ選びなさい。

子どもたちに対する食育は、心身の成長及び人格の形成に大きな影響を及ぼし、生涯にわたって（　Ａ　）を培い（　Ｂ　）をはぐくんでいく基礎となるものである。

【語群】

ア　生きる力	イ　健全な心と身体	ウ　適切な判断力
エ　豊かな人間性	オ　「食」を選択する力	

（組み合わせ）

	A	B
1	ア	ウ
2	ア	エ
3	イ	エ
4	イ	オ
5	ウ	オ

問題13　次のうち、「第４次食育推進基本計画」（令和３年　農林水産省）の３つの重点事項として、適切なものの組み合わせを一つ選びなさい。

A　持続可能な食を支える食育の推進

B　家庭における共食を通じた子どもへの食育の推進

C　「新たな日常」やデジタル化に対応した食育の推進

D　若い世代を中心とした食育の推進

E　生涯を通じた心身の健康を支える食育の推進

（組み合わせ）

1	A	B	C
2	A	C	D
3	A	C	E
4	B	C	D
5	B	D	E

問題14　次のうち、「保育所保育指針」第３章「健康及び安全」２「食育の推進」の一部として、正しいものを○、誤ったものを×とした場合の正しい組み合わせを一つ選びなさい。

A　子どもと調理員等との関わりや、調理室など食に関わる保育環境に配慮すること。

B　栄養士が配置されている場合は、専門性を生かした対応を図ること。

C　食事の提供を含む食育計画を全体的な計画に基づいて作成し、その評価及び改善に努めること。

D　保育所における食育は、健康な生活の基本としての「生きる力」の育成に向け、その基礎を培うことを目標とすること。

（組み合わせ）

	A	B	C	D
1	○	○	○	×
2	○	○	×	○
3	○	×	○	○
4	×	○	○	×
5	×	×	×	○

問題15　次のうち、大豆からできる食べ物として、不適切なものを一つ選びなさい。

1　しょうゆ

2　豆苗

3　きな粉

4　油揚げ

5　豆乳

問題16　次のうち、「家庭でできる食中毒予防の６つのポイント」（厚生労働省）に関する記述として、不適切な記述を一つ選びなさい。

1　表示のある食品は、消費期限などを確認し、購入する。

2　食中毒予防の三原則は、食中毒菌を「付けない、増やさない、やっつける（殺す）」である。

3　購入した肉・魚は、水分のもれがないように、ビニール袋などにそれぞれ分けて包み、持ち帰る。

4　残った食品は、早く冷えるように浅い容器に小分けして保存する。

5　冷蔵庫は、15℃以下に維持することが目安である。

問題17　次のうち、「食品による子どもの窒息・誤嚥（ごえん）事故に注意！」（令和３年１月　消費者庁）の窒息・誤嚥（ごえん）事故防止に関する記述として、適切なものを○、不適切なものを×とした場合の正しい組み合わせを一つ選びなさい。

A　硬い豆やナッツ類を乳幼児に与える場合は、小さく砕いて与える。

B　食べているときは、姿勢をよくし、食べることに集中させる。

C　節分の豆まきは個包装されたものを使用するなど工夫して行い、子どもが拾って口に入れないように、後片付けを徹底する。

D　ミニトマトやブドウ等の球状の食品を乳幼児に与える場合は、４等分する、調理して軟らかくするなどして、よく噛んで食べさせる。

（組み合わせ）

	A	B	C	D
1	○	○	○	○
2	○	×	○	×
3	×	○	○	○
4	×	○	×	○
5	×	×	×	×

問題18 **次のうち、食品ロス及び食料自給率に関する記述として、適切なものを○、不適切なものを×とした場合の正しい組み合わせを一つ選びなさい。**

A 「食品ロス」とは、本来食べられるのに捨てられてしまう食品のことをいう。

B 食品ロスを減らすための例として、陳列されている商品を奥からとらずに、賞味期限が切れるのが早い順番に買うことがあげられる。

C 「令和３年度食料需給表」(農林水産省) による、日本の供給熱量ベースの総合食料自給率は約60%である。

D 令和２年度の食品ロス量推計値 (農林水産省) では、家庭系食品ロス量 (各家庭から発生する食品ロス) の方が、事業系食品ロス量 (事業活動を伴って発生する食品ロス) よりも多い。

(組み合わせ)

	A	B	C	D
1	○	○	○	×
2	○	○	×	×
3	○	×	×	○
4	×	○	×	×
5	×	×	○	○

問題19 **次のうち、乳児ボツリヌス症の原因となる食品として、１歳を過ぎるまで与えてはいけない食品を一つ選びなさい。**

1 卵

2 レバー

3 バター

4 はちみつ

5 白身魚

問題20 **次のうち、食物アレルギーに関する記述として、適切なものの組み合わせを一つ選びなさい。**

A 「食品表示法」により容器包装された加工食品において、アレルギー表示が義務づけられている原材料は、卵、乳、小麦、大豆の４品目である。

B 卵アレルギーの場合、基本的に鶏肉は除去する必要はない。

C 食物アレルギーであっても、離乳食の開始や進行を遅らせる必要はない。

D アレルギーを起こす原因物質をアナフィラキシーという。

(組み合わせ)

1 A B
2 A C
3 A D
4 B C
5 C D

保育実習理論

問題1　次の曲の伴奏部分として、A～Dにあてはまるものの正しい組み合わせを一つ選びなさい。

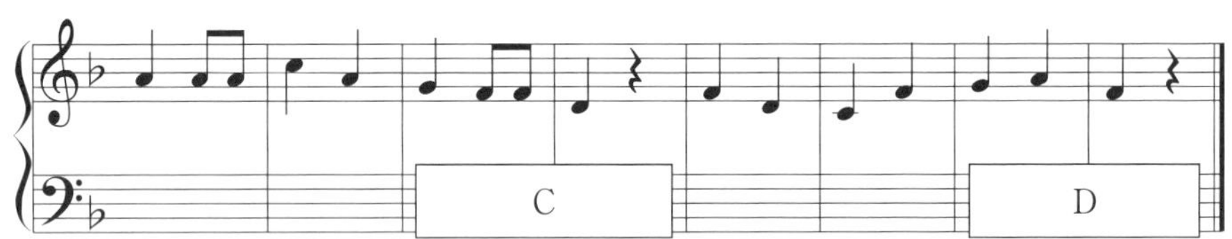

ア 

イ 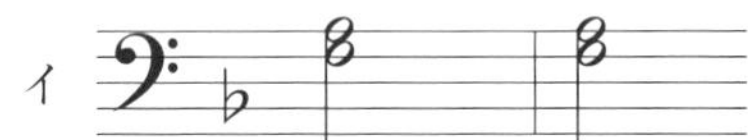

ウ 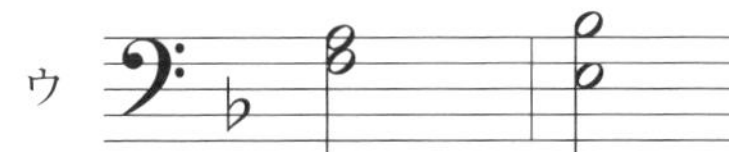

エ

（組み合わせ）

	A	B	C	D
1	ア	ウ	イ	エ
2	イ	ア	ウ	エ
3	イ	ウ	エ	ア
4	ウ	ア	エ	イ
5	ウ	エ	イ	ア

問題2　次のA～Dの音楽用語の意味を【語群】から選択した場合の正しい組み合わせを一つ選びなさい。

A　dim.

B　andante

C　D.S.

D　rit.

【語群】

ア　コーダにとぶ	イ　やさしく	ウ　少し弱く
エ　だんだん遅く	オ　ゆっくり歩くような速さで	カ　だんだん弱く
キ　セーニョに戻る	ク　強く	ケ　音を短く切って
コ　中ぐらいの速さで		

（組み合わせ）

	A	B	C	D
1	エ	オ	ア	ケ
2	エ	コ	キ	ウ
3	カ	イ	ア	エ
4	カ	オ	キ	エ
5	コ	イ	ク	オ

問題3　次の楽譜から長三和音（メジャーコード）を抽出した正しい組み合わせを一つ選びなさい。

（組み合わせ）

1	ア	イ	エ
2	ア	ウ	カ
3	イ	エ	オ
4	イ	エ	カ
5	ウ	オ	カ

問題4　次の曲を４歳児クラスで歌ってみたところ、最高音が歌いにくそうであった。そこで短３度下げて歌うことにした。その場合、下記のコードはどのように変えたらよいか。正しい組み合わせを一つ選びなさい。

（組み合わせ）

	F	Am	B♭6
1	E♭	Gm	A6
2	E♭	Gm	A♭6
3	D	Fm	G♭6
4	D	F♯m	G6
5	C	Em	F6

問題5　次のリズムは、ある曲の歌い始めの部分である。それは次のうちのどれか、一つ選びなさい。

1 春の小川（文部省唱歌、作詞：高野辰之　作曲：岡野貞一）

2 かたつむり（文部省唱歌）

3 春がきた（文部省唱歌、作詞：高野辰之　作曲：岡野貞一）

4 虫のこえ（文部省唱歌）

5 茶つみ（文部省唱歌）

問題6　**次のうち、不適切なものを一つ選びなさい。**

1 『赤い鳥』は、大正時代に鈴木三重吉が創刊した雑誌である。

2 マザーグースとは、イギリスの伝承童謡である。

3 大太鼓や小太鼓は、膜鳴楽器である。

4 「むすんでひらいて」の旋律を作曲したのは、ルソー（Rousseau, J.-J.）である。

5 移調とは、曲の途中で、調が変化することである。

問題7　**次の文は、「保育所保育指針」第２章「保育の内容」３「３歳以上児の保育に関するねらい及び内容」オ「表現」の一部である。（　A　）～（　C　）にあてはまる語句の正しい組み合わせを一つ選びなさい。**

豊かな感性は、身近な（　A　）と十分に関わる中で美しいもの、優れたもの、心を動かす出来事などに出会い、そこから得た（　B　）を他の子どもや保育士等と共有し、様々に表現することなどを通して養われるようにすること。その際、（　C　）の音や雨の音、身近にある草や花の形や色など自然の中にある音、形、色などに気付くようにすること。

（組み合わせ）

	A	B	C
1	自然	感動	風
2	自然	情報	虫
3	環境	知識	波
4	環境	感動	風
5	自然	知識	虫

問題8　**次のうち、幼児期の描画表現の発達に関する記述として、適切な記述を○、不適切な記述を×とした場合の正しい組み合わせを一つ選びなさい。**

A 描画表現において見られる地面のような線（基底線表現）は、空間認識の表れや描かれているものの位置関係の表現と考えることができる。

B 人物表現の初期に見られる、頭から手足が出ているような表現は、一般的に「頭足人」とよばれる。

C 描画表現の発達段階については、発達の指標と考え、年齢段階に達するための技術指導を行う。

D 描画表現の発達は、文化的な影響が強いため、海外の幼児の描画発達との共通性は見られない。

（組み合わせ）

	A	B	C	D
1	○	○	○	×
2	○	○	×	×
3	○	×	×	○
4	×	○	○	○
5	×	○	×	○

問題9 **次の【事例】を読んで、【設問】に答えなさい。**

【事例】

子どもたちが透明な容器に水を入れ、絵の具をつけた筆を入れて色水を作って遊んでいます。その様子を見ながら、新任のP保育士（以下、P）と主任のQ保育士（以下、Q）が話し合っています。

P：Mさんは、黄色のついた筆と、同じ量の（　A　）色のついた筆を水の入った容器に入れて、よくかき混ぜました。すると、きれいな橙色になりました。

Q：きれいな橙色になったのは、（　B　）色同士を混ぜたからですね。

P：Nさんは、（　C　）色のついた筆と、同じ量の黄色のついた筆を水の入った容器に入れて、よくかき混ぜたのですが、できた色は黒ずみました。

Q：黒ずんだのは、（　D　）関係に近い色を混ぜたからですね。混ぜ合わせる色同士を、色相環の中にイメージすると、どんな色が生まれるかが分かるようになりますね。

【設問】

（　A　）～（　D　）にあてはまる語句の正しい組み合わせを一つ選びなさい。

（組み合わせ）

	A	B	C	D
1	赤	類似	紫	補色
2	紫	反対	緑	補色
3	赤	類似	緑	補色
4	紫	反対	緑	対比
5	赤	類似	紫	対比

問題10 **次のうち、でんぷん糊の説明として、適切な記述を○、不適切な記述を×とした場合の正しい組み合わせを一つ選びなさい。**

A　主に、紙同士を接着する時に使われる。

B　天然の凝固物であるカゼインでできている。

C　古来より、穀物などを用いて作られてきた。

D　水と混ぜると硬化し固着する。

（組み合わせ）

	A	B	C	D
1	○	○	○	×
2	○	○	×	×
3	○	×	○	×
4	×	○	○	○
5	×	×	×	○

問題11 **次の【事例】を読んで、【設問】に答えなさい。**

【事例】

３歳児クラス担当のK保育士（以下、K）とY保育士（以下、Y）は、明日の保育についての打ち合わせをしています。

K：この前、ボードに絵を付着させて演じる（　A　）を子どもたちと一緒に楽しみましたが、明日は保育者のコスチュームが舞台となる（　B　）を使ってお話をしたいと思います。

Y：そうですね。フェルトで作った人形を使うので、演じた後に実際に触れることができるのがいいですね。（　C　）を使った人形の出し入れを、子どもたちもやってみたいと思うかもしれませんね。

K：子どもたちと演じる遊びを楽しむために、その他にも動かせる人形である（　D　）をいろいろな素材で作ってみたいと思います。

【設問】

（　A　）～（　D　）にあてはまる語句の正しい組み合わせを一つ選びなさい。

（組み合わせ）

	A	B	C	D
1	ペープサート	パネルシアター	ステープラー	パレット
2	ペープサート	パネルシアター	ポケット	パレット
3	パネルシアター	エプロンシアター	ポケット	パペット
4	パネルシアター	エプロンシアター	ステープラー	パペット
5	ペープサート	パネルシアター	ポケット	ペレット

問題12　切り紙遊びで図１のように紙を折って、図２の実線にはさみで切り込みを入れたのち、開くとできる模様として、図３の１～５のうち、正しいものを一つ選びなさい。（紙などを実際に折ったり切ったりしないで考えること。）

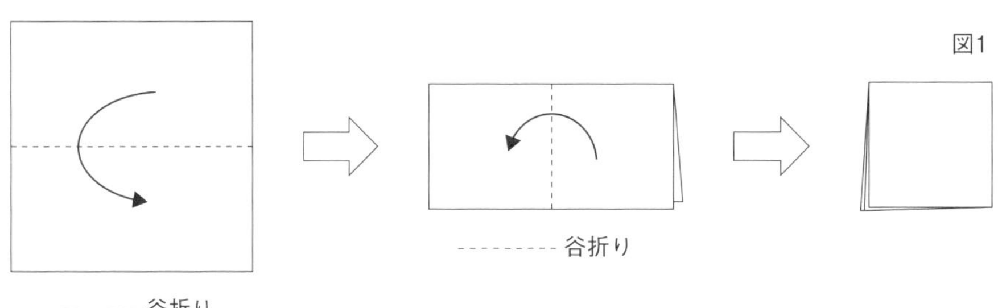

図2

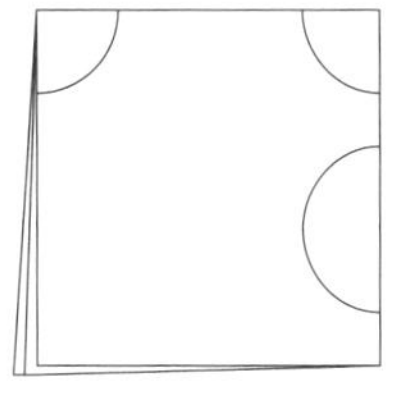

切り取り

図3

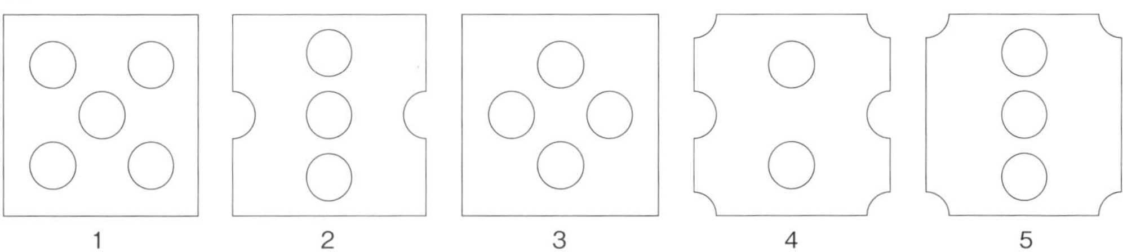

問題13 **次の【事例】を読んで、【設問】に答えなさい。**

【事例】

Ｐ保育所の施設長は、今年度の研修について検討している。現在、Ｐ保育所には、食育に関心があると日頃から話しているＫ保育士、保護者対応に困難を感じているＬ保育士、ダウン症の子どもを担当しているＭ保育士などが在籍している。

【設問】

次のうち、研修の取り組みとして、適切なものを○、不適切なものを×とした場合の正しい組み合わせを一つ選びなさい。

A 昨年度、食育の園外研修に参加したＫ保育士を食育の推進リーダーに任命し、園内研修で他の保育士に対して情報提供を行う機会を設ける。

B 保護者対応について園内研修としてカンファレンスを行うことにしたが、Ｌ保育士には守秘義務があるため自身が抱える事例に関しては触れないように伝える。

C 自治体が主催する知的障害・発達障害に関する今年度の研修会への参加募集の案内が届いたため、Ｍ保育士にのみ、その情報を伝える。

（組み合わせ）

	A	B	C
1	○	○	○
2	○	○	×
3	○	×	×
4	×	○	○
5	×	×	○

問題14 **次の【事例】を読んで、【設問】に答えなさい。**

【事例】

保育所に勤務して２年目になるＳ保育士は、５歳児クラスの担当をしている。昼食の前にクラスで絵本の読み聞かせをしている時に、Ｔ君は興味が続かず、一人で廊下に飛び出してしまい、Ｓ保育士が何度声を掛けても、保育室に戻らないことがたびたびあった。

【設問】

次のうち、絵本の読み聞かせの際のＳ保育士の対応として、適切なものを○、不適切なものを×とした場合の正しい組み合わせを一つ選びなさい。

A Ｔ君が絵本に集中できるように、掲示物がないシンプルな壁などを背景にして、読み聞かせを行う。

B Ｔ君の様子を見守りつつすぐに声を掛けられるように、Ｓ保育士の近くにＴ君が座れるよう配慮する。

C 飛び出しそうになったら、Ｔ君をすぐに厳しく注意する。

D 読み聞かせをしている時には、Ｓ保育士はその場を離れられないので、月齢が高く、クラスのリーダー的役割を担っている子どもに、毎回Ｔ君を追いかけてもらうように頼む。

（組み合わせ）

	A	B	C	D
1	○	○	×	×
2	○	×	○	×
3	○	×	×	○
4	×	○	×	×
5	×	×	○	○

問題15 **次のうち、「保育所保育指針」第２章「保育の内容」２「１歳以上３歳未満児の保育に関わるねらい及び内容」エ「言葉」の内容に照らし、適切なものを○、不適切なものを×とした場合の正しい組み合わせを一つ選びなさい。**

A 子どもは、応答的な大人との関わりによって、自ら相手に呼びかけたり、承諾や拒否を表す片言や一語文を話したり、言葉で言い表せないことは指差しや身振りなどで示したりして、親しい大人に自分の欲求や気持ちを伝えようとする。

B 子どもは、保育所での集団生活を送る中で、様々な生活に必要な言葉に出会う。例えば「マンマ」や「ネンネ」など、生活習慣や慣れ親しんだ活動内容を表す言葉がある。一方、「散歩」「着替える」などのように、毎日の同じ生活場面で繰り返し耳にすることで、次第に気付くようになる言葉もある。

C 子どもは、家庭や地域の生活の中で、文字などの記号の果たす役割とその意味を理解するようになると、自分でも文字などの記号を使いたいと思うようになる。また、保育所の生活においては、複数のクラスや保育士等、さらには、多くの友達などがいるために、その所属や名前の文字を読んだり、理解したりすることが必要になる。

D 「当番の仕事」という言葉を耳にしても初めは何をどうすることなのか理解できない子どもも、保育士等や友達と一緒に行動することを通して、次第にその言葉を理解し、戸惑わずに行動できるようになっていく。

（組み合わせ）

	A	B	C	D
1	○	○	○	×
2	○	○	×	×
3	○	×	○	×
4	×	○	○	○
5	×	×	×	○

問題16 **次の【事例】を読んで、【設問】に答えなさい。**

【事例】

M保育所は、この地域で唯一休日保育を実施している認可保育所である。現在、M保育所の所長は、災害発生時等の保育所の安全対策や対応についての確認を行っているところである。

【設問】

次のうち、安全対策の取り組みとして、適切なものを○、不適切なものを×とした場合の正しい組み合わせを一つ選びなさい。

A 園庭にある遊具は、毎年専門の業者に点検に来てもらっているため、保育士は点検しない。

B 毎年運動会で使用する入退場門が園舎の横に置かれていたが、子どもが避難する際の避難経路の幅が確保できないため、撤去することとした。

C 休日保育は、通常保育とは勤務する保育士の人数が異なるため、休日保育を想定した避難訓練を計画する必要はない。

（組み合わせ）

	A	B	C
1	○	○	×
2	○	×	×
3	×	○	○
4	×	○	×
5	×	×	○

問題17 **次のうち、保育所で保育実習を行っている実習生Jさんの行動や態度として、適切なものを○、不適切なものを×とした場合の正しい組み合わせを一つ選びなさい。**

A 実習日誌の園児の個人の記録は詳細に書かなければならないため、子どもの氏名や家族構成、連絡先なども必ず書く。

B 保育者同士の連携が必要なので、帰り道にカフェなどを利用して、同じ期間に実習しているKさんと実習日誌を見せ合い、担当している子どもや家族についての情報交換を行う。

C 実習日誌に書いたことが正しいかわからないときは、ＳＮＳに実習先の保育所の情報や日誌の具体的な内容を書き込みし、色々な人から意見をもらって指摘してもらう。

D 実習先の子どもを街中で見かけた時には、積極的に声をかけ、その子どもの保育所での様子などを保護者に伝え、子どもへの接し方を改善するよう指導する。

（組み合わせ）

	A	B	C	D
1	○	○	×	×
2	○	×	○	○
3	○	×	×	○
4	×	○	○	×
5	×	×	×	×

問題18 **次のうち、保育場面で紙芝居を演じる際の留意点等として、適切な記述を○、不適切な記述を×とした場合の正しい組み合わせを一つ選びなさい。**

A 場面に応じて、ぬき方のタイミングを工夫する。

B 声の大きさ、強弱、トーンなどの演出はしない。

C 演じ手は子どもの反応を受け止めずに進める。

D 舞台や幕を使うことが効果的である。

（組み合わせ）

	A	B	C	D
1	○	○	○	○
2	○	○	×	×
3	○	×	×	○
4	×	×	○	○
5	×	×	×	×

問題19 **次の【事例】を読んで、【設問】に答えなさい。**

【事例】

Ｓちゃん（７歳、女児）は、児童養護施設で生活している。実習生のＭさんが実習を始めた当初は、声をかけると穏やかに応答していたが、しばらく経つと「早く来てよ」「これ終わるまで一緒にいてくれないとダメ」などと強い命令口調で言うようになった。ＭさんがＳちゃんの要求に応えないと「なんでよ！　もうここに来ないで！」などと怒鳴る一方で、翌日には抱っこをせがむこともある。ある日、Ｓちゃんがぬいぐるみを投げたことを注意したところ、Ｓちゃんは「お姉さん嫌い！　お姉さんもどうせ私のこと嫌いなんでしょ！」と言って泣き出し、近くにあった他のぬいぐるみも投げ続けた。

【設問】

次のうち、実習生Ｍさんがとるべきちゃんへの対応として、適切なものを○、不適切なものを×とした場合の正しい組み合わせを一つ選びなさい。

A「あなたがぬいぐるみを投げたことが悪いんでしょう」と伝える。

B「Ｓちゃんが良い子にしていれば、みんなあなたのことを好きになるんだよ」と伝える。

C Ｓちゃんが落ち着くまでしばらく見守りながら一緒にいる。

D Ｓちゃんの言動について、その日の実習終了時に実習指導者に相談する。

（組み合わせ）

	A	B	C	D
1	○	○	○	×
2	○	×	○	×
3	×	○	×	○
4	×	×	○	○
5	×	×	×	×

問題20 **次の【事例】を読んで、【設問】に答えなさい。**

【事例】

児童養護施設のグループホームで実習をしているＧさんは、Ｕさん（高校２年生、女児）から次のような相談を受けた。Ｕさんが、担当のＰ保育士に「高校卒業後に進学したい」と相談したところ、Ｐ保育士からは「親族の経済的な支援が期待できない中、学費について苦労をするから就職する方向で検討した方が良いと思うよ」と言われたため、「どうしたら良いかわからない」とのことだった。なお、実習開始時からＧさんは、Ｑ実習指導者に指導を受けている。

【設問】

次のうち、ＧさんのＵさんへの対応として、適切な記述を○、不適切な記述を×とした場合の正しい組み合わせを一つ選びなさい。

A Ｐ保育士はＵさんのことを思い助言しているのだから、就職するよう伝える。

B 相談内容について、Ｑ実習指導者に伝えても良いかＵさんに確認する。

C Ｕさんの気持ちを理解しようと努める。

D「親族も支援してくれないのはひどいよね」と話す。

（組み合わせ）

	A	B	C	D
1	○	○	○	×
2	○	○	×	×
3	○	×	×	○
4	×	○	○	×
5	×	×	○	○

保育士試験

2024（令和６）年 前期

〈正答・解説〉

科目	問題番号	正答番号
①保育の心理学	問題 1	4
	問題 2	3
	問題 3	4
	問題 4	4
	問題 5	3
	問題 6	5
	問題 7	3
	問題 8	2
	問題 9	4
	問題 10	1
	問題 11	3
	問題 12	5
	問題 13	3
	問題 14	1
	問題 15	4
	問題 16	2
	問題 17	5
	問題 18	2
	問題 19	5
	問題 20	2
②保育原理	問題 1	5
	問題 2	4
	問題 3	2
	問題 4	1
	問題 5	5

科目	問題番号	正答番号
②保育原理	問題 6	5
	問題 7	4
	問題 8	5
	問題 9	3
	問題 10	3
	問題 11	1
	問題 12	3
	問題 13	3
	問題 14	3
	問題 15	2
	問題 16	4
	問題 17	2
	問題 18	2
	問題 19	1
	問題 20	3
③子ども家庭福祉	問題 1	2
	問題 2	2
	問題 3	3
	問題 4	4
	問題 5	1
	問題 6	1
	問題 7	3
	問題 8	3
	問題 9	5
	問題 10	2

科目	問題番号	正答番号
③子ども家庭福祉	問題 11	5
	問題 12	3
	問題 13	5
	問題 14	4
	問題 15	4
	問題 16	1
	問題 17	2
	問題 18	3
	問題 19	5
	問題 20	2
④社会福祉	問題 1	1
	問題 2	5
	問題 3	1
	問題 4	1
	問題 5	2
	問題 6	1
	問題 7	1
	問題 8	2
	問題 9	3
	問題 10	1
	問題 11	4
	問題 12	1
	問題 13	5
	問題 14	2
	問題 15	5

科目	問題番号	正答番号
④社会福祉	問題 16	4
	問題 17	3
	問題 18	5
	問題 19	4
	問題 20	5
⑤教育原理	問題 1	4
	問題 2	5
	問題 3	4
	問題 4	1
	問題 5	2
	問題 6	5
	問題 7	4
	問題 8	3
	問題 9	2
	問題 10	5
⑥社会的養護	問題 1	2
	問題 2	4
	問題 3	1
	問題 4	1
	問題 5	1
	問題 6	4
	問題 7	3
	問題 8	2
	問題 9	4
	問題 10	5
⑦子どもの保健	問題 1	4
	問題 2	3
	問題 3	4
	問題 4	3
	問題 5	1

科目	問題番号	正答番号
⑦子どもの保健	問題 6	5
	問題 7	3
	問題 8	3
	問題 9	3
	問題 10	1
	問題 11	2
	問題 12	3
	問題 13	2
	問題 14	1
	問題 15	2
	問題 16	1
	問題 17	3
	問題 18	2
	問題 19	2
	問題 20	4
⑧子どもの食と栄養	問題 1	1
	問題 2	5
	問題 3	4
	問題 4	1
	問題 5	2
	問題 6	3
	問題 7	4
	問題 8	2
	問題 9	5
	問題 10	5
	問題 11	3
	問題 12	3
	問題 13	3
	問題 14	1
	問題 15	2

科目	問題番号	正答番号
⑧子どもの食と栄養	問題 16	5
	問題 17	3
	問題 18	2
	問題 19	4
	問題 20	4
⑨保育実習理論	問題 1	3
	問題 2	4
	問題 3	4
	問題 4	4
	問題 5	3
	問題 6	5
	問題 7	4
	問題 8	2
	問題 9	1
	問題 10	3
	問題 11	3
	問題 12	2
	問題 13	3
	問題 14	1
	問題 15	2
	問題 16	4
	問題 17	5
	問題 18	3
	問題 19	4
	問題 20	4

保育の心理学

問題1　正答　4

A ボウルビィ（Bowlby, J.）　ボウルビィは、子どもが養育者との間に親密な関係を維持しながら社会的・精神的な発達をしていくという愛着理論を提唱した。アタッチメント（愛着）とは、特定の人物にくっつくという形で示される、子どもから特定の人物への永続的で強固な絆のことである。

B 自動的　アタッチメント行動は、乳児が不安や不快を感じると自動的に生じる。自らの意思によって意図的に生じる訳ではないため随意的は間違いである。

C 沈静化　アタッチメント行動は、特定の人物から慰めや世話を受けることによって、安心感や安全感が取り戻されると沈静化する。

D 行動制御システム　行動制御システムとは、乳児が不安や不快を感じる際にアタッチメント行動が自動で生じ、安心感を取り戻すと沈静化する働きのことである。

問題2　正答　3

A ○　聴覚については、胎児期7か月頃から発達していることが分かっている。生後間もない乳児でも、母語とそれ以外の言語を聞き分けられるのは、養育者の話し声から、その言語特有のリズムパターンを学習しているからであると考えられる。

B ×　乳児の聴覚機能は胎児期から発達しているのに対して、視覚機能は、誕生直後に0.02程度の視力しかなく数10cmの距離までしか見えておらず、生後1年までに徐々に発達していく。

C ×　乳児の音の好み（聴覚的選好）を調べた研究結果では、女性の高い音域の声によく反応することが分かっている。大人が乳児に対して話しかけるときの、抑揚のある高い声での独特な語り方をマザリーズ（育児語）という。

D ○　乳児に、同じ刺激を反復提示すると、慣れてきて注意が低下し反応時間が減少することを馴化という。

問題3　正答　4

A ×　誤信念課題は、サリー・アンの課題がよく知られている。3歳児は正答できず、4歳以降に徐々に正答率が高まる。

B ○　自閉スペクトラム症の場合、知的な遅れがないのに誤信念課題の成績が低いことがあり、心の理論の獲得に困難があることが注目された。これは、障害の特徴である想像力の欠如と関連していると考えられる。

C ○　共同注意（ジョイント・アテンション）とは、養育者と乳児が絵本などの同じものを見ており、子どもの側に養育者も自分と同じものを見ているという認識がある状態である。生後9か月頃には生じ、心の理論の前段階であると考えられる。

D ○　心の理論とは、他者の行動からその背後にある心的状態を推測し、その次の行動を予測するための理論である。心の理論を獲得した子どもは、相手の行動を理解したり予測したりすることが可能となる。

問題4　正答　4

A イ　自分で自分の身体に触れているとき、触れている感覚と触れられている感覚がすることをダブルタッチという。それに対して、ダブルバインド（二重拘束）とは、子どもが養育者などから矛盾したメッセージを受けることによって混乱することをいうため間違いである。

B ウ　乳児は、生後間もない時期から、舌出しや口の動きなど、他者に示された表情と同じ表情をすることができる。これを共鳴動作というが、相手に自分の行動を合わせるという意味では社会的反応といえる。

C キ　1歳半頃から、子どもは大人と同じようなことをやりたがったり、大人に対してことごとく「イヤ」と言って頑として譲らなかったりするなど自己主張が強くなる。これをイヤイヤ期ということもある。

D ク　ルイスは、情動は、運動・認知・自己の発達と関連しながら分化していく、という考え方を提唱した。子どもの鼻に口紅をつけて鏡を見たときに鼻を触るかどうかを調べるマークテストを用いて自己の発達を調べた結果、鏡像を自分の姿であると認識するようになるのは1歳半くらいであることが分かった。

問題5 正答 3

A ○ 二足歩行ができるようになると、子どもの行動範囲は広がり、２歳頃にはその場で跳んだり、片足立ちができるようになる。３歳頃には立つ、走るなどの基本的動作がほぼ完成し、４歳ころには片足ケンケンなど難度の高い運動もできるようになる。

B × 乳児の運動機能の発達は、頭部から尾部へ、身体の中心から末梢へ、歩く・走る・跳ぶなどの粗大運動から手指を使った微細運動へという発達の方向性と順序がある。

C ○ ４～５歳頃になると、運動パターンの主要な構成要素が身につき、自分の運動をコントロールし、調和のとれたリズミカルな動きができるようになる。コントロール力が向上することで、幼児期には運動パターンのバリエーションも増加する。

D × 一般に、運動遊びを好み、日常的にいろいろな種類の運動遊びをしている幼児の運動能力の水準は高い。幼児期の運動能力を測定するために、幼児運動能力検査がある。この検査は、25m走、立ち幅跳び、ボール投げ、体支持持続時間、両足連続跳び越し、捕球などの種目からなっている。

問題6 正答 5

A エ ヴィゴツキー（Vygotsky, L.S.）は、子どもの認知発達には二つの水準が存在するとした。一つは、他者の援助がなくても独力で遂行できる現在の発達水準で、もう一つは大人や友だちの援助があればできる水準である。この二つの水準の間を発達の最近接領域と呼んだ。

B ウ パブロフ（Pavlov, I.P.）はイヌにベルの音を聞かせて唾液分泌を調べる実験を用いて、条件反射のメカニズムによって行動の変化を説明するレスポンデント条件づけ（古典的条件づけ）を提唱した。日常的な例として、レモンを見ると唾液が出るといったことが挙げられる。

C オ バンデューラ（Bandura, A.）は、経験をしていなくても他者の行動を観察するだけで学習者の行動が変化するというモデリング（模倣）を提唱した。この学習様式を観察学習といい、子どもの攻撃的な行動パターンの観察学習の実験が有名である。

D ク 「学び」の捉え方（学習観）については、学びの中心に教師を置く「教師中心」の行動主義から、学びを「知識の構築過程」と捉え、子どもを自らの知識を構築していく能動的な存在と考え、学びの中心に子どもを置く「子ども中心」の構成主義に転換してきた。

問題7 正答 3

1 ○ Rちゃんは積み木を高く積み、「いち、に、さん、よん、ご……じゅう」と自分が積んだ積み木を数えて、Mちゃんに対して「10個も積めた」と話しかけている。これは計数を学んでいると考えられる。

2 ○ Rちゃんは「四角い積み木を下に置いて、その上に三角の積み木を置くと、グラグラしないよ」とMちゃんに教え、その後、Mちゃんは、四角い積み木を持ってきて四角い積み木の上に三角の積み木を積んだ。これは形の認識を学んだことを示している。

3 × 事例の中に計算に関する学びは出てきていないため、間違いである。

4 ○ MちゃんがRちゃんに「四角い積み木の上に三角の積み木を置いたらお家みたいだね」と言い、いくつかの四角い積み木の上にそれぞれ三角の積み木を積んだ。これは上下という空間に関する感覚を学んでいると考えられる。

5 ○ Rちゃんは「Mちゃんのお家の右側に道を作って、左側に他のお家を作ろう」とMちゃんに伝え、Mちゃんは「道の横にも、お家を作ろうよ」と言っているため、左右という空間に関する感覚を学んでいると考えられる。

問題8 正答 2

A ○ 幼児は、遊びや生活において様々な問題に直面した際に、友だちの作り方を見て参考にしたり、自分で材料を工夫したりして、試行錯誤する様子が見られる。これは、他者の行動をモデリングする観察学習と試行錯誤による問題解決である。

B ○ 問題解決とは、問題状況に直面したとき、「こうしたい」という目標をもち、手段や方法を見い出すために考えて実行し、目標達成状況に移行しようとすることである。

C × 幼児が問題解決をしようとしているとき、保育士は幼児の気持ちに寄り添い、幼児が自分で解決できそうなときには見守り、援助が必要なときには解決策を提示することもある。

D × 遊びにおける問題解決場面は、幼児の思考力が促される機会となり得る。幼児の思考の特徴として、まだ論理的な思考は苦手で、見かけへのとらわれやすさや自己中心性（中心化）などがあげられる。

問題9 正答 4

A × ピアジェによると、善悪の判断は、行為の結果を重視する判断から、行為の意図を重視する判断へと移行するとされている。10歳以上になると、より柔軟な考えができるようになり、行為の意図によって善悪を判断できるようになる。

B × 学童期にはギャング・グループと呼ばれる小集団を形成する。この集団は、多くの場合、男児にみられ、同性、同年齢のメンバーで構成され、強い閉鎖性や排他性をもち、大人からの干渉を極力避けようとする。一方、女児によくみられるものとしてチャムグループがある。ピアグループは高校生くらいからみられるものである。

C ○ 学童期は、ピアジェの発達段階説の具体的操作期にあたり、大きさや長さなどの保存概念を獲得し、外見的特徴や見かけに左右されずに、物事を論理的に考えて理解することができるようになっていく。

D ○ エリクソン（Erikson, E.H.）の発達段階説は、学童期の心理社会的危機を「勤勉性　対　劣等感」としている。これは、規則に従い、秩序に合わせ、自主的に努力をするなど、勤勉性が生まれるが、結果につながらないと劣等感を持つという特徴がある。

問題10 正答 1

A オ 青年は、自己探求の過程で「自分」という存在を問い続けることで、アイデンティティを確立していく。その中で自分の存在意義や社会的役割を見失うことも多々ある。これは多くの青年が一時的に経験する自己喪失の状態である。

B ア アイデンティティ拡散には、現在までに危機を経験していない危機前の状態と、経験したにもかかわらず確立していない危機後の状態がある。

C エ マーシア（Marcia, J.E.）は、アイデンティティを獲得する過程において、危機と積極的関与に着目し、アイデンティティ・ステイタスを「アイデンティティ達成」「早期完了（権威受容）」「モラトリアム」「アイデンティティ拡散」の４つに分類した。

D イ 早期完了（権威受容）は、今までに危機を経験することなく、何かに積極的関与をしている状態とされる。自分の目標と親の目標の間に不協和がなく、どんな経験も幼児期以来の信念を補強するだけになっているという特徴がある。

問題11 正答 3

1 × フレイルとは、病気ではないが、年齢とともに筋力や心身の活力が低下し、介護が必要になりやすい、健康と要介護の間の虚弱な状態のことをさしている。要支援や要介護に移行する危険性もあるため、食事や運動などの生活習慣に注意しながら予防することが必要である。

2 × 機能を使わないことによる衰えは、身体面だけでなく脳の認知機能や心理面にもみられる。そのため高齢期においては、意識的に身体機能を活性化するだけでなく、積極的に人と接するなど、社会性を失わないよう注意することが重要である。

3 ○ バルテス（Baltes, P.B.）らは人の一生における発達を「選択」「最適化」「補償」という３つの集合体であるとする生涯発達理論を提唱した。その中で、「補償を伴う選択的最適化」とは、身体機能、認知機能、対人関係が衰退したときに、労力や時間を使う領域や対象を選択し、望む方向へ機能を高める資源を獲得または調整し、新たな工夫をして補うというものである。

4 × 知能は流動性知能と結晶性知能という二つの主要な一般因子で構成されるというキャッテルら（Cattell, R.B.）が提唱した考え方に基づくと、結晶性知能よりも流動性知能のほうが、低下し始める時期が早い。流動性知能は神経系の機能に関連するため成人に達する前後にピークに達し、結晶性知能は語彙の豊富さや経験の蓄積に関連するため高齢になっても維持されやすい。

5 × コンボイ・モデルとは、個人のネットワーク構造を表す用語である。同心円の内側ほど親友や配偶者など身近で頼りにできる重要な他者を、外側ほど同僚や隣人など社会的な役割による人物を示す。加齢に伴って、配偶者や友人の死などにより、高齢者のコンボイの構成は大きく変化する。

問題12　正答 5

A × トマスらの研究は、乳幼児と青年を対象として気質について研究したものであり、幅広い年代を調査対象者としたものではない。

B × 気質の分類によると、「扱いやすい子（easy child）」は全体の約40%であった。このタイプの子どもは、生活リズムが規則的で、新しいことにも積極的で、早く慣れるという特徴があった。

C × 気質の分類によると、「扱いにくい子（difficult child）」は、生活リズムが不規則で、新しいことや慣れないことに対して回避的であるという特徴があった。そのため、その養育者は子育てを負担に感じており、環境としての養育態度が子どもの気質と適合していないことが分かった。

D ○ 気質の種類として９つの特徴カテゴリを抽出し、そのうち５つのカテゴリを評定によって組み合わせて「扱いやすい子」「扱いにくい子」「順応が遅い子（slow-to-warm-up child）」の３つの気質タイプに分類した。その他、どのタイプにもあてはまらないものを「平均的な子」とした。

問題13　正答 3

A ○ 産後うつ病などのメンタルヘルス上の問題を抱えると、母子相互作用が適切に行われないことで、子どもの発達に影響が及ぶことがあるため、母子ともに支援が必要である。

B × 産後うつ病は、うつ病の一種であり、出産後のホルモンバランスの乱れにより誘発されるものと考えられている。出産後の女性の自殺の原因や乳児虐待につながる危険性がある。

C × 設問文表記は産後うつ病ではなくマタニティブルーズである。マタニティブルーズは、出産後急激なホルモンの変化によって発症するものであり、１～２週間程度で自然に消失するものである。この場合は、特別な治療は必要ないとされている。

D ○ 産後うつ病のスクリーニングに用いられるEPDS（エジンバラ産後うつ病質問票）は、うつ項目、育児不安項目、うつによる睡眠障害の３カテゴリーからなる10項目で構成される自己記入式質問紙である。

問題14　正答 1

a ア ストレッサーとは、ストレスを引き起こす出来事や刺激のことである。物理的ストレッサー、心理・社会的ストレッサー、生物的ストレッサーなどに分類される。

b イ 情緒的サポートとは、ストレスに直面している人に対して、励ましや愛情など感情へ働きかけることである。情緒的サポートがストレス反応を軽減すると考えられている。

c カ 情報的サポートとは、ストレスに直面している人に対して、有効な情報を与えるなど問題解決のための助言を行うことである。

d ク 緩衝効果とは、ストレスに直面している人に対して、情緒的サポートや情報的サポートのようなソーシャルサポートを与えることにより期待できる、高いストレスに作用して健康度の低下を軽減する効果のことである。

問題15　正答 4

A × アロマザリングとは母親以外の人が子育てに積極的に関わることをいう。母親が一人で子育てを担うことではない。

B ○ ファミリー・アイデンティティとは、家族を成立させている意識のことである。この考え方によれば、誰を「家族」と感じるかは個々人が決めることであり、同一家庭においても、ファミリー・アイデンティティはそれぞれ異なることがある。

C ○ 家族の誕生から家族がなくなるまでのプロセスをたどる家族ライフサイクル理論では、個人のライフサイクルに発達段階や発達課題があるように、子育て期や子離れ期など家族のライフサイクルにも発達段階と発達課題があると考える。

D × ジェノグラムとは、家族関係を図で表して三世代程度の家族を把握する方法である。ジェノグラムを用いることによって、家族関係を視覚的にとらえることができる。

問題16　正答 2

A ○ 家族心理学とは、家族関係を研究の対象とする心理学である。この学問領域では、家族を一つのまとまりをもつシステムとして捉えている。

B × 家族システム理論とは、家族を、家族のメンバーひとりひとりがお互いに影響を与えあう一つのシステムとして捉え、家族のメンバーに起きる問題を、「家族のシステムの病理」と捉える考え方である。夫婦、親子、きょうだいをサブシステムと捉える。

C ○ 家族療法とは、子どもの問題行動を単に個人の問題だけで捉えるのではなく、家族の関係性をアセスメントし、家族が抱えている問題の解決に介入する心理療法である。

D ○ 家族療法では、不適応行動や症状をみせている個人をIP（Identified Patient）と呼ぶ。IPの抱える問題は、個人の問題ではなく、その家族の問題がIPに現れたと解釈する。

問題17　正答 5

1 × 生態学的システム論は、ブロンフェンブレンナーによって提唱された理論であり、個人と、その個人を取り巻く環境との相互作用を通じて人間は発達していくという考え方で、マイクロシステム、メゾシステム、エクソシステム、マクロシステム、クロノシステムがある。

2 × 発生的認識論とは、ピアジェによって確立された理論である。子どもの発達は感覚運動期、前操作期、具体的操作期、形式的操作期の４つの段階を経るという発達段階を提唱した。

3 × 正統的周辺参加論とは、レイブとフェンガーによる状況論の立場から学びを考える理論である。見習いのような未熟な学習者であってもその共同体の正統的なメンバーであり、周辺部分から徐々に参加度を増していくと考える。

4 × 社会的学習理論とは、バンデューラによって提唱された理論であり、自分が直接体験した事柄ではなくても、他者の体験を観察・モデリングすることで学習できることを説いた説である。子どもの攻撃行動における観察学習の実験などがある。

5 ○ アフォーダンス理論では、情報が環境の中に存在し、人がその情報を環境の中から得て行動していると考える。この理論を踏まえると、保育環境は、子どもが関わるものというだけにとどまらず、環境が子どもに働きかけていると考える。

問題18　正答 2

1 ○ 自閉スペクトラム症とは、社会性や他者とのコミュニケーション能力に困難が生じる発達障害の一種である。DSM-5では神経発達症群に分類される。

2 × 選択性緘黙（選択的緘黙）とは、家庭などでは話すことができるのに、社会的状況における不安があるために、学校や保育所など特定の場面や状況では話すことができなくなる現象である。DSM-5では情緒障害に分類される。

3 ○ 知的能力障害とは、知的障害や精神遅滞ともいわれ、知的機能に制約があること、適応行動に制約を伴う状態であること、発達期に生じる障害であることの３点で定義される。DSM-5では神経発達症群に分類される。

4 ○ チック症群とは、本人の意思とは関係なく、特定の細かくすばやい身体的動作が繰り返し起きてしまうものをいう。瞬き、頭をふる、顔をしかめるなどがある。DSM-5では神経発達症群に分類される。

5 ○ 限局性学習症とは、基本的には全般的な知的発達に遅れはないが、聞く、話す、読む、書く、計算するまたは推論する能力のうち特定のものの習得と使用に著しい困難を示す様々な状態を指すものである。DSM-5では神経発達症群に分類される。

問題19　正答 5

a オ ライフサイクルとは、いつの時代もどのような人も、同じような人生をたどれるという前提のもと、人の発達は、ある社会・文化・時代においては、おおよそ決まった規則的な一生の推移を示すという考え方である。

b カ ライフイベントとは、就学や就労、結婚や出産という、個人にとって重要な事柄をさす。ポジティブにもネガティブにも影響する。

c ウ　多重役割とは、一人の個人が職業役割と家族役割など複数の役割を担うことをいう。

d ク　ポジティブ・スピルオーバーとは、職業役割など一方の役割が上手くいくと他方の家族役割なども上手くいく場合があることをいう。

問題20　正答　2

A ○　巡回相談は、支援者である専門家が情報や支援を積極的に保育現場に届けるアウトリーチ型支援として、保育や教育現場において重要で効果的なものである。

B ○　コンサルテーションとは、異なる専門性をもつ複数の者が、支援対象である問題状況について検討し、よりよい支援のあり方について話し合う取り組みである。

C ×　支援対象に直接支援するのはコンサルティであり、間接支援するのがコンサルタントである。保育場面では、コンサルタントである保育カウンセラーがコンサルティである保育者に助言をし、保育者が直接保護者を支援するなどである。

D ○　保育における巡回相談では、コンサルテーションや子どもの行動観察を通して、知識の提供、精神的支え、新しい視点の提示、ネットワーキングの促進などが行われる。

保育原理

問題1　正答　5

A ×　第３章が間違い。第３章は「健康及び安全」であり、「食育の推進」はその一部である。第３章は他に「子どもの健康支援」「環境及び衛生管理並びに安全管理」「災害への備え」の全４節で構成される。

B ×　「職員の研修等」は第５章「職員の資質向上」の一部。ちなみに職員の資格・免許は、保育所（保育士資格）、幼稚園（幼稚園教諭免許状）、認定こども園（保育教諭、保育士資格＋幼稚園教諭免許状）と異なっている。また３要領・指針で共通するのは、「幼児教育を行う施設として共有すべき事項」と３歳以上児の「保育の内容」である。

C ○　正解である。保育所保育指針では第２章「保育の内容」の４「保育の実施に関して留意すべき事項」が「保育全般に関わる配慮事項」「小学校との連携」「家庭及び地域社会との連携」の３節で構成されており、含まれている。

D ○　子育て支援は「１　保育所保育における子育て支援に関する基本的事項」と「２　保育所を利用している保護者に対する子育て支援」と「３　地域の保護者等に対する子育て支援」で構成されており、設問の内容は３に主に記載されている。保育所、保育士の仕事が保育だけではなく「子育て支援」もあり、在園児と地域の両方の子育て支援が求められると覚えておきたい。

問題2　正答　4

A カ　「養護は保育所保育の基盤」であるとされており、養護は保育環境の要件でもあるとされる。子どもがくつろいで過ごせることは、養護と教育が一体的に展開される保育の基盤である。

B イ　全体の文脈から、人間関係に関わる目標であることは分かる。ここには人権が入るが、人権が子どもの育ちの中のものとして位置づけられるのは保育所保育指針ではここだけである。あとは大人が子どもの人権を守るという内容で用いられる。ちなみに「規範」は「幼児期の終わりまでに育ってほしい姿」のエと３歳以上児の保育の内容の「内容の取り扱い」だけで用いられる。

C ウ　環境に関する内容であることから、ウカクの選択となる。環境が人的環境・物的環境のほか、自然及び社会の事象であることを覚えておきたい。

D エ　言葉に関する目標なので、ケの「対話」を想像しやすいが、３歳以上児の言葉のねらいでは「③日常生活に必要な言葉が分かるようになるとともに～」とあり、内容においても「⑤生活の中で必要な言葉が分かり、使う」「⑦生活の中で言葉の楽しさや美しさに気づく」とあることから、言葉が生活を通して獲得され、使われることがわかる。

E オ　「創造性の芽生え」から「表現」に関する内容であることが分かる。そこからオの「感性や表現力」が選択される。なお、コの「思考や判断力」は「環境」と結びつきやすい内容である（「幼児期の終わりまでに育ってほしい姿」のオ、カを参照）。

問題3　　正答　2

A ○　３歳以上児の保育の内容、領域「健康」の内容③は「進んで戸外で遊ぶ。」である。戸外で遊ぶことを強制するわけではないが、戸外には屋内での遊びでは得られない経験や良さがある。戸外に「自然な形」で関心が向けられるようにすることが求められる。

B ○　Aの解説にある領域「健康」の内容③に関する保育所保育指針解説における文言である。ここでは「近隣の公園や広場、野原、川原」などが具体例として挙げられている。

C ×　領域「健康」の内容の取扱い③の解説を参考にするとよいだろう。ここでは室内でのままごと遊びが展開し、「ピクニックにいこう」と戸外に出ていく例が示されている。「室内と戸外が分断された活動の場としてではなく、子どもの中でつながる可能性があることに留意する必要がある」とされている。

D ○　上記Cの解説の続きに、園庭での年齢の異なる子どもの遊びについて記載がある。園庭はさまざまな年齢の子どもの遊びが交錯しやすい場所である。環境構成を工夫するなどして、子どもが安定して活動できるようにする必要がある。

問題4　　正答　1

A ○　「保育の実施に関して留意すべき事項」は（1）保育全般に関わる配慮事項、（2）小学校との連携、（3）家庭及び地域社会との連携、の３つから構成される。おおまかにこの３つを覚えておくことも設問解答の参考になる。Aについては、（1）のアに記載がある。保育所保育は、子ども一人ひとりの発達過程が異なり、個人差が大きいことを前提にしている。育ちの個人差、活動における個人差、その時々の気持ちの違いへの配慮が求められる。

B ○　（1）のウの内容。保育所保育指針は、子どもの主体性・自発性、環境を通した保育を基本にしている。その中で子どもが自らかかわりたくなる魅力的な環境構成を行うこと、うまくできなくても試行錯誤を重ね、自分でできたという達成感が味わえるようにすることなどが必要である。

C ○　（1）のオの内容。保育はそれぞれの子どもが共に生活する場であり、子どもは各家庭での文化や生活習慣を保育所での生活に持ち込むこともある。宗教によって食生活のルールが異なっていたり、国によって生活習慣が異なったりすることもあることから、子どもの文化だけでなく、宗教や生活習慣などの家庭の文化も尊重することが求められる。

D ○　（1）のエの内容。保育所が子どもの生活の場であるということは、保育所への入所は、子どもが生活の場の一部を家庭から保育所に移すということでもある。慣れ親しんだ家庭や保護者から離れることは、子どもにとって不安なことであるのは当然であり、このような気持ちへの配慮が求められる。

E ×　小学校との連携においては、「幼児期にふさわしい生活を通じて」創造的な思考や主体的な生活態度などの基礎を培うようにする、とされている。幼児教育が小学校以降につながることはその通りだが、小学校への適応に偏重しないことに留意したい。

問題5　　正答　5

A 自我　保育所保育指針では、「人格」については「子どもの人格を尊重する」という文脈で用いられる。設問は１歳以上３歳未満児のねらい及び内容の「保育の実施に関わる配慮事項」であり、「自我」はこの部分をはじめ、「自我の形成」や「自我の芽生え」などで用いられる。

B 情緒　保育所保育指針における養護が「生命の保持」と「情緒の安定」であることを覚えておくと、解答しやすい。

C 自発　子どもが自分から環境に関わるなどして活動を展開していく文脈では「自発的な活動」や「主体的な活動」という言葉が用いられる。なお、保育所保育指針では「協働的な活動」はなく、「協同的な活動」が指導計画の作成、および保育の内容にみられる。

問題6　　正答　5

1 ×　平成27年の子ども・子育て支援新制度のいわゆる関連３法とは、「子ども・子育て支援法」「就学前の子どもに関する教育、保育等の総合的な提供の推進に関する法律の一部を改正する法律」（認定こども園法の改正）「子ども・子育て支援法及び就学前の子どもに関する教育、保育等の総合的な提供の推進に関する法律の一部を改正する法律の施行に伴う関係法律の整備等に関する法律」のことである。

2 × 子どもの教育や子育てに関して、第一義的責任を有するのは父母等の保護者であると複数の法律・条例で規定されている（教育基本法、児童の権利に関する条約など）。

3 × 地域型保育事業は、市町村による認可事業である。

4 × １号認定は、保育を必要としない３歳以上児のことであり、２号は保育の必要性がある３歳以上児、３号認定が保育の必要性がある０～２歳児となる。

5 ○ 正解である。「地域子育て支援事業」としては、地域子育て支援拠点の設置（令和６年の児童福祉改正で、地域子育て支援事業）を行う場所は、地域子育て相談機関に含まれ、こども家庭センターとの連絡調整が努力義務とされている。

問題７　正答　４

A × 保育においては一人ひとりの個人差は前提としてとらえられており、すべての子どもが同じ経験をすることは必ずしも求められていない。それよりも子どもが豊かな経験を積むことが求められている。保育の実践としても、人数分の水鉄砲がないことが、子ども同士のやりとりなど別の経験を積む機会となることも考えられ、水遊びを控える必要はない。

B × 設問では子どもの年齢は書かれていないが、まずルールを設定したところで、子どもがルールを認識できるかどうかの問題があり、仮にルールを設定したとしても、すべての子どもが遵守することは想定しがたく、また保育士がルールを強く課すことも、子どもが経験を積む機会を損ねるものとなりうる。幼児期の終わりまでに育ってほしい姿でも「エ　道徳性・規範意識の芽生え」では、遊びの中でルールの大切さに気付いたり、考えたり、他人の思いを受け止めたりする姿が想定されている。

C ○ Aの設問文の裏返しといえる文章である。人数分の水鉄砲がなくても、そのことで子ども同士で順番をゆずったり、「貸して」などのコミュニケーションが生まれたりする機会となり、子ども同士で経験を積む機会となるだろう。

D ○ 友達に水を「かけて」と自分の欲求を伝えたり、水鉄砲を使いたい子どもが「かわって一」というなど、言葉のやりとりをすることで自分の思いを実現したり、友達との遊びが充実する様子が見られる。

E × 子どもに任せることも大事であるが、保育士が一切入らないことも適切とはいえない。必要に応じて保育士は適度に関わり、気持ちを十分に伝えられない子どもの気持ちを代弁したりすることも求められる。

問題８　正答　５

A × 認定こども園は、児童福祉法および教育基本法に基づく教育・保育施設である。教育基本法第６条における「法律に定める学校」に位置づくものとされる。なお、３歳以上児の教育に関わる側面のねらい及び内容は、３要領・指針で完全に統一されているといってよい（保育士、教師、保育教諭などの文言のみ異なる）。

B × 「保育に欠ける」という表現は、平成27年の子ども・子育て支援新制度以前の表現であり、新制度移行後は「保育を必要とする乳児・幼児」と表現されている。保育の必要性事由については、「子ども・子育て支援法施行規則　第１条の５」を参照。

C × 保育士の登録先は、都道府県である。保育士は児童福祉法において登録することが求められている。申請は、指定保育士養成施設の卒業者は申請書提出時点で住民票住所地のある都道府県知事に、保育士試験の合格者は、保育士試験合格地の都道府県知事に対して行われる。

D ○ 本試験が行われた時点では旧基準の適用となっているが、「児童福祉施設の設備及び運営に関する基準」が令和６年４月１日より改正施行されており、満３歳以上満４歳未満では幼児おおむね15人につき１人以上、満４歳以上の幼児おおむね25人につき１人以上、となっている。

E ○ 正しい。同基準第32条に保育所の設備が定められており、設問の設備が必要となる。なお同基準では屋外遊技場（園庭）に代わって、保育所付近にある屋外遊技場に代わるべき場所（公園、広場など）も認められる。

問題９　正答　３

a × キャリアアップではなく、キャリアパスが正しい。保育所保育指針では、キャリアアップについてはキャリアアップ研修で「専門的な知識や技能を高めていく」という文脈で用いられている。キャリアパスは、個々の保育士等がライフステージを踏まえて自らのキャリアをどのようにしていくかというキャリアの通り道のことである。それぞれの保育士が就職、昇任、結婚や子育てなど、生き方と職についての道筋をどのように考えるかは個人の自由であり、それを踏まえて研修計画を考えることも必要である。

b ○ どのような研修を受け、どのような専門的な知識や技能を身につけていくかは、職位（園長、主任、保育士など）や、職務内容（クラスの担当者、補助的な役割など）によって異なる。

c ○ 外部研修は、勤務する保育所の保育から一時的に離れることにはなるが、新たな知見を得たり、ほかの保育所の優れた取り組みや課題を共有したりなど、保育の質につながる知識を得るには絶好の機会である。まずは専門的な知識の向上が求められるだろう。

d × 研修で身につくと思われるのは、まずは知識や技能である。ここでは判断力は記載されていない。

問題10　　正答　3

A × まず１歳児クラスの子どもであることを踏まえよう。１歳児に「よくいい聞かせ」て登園時に泣かなくなるとは考えられない。子どもが自らの感情をコントロールできるようになるのは、もう少し先の話である。

B ○ Mちゃんの具体的な姿を伝えることは、登園時に泣いていた我が子がそのあとどうなっただろうかと気を揉む保護者を安心させたり、対応を考えるための情報を提供したりすることとなる。保護者と別れる際には大泣きしていたとしても、その後に遊びや周囲の環境に関心が移り、保育所でも泣かずに過ごすことができるとわかれば、保護者の不安も大幅に軽減される。

C ○ もちろん子どもは一人ひとり異なっており、成長の道筋も違うものだが、概ねの成長の道筋は似通っているところもあり、そのような道筋を伝えておくことは、保護者の不安を軽減することにつながるだろう。ただしあくまで参考であり、必ずそのようになるものではないことを伝えておくことも忘れずに行いたい。

D ○ 母親は我が子が大泣きし続けることで「園で生活できるのか」「周りに迷惑をかけてしまうのではないか」「我が子はほかの子どもと違うのではないか」などの不安に駆られるものである。そのような気持ちを察し、受け止めて共感することは、母親の育児に対する不安を軽減することにつながる。ただし安易に「大丈夫」とだけ伝えることは、かえって母親の不安につながることもあるので、選択肢Bにあるように、具体的に伝えるとよい。

問題11　　正答　1

A ○ ルソー（Rousseau, J.-J.）は、ジュネーブ生まれで、主にフランスで活動した思想家である。主著に『社会契約論』があるが、教育学関連では、エミールという子どもの成長過程と教育について描かれた『エミール』がよく知られている。人は子どもというものを知らない、というフレーズでよく知られる。子どもの本質をみようとしない大人の側からの一方的な見方を戒め、子どもの本性に合わせた教育の必要性を説いている。

B ○ ペスタロッチ（Pestalozzi, J.H.）は『隠者の夕暮れ』『シュタンツだより』などで知られるスイスの教育思想家である。後に続く教育思想家に大きな影響を与えた。フレーベルはペスタロッチに学び、のちに独自の教育思想を開花させた。

C × フレーベル（Fröbel, F.W.）はドイツの教育者であり、幼稚園（キンダーガーデン）の創設者としてよく知られている。恩物という自らの思想が込められた遊具を開発し、保育に用いるなどした。フレーベルの幼稚園はのちに世界中に広まったが、その方法については議論を巻き起こした。ちなみに本文の内容はコダーイに関するものである。コダーイはハンガリーの作曲家で、「音楽は全ての人のもの」と考えた。

問題12　　正答　3

A × 幼稚園教諭資格としての保母資格は、戦前から規程はされていたが、幼稚園の創設（ここでは1876（明治９）年の東京女子師範学校附属幼稚園をそれとする）よりは後のことである。1878（明治11）年に、東京女子師範学校に保姆練習科が設置され、保姆養成が行われるが、１年で廃止され、保姆免許は、その後当面小学校免許に付随して与えられるものとなった。

B ○ 保育のルーツの一つに、この設問文にある「子守学校」があることは覚えておきたい。子守学校は、子守をしていて小学校に通えない子どもがいるため、小学校への就学率を上げるために全国各地でつくられた。

C ○ 保育所のルーツの一つとして、のちに「二葉保育園」へと名前を変えた二葉幼稚園の設立は有名である。野口と森島は、小さな家屋にごくわずかな子どもを預かる簡易幼稚園として設置したが（実際の保育に当たった徳永恕（ゆき）も覚えておきたい）、のちに多くの子どもを預かり、幼稚園の規程（１日４時間保育、３歳以上）に合わなくなったことで保育園へと転向していった。

D × 厳密には、幼稚園に関する最初の独立した法律としては「幼稚園保育及設備規程」（1899（明治32）年）が挙げられる。そののち、最初の勅令としての幼稚園令は1926（大正15）年に公布された。

問題13 **正答 3**

1 × 保育所保育指針には2017（平成29）年の改定時に、第１章総則の最期に「４幼児教育を行う施設として共有すべき事項」として「（１）育みたい資質・能力」（３つの柱）と、「（２）幼児期の終わりまでに育ってほしい姿」（10の姿）が置かれた。

2 × 「幼児期の終わりまでに育ってほしい姿」は、身につけるべき「到達目標」ではなく、「方向目標」であるとされている。ここに書かれているような姿が出てくるように個別に取り出して教育を行うものではないことに留意したい。

3 ○ 上記したように「到達目標」として設定されているものではない。

4 × まず保育所保育指針では、発達段階という考え方ではなく、発達のプロセスとしての発達過程という言葉が用いられることを覚えておきたい。また何歳でこのぐらいの発達であるという目安は現行の保育所保育指針では特に示されておらず（第２章保育の内容の「基本的事項」はややそれに近いが）、到達目標ではないこともあり、この文章は不正解である。「幼児期の終わり」とは「卒園を迎える年度の後半にみられるようになる姿」である。

5 × 「やり遂げる心」という項目はない。このような文言は、いわゆる非認知能力という言葉とともに使われることが多いが、保育所保育指針では用いられていない。

問題14 **正答 3**

A × 保育所保育指針では、設問文とちょうど逆の構成になっている。すなわち「全体的な計画は、保育所保育の全体像を包括的に示すものとし、これに基づく指導計画、保健計画、食育計画等」との関係になっており、指導計画や保健計画、食育計画等が全体的な計画に基づいている。

B ○ 正しい。保育所保育指針解説では、全体的な計画作成の手順（参考例）として、踏まえるべき事項が挙げられている。法令や条約、指針等の理解に始まり、家庭や地域の実情、園の理念、子どもの発達過程の見通し、保育時間、在籍時間など踏まえるべきことは多い。

C × 保育所保育指針では、「異年齢で構成される組やグループでの保育においては、一人一人の子どもの生活や経験、発達過程などを把握し、適切な援助や環境構成ができるよう配慮すること」とされており、異年齢でも一人ひとりの子どもへの対応という基本的な原則は守られる。

D ○ ３歳未満児については個別の計画が作成されるものであることは覚えておきたい。３歳未満児は発育・発達が顕著であり、個人差も大きいため、一人ひとりの子どもの状態に即した保育ができるようにするためであるとされている。

問題15 **正答 2**

A 聴覚 感覚に関する内容であり、直前に視覚とあることから、聴覚が入ることは想像しやすい。

B はう 感覚に続き、運動機能に関する内容であるが、乳児期（産まれてから生後１歳未満）であることを考えると、「はう」動きのほうが「立つ」よりもこの時期の子どもの姿を表しているといえるだろう。

C 特定の大人 設問にある「特定の大人」との「絆」とある一方で、保育所保育指針解説では、乳児については「緩やかな担当制の中で、特定の保育士等が子どもとゆったりとした関わりをもち、情緒的な絆を深められるよう」とあること（指導計画の作成）も覚えておきたい。ちなみに保育所保育指針では担当制についての記述でも「担当保育士」という言葉は使われず「特定の保育士」と記載されている。

D 応答的 かかわり、やりとりを示す文脈であることから、応答的という文言がより適切であると考えやすい。

E 絆 覚えていないと難しい箇所である。信頼関係という言葉も保育所保育指針では多用されているため、この部分だけでの判別は暗記しておかなければ大変難しい。Cで見分けなければならないが、Cも「担当保育士」が当てはまりそうな言葉であることから、正確な知識が求められる問題である。

問題16　正答 4

A カ　設問の箇所は、保育所と小学校との連携について集中的に書かれた部分であるため、しっかりと読み込んでおきたい。Aについては、「生きる力」も「資質・能力」も似たような文脈で用いられる言葉であるため、覚えていなければ判断は難しいところである。

B ウ　ここも「小学校教育」と「義務教育」で迷うところだが、後半にもう一か所Bの空欄があり、ここでは保育所保育と直接接続する小学校教育が考えやすいため、正解にたどり着ける。

C オ　このCの空欄の部分は、「研修」と考えやすいところであるが、ここが「研究」であることはこの部分の特徴的なところなので、ぜひ覚えておきたい。ここでの研究は、「事例を持ち寄って話し合ったりする」ことなどが想定されている。

D キ　保育所保育と小学校教育のつながり部分は、現行の保育所保育指針では「接続」という言葉で表されている。

問題17　正答 2

A ×　発達障害者支援法の第２条に「発達障害」の定義があり、それによれば発達障害とは「自閉症、アスペルガー症候群その他の広汎性発達障害、学習障害、注意欠陥多動性障害その他これに類する脳機能の障害であってその症状が通常低年齢において発現するものとして政令で定めるもの」である。

B ○　正しい。同法第６条の規定による。なお早期の支援のためには早期の発見が必要であるが、これは第５条に規定されており、市町村や市町村の教育委員会が「発達障害の早期発見に十分留意しなければならない」こととされている。

C ×　保育における発達障害の配慮については、同法第７条に規定されており「保育所における保育を行う場合」と「必要な保育を確保するための措置を講じる場合」は、「発達障害児の健全な発達が他の児童と共に生活することを通じて図られるよう適切な配慮をするものとする」とされている。

D ×　発達障害者支援法や、保育所保育指針等に明確な規定があるわけではないが、パニックになっている子どもに、大勢の人が対応すれば、よりパニックを引き起こす環境になると考えられる。

E ×　学習障害と注意欠陥多動性障害は重複・併存することがみられる。

問題18　正答 2

A ○　障害のある子どもの保育は「適切な環境の下で、障害のある子どもが他の子どもとの生活を通して共に成長できるよう」指導計画の中に位置付けることが求められている。

B ○　保育所保育指針解説にみられる文章である。その子どもについての状況を把握して共有するなど職員相互の連携が必要であり、対応についての共通認識を持つなどして組織的に保育を行うことが必要である。

C ×　前半は正しい文章だが、配慮を必要とする子どもの個別の指導計画は「必要に応じて作成」され、「クラス等の指導計画と関連付けておくこと」が大切であり、クラスの計画と切り離して考えてはいけない。

D ×　保育所保育指針解説では具体的に短期の指導計画の内容について触れられている。「その子どもにとって課題となっていることが生じやすい場面や状況、その理由などを適切に分析する。その上で、場面に適した行動などの具体的な目標を、その子どもの特性や能力に応じて、１週間から２週間程度を目安に少しずつ達成していけるよう細やかに設定し」とされており、１、２週間という短期での目標設定の必要が述べられている。

E ○　正しい。設問文A、Bにもみられるように、障害などの課題のある子どもが、他の子どもとの生活の中で経験を積み、子ども同士が落ち着いて過ごす、共生するための工夫が求められている。

問題19　正答 1

A ○　「不適切な養育等が疑われる家庭への支援」のアに見られる文章である。ここでは保育士等の専門性を生かした支援が求められている。また、これに続くイにもあるように保育者と保護者で子育ての意向や気持ちにずれや対立が生じうる恐れがあることにも留意した対応が必要である。保護者の思いを理解し、尊重した対応が求められる。

B ○　保育所保育指針解説によれば、要保護児童対策地域協議会とは、虐待を受けている子ども等の早期発見や適切な保護を図るため、関係機関等が情報や考え方を共有し、適切に連携して対応するためのネットワークである。不適切な養育が疑われる場合には、市町村等と連携し、この協議会で対応を図っていく必要がある。

C × 児童虐待防止法では、第６条において「児童虐待を受けたと思われる児童を発見した者は、速やかに、これを市町村、都道府県の設置する福祉事務所若しくは児童相談所又は児童委員を介して市町村、都道府県の設置する福祉事務所若しくは児童相談所に通告しなければならない」とされており、通告先は福祉事務所、児童相談所となる。

D × 守秘義務が課せられることはもちろんだが、できるだけ少人数と限定されることは特に求められていない。そもそも守秘義務は保育士に課せられている（児童福祉法第18条の二十二）。虐待に関する記録は、その事実関係について「できるだけ細かく具体的に記録しておくこと」（子ども虐待対応の手引き）とされている。

問題20　正答 3

1 ○ ３歳未満児の利用児童数は1,100,925人、３歳以上児は1,628,974人であり、３歳以上児の方が多い。

2 ○ 待機児童数は１・２歳児がその割合の多くを占めており、最も多い。３歳未満児の合計数と見誤らないこと。

3 × 待機児童数が3,000人を下回っていることは正しいが、そのうち３歳未満児の占める割合は87.5%であり、９割未満である。

4 ○ 利用児童数の３歳未満児の割合は40.3%であり、わずかだが４割を超えている。

5 ○ ３歳以上児の待機児童数は368人、３歳未満児は2,576人となっており、３歳以上児がはるかに少ない。

子ども家庭福祉

問題1　正答 2

A ○ 児童福祉法第４条にある。Aは正しい。

B ○ 児童福祉法第４条にある。Bは正しい。

C × 少年とは、小学校就学の始期から、満18歳に達するまでの者をいう。Cは間違いである。

D × 妊産婦とは、妊娠中又は出産後一年以内の女子をいう。児童福祉法第５条である。Dは間違いである。

問題2　正答 2

A 児童の権利に関するジュネーブ宣言は国連総会で1924年に採択された。国際連盟による最初の子どもの人権宣言である。

B 国際児童年は1979年に宣言された。児童の権利に関する宣言が1959年に国連総会で採択され、その20周年を記念して定められた。

C 世界人権宣言は、1948年に国際連合によってあらゆる人と国が達成すべき共通の基準として採択された。

D 児童の権利に関する条約は、18歳未満のすべての人の保護と基本的人権の尊重を促進することを目的として、1989年に国連総会によって採択された。日本は1994年に批准した。

E 児童の権利に関する宣言は1959年に国連総会で採択された。

問題3　正答 3

1 ○ 該当文の内容は、放課後児童健全育成事業の設備及び運営に関する基準第５条第４項にある。１は正しい。

2 ○ 放課後児童健全育成事業者は、職員であった者が、正当な理由がなく、その業務上知り得た利用者又はその家族の秘密を漏らすことがないよう、必要な措置を講じなければならないことも同時に覚えておきたい。２は正しい。

3 × 放課後児童支援員は、保育士資格を有している者だけでなく、その他、社会福祉士の資格を有する者、社会福祉学、心理学、教育学、社会学等の課程を修めた者等が該当する。３は誤りである。

4 ○ 令和４年の放課後児童クラブ数は26,683箇所、令和５年は25,807箇所であり、年々減少している。一方で登録児童数は過去最高値であり、令和５年の登録児童数（令和５年５月１日現在）も1,457,384人で過去最高値である。４は正しい。

5 ○ 令和４年の待機児童数は15,180人であり、前年と比較して増加している。令和５年も16,276人と令和４年と比べて増加している。５は正しい。

問題4 正答 4

A ×　バーナード（Barnardo, T.J.）は、イギリスの児童養護施設であるバーナードホームの設立者である。ハル・ハウスは、ジェーン・アダムズがシカゴに開設したセツルメントハウスである。Aは誤りである。

B ○　石井十次は、岡山孤児院の創設者である。その功績から児童福祉の父とも呼ばれる。Bは正しい。

C ×　留岡幸助は、北海道家庭学校の創立者である。池上感化院は、日本で初めての感化院で、池上雪枝が大阪に設立した。Cは誤りである。

D ○　エレン・ケイ（Key, E.）は、スウェーデンの社会思想家であり、「児童の世紀」を出版した。Dは正しい。

問題5 正答 1

Aは「搾取」、Bは「国際的」、Cは「心身」があてはまる。この法律の児童とは18歳未満の者である。他の法律の児童の定義と同時に覚えておきたい。また、罰則規定として、「児童買春をした者は、五年以下の懲役又は三百万円以下の罰金に処する」ことが決められていることも押さえておきたい。

問題6 正答 1

A ○　家庭児童相談室は、家庭における適正な児童養育、その他家庭児童福祉の向上を図るため、福祉事務所の家庭児童福祉に関する相談指導業務を充実強化するために設けられている。Aは正しい。

B ○　母子・父子自立支援員は、配偶者のない者で現に児童を扶養しているもの及び寡婦に対し、相談に応じ、その自立に必要な情報提供及び指導を行うこと、また、職業能力の向上及び求職活動に関する支援を行うこととされている。Bは正しい。

C ×　児童委員は、市町村の区域で子どもと子育て家庭への支援を行っている地域のボランティアである。Cは誤りである。

D ○　児童福祉司は精神保健福祉士、公認心理師だけでなく、医師、社会福祉士等からも任用することができる。Dは正しい。

問題7 正答 3

該当文は、「児童虐待の防止等に関する法律」第14条第１項である。A　親権、B　人格、C　体罰　が正しい。第14条第２項に、児童の親権を行う者は、児童虐待に係る暴行罪、傷害罪その他の犯罪について、当該児童の親権を行う者であることを理由として、その責めを免れることはないことが明記されていることも覚えておきたい。

問題8 正答 3

A ×　地域若者サポートステーションは、15歳～49歳までの働くことに悩みを抱えている人を対象としている。Aは誤りである。

B ○　ヤングケアラーの例として、障害や病気のある家族に代わり、買い物・料理・掃除・洗濯などの家事や幼いきょうだいの世話、家計を支えるための労働などがある。責任や負担の重さにより、学業や友人関係などに影響が出てしまうことがある。Bは正しい。

C ○　ひきこもり地域支援センターはひきこもり本人や家族等を支援することにより、ひきこもり本人の自立を推進し、本人及び家族等の福祉の増進を図ることを目的とした事業である。都道府県及び指定都市に設置されており、2022（令和４）年度から実施主体が市町村へ拡大されたことも覚えておきたい。Cは正しい。

D ○　社会的養護自立支援事業の内容は、支援コーディネーターによる継続支援計画の作成、居住に関する支援、生活費の支給、学習費等の支給、自立後生活体験支援、生活相談の実施、医療連携支援、法律相談支援、就労相談の実施がある。Dは正しい。

問題9 正答 5

A ×　児童養護施設に入所している児童の入所時の年齢で最も多いのは、２歳である。Aは誤りである。

B ×　入所（措置）児童数が最も多いのは児童養護施設であるが、次に多いのは障害児入所施設である。Bは誤りである。

C ○ 被虐待経験がある児童が入所している割合が最も高いのは、児童心理治療施設であり、次いで、自立援助ホーム、児童養護施設の順である。Cは正しい。

D × 「両親又は一人親あり」の児童で、「実父母有」が最も多いのは、乳児院である。また、「実母のみ」が最も多いのは、里親、児童養護施設、児童心理治療施設、児童自立支援施設、自立援助ホーム、ファミリーホームである。Dは誤りである。

問題10　正答 2

児童館は、18歳未満のすべての子どもを対象とし、地域における遊び及び生活の援助と子育て支援を行い、子どもの心身を育成し情操をゆたかにすることを目的とする施設である。該当文は、児童館の機能・役割として、子どもの安定した日常の生活の支援について述べた部分である。A　遊び、B　調整、C　心理と状況　がそれぞれ当てはまる。

問題11　正答 5

A × 2021（令和３）年度の女性の育児休業取得率は85.1%である。男性の育児休業取得率は13.97%である。Aは誤りである。

B × 育児休業期間が「12か月〜18か月未満」が最も多かったのは女性である。男性の最も多かった育児休業期間は「５日〜２週間未満」である。Bは誤りである。

C × 2021（令和３）年度の女性の有期契約労働者の育児休業取得率は68.6%である。男性は14.21%である。Cは誤りである。

D ○ 女性の復職割合は93.1%、男性の復職割合は97.5%である。Dは正しい。

問題12　正答 3

A ○ 産後ケア事業は、病院や対象者の居宅等において、母親の身体的回復と心理的な安定を促進し、母親自身がセルフケア能力を育み、母子の愛着形成を促し、母子とその家族が健やかな育児ができるよう支援することを目的とする事業である。Aは正しい。

B × 里帰り出産により住民票がない状態の産婦や住民票のない自治体で支援を受ける必要性が高いなどの状況であれば、住民票のない自治体においても事業の対象となる。Bは誤りである。

C × 実施担当者は、原則助産師を中心とした実施体制となる。必要に応じて、心理に関しての知識を有する者、育児等に関する知識を有する者（保育士、管理栄養士等）、事業に関する研修を受講し、事業の趣旨・内容を理解した関係者を置くことができる。Cは誤りである。

D ○ 産後ケア事業の種類は該当文の通りである。産前・産後サポート事業は、アウトリーチ型、デイサービス型があることも同時に押さえておきたい。Dは正しい。

問題13　正答 5

A × 放課後等デイサービスとは、学校（幼稚園及び大学を除く）に就学している障害児に授業の終了後又は休業日に、生活能力の向上のために必要な訓練等を行う事業である。該当文は、放課後児童健全育成事業の内容である。Aは誤りである。

B × 放課後等デイサービス事業所数は増加傾向にあり、2021年も同様である。Bは誤りである。

C ○ 放課後等デイサービス事業所においては、児童指導員又は保育士、児童発達支援管理責任者、機能訓練担当職員（機能訓練を行う場合）の配置が必須である。Cは正しい。

D ○ 学校との連携では、年間計画や行事予定等の交換、子どもの下校時刻の確認、引継ぎの項目等、情報を共有しておく必要がある。また、医療機関や専門機関との連携も大切である。Dは正しい。

問題14　正答 4

A × 事例は、本来大人が担うと想定されている家事や家族の世話などを日常的に行っているヤングケアラーの内容である。弟をつねるという行為はケアラーである兄の心理的負担の現れでもあるため、まずは兄の気持ちに寄り添い、安心して会話ができるような言葉をかけていく必要がある。

B × ヤングケアラーは、教育・保育、福祉、医療、地域等、様々な視点から発見し、早期に対応していくことが必要である。学校では、子どもの抱える困難さを傾聴し、学校内で情報共有したり、家庭内における子どもの立場を考慮して対応したりすることが大切である。Bは誤りである。

C ○ ヤングケアラーは、孤立しストレスを抱えているケースも多いため、子どもが相談できるような対応が大切である。Cは正しい。

D ○ 要保護児童対策地域協議会ではヤングケアラーではないかという観点から家族の要介護者等の有無やその支援の状況、子どもの学校の出欠状況など家族全体の状況を共有してアセスメントすることが求められる。Dは正しい。

E × ヤングケアラーの問題は、家族が抱える様々な問題が関係していることが多いため、家族全体を支援するという視点が必要である。Eは誤りである。

問題15　　正答 4

A × 令和２年４月から令和３年３月までの１年間では、「心中による虐待死」は19例（28人）であり、「心中以外の虐待死」は47例（49人）である。Aは誤りである。

B ○ 「心中以外の虐待死」の加害者は、「実母」が29人（59.2%）と最も多い。次いで、「実父」が４人（8.2%）、「実母と実父」が２人（4.1%）である。Bは正しい。

C × 「心中以外の虐待死」で最も多い子どもの年齢は「０歳」（65.3%）である。Cは誤りである。

D ○ 「心中による虐待死」の加害動機は、「保護者自身の精神疾患」、「精神不安」が39.3%で最も多く、次いで「育児不安」や「育児負担感」が32.1%である。Dは正しい。

問題16　　正答 1

Aは特定地域型保育事業（小規模保育事業、家庭的保育事業、事業所内保育事業及び居宅訪問型保育事業）、Bは幼保連携型認定こども園、Cは幼稚園型認定こども園等である。令和５年も同様の傾向である。１が正しい。

問題17　　正答 2

A ○ 保育所における子育て支援は、子どもの保育に関する専門性を有する保育士が、各家庭において安定した親子関係が築かれ、保護者の養育力の向上につながることを目指して、保育の専門的知識・技術を背景としながら行うものである。Aは正しい。

B ○ 子育て支援を行う際には、保育士等は保護者自らが選択、決定していくことを支援することが大切である。Bは正しい。

C × 保育士等が保護者の不安や悩みに寄り添い、子どもへの愛情や成長を喜ぶ気持ちを共感し合うことによって、保護者は子育てへの意欲や自信を膨らませることができる。そのため受容的態度が求められる。Cは誤りである。

D ○ 保護者に対して相談や助言を行う保育士等は、保護者の受容、自己決定の尊重、プライバシーの保護や守秘義務などの基本的姿勢を踏まえ、子どもと家庭の実態や保護者の心情を把握し、保護者自身が納得して解決に至ることができるようにする必要がある。Dは正しい。

問題18　　正答 3

A ○ 母子世帯の理由別構成割合は、「生別」が93.5%、「死別」が5.3%である。父子世帯の理由別構成割合は、「生別」が77.2%、「死別」が21.3%である。Aは正しい。

B × 父子世帯の父の88.1%が就業しており、「正規の職員・従業員」は69.9%で最も多い。次いで自営業が14.8%である。母子世帯の「正規の職員・従業員」割合が48.8%である。Bは誤りである。

C ○ 母子世帯のうち「生別世帯」の末子の平均年齢は4.5歳、父子世帯のうち「生別世帯」の末子の平均年齢は6.9歳であり、いずれも「生別世帯」の末子年齢の方が低くなっていることも押さえておきたい。Cは正しい。

D × 母子世帯の母自身の平均の年間収入は約272万円であり、年間就労収入は約236万円である。父子世帯の父自身の平均の年間収入は約518万円であり、年間就労収入は約496万円である。母子世帯の就業状況も同時に確認しておきたい。Dは誤りである。

E ○ 養育費の取り決め状況は、母子世帯の母では、「取り決めをしている」が46.7%であり、父子世帯の父では、

「取り決めをしている」が28.3%である。母子世帯と父子世帯によっても異なることも押さえておきたい。Eは正しい。

問題19　正答　5

養育支援訪問事業は、子育てに対して不安や孤立感等を抱える家庭や、様々な原因で養育支援が必要となっている家庭に対して、養育が適切に行われるように個々の家庭を訪問して、子育て経験者等による育児・家事の援助又は保健師等による具体的な養育に関する相談・指導・助言等を行うことを目的とした事業である。５は障害児支援の内容であるため誤りである。

問題20　正答　2

1 ×　該当文は、保育所の特性を生かした地域子育て支援として、園庭開放と子育て相談を実施している事例である。地域子育て支援は、保護者が参加しやすい雰囲気づくりを心がけることが求められる。子どもの発達の特徴を母親に伝えることは大事なことであるが、該当文では保健師から経過観察をいわれており確定診断が出ていない。保育士が療育手帳の取得を勧めることは母親の不安を増大させることにもなり、避けるべきである。１は誤りである。

2 ○　母親の子育てに対する不安に寄り添い、相談しやすい雰囲気を作りながら信頼関係を築いていくことが大切である。２は正しい。

3 ×　子どもがしたい遊びができるよう環境を構成し、遊びのなかで他の子どもと触れ合うような機会を作っていくことが大切である。３は誤りである。

4 ×　母親が気軽に子育てに関する相談を保育士にできるように母親の気持ちに寄り添い、傾聴する姿勢が大切である。４は誤りである。

5 ×　発達の遅れや障害について話をするときは正確な情報や診断を伝えることが大切であり、安易に励ますのは間違いである。５は誤りである。

社会福祉

問題1　正答　1

A ○　日本の社会福祉の中心となる法律であり、わが国の福祉サービスの基本理念や原則、社会福祉事業の範囲、社会福祉の実施体制・組織について規定している。

B ○　社会福祉法第３条は福祉サービスの基本的理念について規定されている。「福祉サービスは、個人の尊厳の保持を旨とし、その内容は、福祉サービスの利用者が心身ともに健やかに育成され〜(略)〜」となっている。

C ○　社会福祉法第４条第２項で「福祉サービスを必要とする地域住民が地域社会を構成する一員として日常生活を営み、社会、経済、文化その他あらゆる分野の活動に参加する機会が確保されるように、地域福祉の推進に努めなければならない。」と示されている。

D ○　社会福祉法第83条（運営適正化委員会）で「福祉サービス利用援助事業の適正な運営を確保するとともに、福祉サービスに関する利用者等からの苦情を適切に解決するため」に運営適正化委員会を置くと示されている。

問題2　正答　5

1 ○　1942年にはウィリアム・ベヴァリッジが「社会保険および関連サービス」（ベヴァリッジ報告）と題した報告書を提出し、社会生活を脅かす５つの巨悪として「無知、貧困、怠惰、疾病、不潔」をあげている。

2 ○　日本国憲法第25条では国民の生存権と国民生活の保障義務として、「すべて国民は、健康で文化的な最低限度の生活を営む権利を有する」と示され、②「国は、すべての生活部面について、社会福祉、社会保障及び公衆衛生の向上及び増進に努めなければならない。」とされている。

3 ○　日本の社会福祉の歴史をみると、社会事業が成立する以前にも、近隣、親族による相互扶助や宗教を背景とした慈善救済活動が行われ重要な役割を担ってきた。

4 ○　1869年、ロンドンに慈善団体の連絡・調整、協力、貧民の救済を目的に慈善組織協会（COS:Charity Organization Society）が設立され救済の適正化が図られた。背景には、都市に急増した貧困者、浮浪者等に対する濫救、漏救を防ぎ、効率的に慈善を行う意図があった。

5 × 1886年にブース（Booth, C.J.）らがロンドンで実施した貧困調査は「ロンドン市民の生活と労働」として発表され、ロンドン市民の３分の１が貧困線以下の生活をしている実態を明らかにし、貧困は個人の責任ではなく、雇用や低賃金など社会問題に起因することがわかった。

問題３　正答　1

A ○ 児童福祉法第２条に明記されている。

B ○ 児童福祉法第３条の２に「国及び地方公共団体は、児童が家庭において心身ともに健やかに養育されるよう、児童の保護者を支援しなければならない。」と示されている。

C × 児童福祉法第２条第３項に「国及び地方公共団体は、児童の保護者とともに、児童を心身ともに健やかに育成する責任を負う。」と示されている。

D ○ 児童福祉法第18条の４に「保育士とは、第十八条の十八第一項の登録を受け、保育士の名称を用いて、専門的知識及び技術をもつて、児童の保育及び児童の保護者に対する保育に関する指導を行うことを業とする者をいう。」と示されている。

問題４　正答　1

A ○ 地域福祉の推進にはボランティアや地域住民などの参加が不可欠であり、町内会や自治会の支え合いが重要な役割を担っているといえる。

B ○ 民生委員法14条第１項第３号に「援助を必要とする者が福祉サービスを適切に利用するために必要な情報の提供その他の援助を行うこと」と定められている。

C ○ ボランティア・コーディネーターの役割として、ボランティアの紹介がある。

D ○ 社会活動法（ソーシャル・アクション）として社会福祉専門職は地域社会の生活課題などの改善や施策の策定など社会改良を目標として取り組む役割がある。

問題５　正答　2

A ○ 設問文のとおりである。また、「その公益性・非営利性の徹底、国民に対する説明責任の履行及び地域社会への貢献という観点から、「社会福祉法等の一部を改正する法律」（2017（平成29）年４月本格施行）により、社会福祉法人制度改革が実施された。」と記載されている。

B ○ 設問文のとおりである。また、「生活困窮者自立支援法が2015（平成27）年４月１日に施行されてから2021（令和３）年３月末までで、新規相談者は約195.1万人、自立支援計画の作成による継続的な支援を行った人は約49万人となっている。」と記載されている。

C × 「介護保険制度が定着し、サービス利用者の増加に伴い、介護費用が増大し」ていることは正しい。しかし、「介護保険制度開始当時の2000年度は約3.6兆円だった介護費用は、2020（令和２）年度には11.1兆円となっており」と記載されており、約６倍とはなっていない。

D ○ 設問文のとおりである。また、厚生労働省は成年後見制度について、「（障害や認知症などで）ひとりで決めることに不安のある方々を法的に保護し、ご本人の意思を尊重した支援（意思決定支援）を行い、共に考え、地域全体で明るい未来を築いていく。それが成年後見制度です。」と説明している。

問題６　正答　1

A ○ 市町村福祉事務所は福祉六法を所管しているため、知的障害者福祉法の定める知的障害者援護を行う。

B ○ 児童相談所の業務として、児童に関する相談や調査などと児童福祉施設への入所措置、判定などがある。

C × 身体障害者更生相談所は、身体障害者に関する相談及び指導、身体障害者の医学的、心理学的及び職能的判断、補装具の処方及び総合判定を行う。障害者支援施設への入所措置は原則、市町村の役割である。

D ○ 精神保健及び精神障害者の福祉に関する知識の普及、調査研究、相談及び指導を行う施設として精神保健福祉センターがある。

問題7　正答 1

A ○ 設問文のとおり、老齢基礎年金、障害基礎年金、遺族基礎年金等がある。

B ○ 設問文のとおり、健康保険の保険給付には、療養の給付、訪問看護療養費、出産育児一時金等がある。

C ○ 設問文のとおり、労働者災害補償保険の業務災害に関する保険給付には、療養補償給付、休業補償給付、障害補償給付等がある。

D ○ 設問文のとおり、介護保険の介護給付におけるサービスには、訪問介護、居宅療養管理指導、訪問入浴介護、訪問リハビリテーション等がある。

問題8　正答 2

A 老人福祉法は1963（昭和38）年に制定された。

B 介護保険法は1997（平成9）年に制定され、2000（平成12）年から施行された。

C 高齢者虐待の防止、高齢者の養護者に対する支援等に関する法律は2005（平成17）年に制定、2006（平成18）年施行された。

D 高齢社会対策基本法は1995（平成7）年に制定された。

問題9　正答 3

1 ○ 設問文のとおり、アセスメントは利用者の状況を評価するため、利用者を取り巻く環境や社会資源の有無などの情報が必要である。

2 ○ 相談者を取り巻く家族や地域社会の社会資源の相互関係を図式化（マッピングなど）し、ケースの全体像を把握するために可視化する技法として、エコマップやジェノグラムを活用する場合がある。

3 × アセスメントは利用者の持つストレングスに注目して支援を行うことも重要になるため間違い。

4 ○ 利用者と援助者は収集した情報を精査し整理しながら解決すべき問題を探し、その原因を分析する。そのため、問題が複数ある場合は優先順位をつけることも重要である。

5 ○ プランニングは、アセスメントで整理された情報をもとに、利用者の問題解決に向けて援助計画の具体的な方法や目標設定をする作業である。

問題10　正答 1

1 ○ 社会福祉士会の倫理綱領にも原理としてⅠ（人間の尊厳）で、「社会福祉士は、すべての人々を、出自、人種、民族、国籍、性別、性自認、性的指向、年齢、身体的精神的状況、宗教的文化的背景、社会的地位、経済状況などの違いにかかわらず、かけがえのない存在として尊重する。」とある。

2 ○ 社会福祉士会の倫理綱領にも原理としてⅢ（社会正義）で「社会福祉士は、差別、貧困、抑圧、排除、無関心、暴力、環境破壊などの無い、自由、平等、共生に基づく社会正義の実現をめざす。」とある。

3 ○ 社会福祉士会の倫理綱領にも原理としてⅤ（多様性の尊重）で「個人、家族、集団、地域社会に存在する多様性を認識し、それらの尊重する社会の実現をめざす。」とある。

4 ○ 相談援助では、バイステック（Biestek, F.P.）の7つの原則が重要である。

問題11　正答 4

A × 事前評価はアセスメントである。

B × 利用者との信頼関係の構築はインテークである。

C × 援助・支援のプログラム作成はプランニングである。

D ○ 支援の結果を振り返り適切であったか、効果があったかを評価するのはエバリュエーションである。

問題12　正答 1

A ○ 支援が必要な状態であるが適切な支援を受けていない利用者等、地域社会に潜在するケースを発見するのはアウトリーチの役割である。

B ○ アセスメントにおいて利用者と援助者は収集した情報を精査し整理しながら解決すべき問題を探し、その原因を分析し、利用者のストレングスに着目することは重要である。

C ○ プランニングはアセスメントで整理された情報をもとに、利用者の問題解決に向けて援助の具体的な方法や実施計画および目標設定をする作業である。

D ○ 計画された援助が予定通り行われているかモニタリングで点検（見守り）を行う。また、利用者のサービスに対する評価は重要である。

問題13　正答 5

A × 保育所の第三者評価は、児童福祉施設の設備及び運営に関する基準（第36条の２　第２項）で努力義務となっている。

B ○ 児童養護施設の第三者評価は、児童福祉施設の設備及び運営に関する基準（第45条の３）で義務となっている。

C × 乳児院の第三者評価は、児童福祉施設の設備及び運営に関する基準（第24条の３）で義務となっている。

D × 福祉サービスの第三者評価の所轄庁は厚生労働省である。福祉サービスの質の評価については、社会福祉法第78条に示されている。

問題14　正答 2

A ○ 禁治産・準禁治産制度が廃止され、成年後見制度は、1999年に民法が改正され、2000年に施行された。

B × 成年後見制度の所轄庁は法務省である。

C × 成年後見制度の申し込みは本人、配偶者、４親等以内の親族、市区町村長、検察官、成年後見人などである。

D ○ 成年後見人、保佐人、補助人は家庭裁判所が選任する。正しい。

問題15　正答 5

A × 福祉サービス利用援助事業（日常生活自立支援事業）の実施主体は、都道府県・指定都市社会福祉協議会である。

B × 福祉サービス利用援助事業（日常生活自立支援事業）の支援内容は、福祉サービスの利用援助、苦情解決制度の利用援助、住宅改造、居住家屋の賃借、日常生活上の消費契約および住民票の届け出等の行政手続に関する援助等である。先述の援助として預金の払い戻し、預金の解約、預金の預け入れ手続等利用者の日常生活費の管理などがあげられる。

C × 福祉サービス利用援助事業（日常自立生活支援事業）の対象者は、判断能力が不十分な者であり、かつ本事業の契約の内容について判断し得る能力を有していると認められる者であり、生活保護受給世帯の利用制限はなく、利用料金の減額（無料も含む）等がある。

D ○ 福祉サービス利用援助事業（日常生活自立支援事業）の利用料は、実施主体で異なる。

問題16　正答 4

A ○ 社会福祉法第82条（社会福祉事業の経営者による苦情の解決）では、「福祉サービスについて、利用者等からの苦情の適切な解決に努めなければならない。」と規定されている。

B × 社会福祉法第85条で運営適正化委員会は、福祉サービスに関する苦情について解決の申し出があったときは、その相談に応じる、と規定されている。

C ○ 保育所保育指針第１章総則１（５）ウにて「保育所は、入所する子ども等の個人情報を適切に取り扱うとともに、保護者の苦情などに対し、その解決を図るよう努めなければならない。」と示されている。

D × 第三者委員は、「苦情解決に社会性や客観性を確保し、利用者の立場や特性に配慮した適切な対応を推進する」ことが目的であり、経営者の責任において選任することとなっている。社会福祉事業所における苦情解決体制の一つであり、義務ではない。

問題17 　　**正答　3**

A ○　「令和４年版男女共同参画白書」（以下、白書）では、「令和３（2021）年では、「雇用者の共働き世帯」は1,177万世帯、「男性雇用者と無業の妻から成る世帯」は458万世帯である。また専業主婦の世帯は夫婦のいる世帯全体の23.1%」となっている。

B ×　白書では、「近年の、男性の育児休業取得率は上昇しており、令和２（2020）年度では、民間企業が12.65%、国家公務員が29.0%（一般職51.4%）、地方公務員が13.2%である。」と示されている。

C ○　白書では、「OECD諸国の平均値が88.4であるが、我が国は77.5であり、我が国の男女間賃金格差は国際的に見て大きい状況にあることが分かる。」と示されている。

D ×　白書では、「市町村男女共同参画計画の策定が進んでいない町村に焦点を当て、都道府県と連携し、策定状況の「見える化」を含む情報提供等により、男女共同参画についての理解を促進し、全ての市町村において計画が策定されるよう促している。」と示され、50.0%以下という数値は示されていない。

問題18 　　**正答　5**

A ×　ボランティアセンターは、多くの都道府県・指定都市の社会福祉協議会に設置されている。しかし、設置義務ではない。

B ○　社会福祉法第109条第１項第３号に、「社会福祉を目的とする事業に関する調査、普及、宣伝、連絡、調整及び助成」との記載がある。

C ×　市町村社会福祉協議会では、市等の委託を受け、生活困窮者自立相談支援事業を実施している。

D ○　社会福祉法第109条第１項第１号には、「社会福祉を目的とする事業の企画及び実施」との記載がある。

問題19 　　**正答　4**

A ×　共同募金及び共同募金会に関する基本的な事項は、「社会福祉法」に規定されている。

B ○　歳末たすけあい運動は、福祉の援助や支援を必要とする人たちが地域で安心して暮らすことができるよう、様々な福祉活動を歳末の時期に重点的に行うための募金運動である。

C ○　共同募金は、地域福祉推進を図ることを目的としている。

D ○　社会福祉法115条に「寄附金の公正な配分に資するため、共同募金会に配分委員会を置く。」と規定されている。

問題20 　　**正答　5**

A 差別　こども基本法第３条第１号では、「全てのこどもについて、個人として尊重され、その基本的人権が保障されるとともに、差別的取扱いを受けることがないようにすること。」とある。

B 参画　こども基本法第３条第３号で「全てのこどもについて、その年齢及び発達の程度に応じて、自己に直接関係する全ての事項に関して意見を表明する機会及び多様な社会的活動に参画する機会が確保されること。」とある。

C 意見　こども基本法第３条第４号で「全てのこどもについて、その年齢及び発達の程度に応じて、その意見が尊重され、その最善の利益が優先して考慮されること。」とある。

教育原理

問題1 　　**正答　4**

A ×　「教育基本法」ではなく、「日本国憲法」第23条（学問の自由）の条文である。

B ○　正しい。「教育基本法」第１条（教育の目的）の条文である。

C ×　「教育基本法」ではなく、「学校教育法」第３条（学校の設置基準）の条文である。

問題2　正答 5

A 愛情

B 環境

「児童憲章」第２項において、「すべての児童は、家庭で、正しい愛情と知識と技術をもつて育てられ、家庭に恵まれない児童には、これにかわる環境が与えられる。」と述べられている。

問題3　正答 4

イギリスの教育制度は、義務教育は５歳から16歳までの11年間で、そのうち初等教育が６年間、中等教育が５年間である。中等教育には、伝統を引き継ぐグラマー・スクールやモダン・スクール、入学年齢や修学年限が異なるファースト・スクール、ミドル・スクール、アッパー・スクールがある。義務教育を終えた後、上級学校へ進学するために学ぶシックスフォーム（２年間）がある。これら公費等によらないインデペンデントスクールやパブリック・スクール、プレパラトリー・スクールなどがある。

問題4　正答 1

1 ○　フレーベルは、世界最初の「幼稚園」を創設し、幼児期の遊びを重視した「恩物」と呼ばれる遊具を考案した。

2 ×　ルソーは、「子どもの発見者」とも呼ばれ、主著として『エミール』や『社会契約論』がある。

3 ×　ペスタロッチは、ルソーの教育思想を継承し、直観教育に基づく教育実践を展開した。

4 ×　アリエスはフランスの歴史学者で、主著に『<子供>の誕生』（1960年）があり、17世紀までの西欧では子どもは「小さな大人」として扱われ、大人との違いは明確に意識されていなかったと述べた。

5 ×　デューイは、経験主義を教育の基本原理と考え、主著として『民主主義と教育』や『学校と社会』などがある。

問題5　正答 2

1 ×　荻生徂徠は、江戸時代の儒学者。日本橋に蘐園塾（けんえんじゅく）を開き、塾生の個性を尊重し自主的研究態度を養うことを奨励した人物である。

2 ○　貝原益軒は、江戸時代の儒学者。著書の『和俗童子訓』は日本で最初の体系的な児童教育書とされており、子どもの年齢に応じた教授法と教材の配列（「年ニ随ツテ教ノ法」（隋年教法））を説いている。

3 ×　佐藤信淵は、江戸時代の農政学者、国学者。蘭学を学び、貧民救済のための社会事業に関心を寄せた人物である。

4 ×　伊藤仁斎は、江戸時代の思想家。独学で学問的基盤を形成し、京都堀川に古義堂（堀川学校）を開いた人物である。

5 ×　太田道灌は、室町時代に活躍した武将で、鎌倉五山で学問を修め、足利学校に学んだ。のちに江戸城を築城した人物である。

問題6　正答 5

A エ　世阿弥は、室町時代の能役者。能役者・観阿弥の子として生まれた。主著『風姿花伝』には、成長段階に応じた稽古のあり方が詳細に述べられている（「型」の教育等）。

B ウ　金沢文庫は、鎌倉時代に北条実時が金沢郷に創設した文庫であり、武家の文庫としては最古のものであるとされている。

C ア　広瀬淡窓は、江戸時代の儒学者、教育者。豊後国日田に、咸宜園を開いた人物である。咸宜園では「三奪の法」により、身分、出身、年齢などに関係なく、すべての塾生が平等に学ぶことができた。

問題7　正答 4

1 ×　澤柳政太郎は、戦前の文部官僚、高等師範学校等の校長を歴任した人物。東北帝国大学の初代総長として、初めて女子学生の入学を許可し、成城小学校では大正新教育運動の代表的な教育実践を展開した。

2 ×　羽仁もと子は、日本初の女性記者として活躍し、現在も続く女性雑誌『婦人之友』を創刊した人物である。大正10年には、高等女学校令に準拠しない「自由学園」を創設し、幼少期から自主的判断力の育成が目指された。

3 × 城戸幡太郎は、日本における集団主義保育の理論的指導者であり、保育問題研究会を結成し、戦後は教育刷新委員会の委員として活躍した人物である。

4 ○ 問題文は、倉橋惣三の主著『幼稚園真諦』の一部である。倉橋は東京女子高等師範学校教授、同校附属幼稚園主事を兼任し、「幼児のさながらの生活」（子どもたちの日常的な姿や生活）を重要視する「誘導保育」を提唱した人物。現在の保育所保育指針の原型となる「保育要領」の作成に関与した。

5 × 小原國芳は、澤柳政太郎の要請を受けて成城小学校主事となり、機関誌『教育問題研究』を編集。「八代教育主張」のうち「全人教育論」を唱え、昭和４年には玉川学園を創設した人物である。

問題8　正答　3

1 × 経験カリキュラムとは、子どもたちの興味・欲求を重要視し、問題を解決していくことで生活経験を積み重ねていく。しかし、教育内容の組織化が難しく、教育評価が曖昧になるという短所がある。

2 × 潜在的カリキュラムとは、「隠れたカリキュラム」とも呼ばれ、「顕在的」なカリキュラムとは別に、目にみえない形ではあるが、子どもたちに影響を与える（学校における制度、文化、教師や生徒間の人間関係等）。

3 ○ 教科カリキュラムとは、知識や技術を系統的に伝達するのに適したカリキュラムを指す。しかし、知識偏重、受動的な暗記学習に陥るという短所がある。

4 × 合科カリキュラムとは、いくつかの学習内容を融合し、広域の学習を組織するカリキュラムを指す。現在の「総合的な学習の時間」などがこれに該当する。

5 × 統合カリキュラムとは、教科によらない方法によって学習内容を統合するカリキュラムを指す。現在の「生活科」などがこれに該当する。

問題9　正答　2

「保育所保育指針」第１章「総則」では、「家族を大切にしようとする気持ちをもつとともに、（地域）の身近な人と触れ合う中で、人との様々な関わり方に気付き、相手の気持ちを考えて関わり、自分が役に立つ喜びを感じ、（地域）に親しみをもつようになる。また、保育所内外の様々な（環境）に関わる中で、遊びや生活に必要な（情報）を取り入れ、（情報）に基づき判断したり、（情報）を伝え合ったり、活用したりするなど、（情報）を役立てながら活動するようになるとともに、公共の施設を大切に利用するなどして、社会とのつながりなどを意識するようになる。」と述べられている。

問題10　正答　5

2023（令和５）年２月27日、中央教育審議会、初等中等教育分科会、幼児教育と小学校教育の架け橋特別委員会による「学びや生活の基盤をつくる幼児教育と小学校教育の接続について～幼保小の協働による架け橋期の教育の充実～」の一部である。５歳児から小学校１年生までの２年間を「架け橋期」と称し、０歳から18歳までの学びの連続性に配慮しつつ、「架け橋期」の教育の充実化が目指されている。

社会的養護

問題1　正答　2

児童養護施設運営指針は、児童養護施設における養育・支援の内容と運営に関する指針を定めるものである。この問題は、児童養護施設運営指針2-⑵ 社会的養護の原理「⑤継続的支援と連携アプローチ」 から出題されている。

問題2　正答　4

「社会的養護関係施設における親子関係再構築支援ガイドライン」からの出題である。第１章-４．親子関係再構築の定義に示してある。
親子関係再構築支援の目指すところは、最終的に子どもが自尊感情をもって生きていけるようになること、生まれてきてよかったと自分が生きていることを肯定できるようになることである。

問題3　正答 1

A ○　この問題は「新しい社会的養育ビジョン」からの出題である。Aの文章は示された通りで正解である。

B ○　Bの文章も示された通りであるため、正解である。「子ども・家族の参加」とは、十分な情報を提供されること、意見を表明し尊重されること、支援者との適切な応答関係と意見交換が保証されること、決定の過程に参加することを意味する。

C ×　新しい社会的養育ビジョンには、代替養育は、本来は一時的な解決であり、家庭復帰、親族との同居、あるいは、それらが不適当な場合の養子縁組、中でも特別養子縁組といった永続的解決を目的とした対応を行わねばならないと示されている。実父母の死亡などの場合に限られるとは示されてないため、誤りである。

D ○　乳児院・児童養護施設は、子どもの養育に関する専門性や親子関係再構築支援に関するノウハウ等をそれぞれ有していることから、フォスタリング機関の有力な担い手のひとつとして期待されている。また、乳児院をはじめ、記述の施設は地域の子どもや家族の相談に応じる事業を担う等、地域に開かれた働きを期待されている。

問題4　正答 1

この問題は「児童養護施設運営ハンドブック」第Ⅱ部各論6.（3）地域支援からの出題である。

・地域住民に対する相談事業を実施すること等を通じて、具体的な（A. 福祉ニーズ）の把握を行う。
・施設が有する専門性を活用し、地域の子育ての相談・助言や（B. 市町村）の子育て事業の協力をする。
・地域の里親支援、子育て支援等に取組など、施設の（C.ソーシャルワーク）機能を活用し、地域の拠点となる取組を行う。

したがって、正しい組み合わせは1である。

問題5　正答 1

A ○　この問題は、「児童養護施設運営指針」第Ⅱ部各論2.家族への支援に示されている。Aの文章は運営指針に示されている通り、正解である。

B ○　Bの文章は運営指針に示されている通り、正解である。面会、外出、一時帰宅も家族の関係づくりの支援である。

C ○　Cの文章は運営指針に示されている通り、正解である。

D ×　運営指針に「一時帰宅は児童相談所と協議を行う」と示されているため、誤りである。保護者の意向も大切ではあるが、保護者の状況や家庭環境の状態等を加味し、施設と児童相談所が協議する必要がある。

問題6　正答 4

A ×　里親及びファミリーホーム養育指針には、新生児から年齢の高い子どもまで、すべての子どもが対象であると示されているため、誤りである。実際には18歳に至るまでの子どもを対象としており、必要がある場合は20歳に達するまでの措置延長をとることができる。

B ○　養育指針に示されている通り、正しい。

C ×　里親に委託された子どもが、里親の姓を通称として使用することはある。しかしその場合には、委託に至った子どもの背景、委託期間の見通しと共に、子ども自身の意思、実親の意向の尊重という観点から慎重に検討すると示されている。里親姓を使用することとは示されていないため、誤りである。

D ○　養育指針に示されている通り、正しい。特定の養育者と共に生活を継続するという安心感が、子どもにとって養育者を信頼することに繋がる。そして、信頼感に基づいた関係性が人間関係形成における土台となりうる。

問題7　正答 3

1 ○　被措置児童等虐待対応ガイドラインI-2に組織全体が活性化され、風通しよく、また地域や外部に開かれた組織とすることが、被措置児童等虐待も予防されると考えられると示されているため、正しい。

2 ○　第三者評価の積極的な受審・活用など、外部の目を取り入れ、開かれた組織運営としていくことが重要であると示されているため、正しい。

3 ×　施設等の複数の子どもが生活を送る場で被措置児童等虐待が発見された場合、被害を受けた子ども以外の被措置児童に対しても、適切で分かりやすい経過説明と細かなケアを実施することが必要と示されているため、誤りである。

4 ○ 自立支援計画の策定や見直しには、子どもの意見や意向等を確認し、確実に反映することと示されているため、正しい。また、子どもが理解できていない点があれば、さらに分かりやすくくり返し説明することが必要である。

5 ○ 経験の浅い職員や、施設等での養育実践において負担が大きいと感じている職員に対して、施設内外からスーパービジョンが受けられる体制が必要であると示されているため、正しい。

問題8　正答 2

1 × 1869年日田県（現在の大分県日田地方）が豊後国日田郡北豆田村に日田養育院を設置した。松方正義は、日田県の初代県知事である。養育院は捨て子などの養育が必要な乳幼児を保育するための施設で、近代日本において最初の孤児院であるとされている。博愛社については、選択肢４の解説にある。

2 ○ 岩永マキは、1874年、３人の女性信者と共に浦上本原郷に国内初の児童養護施設とされる「小部屋」（現在の浦上養育院）を開設し、多くの孤児を引き取って育てた。孤児救済の先駆者、日本の福祉事業の礎を築いた女性とされている。

3 × 石井亮一は、「日本の知的障害児者教育・福祉の父」と呼ばれた教育者である。1891年日本初の知的障害児施設である滝乃川学園（前身は孤女学院）を創設した。なお、家庭学校は1899年に留岡幸助が創立した。「能く（よく）働き、能く食べ、能く眠らしめる」という三能主義の元に個性を重視した人格形成のために非行少年の教育を実施した。

4 × 小橋勝之助は1890年、キリスト教の精神に基づき貧しい家庭の子どもたちを集め、生活・教育支援を始めるために博愛社を創設した。わが国の最も古い児童施設のひとつである。日田養育院については、選択肢１の解説にある。

5 × 池上雪枝は、日本で最初の感化院（児童自立支援施設）である池上感化院を設立した。当時流行しはじめたステッキや洋傘の柄、石鹸などの製造を行いながら少年補導に尽力した。滝乃川学園については、選択肢３の解説にある。

問題9　正答 4

A × 職員によって子どもの対応が異なりすぎるのは、子どもの戸惑いや混乱を生むため、確かに一貫したかかわりが大切ではあるが、嘘をついたことを厳しく問いただし、叱責する対応は、子どもと職員の信頼関係を形成していく上で、適切でないと考えられるため、誤りである。

B ○ 自分を見て欲しいためにわざと嘘をつくという言動は、現場職員としても心配なことである。U保育士は、「今」に囚われ叱責する指導に疑問を抱いており、K君の言動を成育歴から見つめ、より適切なアプローチを見出そうとしている。またケアワーカー以外の職員に出席してもらい、より多角的な視点でK君を見ることで、新しい気付きを生む可能性も増やそうとしている。子どもの現状、生い立ちに寄り添う気持ちや、ひとりで抱え込まずにチームでの支援を目指す様子が見受けられるため、適切と判断できる。

C × 気を引くために嘘をつくという言動を、なんとか変えてあげたいとの思いがH児童指導員にはあるかもしれず、思いは一定理解はできる。しかし、この声かけではK君の気持ちへの寄り添いが全く見られず、K君は一方的に指導員側の意図を説明され、叱られたと感じ、信じられる大人を失ってしまうかもしれない。子どもの心情を考えると、適切でないと考えられるため、誤りである。

D ○ U保育士はK君のそばにいる時間を増やし、K君の話を聞きたいとの姿勢を言葉で伝えている。また繰り返し伝えたとあるように、１度きりではなく、何度も伝え、どんなときもK君に寄り添いたいとの思いが伝わるよう意識している。この人なら話しても大丈夫だなと安心してこそ、子どもは大人を頼ることができる。U保育士はその基本を理解しており、信頼関係形成のために寄り添う姿勢が感じられるため、適切と判断できる。

問題10　正答 5

この問題は、児童養護施設運営指針第Ⅰ部総論５．養育のあり方の基本に示されている。
子どもの養育を担う専門性は、養育の場で（A. 生きた）過程を通して培われ続けなければならない。経験によって得られた知識と技能は、現実の養育の場面と過程のなかで絶えず見直しを迫られることになるからである。養育には、子どもの生活を（B. トータル）にとらえ、日常生活に根ざした（C. 平凡）な養育のいとなみの質を追求する姿勢が求められる。

子どもの保健

問題1　　正答 4

生活において大切なことは健康と安全である。そのために基本的な習慣と態度を養う必要がある。保育所保育指針には健康と安全に関する記述がさまざまなところにあるので、よく読んで理解しておくことが大切である。

問題2　　正答 3

1 ×　母子保健は、母親と子どもを対象としている。

2 ×　現在行われている母子保健は、昭和40年に公布された「母子保健法」が法的根拠である。

3 ○　母子保健の施策の成果の一つとして乳児死亡率の著しい減少があり、日本は世界でもトップクラスの低い乳児死亡率となっている。

4 ×　母子保健法に、「乳児及び幼児に対する虐待の予防及び早期発見に資するものであることに留意する」という記載がある。

5 ×　妊産婦登録の発端となったのは、妊産婦手帳制度である。

問題3　　正答 4

1 ○　産後に子育てに悩む保護者への支援は大切である。今後は、産前からの切れ目のない支援も必要とされている。

2 ○　「こんにちは赤ちゃん事業」ともいわれ、生後４ヶ月までの乳児のいるすべての家庭を訪問し、悩みを傾聴し、子育て支援の情報を提供し、助言を行うことで、児童虐待の防止につなげる。

3 ○　児童虐待が疑われる子どもへの対応は、多職種による地域での検討が重要である。

4 ×　新生児スクリーニング検査は、虐待防止ではなく、子どもの成育段階で起こる障害発生の予防事業である。主な疾患としては、先天性代謝異常症やクレチン病、先天性副腎過形成症などがある。

5 ○　地域の子育て支援は、児童虐待の予防として大切である。

問題4　　正答 3

A ×　脳細胞の情報伝達は、成熟して伝達速度が速くなる。

B ○　運動発達は、頭部から足部へ、中心部から末梢へという順序と方向性がある。

C ×　副腎皮質ホルモンは発育をうながさない。発育をうながすホルモンには性ホルモンなどがある。

D ○　原始反射は、神経疾患で遅くまで残ることがあるが、通常は成長とともに生後半年までには消失する。

E ○　前方の隙間を大泉門といい、後方の隙間を小泉門という。

問題5　　正答 1

A ア　前頭葉は、人間の運動、言語、感情をつかさどる。

B ウ　側頭葉は、聴覚認知、言語的な記憶、視覚的な記憶を行う。また嗅覚の記憶処理も行う。

C イ　延髄は、呼吸、循環器など生命維持に不可欠な中枢である。

D エ　小脳は、運動のコントロールを行う。平衡や眼球運動の調節も行う。

問題6　　正答 5

A ×　新生児の腎臓は未熟で尿の濃縮能が低く、膀胱の大きさも小さいため、１日の排尿量や排尿回数は大人より多い。

B × 尿意は２歳までには確立し、トイレットトレーニングが可能となる。

C ○ 排便回数は、個人差があるが、離乳食が始まる前は、回数が多いことが多い。

D ○ ４歳以上では、排便、排尿はほとんどの子どもが自立している。

問題7　正答 3

1 × 乳幼児健康診査のうち、１歳６ヶ月健診と３歳健診は母子保健法で定められているが、この他は、各自治体で任意に定めている。

2 × 乳幼児健康診査の受診率は、90%を超えている。乳幼児健康診査を受診しなかった家庭に連絡を入れて、虐待防止に役立てている自治体もある。

3 ○ 乳幼児健康診査は疾病の早期発見に役立っているだけでなく、子育て支援や児童虐待防止にも大きく役立っている。

4 × 保育所の定期健康診断は、「児童福祉施設の設備及び運営に関する基準第12条」によって義務付けられている。

5 × 健康診断を実施したときには、実施後の評価が大切である。

問題8　正答 3

A ○ 生後６か月未満児や早産児では重症化のリスクがある。

B × RSウイルスは、再感染がしばしばあり、また型の違いもあるので、何度か罹患することがある。

C × 大人は感染しても発熱せず軽く済むことが多く、乳児に感染させないような注意が必要である。

D ○ １歳児から０歳児に感染することもあるので、できるだけ別の部屋で保育することが望ましい。

問題9　正答 3

1 ○ 水痘は、水疱疾患である。発症初期から色々な段階の発疹が混在しているのが特徴である。

2 ○ 新型コロナの流行で、インフルエンザの発症時期が定まらなくなっているが、基本的にインフルエンザは冬に流行する。

3 × 咽頭結膜熱はアデノウイルスが原因で、夏に流行する。プール熱と呼ばれるがプールから感染するのではなく、飛沫感染、接触感染が主な感染経路である。

4 ○ 手足口病が原因のウイルスはいくつかあり、手足口だけでなく、臀部や膝にも発疹ができ、爪にも病変が認められたことがある。

5 ○ 伝染性紅斑は、頬に発疹が出た頃には、感染性がなくなる。

問題10　正答 1

A ○ 出席停止期間は、感染性などを考慮して疾患によって異なっている。

B ○ 感染が流行しているときには、特に飛沫感染の場合は、人との密の接触を避け、換気が必要である。

C ○ 出席停止期間は、休養が必要である。

D ○ 「学校保健安全施行規則」に規定されている学校感染症には、出席停止期間が定められている。

問題11　正答 2

A ○ 災害時に保護者や救助が迎えに来るまで、職員と保育している子どもの人数分の３日分の水や食料品などの備蓄が必要である。

B ○ 避難訓練は月１回は行う必要がある。消防用設備の点検も義務づけられている。

C ○ カーテンの防炎加工のほか、棚の固定、避難路の確保なども必要である。

D × 保護者への連絡手段は複数確保し、確実に連絡が取れるようにする。

E × 徒歩が十分できない園児の避難のためには、手押し車を使う必要がある場合もある。

問題12　正答 3

1 × 防災訓練は、予告なしで行うこともあるが、事前指導や事後指導で準備することもある。

2 × 災害はいつあるか分からないため、特定の曜日や時間で設定するのは適切ではない。

3 ○ 防災訓練では、実践的な訓練を行っておくことが大切である。

4 × 防災では、保護者の協力も大切である。保育者だけでなく、保護者の参加もお願いすることがある。

5 × 不審者が侵入したときのための防犯訓練は、子どもたちに対応を知ってもらうためにも、行うことがある。

問題13　正答 2

A ○ けいれんは、熱性けいれんの他にも脳炎、髄膜炎など様々な原因で起こることがある。

B ○ けいれんがおさまった後は、原因を含めて診察を受けた方がよい。

C × 小児がけいれんを起こしたとき、口に物を入れるのは危険であるため行わない。

D × 発熱を伴うけいれんは、熱性けいれんの他にも原因があることがある。

E ○ けいれんがおさまった後には、意識状態の確認が必要である。

問題14　正答 1

A ○ 感電事故では、電源供給を止めた後も、感電のリスクを考え、絶縁物を用いて子どもを感電箇所から遠ざける必要がある。

B ○ 溺水した子どもを救助したときには、呼吸をしていなければ心肺蘇生が必要になる。呼吸をしていれば、体を温め水を吐き出させる。

C × 肘内障は、肘の靭帯が骨から外れることである。

D × 暑さ指数が28から31℃は厳重警戒であり、10～20分おきに休憩をとり水分・塩分の補充を行い、暑さに弱い子どものときには、運動を中止することも考慮する。

問題15　正答 2

A ○ うがいが難しい場合は、口をゆすぐまではしてもよい。

B × 嘔吐してすぐに飲ませると、嘔吐を誘発することがある。嘔吐後、すぐには脱水症にならないので、1時間ほど絶飲時間を置いてから水分摂取を行う。

C ○ 寝かせるときには吐物したものを誤嚥することがないように、横向きにするか顔を横に向けて寝かせる。

D × 吐物が付着した床は、次亜塩素酸ナトリウムを0.1%濃度に希釈して消毒する。

E × 吐物が付着した衣服は嘔吐物を落としたのち、感染のリスクがあるので、ビニール袋に入れて返却する。

問題16　正答 1

A ○ 感染性の高い胃腸炎の可能性があるので、保護者にできるだけ早く迎えにきてもらい、医療機関の受診を勧める。

B × 感染症が疑われる子どもは、他の子どもと隔離する。

C ○ 感染症が疑われる子どもは、別室で保育する。

D × 排泄物は感染性が高いので、おむつの交換は別室で行う。

E × 高熱があるときには、できるだけ冷やして、水分摂取できそうであれば、水分補給を行う。

問題17　正答 3

A ○ 病児保育事業は子ども・子育て支援法第59条により制定された。

B × 小学校3年生までの児童が対象である。

C × 利用児童概ね3名につき保育士を1名、利用児童概ね10名につき看護師を1名配置することになっており、医師の配置は規定されていない。

D ○ 保育所で児童が体調不良となったときの病児保育は、保育所等で行う。

問題18 正答 2

A ○ エピペンは、15kg以上の子ども用と30kg以上の子ども用とがある。

B × 保管は、日が当たらない室温で行う。

C ○ エピペン使用後も症状が再燃することがあり、新たなエピペンの処方も必要になるため、医療機関を受診する。

D × 「生活管理指導表」は、主治医に作成してもらう。

問題19 正答 2

A ○ 食物アレルギーにはさまざまな症状がある。

B × 食物アレルギーは、離乳食が始まる頃に増加するが、幼児になると年齢が上がるにつれて改善していく。

C ○ 症状としては、発疹が最も多い。

D × 治療の基本は除去食であり、無理のない範囲で少しずつ食べながら最終的に食べられようにする。薬物療法は、アレルギー症状がひどくなったときに症状の改善のために行う。

問題20 正答 4

A × 血友病は伴性劣性遺伝で母親が保因者である。

B ○ 小児慢性特定疾病なので、認定されれば20歳まで医療費の公費負担となる。

C × 定期的に凝固因子を補充すれば、通常の運動を行ってよい。

D × 凝固因子を補充していれば、予防接種は通常通りに行う。

E ○ 出血があったときには、凝固因子が減少して出血傾向の症状が出てくることがあるので、医療機関を受診する。

子どもの食と栄養

問題1 正答 1

A 糖質 炭水化物は、炭素（C）、水素（H）、酸素（O）からなる化合物で、糖質と食物繊維の総称である。炭水化物は、ヒトの消化酵素で消化しやすい糖質と、ヒトの消化酵素では消化されにくい食物繊維に大別される。

B 食物繊維 食物繊維はヒトの消化酵素では消化されないが、便秘予防の効果や、血糖値の上昇を抑制する効果などがある。

C 4 糖質は1gあたり約4kcalのエネルギーを供給する。1gあたり約9kcalのエネルギーを供給するのは、脂質である。

D グリコーゲン エネルギー源として利用されなかった糖質は、グリコーゲンとして肝臓や筋肉に貯蔵される。ガラクトースはブドウ糖と結合して、乳糖として存在する。

問題2 正答 5

A × ビタミンCは糖質代謝に関与しない。鉄の吸収の促進に関与する。

B × ビタミンB_1は鉄の吸収を促進するのではなく、糖質代謝に関与する。

C ○ ビタミンKは、血液の凝固に関与する。不足すると乳児ビタミンK欠乏性出血症（新生児頭蓋内出血症）などを引き起こす可能性がある。

D ○ ビタミンDは、カルシウムの吸収を促進する。不足すると子どものくる病などを引き起こす可能性がある。

問題3　　正答　4

A ウ　推定平均必要量とは、半数の人が必要量を満たす量を指す。推定平均必要量を補助する目的で推奨量を設定している。推奨量はほとんどの人が充足している量をいう。

B ア　生活習慣病の発症予防を目的として、現在の日本人が当面の目標とすべき摂取量として「目標量」は設定されている。

C イ　栄養素の耐容上限量は、過剰摂取による健康障害の回避の目的で定められている。

問題4　　正答　1

1 ×　食品表示基準に規定される栄養成分は、たんぱく質、脂質、炭水化物及びナトリウムの量及び熱量であり、必ず表示しなければならない。カルシウムは義務づけられていない。

2 ○　たんぱく質は必ず表示しなければならない。

3 ○　熱量は必ず表示しなければならない。

4 ○　ナトリウムは必ず表示しなければならない。

5 ○　脂質は必ず表示しなければならない。

問題5　　正答　2

A ○　乳児用調製粉乳の調乳は、使用する湯は70℃以上を保つため、沸騰させた後30分以上放置しない。

B ○　調製粉乳の調整用として推奨された水の場合も、沸騰させて使用する。電気ポットを使用する場合は、スイッチが切れるまで待つ。鍋を使用する場合は、ぐらぐらと沸騰していることを確認する。

C ×　調乳は、70℃以上に保った湯で十分に粉ミルクを溶かし、人肌ほどの温度までさまして与える。

D ○　調乳後、飲み残した場合、２時間以上経過したミルクは食中毒の危険性があるため、破棄する。

問題6　　正答　3

A ○　分娩後１～５日頃までの乳を初乳とよび、黄白色で粘稠性がある。分娩後10日以上経過した乳を成乳と呼ぶ。

B ×　初乳は成乳に比べ、たんぱく質やミネラルが多く、乳糖が少ない。初乳はラクトフェリン、免疫グロブリン（IgA）、リゾチームやビフィズス菌成長因子などを多く含み、感染症の発症を予防している。

C ×　母乳分泌時（乳児の吸てつ）によってオキシトシン（ホルモン）が分泌され、子宮を収縮させ、子宮の回復に役立っている。

D ○　乳幼児突然死症候群（SIDS：Sudden Infant Death Syndrome）とは、何の予兆や既往歴もないまま乳幼児が死に至る原因のわからない病気で、窒息などの事故とは異なる。予防方法は確立していないが、母乳栄養児の方が、人工栄養児よりも発生率が低いことがわかっている。

問題7　　正答　4

A なめらかにすりつぶした状態　離乳食の開始とは、なめらかにすりつぶした状態の食べものを初めて与えた時をいう。そのため、ただ単に液状のものを与えても離乳の開始にはあたらない。

B 首　離乳開始の子どもの発達の目安は、首のすわりがしっかりとしている、寝返りができる、５秒以上座れることである。発達の目安の記述は、2019年の改定版から加えられた。変更された部分は覚えておくことが望ましい。

C 舌で押し出す　子どもの食べたがっているサインには、スプーンなどを口に当てても嫌がらない、スプーンを口に入れても押し出すことが少なくなるなどがある。

D ５～６か月　食べ物に興味を示す（大人が食べている様子に興味を示す、食べ物をみて口を動かす、唾液の量が増えるなど）時期は、離乳開始時の生後５～６か月ごろである。

問題8　　正答 2

A ○ ほとんどの子どもは3歳頃までにすべての乳歯（20本）が生え揃う。

B × 手指機能の発達に伴い、スプーンやフォークなどの握り方も「手のひら握り→指握り→鉛筆握り」と変化する。

C ○ 唾液中には、でんぷん分解酵素のプチアリンが含まれる。プチアリンは新生児に少なく、生後3か月ぐらいまではでんぷんの消化力は弱い。

D ○ 「楽しく食べる子どもに～食からはじまる健やかガイド～」では、「発育・発達過程に応じて育てたい"食べる力"」として、幼児期では、「おなかのすくリズムがもてる」「食べたいもの、好きなものが増える」「家族や仲間と一緒に食べる楽しさを味わう」「栽培、収穫、調理を通して、食べ物に触れはじめる」「食べ物や身体のことを話題にする」がある。

問題9　　正答 5

A × 「学校給食法」は平成20年に改正された（施行は平成21年4月）。第2条に「学校給食の目標」として「7つの目標」が掲げられている。目標の中に食料自給率についての記載はない。

B × 学校給食法の第2条　学校給食の目標の一は「適切な栄養の摂取による健康の保持増進を図ること」である。

C ○ 学校給食法の第2条　学校給食の目標の四は、「食生活が自然の恩恵の上に成り立つものであることについての理解を深め、生命及び自然を尊重する精神並びに環境の保全に寄与する態度を養うこと」である。

D ○ 学校給食法の第2条　学校給食の目標の七は、「食料の生産、流通及び消費について、正しい理解に導くこと」である。

問題10　　正答 5

A × 学校保健統計調査は、学校における幼児、児童及び生徒の発育及び健康の状態を明らかにすることを目的としている。肥満傾向児の割合は男女ともに小学校高学年が最も高い。痩身傾向児の割合は、男女とも10歳以降約2%～3%台となっている。

B × 神経性やせ症（神経性食欲不振症）の思春期の発症頻度は女子の方が高い。

C ○ 小児期（6～15歳）のメタボリックシンドロームの診断基準における腹囲の基準は、男女ともに同じである。小学生は75cm以上、中学生は80cm以上。または、ウエスト周囲長を身長で割った値が0.5以上である。

D ○ 肥満・痩身傾向児の算出方法は、性別、年齢別、身長別標準体重から肥満度（過体重度）を算出し、肥満度が20%以上の者を肥満傾向児、-20%以下の者を痩身傾向児としている。
肥満度（過体重度）＝〔実測体重（kg）－身長別標準体重（kg）〕／身長別標準体重（kg）×100（%）

問題11　　正答 3

A ○ 「日本人の食事摂取基準（2020年版）」において、妊婦・授乳婦に対するカルシウムの付加量は設定されていない。

B × 「妊産婦のための食事バランスガイド」（令和3年厚生労働省）では、妊娠中期の1日分付加量は、副菜、主菜、果物において+1（SV：サービング）とされている。5つの区分すべてにおいて+1となるのは、妊娠末期及び授乳期である。

C ○ 妊娠期間中の推奨体重増加量は、妊娠前の体格別に設定されている。
低体重（やせ）：BMI18.5未満の場合は、推奨体重増加量12～15kg。
ふつう：BMI18.5以上25.0未満の場合は、推奨体重増加量10～13kg。
肥満（1度）：BMI25.0以上30.0未満の場合は、推奨体重増加量7～10kg。
肥満（2度以上）：BMI30.0以上の場合は、個別対応（上限5kgまでが目安）。

D × 母体の健康と赤ちゃんの健やかな発育には、妊娠前からのからだづくりが大切であるため、無理なくからだを動かすように心がける。

問題12　正答 3

A イ

B エ

すべての国民が心身の健康を確保し、生涯にわたって生き生きと暮らすことができるように、2005（平成17）年6月に食育基本法が公布された。食育基本法の前文には次のように記載されている。
子どもたちに対する食育は、心身の成長及び人格の形成に大きな影響を及ぼし、生涯にわたって健全な心と身体を培い豊かな人間性をはぐくんでいく基礎となるものである。

問題13　正答 3

A ○　食育推進基本計画は、食育基本法に基づき、食育の推進に関する基本的な方針や目標について定めている。第４次食育推進基本計画では、３つの重点事項を柱にSDGsの考え方を踏まえ、食育を総合的かつ計画的に推進している。重点事項の２として、持続可能な食を支える食育の推進がある。

B ×　３つの重点事項の中に、家庭における共食を通じた子どもへの食育の推進は含まれていない。家庭における共食を通じた子どもへの食育の推進は、第２次食育推進基本計画である。

C ○　第４次食育推進基本計画の重点事項の３として、「新たな日常」やデジタル化に対応した食育の推進がある。重点事項の３つは覚えておくことが望ましい。

D ×　３つの重点事項の中に、若い世代を中心とした食育の推進は含まれていない。若い世代を中心とした食育の推進は、第３次食育推進基本計画である。

E ○　第４次食育推進基本計画の重点事項の１として、生涯を通じた心身の健康を支える食育の推進がある。

問題14　正答 1

A ○　「保育所保育指針」は、第１章～第５章で構成され、保育所における保育の内容及びこれに関連する運営に関する事項を定めている。第３章「健康及び安全」２「食育の推進」における、「食育の環境の整備等」では、ア「子どもが自らの感覚や体験を通して、自然の恵みとしての食材や食の循環・環境への意識、調理する人への感謝の気持ちが育つように、子どもと調理員等との関わりや、調理室など食に関わる保育環境に配慮すること」が記載されている。

B ○　第３章「健康及び安全」２「食育の推進」における、「食育の環境の整備等」では、ウ「体調不良、食物アレルギー、障害のある子どもなど、一人一人の子どもの心身の状態等に応じ、嘱託医、かかりつけ医等の指示や協力の下に適切に対応すること。栄養士が配置されている場合は、専門性を生かした対応を図ること」が記載されている。

C ○　第３章「健康及び安全」２「食育の推進」における、「保育所の特性を生かした食育」では、ウ「乳幼児期にふさわしい食生活が展開され、適切な援助が行われるよう、食事の提供を含む食育計画を全体的な計画に基づいて作成し、その評価及び改善に努めること」が記載されている。

D ×　保育所における食育は、健康な生活の基本としての「食を営む力」の育成に向け、その基礎を培うことを目標とすることと記載されている。「生きる力」ではなく「食を営む力」が正しい。

問題15　正答 2

1 ○　しょうゆとは、大豆などを主原料として、麹（こうじ）と食塩を加えて、発酵、熟成させた液体調味料である。

2 ×　豆苗は、えんどう豆の若い葉と茎を食べる緑黄色野菜である。

3 ○　きな粉は、大豆を焙煎して粉末にしたものである。

4 ○　油揚げは、豆腐を薄く切って水気を除き食用油で揚げたものである。豆腐は豆乳に凝固剤を添加したものである。

5 ○　豆乳は、大豆を水に浸漬し、加水しながら磨砕し、磨砕した大豆汁を加熱し、豆乳とオカラとに分離し、大豆からタンパク質その他の可溶成分を抽出し、ろ過したものである。

問題16 正答 5

1 ○ 「家庭でできる食中毒予防の６つのポイント」における、ポイント１「食品の購入」では、「表示のある食品は、消費期限等を確認し、購入しましょう。」と記載されている。

2 ○ 食中毒予防の三原則は、食中毒菌を「付けない、増やさない、やっつける」である。「家庭でできる食中毒予防の６つのポイント」はこの三原則から作られている。

3 ○ 「家庭でできる食中毒予防の６つのポイント」における、ポイント１「食品の購入」では、「購入した食品は、肉汁や魚等の水分がもれないようにビニール袋等にそれぞれ分けて包み、持ち帰りましょう」と記載されている。

4 ○ 「家庭でできる食中毒予防の６つのポイント」における、ポイント６「残った食品」では、「残った食品は早く冷えるように浅い容器に小分けして保存しましょう。」と記載されている。

5 × 「家庭でできる食中毒予防の６つのポイント」における、ポイント２「家庭での保存」では、「冷蔵庫は10℃以下、冷凍庫は-15℃以下に維持することがめやすです。温度計を使って時々温度を計るとよいでしょう。細菌の多くは、10℃では増殖がゆっくりとなり、-15℃では増殖が停止しています。しかし、細菌が死ぬわけではありません。早めに使いきるようにしましょう。」と記載されている。そのため、15℃以下ではなく、10℃以下が正解である。

問題17 正答 3

A × 厚生労働省の人口動態調査によると、平成26年から令和元年までの６年間に、食品を誤嚥して窒息したことにより、14歳以下の子どもが80名死亡しており、そのうち５歳以下が９割を占めている。特に、豆やナッツ類など、硬くてかみ砕く必要のある食品は５歳以下の子どもには食べさせないことが原則である。喉頭や気管に詰まると窒息しやすく、大変危険である。

B ○ 食べているときは、姿勢をよくし、食べることに集中させることが大切である。物を口に入れたままで、走ったり、笑ったり、泣いたり、声を出したりすると、誤って吸引し、窒息・誤嚥するリスクがある。

C ○ 豆やナッツ類など、硬くてかみ砕く必要のある食品は５歳以下の子どもには食べさせないことが原則。節分の豆まきにも注意が必要である。個包装されたものを使用するなど工夫して行い、子どもが拾って口に入れないように、後片付けを徹底することが大切である。

D ○ ミニトマトやブドウ等の球状の食品を丸ごと食べさせると、窒息するリスクがある。乳幼児には、４等分する、調理して軟らかくするなどして、よく噛んで食べさせることが大切である。

問題18 正答 2

A ○ 「食品ロス」とは、本来食べられるのに捨てられてしまう食品のことをいう。令和３年度推計値によると、食べられるのに捨てられる食品「食品ロス」の量は年間523万トンである。

B ○ 食品ロスを減らすためには、奥から商品をとらずに、陳列されている賞味期限の順番に購入する、賞味期限の近い値引き商品を購入する、食べきれる分量を注文して、食べ残しを出さないなどがある。

C × 食料需給表は、FAO（国際連合食糧農業機関）の作成の手引きに準拠して、毎年度農林水産省が作成している。「令和３年度食料需給表」では、日本の供給熱量ベースの総合食料自給率は約38%である。食料自給率の熱量ベースとは、国民に供給されるカロリーに対する国内生産の割合を示すものである。

D × 食品ロスは「事業系食品ロス」、「家庭系食品ロス」の２つに分けることができる。令和２年度の食品ロス量推計値（農林水産省）は約522万トンであり、そのうち「事業系食品ロス」は275万トン、「家庭系食品ロス」は247万トンであった。

問題19 正答 4

1 ○ 卵（卵黄の固ゆで）は離乳中期（７～８か月）頃から与えてもよい。

2 ○ レバーは離乳中期（７～８か月）頃の後半から与えてもよい。

3 ○ バターは離乳中期（７～８か月）頃の後半から与えてもよい。

4 × はちみつは乳児ボツリヌス症予防のため、満１歳を過ぎるまで与えてはいけない。乳児ボツリヌス症は、食品中にボツリヌス毒素が存在して起こる従来のボツリヌス食中毒とは異なる。１歳未満の乳児が、芽胞として存在しているボツリヌス菌を摂取し、当該芽胞が消化管内で発芽、増殖し、産生された毒素により発症するものである。

5 ○ 白身魚は、離乳初期・5～6か月ごろから与えてもよい。

問題20　　正答 4

A × 「食品表示法」により容器包装された加工食品において、アレルギー表示が義務づけられている原材料は、えび、かに、小麦、そば、くるみ、卵、乳、落花生の８品目である。

B ○ 鶏卵アレルギーであっても鶏肉と鶏卵ではアレルゲンが異なるため、鶏肉を除去する必要はない。

C ○ 食物アレルギーの発症を心配して、離乳の開始や特定の食物の摂取開始を遅らせても、食物アレルギーの予防効果があるという科学的根拠はないことから、生後５～６か月頃から離乳を始めるように情報提供を行う。

D × アレルギーの原因となる物質をアレルゲンという。食べ物のたんぱく質がアレルゲンとなる場合を食物アレルギーという。

保育実習理論

問題1　　正答 3

この曲は「たなばたさま」作詞：権藤はなよ・林　柳波、作曲：下総　皖一。
ヘ長調。この問題は主要三和音と構成音が省略された和音、和音の機能の理解が求められている。解き方のコツは、ヘ長調の主要三和音を書き出してからメロディーに合う伴奏を考えることである。
ヘ長調で使われる主要三和音（スリーコード）は、Ⅰの和音F（ファ・ラ・ド）、Ⅳの和音♭B（♭シ・レ・ファ）、Ⅴの和音C（ド・ミ・ソ）となる。また、伴奏形に省略している音があること、Ⅴの和音の代わりにⅤ７（属七の和音：ド・ミ・ソ・♭シ）を使用していることに注意したい。
アはミ・ソが省略されたⅤ７（ドと♭シ）・ドが省略されたⅠ（ファ・ラ）
イはドが省略されたⅠ（ファ・ラ）
ウはドが省略されたⅠ（ファ・ラ）、ド・ソが省略されたⅤ７（ミと♭シ）
エはレが省略されたⅣ（♭シ・ファ）
ⅠはT（トニック）、ⅣはS（サブドミナント）、Ⅴ（V7）はD（ドミナント）という機能があり、Ⅰ－Ⅳ－Ⅰ、Ⅰ－Ⅴ－Ⅰ、Ⅰ－Ⅳ－Ⅴ－Ⅰと進行にルールがある。曲の出だしと終わりは、調の主和音であるⅠの和音になるので、Aにイかウ、Dにアかイがあてはまると考えられる。Bのメロディーをみると、ファ・ラには（Ⅰ）・ソには（V7）のウの伴奏があてはまる（エの伴奏（♭シ・ファ）を合わせると音がぶつかってしまう）。
Cのメロディーをみると、ソ・ファファには（Ⅳ）・レにも（Ⅳ）のエの伴奏があてはまる（１拍目のソを基にⅤの和音を当てはめるとアと間違えてしまうので注意）。

Aにイ、Bにウ、Cにエ、Dにアと考えられ、正答は３となる。

問題2　　正答 4

A カ dim.（ディミヌエンド）は「だんだん弱く」。

B オ andante（アンダンテ）は「ゆっくり歩くような速さで」。

C キ D.S.（ダル・セーニョ）は「セーニョに戻る」。

D エ rit.（リタルダンド）は「だんだん遅く」。

問題3　　正答 4

長三和音は根音から第三音が長三度（鍵盤５つ分）、第三音から第五音が短三度（鍵盤４つ分）を重ねたもので構成される。
ア・ウは短三度＋長三度の短三和音、
イ・エ・カは長三和音、
オは長三度＋長三度の増三和音。

第五音ソ
鍵盤４つ
第三音ミ
鍵盤５つ
根音ド

よって正答は４。

問題4　　正答　4

この曲は「あめふりくまのこ」。作詞：鶴見正夫、作曲：湯山昭。フラットが１つなのでヘ長調。ヘ長調から短三度下の調は（ファ・ミ・レと３つ下に数えて）レから始まる二長調（ファとドに♯がつく調）となる。Fのコード（ファ・ラ・ドの和音）は、ファ・ミ・レと３つ下に数えてD（レ・♯ファ・ラ）、Amのコード（ラ・ド・ミの和音）は、F♯m（♯ファ・ラ・♯ド）、B♭6のコード（♭シ・レ・ファ・ソの和音）はG_6（ソ・シ・レ・ミ）となる。
短三度下は鍵盤４つ分の音程。A（ラ）から短三度下はF♯（♯ファ）となる点に注意したい。

問題5　　正答　3

1 ×　春の小川は、４分の４拍子　♩ ♩ ♩ ♩ | ♩ ♩ ♩ ♩　～で始まる。

2 ×　かたつむりは、４分の２拍子　♪.𝅘𝅥𝅯 ♫ | ♪.𝅘𝅥𝅯 ♫　で始まる。

3 ○　春がきたは、４分の４拍子　♩ ♬ ♩ ♩ | ♩ ♬ ♩ ♩　～で始まる。

4 ×　虫のこえは、４分の２拍子　♫ ♫ | ♫ ♪ 𝄾　～で始まる。

5 ×　茶つみは、４分の４拍子　𝄽 ♩♩♩ | ♩.♪♩ ♩　～で始まる。

問題6　　正答　5

1 ○　「赤い鳥」は鈴木三重吉が北原白秋らと創刊した子ども向けの雑誌である。

2 ○　マザーグースは、イギリスの伝承童謡集のことである。

3 ○　大太鼓や小太鼓は、膜を張り、その振動によって音をだす膜鳴楽器（まくめいがっき）。ドラム、ボンゴ、ティンパニ、タンバリン、でんでん太鼓、能楽用の大鼓（おおづつみ）・小鼓、歌舞伎用の大太鼓（おおだいこ）、宗教用の神楽太鼓も膜鳴楽器である。

4 ○　「むすんでひらいて」はフランスの思想家ルソー（Rousseau, J.-J.）が作曲した。

5 ×　曲の途中で調が変化することは「転調（てんちょう）」という。移調は原曲すべての調を移すことを指す。

問題7　　正答　4

A　環境　B　感動　C　風

該当文は、「３歳以上児の保育に関するねらい及び内容」オ「表現」（ウ）「内容の取扱い」の一部である。また、保育士は子ども自身の表現しようとする意欲を受け止めたり、表現する意欲を十分に発揮させることができるように、遊具や用具などを整えたりすることも大切である。

問題8　　正答　2

A ○　描画の発達段階図式期の特徴。上が空で下が地面などと空間認識ができるようになると、２次元の画用紙の上に表現しようとして基底線という線で表すようになる。

B ○　描画の発達段階前図式期の特徴。からだがなく、頭から直接手足が出ている絵を頭足人という。

C ×　描画表現の発達段階は、大まかな発達の年齢区分はあるが、個人差があり、また、子どもが自然と成長していく過程であるため、その年齢段階に達していないからといって技術指導をするものではない。

D ×　描画表現の発達は、文化の違いも多少はあるが、多くの共通的発達の特徴が認められる。

問題9　　正答　1

A 赤　　黄色と混色して橙色になるのは赤色である。

B 類似　色相環の隣接する３色を類似色という。黄色と赤色は類似色である。

C 紫　　色相環の向かい側にある色同士を補色という。補色同士の色を混色すると黒に近い色になる。

D 補色　色相環の向かい側にある色同士を補色という。補色同士の色を混色すると黒に近い色になる。黄色と紫色は補色である。

問題10　正答 3

A ○ でんぷん糊は主に紙同士を接着するときに使われる。

B × でんぷん糊は、コーンスターチ（でんぷん）やタピオカ（キャッサバ）などを原料としたでんぷん質でできている。カゼインは、牛乳やチーズなどに含まれるたんぱく質のことである。

C ○ 古来より穀物や芋類など植物のでんぷん質から作られていた。

D × でんぷん糊は、水分が蒸発して乾くと硬化し固着する。

問題11　正答 3

A パネルシアター　パネル布（ネル地）を貼ったボードが舞台で、絵が描いてあるPペーパー（不織布）を付けたりはがしたりしてお話を展開するシアターをパネルシアターという。

B エプロンシアター　エプロンが舞台で、演じ手がエプロンをつけて人形を使ってお話を展開するものをエプロンシアターという。

C ポケット　エプロンシアターは、ポケットから人形をいくつも出したり、マジックテープでエプロンにくっつけたりしながらお話を進めていく。

D パペット　パペットは、人形劇などで使われる人形の一つで、人形に手や指を入れて操作する。

問題12　正答 2

1 × 図２の右側上の角の1/4円の切り取りは広げると１つの円になり、右側の下の半円の切り取りは紙が重なっているので円が２つでき、合計で紙の中心に縦に３つの円ができなくてはならない。ここでは紙の中心には１つしか円がないのと、あるべき場所ではない所に４つ円があるので不正解。

2 ○

3 × 図２の左上の1/4円の切り取りは、紙を広げると紙の端部分に切り取りがくる。また右側上の角の1/4円の切り取りは広げると真ん中で１つの円になる。どちらもないので不正解。

4 × 図２の右側上の角の1/4円の切り取りは広げると１つの円になり、右側の下の半円の切り取りは紙が重なっているので円が２つでき、合計で紙の中心に縦に３つの円ができなくてはならない。ここでは２つしかないので不正解。

5 × 図２の左下が正方形の４つ角が集まっている所だが、そこは切られていない。角が切られているから不正解。

問題13　正答 3

A ○ 園外研修での学びは、参加した職員の専門性を向上させるだけでなく、他の職員と共有する機会を設け、保育所全体としての質向上につなげることが必要である。Aは正しい。

B × 児童福祉法第18条の22には保育士の秘密保持義務が明記されている。そのため、保育にあたり知り得た子どもや保護者に関する情報は、正当な理由なく漏らしてはならない。しかし、適切な保護者対応や子どもへの援助を行うにあたっては、園内で職務上必要な情報を共有していくことが大切である。そのためBは誤りである。

C × 保育士等の専門性を向上させるためには、園内研修だけでなく外部研修への参加機会が確保されるよう努めなければならない。また研修の受講は特定の職員に偏ることなく行われるよう配慮する必要がある。そのためCは誤りである。

問題14　正答 1

A ○ 動く人や掲示物が目に入り集中力が削がれないようにするために、絵本読みの際には、できるだけシンプルな壁を背景にすることが必要である。Aは正しい。

B ○ Bは正しい。絵本の見えにくさは、子どもの集中力が続かない一因になるため、絵本の見えやすさにも気を付けることが大切である。

C × 子どもの安全に気を付ける必要があるが、すぐに厳しく注意することは間違いである。他の子どもたちにとっても絵本読みが中断することになり、集中力が途切れてしまうことになる。Cは間違いである。

D × 他の子どもの絵本読みの機会を奪うことにもなり、Dは間違いである。

問題15　正答 2

A ○ 保育士等が子どもの発する言葉に耳を傾け、応答的なやり取りを重ねていくことは、子どもが自分の気持ちを伝えようとする意欲を育むことにつながる。Aは正しい。

B ○ 保育士等は、子どもが生活の中で日常使う言葉を十分に理解できるように、こどもに丁寧に伝えるとともに、それらの言葉に親しみ、言葉によって人との関わりが豊かになる経験ができるよう援助していくことが大切である。Bは正しい。

C × 該当文は、「３歳以上児の保育に関するねらい及び内容　エ　「言葉」⑩日常生活の中で、文字などで伝える楽しさを味わう。」である。読み書きする関心や能力は個人差が大きいため、文字などの記号に親しむことができるように保育士等は一人ひとりに対して配慮する必要がある。Cは誤りである。

D × 該当文は、「３歳以上児の保育に関するねらい及び内容　エ　「言葉」⑤生活の中で必要な言葉が分かり、使う。」である。保育士等は、こどもが言葉の意味を理解する上で、実際に行動する中で子ども自身が気づくよう援助していくことが大切である。Dは誤りである。

問題16　正答 4

A × 安全対策のためには、安全点検表を作成して、施設、設備、遊具、玩具、用具、園庭等について、安全性の確保や機能の保持、保管の状況など具体的な点検項目、点検日及び点検者を定めた上で、定期的に点検することが必要である。Aは誤りである。

B ○ 避難経路の確保等のために整理整頓を行い、転倒防止や高い場所からの落下物防止の措置を講じたり、ガラスに飛散防止シートを貼ったりするなど、安全な環境の整備に日常的に努める必要がある。Bは正しい。

C × 災害が発生したときの対応については、保育所の生活において、様々な時間や活動、場所で発生しうることを想定し、それに備えることが大切である。Cは誤りである。

問題17　正答 5

A × 実習日誌は実習が終了した後は、実習生に帰属するものであり、他者の目に触れる可能性もある。そのため、子どもの氏名や家族構成、連絡先等、個人情報にあたるものは記載しない。Aは誤りである。

B × 実習中に知り得た子どもや家族の情報は個人情報にあたり、正当な理由のない限り漏らしてはいけない。保育士の職務や倫理が実習生にも当てはまることを覚えておきたい。Bは誤りである。

C × 実習先の保育情報や日誌の具体的内容、施設内および利用者が写った写真、子どもの様子等、実習に関する一切の内容についてSNSへの書き込みはしてはいけない。Cは誤りである。

D × 実習中以外で、実習生と実習先の子どもが直接交流することは控えるべきである。また、保護者と園との信頼関係を損ねることも考えられるため、実習生が保護者に子どもの保育園での様子を伝えたり、子どもへの接し方を指導したりする行動は控えなければいけない。Dは誤りである。

問題18　正答 3

A ○ 感情を込める場面ではゆっくりぬき、驚きを演出したい場面では一気にぬく、また期待をもたせたい場面では途中で止めるなど、場面によってぬき方のタイミングを工夫する。

B × 紙芝居は「芝居」なので、気持ちを込めて声の大きさや強弱、トーンなどに変化をつけて演じる。ただしあまり大げさすぎると子どもの想像している世界を壊すことになるので気をつける。

C × 演じ手は、子どもの反応を受け止めたり、やり取りをしながら進めることで、紙芝居の作品の世界が広がっていく。

D ○ 紙芝居を舞台に入れ、日常から切り離すことで、紙芝居のお話の世界が広がる。

問題19　正答 4

A × 実習生のMさんは、Sちゃんにぬいぐるみを投げてはいけないと教えたかったのかもしれない。しかしこの声掛けでは、Sちゃんの気持ちに寄り添えておらず、また一方的にSちゃんが悪いと決めつけているように聞こえてしまう。注意の内容には一定理解ができるが、Sちゃんなりの理由があるかもしれず、心情への寄り添いがない点において、適切ではないと判断できる。

B × 「Sちゃんが良い子にしていれば、みんなあなたのことを好きになる」との言葉は、暗に「今、あなたは悪い子だから、だれもあなたのことを好きではない」と言っているように聞こえ、Sちゃんを傷つけてしまう可能性があり、不適切である。また「良い子」というのは、人によって受け取る印象が様々であるため、子どもへの声かけには、より具体的な言葉を選ぶとよい。

C ○ Sちゃんは実習生のMさんに、一方的な注意を受け、感情が大きく揺れているように見受けられる。たとえ大人であっても、気持ちが落ち着くまでは、自分の言動を振り返ったり、次の行動にうつしたりすることは難しい。子どもであれば尚更、自分の感情が揺れていることに、大きな不安を抱えるだろう。そんなときは、子どもの気持ちが落ち着くまで、気長に待つ対応が求められる。どんなときも寄り添ってくれると子どもが感じることが、大切である。

D ○ 実習生が見聞きすること、体験することは、子どもたちの一部であり、すべてではない。それぞれに生い立ちがあり、施設にいる事情がある。今見たことだけにとらわれるのではなく、子どもを取り巻く環境を知ることができれば、また違った視点で子どもに向き合うことができる。そのためにも、実習で感じたこと、分からないと思ったことは、実習指導者に報告・相談を行い、学びのために視野を広げる機会とすることが望ましい。

問題20　正答 4

A × P保育士は、職員としてUさんの家庭環境や状況を把握しているはずであり、助言内容は事実かもしれない。しかしこの声掛けでは、Uさんの意思が全く尊重されず、一方的に進路を決められたとUさんは感じてしまうだろう。最終的には現実との兼ね合いによる判断は必要かもしれないが、あくまでもUさんの進路であり、意思や意見を聞く姿勢は持つべきである。

B ○ 児童と担当保育士との会話の中で、児童の人生にとって、大きな決断・判断となりうる進路のことで意見がすり合っていない状態にある。この出来事を一人で抱え込まずに、実習指導者に見聞きしたことを報告し、対応を職員に委ねるのは適切である。また、Uさんに確認を取っているのも、Uさんの意向を尊重している対応であり適切であると判断できる。

C ○ Uさんは進学を希望している。実際の進路がどうなるかはわからないが、Uさんの気持ちに寄り添い、理解しようと努めることは適切な対応である。

D × 親族の事情は様々である。そんな中、その場で聞いた話だけで、ひどいことだと判断するのは、適切ではない。また、Uさんに自身の感情を感情のままに伝えることは、Uさんの親族に対するイメージを悪くしてしまったり、自分の親族はひどい人だと言われたと感じ、傷つけてしまったりする可能性もある。児童にとっては、どんな状況であっても家族や親族は大切な存在である。その点を忘れてはならない。

著者プロフィール

■白川 佳子（しらかわ よしこ）

科目「保育の心理学」担当。共立女子大学にて「教育心理学」「教育相談の理論と方法」「保育内容（言葉）」などの教鞭をとる。専門は発達心理学。保幼小接続についての研究をしている。共立女子大学家政学部教授。

■柴田 賢一（しばた けんいち）

科目「保育原理」担当。常葉大学にて「保育内容総論Ⅰ」「教育原理」「教育学」「教育実習指導」を担当。常葉大学保育学部保育学科教授。

■香﨑 智郁代（こうざき ちかよ）

科目「子ども家庭福祉」「保育実習理論-保育所における保育と実習／保育者論」担当。九州ルーテル学院大学において幼稚園教育実習、保育実習関連科目の教鞭をとる。九州ルーテル学院大学人文学部人文学科保育・幼児教育専攻教授。

■永野 典詞（ながの てんじ）

科目「社会福祉」担当。九州ルーテル学院大学において社会福祉、子ども家庭福祉などの社会福祉関連科目の教鞭をとる。九州ルーテル学院大学人文学部人文学科保育・幼児教育専攻教授。

■釜田 史（かまた ふみと）

科目「教育原理」担当。愛知教育大学教育学部准教授。

■谷井 史恵（たにい ふみえ）

科目「社会的養護」「保育実習理論 - 児童福祉施設における保育と実習」担当。児童養護施設勤務を経て、現在はソーシャルワーカーとして子育て相談や虐待再発防止対応の活動に努めている。ライフワークでは、子育て家族支援団体SomLicで活動しており、虐待予防の観点からペアレント・トレーニングの普及に取り組んでいる。

■小林 美由紀（こばやし みゆき）

科目「子どもの保健」担当。小児科医。白梅学園大学で「子どもの保健」「子どもの保健と安全」、白梅学園大学大学院で「生態学的発達学」「小児保健演習」の教鞭をとる。白梅学園大学名誉教授。

■林 薫（はやし かおる）

科目「子どもの食と栄養」担当。白梅学園大学で「子どもの食と栄養論」「子どもの食と栄養」「家庭」などの教鞭をとる。専門は小児栄養学。白梅学園大学子ども学部子ども学科教授。

■笹氣 真歩（ささき まほ）

科目「保育実習理論-音楽に関する技術」担当。きらら音楽学院講師。弘徳学園東北こども福祉専門学校非常勤講師。演奏団体「ドレミファピアチェーレ」を立ち上げ参加型クラシックコンサート活動も行う。共著に『テーブルリトミック』（笹氣出版印刷）がある。

■松村 弘美（まつむら ひろみ）

科目「保育実習理論-造形に関する技術・言語に関する技術」担当。プランニング開・アトリエ自遊楽校（http://p-kai.com）。アトリエ自遊楽校で子どもの造形・表現活動に携わっている。学校法人三幸学園非常勤講師。社会福祉法人遊創の森理事長。

Book Design　ハヤカワデザイン　早川 いくを　高瀬 はるか
カバー・本文イラスト　はった あい
本文デザイン・DTP　BUCH+

■購入者特典データのご案内

▶「過去3年間の主な法改正まとめ」「マークシート」

保育士試験に関連する主な法改正をまとめたPDFファイル、巻末掲載「2024（令和6）年前期」に取り組む際にご利用いただけるマークシートを用意いたしました。知識のブラッシュアップ、本番に向けた対策にお役立てください。

ダウンロードURL：https://www.shoeisha.co.jp/book/present/9784798187372

▶「頻出問題100問 webアプリ」

『保育士 完全合格問題集 2025年版』から、出題頻度の特に高い問題100問が、webアプリになります！ スマホで勉強できるので、スキマ時間を活用しての学習に、ぜひ、お役立てください。
※webアプリは2024年10月頃の公開予定です。

webアプリURL：https://www.shoeisha.co.jp/book/present/9784798187372

アクセスキー：本書の各章の最初のページに記載しています。サンプル：アクセスキー P
（大文字のピー）

※会員特典の使用・ダウンロードには、SHOEISHA iD（翔泳社が運営する無料の会員制度）への会員登録が必要です。詳しくは、Webサイトをご覧ください。
※会員特典に関する権利は著者および株式会社翔泳社が所有しています。許可なく配布したり、Webサイトに転載したりすることはできません。
※会員特典データの提供は予告なく終了することがあります。あらかじめご了承ください。
※会員特典データの記載内容は、2024年6月現在の法令等に基づいています。

福祉教科書
保育士 完全合格問題集 2025年版

2024年　8月29日　初版第1刷発行

著　　者　保育士試験対策委員会
発 行 人　佐々木 幹夫
発 行 所　株式会社 翔泳社（https://www.shoeisha.co.jp）
印刷・製本　日経印刷 株式会社

本書へのお問い合わせについては、xxiiページに記載の内容をお読みください。

造本には細心の注意を払っておりますが、万一、乱丁（ページの順序違い）や落丁（ページの抜け）がございましたら、お取り替えいたします。03-5362-3705までご連絡ください。

JASRAC（出）2405121-401

ISBN978-4-7981-8737-2　Printed in Japan